KB017326

모킹제이

MOCKINGJAY

수잔 콜린스 지음 | 이원열 옮김 모킹제이

북폴리오

모킹제이

초판 1쇄 발행 2011년 4월 1일 | 초판 35쇄 발행 2024년 7월 30일

지은이 수잔 콜린스 | 옮긴이 이원열

펴낸이 신광수
CS본부장 강윤구 | 출판개발실장 위귀영 | 디자인실장 손현지
단행본팀 김혜연, 조문채, 정혜리
출판디자인팀 최진아, 당승근 | 저작권 김마이, 이아람
출판사업팀 이용복, 민현기, 우광일, 김선영, 신지애, 이강원, 정유, 정슬기, 허성배, 정재욱,
　　　　　 박세화, 김종민, 정영묵, 전지현
CS지원팀 강승훈, 봉대중, 이주연, 이형배, 전효정, 이우성, 장현우, 정보길
영업관리파트 홍주희, 이은비, 정은정

펴낸곳 (주)미래엔 | 등록 1950년 11월 1일(제16-67호)
주소 137-905 서울특별시 서초구 신반포로 321
미래엔 고객센터 1800-8890
팩스 (02)541-8248 | 이메일 bookfolio@mirae-n.com

ISBN 978-89-378-3322-9 03840

* 북폴리오는 ㈜미래엔의 성인단행본 브랜드입니다.
* 책값은 뒤표지에 있습니다.
* 잘못 만들어진 책은 구입처에서 교환해 드립니다.

북폴리오는 참신한 시각, 독창적인 아이디어를 환영합니다.
기획 취지와 개요, 연락처를 bookfolio@mirae-n.com으로 보내주십시오.
북폴리오와 함께 새로운 문화를 창조할 여러분의 많은 투고를 기다립니다.

캡, 찰리, 이사벨을 위하여

PART 1

잿더미

/

구두를 내려다본다. 닳아빠진 가죽 위에 고운 재가 한 겹 내려앉는다. 여기는 내가 여동생 프림과 함께 쓰던 침대가 있던 자리다. 저쪽에는 식탁이 있었다. 굴뚝을 이루던 벽돌들이 까맣게 탄 채 무너져 내려 있어, 집의 다른 부분들의 위치를 짐작할 수 있다. 저게 없었다면 어떻게 이 회색의 바다 속에서 방향을 잡았을까?

12번 구역은 거의 아무것도 남지 않았다. 한 달 전, 캐피톨의 소이탄이 경계에 있는 가난한 광부들의 집과 시내의 가게들, 심지어 법원 건물까지 깡그리 날려 버려서다. 유일하게 우승자 마을만 불타지 않고 남아 있다. 그 이유는 나도 정확히 알 수 없다. 어쩌면 캐피톨에서 누군가를 보내야 할 일이 생기면 묵을 만한 곳을 남겨 두기 위해서일지도 모른다. 어쩌다 찾아오는 기자, 탄광의 상태를 살피러 오는 위원회 직원, 혹은 돌아온 난민은 없는지 탐색하러 오는 평화유지군 한 분대라든가.

하지만 돌아온 사람은 나뿐이다. 나 역시 잠깐 들른 것뿐이다. 13번 구역 정부는 내가 돌아오는 것을 반대했다. 눈에 보이지 않는 호버크래프트가 적어도 10대 이상 내 머리 위를 돌며 보호해야 하는 데다 얻을 정보도 없다는 점에서, 비용이 많이 들고 무의미한 모험으로 간주했기 때문이다. 하지만 나는 내 눈으로 봐야만 했다. 그들이 세운 계획에 협조하기 전에 무슨 일이 있어도 봐야만 한다고 조건으로 내걸었을 정도였다.

마침내 최고게임운영자이자 캐피톨에서 반군을 조직했던 플루타르크 헤븐스비가 두 손 들었다.

"보내 줘. 하루를 낭비하는 게 또 한 달을 낭비하는 것보단 낫겠지. 12번 구역을 돌아보고 나면 우리가 같은 편이란 확신이 들지도 모르잖아."

같은 편. 왼쪽 관자놀이에 찌르는 것 같은 통증이 느껴져 나는 그 부분을 손으로 누른다. 조한나 메이슨이 와이어 뭉치로 때렸던 바로 그곳이다. 무엇이 진실이고 무엇이 거짓인지 가려내 보려고 노력하는 동안 기억들이 마구 소용돌이친다. 나의 도시. 대체 무슨 일들이 연달아 일어나서 폐허가 된 이곳에 서 있게 된 거지? 조한나에게 맞은 충격이 아직 완전히 사라지지 않았고, 머릿속은 아직도 뒤죽박죽인 터라 쉽지 않다. 통증을 잊게 하고 기분을 조절하기 위해 그들이 사용하는 약 때문에 가끔씩 헛것을 보기도 한다. 그래, 아마 헛것이겠지. 병실 바닥이 꿈틀거리는 뱀으로 된 카펫으로 변했던 밤의 기억이 헛것이라는 확신이 나는 아직도 들지 않는다.

의사 한 명이 제안했던 기술을 사용하기로 한다. 진실임을 알고 있는 가장 단순한 사실에서 시작해 점점 더 복잡한 생각으로 나아가는 방법이다. 이윽고 목록이 머릿속에서 펼쳐지기 시작한다…….

'내 이름은 캣니스 에버딘이다. 나는 열일곱 살이다. 내 고향은 12번 구역이다. 나는 헝거 게임에 참가했다. 나는 탈출했다. 캐피톨은 나를 증오한다. 피타는 포로로 잡혔다. 피타는 죽었을 것으로 보인다. 아마 죽었을 것이다. 피타가 죽었다면 제일 잘된 일일 거다…….'

"캣니스. 내가 내려갈까?"

반군이 나에게 꼭 착용해야 한다고 우겼던 헤드셋에서 내 가장 친한 친구 게일의 목소리가 들려온다. 그는 조금이라도 일이 잘못되면 당장 내려올 준비를 한 채로, 호버크래프트에서 주의 깊게 나를 바라보고 있다. 나는 내가 팔꿈치를 허벅지에 대고서 쭈그려 앉아 양손으로 머리를 감싸고 있다는 것을 깨닫는다. 아마 당장이라도 무너져 내리려는 모습으로 보일 것이다. 이러면 안 된다. 겨우 약물 치료를 중단하고 있는 지금 이래서는 안 된다.

나는 몸을 쭉 펴고 그의 제의를 거절한다.

"아니, 난 괜찮아."

그러고는 괜찮다는 것을 강조하기 위해 내 옛집을 떠나 시내로 향하기 시작한다. 게일은 나와 함께 12번 구역에 내려가게 해 달라고 부탁했지만 내가 거절하자 더 밀어붙이지는 않았다. 오늘은 내가 그 누구와도, 심지어 게일과도 함께 있고 싶지 않다는 것을 그는 이해하고 있다. 혼자서 가야만 하는 산책도 있는 법이다.

올여름은 타는 듯 뜨겁고 건조했다. 폭격으로 생겨난 잿더미를 흩어 놓을 비는 거의 내리지 않았다. 내 발걸음에 반응하여 재가 이리저리 날린다. 재를 멀리 날려 보낼 바람조차 없다. 나는 길이라고 기억되는 곳에 계속 시선을 두려 한다. 처음 초원에 내려왔을 때 방심했다 그만 바위를 걸어찼기 때문이다. 그런데 그건 바위가 아니었다. 누군가의 해골이었다. 해골은 데굴데굴 구르다 얼굴을 위로 한 채 멈춰 섰다. 드러난 치아를 한참이나 바라보면서 누구 것이었을까, 비슷한 상황이었다면 아마 내 치아도 저것과 똑같아 보이겠구나 하는 생각을 할 수밖에 없었다.

나는 버릇대로 길을 따라 걸었는데, 좋은 선택은 아니었다. 길은 도망가려던 사람들의 유해로 가득했기 때문이다. 전신이 완전히 타 버린 사람들도 있었다. 하지만 아마도 최악의 불길을 피한 대신 연기에 질식해 죽었을 사람들은 쓰러진 채 부패의 다양한 단계에 들어서 있다. 청소동물들이 뜯어 먹는 썩은 고기가 되어 파리 떼에 덮인 채 악취를 풍긴다. '내가 당신을 죽였어요.' 나는 시체 더미 옆을 지나며 생각한다. '그리고 당신도. 또 당신도.'

그들 모두 내가 죽였기 때문이다. 경기장을 둘러싼 역장의 틈을 노린 내 화살이 보복의 화염 폭풍을 불러왔기 때문이다. 그러고는 판엠 전체를 혼돈으로 밀어 넣었기 때문이다.

우승자 투어를 시작하던 날 아침에 스노우 대통령이 했던 말이 머릿속에서 들려온다.

"캣니스 에버딘, 불타는 소녀. 자네는 불꽃을 일으켰어. 그냥 내버려 두면 판엠을 무너뜨릴 화재로 번질 수 있는 불꽃이지."

알고 보니 그는 과장을 한 것도, 그저 나를 겁주려 했던 것도 아니었다. 어쩌면 스노우는 진심으로 내 도움을 구하고 있었던 건지도 모른다. 하지만 그때는 이미 내가, 스스로 통제할 능력이 없는 무언가를 움직이게 하고 난 뒤였다.

멍하게 나는 생각한다. '타고 있어, 아직도 타고 있어.' 저 멀리서 탄광의 불이 검은 연기를 내뿜고 있다. 하지만 거기 신경 쓸 사람은 이제 남아 있지 않다. 우리 구역 인구의 90퍼센트 이상이 죽었다. 살아남은 800여 명은 13번 구역에 피난 가 있다. 나로서는 영영 집을 잃은 것과 마찬가지인 상황이다.

그렇게 생각해선 안 된다는 건 알고 있다. 우리를 환영해 준 데 감사해야 한다는 것도 안다. 우리는 병들고, 다치고, 굶주린 데다 빈손이었다. 그래도 12번 구역이 파괴된 데 13번 구역의 역할이 컸다는 사실을 떨쳐버릴수가 없다. 그렇다고 내 책임이 없어지는 것도 아니다. 비난 받을 이유는 아주 많다. 하지만 그들이 없었다면 나는 캐피톨을 전복하려는 거대한 음모의 일부가 되지 않았을 테고, 그럴 만한 능력도 없었을 것이다.

12번 구역에는 자체적으로 조직된 저항군이 없어서 주민들은 이 일에 대한 일체의 발언권을 가질 수 없었다. 그 대신, 내가 있었다. 그게 12번 구역의 불행이다. 살아남은 사람들 중 일부는 마침내 12번 구역에서 자유로워진 것을 행운으로 생각하기도 한다. 끝없는 굶주림과 핍박, 위험한 탄광, 우리 구역의 마지막 평화유지군 대장 로뮬루스 스레드의 채찍에서 탈출한 것을 행운이라 여기고 있다. 얼마 전까지만 해도 우리는 13번 구역이 아직 존재한다는 사실조차 몰랐기 때문에, 새로운 집이 생겼다는 것 자체를 기적으로 받아들였다.

게일은 극구 인정하지 않으려 하지만, 생존자들이 탈출할 수 있었던 것은 오롯이 게일의 공으로 돌아갔다. 25주년 특집이 끝나자마자(그리고 내가 경기장에서 구출되자마자) 12번 구역의 전기가 끊기고 TV 화면이 꺼졌다. 경계는 너무 조용해져서, 사람들은 서로의 심장 박동까지 들을 수 있을 정도였다. 저항하는 사람이나 방금 경기장에서 일어난 일을 축하하려는 사람은 아무도 없었다. 그런데도 15분 뒤 하늘은 호버크래프트로 뒤덮였고 폭탄이 비 오듯 쏟아졌다.

12번 구역에서 석탄 먼지를 덮어쓴 낡은 목조 가옥이 빽빽이 들어차지 않은 곳을 찾기란 쉽지 않다. 그 드문 장소 중 하나인 초원을 생각해 낸 사람은 게일이었다. 그는 자신이 모을 수 있는 사람을 전부 모아서 그쪽으로 인도했다. 우리 엄마와 프림도 그 일행에 속했다. 게일은 팀을 조직해 울타리(전기가 끊기고 나니 그저 아무 해도 입힐 수 없는 쇠사슬로 된 장애물에 불과해졌다)를 뜯어낸 뒤 사람들을 이끌고 숲으로 갔다. 그러곤 일행을 자기가 떠올릴 수 있는 유일한 장소, 어렸을 때 우리 아빠가 나에게 보여주셨던 바로 그 호수로 데려갔다. 그 호수에서 사람들은, 멀리서 타오르는 불길이 태어나 알아 왔던 그 모든 것을 먹어치우는 장면을 바라보았다.

새벽이 되자 폭격기들은 이미 사라진 지 오래였고, 불꽃은 잦아들어 갔으며, 마지막 낙오자들까지 호수에 도착했다. 엄마와 프림은 부상자들을 위한 진료 구역을 만들어 놓고 숲에서 구할 수 있는 것들로 치료해 보려 애쓰고 있었다. 게일에겐 활 두 장과 화살, 사냥칼 하나, 그물 하나, 그리고 먹여 살려야 하는 800명이 넘는 겁먹은 사람들이 있었다. 몸이 튼튼한 사람들의 도움을 받아 숲 속에서 사흘을 버텼을 때, 예상치 못하게 호버크래프트가 나타났다. 사람들을 13번 구역으로 피난시키기 위해. 13번 구역에는 필요한 수보다 더 많은 희고 깨끗한 주거용 객실, 모두가 입기에 충분한 의복, 하루 세 끼의 식사가 있었다. 객실이 지하에 있다는 게 단점이고 모든 사람의 옷이 똑같은 데다 음식도 맛이 없는 편이었지만 12번 구역의 난민들에게 이런 것들은 중요하지 않았다. 이제 그들은 안전했으니까. 돌봐 줄 사람도 있었다. 그들은 살아남았고, 뜨겁게 환영받았다.

사람들은 13번 구역이 보여 준 열의를 친절한 호의로 받아들였다. 하지만 몇 년 전에 10번 구역을 탈출해 걸어서 13번 구역까지 왔던 달튼이라는 남자가 13번 구역의 진짜 속내가 무엇인지 내게 알려 주었다.

"그들에겐 너희가 필요해. 그리고 나도. 우리 모두를 필요로 하고 있어. 얼마 전 천연두가 유행하는 바람에 상당수의 사람들이 죽었고, 그보다 훨씬 더 많은 수가 불임이 됐거든. 저 사람들은 우릴 새로 들여온 번식용 가축으로 보고 있는 거야."

10번 구역에 있을 때 그는 쇠고기를 생산하는 농장에서 장기 냉동된 소의 배아를 착상시켜 소떼의 유전적 다양성을 유지하는 일을 했다. 이곳에서 아이들이 별로 눈에 띄지 않는 것을 보면 그의 말이 맞을 가능성이 아주 높다. 하지만 그게 뭐 어떻다고? 우리는 축사에 사는 것도 아니고, 직업을 가질 수 있도록 훈련도 받고 있다. 또 아이들은 교육받을 수 있게 되었다. 열네 살이 넘으면 군대에서 초급에 해당하는 지위를 얻고, '병사'라는 호칭을 붙여 정중하게 불린다. 13번 구역 정부가 자동적으로 부여하는 시민권을 난민 모두 가지게 되었다.

그래도 나는 그들을 증오한다. 물론 이제 난 거의 모든 사람을 증오하고 있다. 그리고 그 누구보다 나 자신을 더욱 증오한다.

발에 와 닿는 표면이 점차 단단해지고, 재로 만들어진 카펫 아래로 광장의 포석이 느껴진다. 광장 둘레의 가게가 서 있던 자리들이 폐허가 되면서 야트막한 담을 이루었다. 법원 건물이 있던 곳에는 새까매진 돌 조각들이 무더기로 대신 자리하고 있다. 피타네 가족이 운영했던 빵집이 있었던 것 같은 쪽으로 나는 걸어간다. 녹아 버린 오븐 덩어리 말고는 남아 있는 게 거의 없다. 피타의 부모님과 형 두 명……. 그들 중 누구도 13번 구역에 오지 못했다. 12번 구역에서 잘사는 것으로 통하던 사람 중 화재에서 탈출한 사람은 열 명가량이었다. 그러니 피타가 집에 돌아왔어도 어차피 그를 맞아 줄 것은 아무것도 없었으리라. 나를 빼고는…….

빵집에서 물러서다 무언가에 발이 걸려 균형을 잃었다. 그러곤 태양빛을 받아 뜨거워진 커다란 금속 덩어리에 주저앉아 버렸다. 이게 무엇이었을까 생각하다, 스레드가 최근에 광장을 재건축했던 것을 기억해 낸다. 차꼬(죄수를 가두어 둘 때 쓰던 형구(刑具). 두 개의 기다란 나무토막을 맞대고 그 사이에 구멍을 파서 죄인의 두 발목을 넣은 뒤 자물쇠를 채우게 되어 있다: 편집자), 채찍질용 기둥, 그리고 이것. 이건 교수대의 잔해다. 좋지 않다. 이런 건 좋지 않다. 이걸 보니 자나 깨나 나를 괴롭혀 온 이미지가 봇물 터지듯 밀려온다. 캐피톨이 피타가 알지도 못하는 반군에 대한 정보를 캐내기 위해 피타를 온갖 방법으로 고문하는(물고문, 불고문, 살을 찢고, 충격을 주고, 불구로 만들고, 때리는) 이미지. 나는 눈을 꽉 감고 수백 킬로미터 떨어져 있는 피타에게 가 닿으려 애쓴다. 피타의 마음속으로 내 생각을 보내, 너는 혼자가 아니라고 알려 주려 한다. 하지만 피타는 혼자다. 나는 그를 도울 수 없다.

뛴다. 광장에서 벗어나 불길이 파괴하지 않은 유일한 곳으로 간다. 폐허로 변한 시장의 집을 지났다. 내 친구 매지가 살던 곳이다. 매지나 그 애의 가족에 대한 소식은 들은 바 없다. 아빠의 지위 덕에 캐피톨로 대피할 수 있었을지도 모른다. 아니면 캐피톨은 그들마저 타 죽게 내버려 두었을까? 먼지가 일어나 내 주위에서 물결친다. 셔츠 단을 당겨 잡아 올려 입에 댄다. '내가 무얼 들이마시는 걸까'가 아니라, '내가 누굴 들이마시는 걸까'에 대해 생각하고 있으려니 숨이 막힐 것 같다.

우승자 마을의 번듯한 집 열두 채는 말짱하다. 잔디가 그슬렸고 잿빛 눈이 여기까지 내리긴 했지만. 나는 최근까지 살던 집으로 뛰어 들어가 문을 쾅 닫고, 문에 등을 댄 채 기대선다. 여기는 손대지 않은 것 같다. 깨끗하다. 그리고 오싹할 만큼 고요하다. 난 왜 12번 구역에 돌아온 걸까? 여기 찾아오는 게, 내가 피할 수 없는 질문에 답하는 데 어떤 도움을 줄 수 있을까.

"난 어떻게 해야 하지?"

벽에다 대고 속삭인다. 정말로 알 수가 없기 때문이다.

사람들은 계속 나에게 말한다. 말하고, 말하고, 또 말한다. 플루타르크 헤븐스비. 그의 빈틈없는 조수 풀비아 카듀. 이런저런 구역의 지도자들. 장교들. 하지만 13번 구역 대통령 알마 코인은 그냥 지켜보기만 한다. 코인은 쉰쯤 된 여자로, 회색 머리칼을 어깨까지 마치 장막처럼 길렀다. 나는 그 머리에 약간 매료되었다. 너무나 고르고 완전무결하며, 끝이 갈라진 머리카락조차 없기 때문이다. 눈은 회색이지만 경계 사람들의 눈과는 다르다. 색을 모두 빨아낸 것처럼 창백한 회색이다. 녹아서 없어졌으면 하고 바라게 되는, 진창이 된 눈(雪)의 색이다.

그들이 바라는 것은, 자신들이 나를 위해 설계한 역할을 내가 맡아 주는 것이다. 혁명의 상징. 모킹제이(저자가 만들어 낸 가상의 새. 『헝거 게임』, 『캣칭 파이어』에서는 '흉내어치'라고 옮겼지만 『모킹제이』에서는 제목으로 사용된 점을 고려해 그대로 쓴다: 옮긴이). 내가 예전에 한 것, 헝거 게임에서 캐피톨을 거역해 결집할 계기를 만들어 준 것으로는 부족하다. 이제 나는 이 혁명의 진짜 지도자이자 얼굴, 목소리, 그리고 혁명의 화신이 되어야 한다. 구역들(대부분은 캐피톨과 대놓고 전쟁 중이다) 모두에게 승리로 가는 길을 밝혀 주는 사람이 되어야 한다. 혼자 할 필요는 없다. 나를 다른 사람으로 꾸며 주고, 옷을 입히고, 날 위한 연설문을 쓰고, 내가 해야 할 행동이 뭔지 지도해 줄(여기까지만 하더라도 끔찍할 만큼 많이 들어본 얘기 같다) 팀이 있으니. 나는 그저 맡은 역할을 연기하기만 하면 된다. 나는 가만히 그 사람들이 하는 이야기를 들을 때도 있고, 코인의 완벽한 머리 선을 바라보며 저게 가발인가 아닌가 생각할 때도 있다. 그러다 결국은 머리가 아파오거나, 식사시간이 되거나, 지상으로 올라가지 않으면 비명을 지를 것 같은 상태가 되어 방을 나오고 만다. 아무 말도 하지 않는다. 그저 일어나서 걸어 나올 뿐.

어제 오후에는 내 등 뒤로 문이 닫히던 순간 코인이 하는 말을 들었다.

"남자애를 먼저 구해야 한다고 했잖아."

피타를 두고 하는 말이다. 그 의견엔 나 역시 대찬성이다. 피타는 훌륭한 대변인이 되었을 거다.

그런데 그들은 경기장에서 피타 대신 누구를 건져냈는가? 협조하지 않는 나. 3번 구역에서 온 좀 나이 든 발명가 비티. 비티는 똑바로 앉을 수 있을 정도로 회복되자마자 무기 개발 부서에 끌려가서, 나는 거의 그를 만나지 못한다. 그들은 비티가 누워 있던 바퀴 달린 병실 침대를 일급비밀 지역으로 옮겨 버렸다. 이제는 식사 시간에나 가끔 그를 볼 수 있을 뿐이다. 비티는 아주 똑똑하고, 전쟁을 도울 의지는 충분하지만 선동가 타입은 아니다.

그리고 또 한 명, 피닉 오데어가 있다. 어업구역에서 온 섹스 심벌이자 경기장에서 내가 피타를 살리지 못했을 때 살렸던 사람. 그들은 피닉 역시 반군 지도자로 변신시키고 싶어 하지만, 그 전에 일단 5분 이상 깨어 있도록 만들기부터 해야 할 것이다. 깨어있을 때조차 피닉은 무슨 말이든 세 번은 반복해 줘야 이해한다. 의사들은 경기장에서 감전되었기 때문이라고 하지만, 현실은 그보다 훨씬 복잡하다는 것을 나는 알고 있다. 피닉은 지금 캐피톨에서 애니에게 무슨 일이 일어나고 있는지 알기 위해 너무 애를 쓰고 있어서 13번 구역의 그 어느 것에도 집중할 수 없다는 것을 나는 안다. 피닉과 같은 구역 출신의 미쳐 버린 여자 애니는 세상에서 피닉이 유일하게 사랑하는 사람이다.

심히 꺼려지기는 했지만, 그들이 날 여기로 데려오려고 꾸민 음모에 피닉도 한몫했다는 걸 나는 용서해야만 했다. 적어도 그는, 내가 지금 어떤 상황을 겪어내야 하는지 조금은 알고 있다. 그리고 그렇게 많이 우는 사람에게 계속 화를 내야 한다는 건 정말이지 너무 힘든 일이었다.

소리가 나는 게 신경 쓰여서 나는 사냥꾼의 발걸음으로 아래층으로 향한다. 기념품을 몇 개 집어 들었다. 부모님의 결혼사진, 프림이 머리를 묶던 파란 리본, 약초며 식용 식물들을 정리해 놓은 우리 가족의 책. 책이 바닥에 떨어져 노란 꽃이 그려진 페이지가 펼쳐진다. 하필 피타가 붓으로 그린 그림이어서 나는 재빨리 책을 덮는다.

'난 어떻게 해야 하지?'

지금 뭔가 한다는 게 의미가 있을까? 엄마와 내 동생, 그리고 게일의 가족은 마침내 안전해졌다. 12번 구역의 나머지 사람들은 이미 죽어서 되돌릴 수 없거나 13번 구역에서 보호받고 있다. 그들을 제하고 나면 다른 구역의 반군들이 남는다. 물론 나는 캐피톨을 증오하지만, 내가 모킹제이가 되는 게 캐피톨을 전복시키려 노력하고 있는 사람들에게 도움이 될 거라는 자신 같은 건 생기지 않는다. 내가 움직일 때마다, 뭔가 할 때마다 뒤따르는 거라곤 고통과 죽음뿐인데 어떻게 구역들을 도울 수 있을까. 휘파람을 분 대가로 총을 맞은 11번 구역의 노인. 게일이 채찍을 맞을 때 내가 끼어든 탓에 심한 탄압에 시달리게 된 12번 구역. 그리고 헝거 게임이 시작되기 직전 투입실에서 피투성이가 된 채로 끌려가던 내 스타일리스트 시나까지. 플루타르크의 정보원은 시나가 심문 중에 죽었다고 믿고 있다. 똑똑하고 신비롭고 또 사랑스럽던 시나가 나 때문에 죽었다. 이런 생각을 계속하고 있으면 너무 심하게 아프고 고통스러워진다. 그러다 보면 현재 상황을 간신히 버텨내는 것조차 못하게 될 게 뻔해서, 나는 생각들을 머리 밖으로 몰아낸다.

'난 어떻게 하지?'

모킹제이가 된다……. 내가 입힌 피해들을 넘어설 만한 좋은 일을 할 수 있을까? 이 질문에 대답해 줄 수 있는 믿을 만한 사람이 있나? 적어도 13번 구역의 그 사람들은 절대 아니다. 이제 우리 가족과 게일의 가족은 위험을 피했으니 나는 도망칠 수 있다. 하지만 단 하나 아직 끝나지 않은 문제가 남았다. 피타. 만약 피타가 죽었다는 걸 확실히 알게 된다면 나는 그냥 숲 속으로 사라져 다시는 뒤도 돌아보지 않을 수 있다. 하지만 그때까지는, 그 사실을 알 때까지는 움직이지 못한다.

그때 '쉭' 하는 소리가 나서 나는 발뒤꿈치를 축으로 몸을 빙그르르 돌린다. 부엌 문간에는 등을 굽히고 귀를 납작하게 한, 세상에서 제일 못생긴 고양이가 서 있다.

"버터컵."

수천 명이 죽었지만 버터컵은 살아남았고, 심지어 잘 먹고 지낸 것 같은 모습이다. 뭘 먹었을까? 우리는 식품 저장실 창문을 늘 조금 열어 놓아서, 거기를 통해 버터컵은 집을 드나들 수 있다. 들쥐를 먹었겠지. 그러고서 다른 가능성은 생각하기를 거부해 버린다.

나는 쭈그리고 앉아 한 손을 뻗는다.

"이리 와, 꼬마야."

올 것 같지 않다. 버려져서 화가 났다. 게다가 지금 나는 먹을 것을 주고 있는 상황도 아니다. 버터컵에겐 음식 찌꺼기를 줄 수 있는 내 능력이 다른 결점을 상쇄하는 장점이었다. 또 우리는 둘 다 새 집을 좋아하지 않았으므로 옛집에서 만날 때면 조금 친해지는 것 같았다. 그 연대도 이젠 끝난 게 분명하다. 버터컵은 불쾌한 노란 눈을 깜빡인다.

"프림이 보고 싶니?"

내가 묻는다. 프림의 이름을 듣자 관심을 보인다. 자기 이름 외에 버터컵에게 조금이라도 의미가 있는 유일한 단어다. 쉰 목소리로 한 번 야옹, 하더니 내게 다가온다. 버터컵을 안아들어 털을 쓰다듬어 주고는, 벽장으로 가서 사냥감 자루를 꺼내 인정사정없이 집어넣는다. 이 방법 외에는 호버크래프트에 데리고 탈 방법이 없는데, 이 고양이는 내 동생에게 너무나 중요하다. 실제 가치가 있는 동물인 프림의 염소 레이디는 아쉽게도 나타나지 않는다.

헤드셋을 통해 이제 돌아가야 한다고 말하는 게일의 목소리가 들린다. 하지만 사냥감 자루를 본 순간 내가 원하는 물건이 또 하나 떠오른다. 나는 자루의 끈을 의자 등받이에 걸어 두고 위층에 있는 내 침실로 달려간다. 특집 전에 옛집에서 여기로 가져온 물건이 있다. 그게 있으면 내가 죽고 나서 엄마와 동생에게 위로가 될 거라고 생각했었다. 다행이다. 옛집에 그냥 두었으면 재가 되어 버렸을 것이다.

부드러운 가죽은 나를 달래 주는 것 같고, 잠시나마 이 옷을 입고 지낸 시간에 대한 추억으로 마음이 차분해진다. 그런데 왠지 모르게 손바닥에 땀이 나기 시작한다. 이상한 느낌이 목덜미를 타고 기어오른다. 방을 둘러

보지만 그냥 텅 비어 있다. 깔끔하다. 모든 게 다 제자리에 있었다. 아무 소리도 나지 않는다. 그러면 대체 뭐였지?

코가 씰룩거린다. 냄새였다. 역하고 인공적인 냄새. 선반에 놓인 하얀 화병에 마른 꽃이 꽂혀 있었다. 그중 흰색이 언뜻 눈에 띈다. 조심스레 나는 다가간다. 마른 꽃들 틈에 가려 잘 보이지 않았지만 흰 장미가 하나 섞여 있다. 생화다. 가시 하나, 비단결 같은 꽃잎 하나하나까지 완벽하다.

누가 보낸 것인지 곧바로 알 수 있었다.

스노우 대통령.

꽃에서 나는 악취 때문에 숨이 막히기 시작해서, 나는 물러나 방 밖으로 나온다. 저 장미는 얼마나 오랫동안 저기 있었던 거지? 하루? 한 시간? 반군은 내가 오기 전 우승자 마을의 안전 검사를 했다. 폭발물, 도청장치, 기타 예사롭지 않은 물건이 하나라도 있는지 살펴본 뒤에 내게 와도 좋다고 했다. 하지만 아마 저 장미는 그들에게 대수롭지 않아 보였을 것이다. 오직 나에게만 의미가 있다.

아래층에서 의자에 걸어 둔 자루를 낚아챈 뒤 바닥에 끌면서 걷다가, 속에 든 게 있다는 걸 깨닫는다. 집 앞 잔디밭에서 미친 듯이 호버크래프트에게 신호를 보내는데 버터컵이 요동을 친다. 팔꿈치로 툭 치지만, 버터컵은 더 화를 낼 뿐이다. 호버크래프트가 나타나고 사다리가 내려온다. 사다리에 올라타자 전류가 흘러 내가 탑승할 때까지 꼼짝도 하지 못하게 한다.

게일이 내가 사다리에서 내리는 것을 도와준다.

"괜찮아?"

"응."

나는 소매로 얼굴의 땀을 닦아내며 대답한다.

'내게 장미를 남겨 두었어!' 실은 그렇게 비명을 지르고 싶지만, 플루타르크 같은 사람이 지켜보고 있는 데서 공유해도 좋은 정보인지 알 수가 없

20

다. 우선은 내가 미친 사람 같아 보일 거란 생각 때문에. 전부 내 상상이라고 생각할 수도 있고, 사실 그럴 가능성도 있다. 혹은 내가 과잉반응을 하고 있다고 생각할지도 모르는데, 그렇게 되면 내가 탈출하려고 그렇게 애쓰는 약에 취한 꿈나라로 돌아가게 되고 말 것이다. 이 상황의 진짜 의미를 이해할 수 있는 사람은 아무도 없다. 그냥 꽃 한 송이가 아니고, 그저 스노우 대통령의 꽃인 것도 아니고, 복수하겠다는 약속이라는 것을. 왜냐면 그가 우승자 투어 전에 나를 협박했을 때 그 서재에 같이 있었던 사람은 아무도 없었으니까.

선반 위에 놓여 있던 눈처럼 흰 장미는 그가 내게 개인적으로 보낸 메시지다. 아직 끝나지 않은 일이 있다고 말한다. 그 장미는 이렇게 속삭이고 있다. '난 널 찾을 수 있어. 너에게 갈 수 있어. 어쩌면 난 지금 널 지켜보고 있을지도 몰라.'

2

우릴 하늘에서 박살 내 버리러 날아오는 캐피톨 호버크래프트가 있나? 12번 구역 위를 비행하는 동안 나는 불안해하며 공격의 징후를 찾았지만 뒤따라오는 건 없었다. 몇 분 후, 플루타르크와 파일럿이 하늘이 텅 비어 있다고 이야기를 주고받는 걸 듣고 나니 조금 안심이 되기 시작한다.

게일은 내 사냥감 자루에서 들려오는 울음소리를 듣고서 고개를 끄덕인다.

"왜 돌아가야 했는지 이제 알겠네. 이 녀석을 구할 조금의 가능성이라도 있었다면 말이지."

자루를 의자에 놓자 그 혐오스러운 놈은 목구멍 깊은 곳에서 울리는 낮은 소리로 그르렁거리기 시작한다.

"야, 닥쳐."

나는 맞은편에 있는 푹신한 창가 자리에 몸을 묻으며 자루를 향해 말한다. 게일이 내 옆에 앉는다.

"심했어? 저 아래 상황 말이야."

"더 나빠지기 힘들겠던데."

내가 대답한다. 그리고 게일의 눈을 보면서 나 자신의 비통함이 그 안에도 비치고 있음을 확인한다. 게일과 내 손이 만나고, 12번 구역에서 캐피톨이 파괴하지 못했던 것을 꼭 붙든다. 13번 구역에 도착할 때까지 우리는 말이 없다. 45분 정도밖에 걸리지 않았다. 걸어가도 겨우 일주일이면 되는 거리다. 지난겨울에 숲 속에서 만났던 8번 구역 난민 보니와 트윌은 결국 목적지에서 그다지 멀지 않은 곳에 있었던 셈이다. 하지만 결국 도착하지 못한 모양이다. 13번 구역에서 보니와 트윌에 대해 물었을 때, 누군지 아는 사람이 아무도 없는 것 같았다. 숲 속에서 죽었나 보다.

공중에서 보면 13번 구역에서 느낄 수 있는 생동감이란 12번 구역의 그것과 별로 다르지 않다. 캐피톨의 텔레비전이 보여주듯 허물어진 돌무더기에서 연기가 나고 있는 건 아니지만, 지상에는 살아있는 게 거의 없다. 암흑기 이후 75년(캐피톨과 구역들 사이에 벌어진 전쟁 때문에 13번 구역이 완전히 파괴되었다고 했던) 동안 새로 진행된 건설 작업은 거의 전부 지하에서 이루어졌다. 이곳에선 이미 수세기에 걸쳐 상당한 규모의 지하 시설을 만들어 두었다. 전쟁 중에 정부 지도자들이 피신할 비밀 은신처의 용도였거나, 지상에서 사는 게 더 이상 불가능해졌을 때 인류의 마지막 희망으로 삼기 위해 만든 곳이다. 13번 구역의 가장 중요한 점은 그곳이 캐피톨 핵무기 개발 프로그램의 중심지였다는 것이다. 암흑기 동안 13번 구역의 반군들은 핵무기 통제권을 정부로부터 빼앗았고, 핵무기를 캐피톨에 겨눈 채 거래를 했다. 그냥 내버려 두는 대신 죽해 주기로 합의한 것이다. 캐피톨은 서쪽에 다른 핵무기고를 갖고 있긴 했지만, 어느 정도의 보복을 감수하지 않고 13번 구역을 공격할 방법은 전무했다. 때문에 13번 구역의 제안을 받아들일 수밖에 없었다. 캐피톨은 겉으로 보이는 13번 구역의 잔해를 죄다 파괴했고 외부로부터의 접근을 전부 차단했다. 어쩌면 캐피톨의 지도자들은 도움이 없으면 13번 구역이 제풀에 죽어 없어질 거라 생각했을지도 모른다. 사실 그럴 뻔한 적도 몇 번 있었지만 자원을 엄격하게 분배하고, 지키기 힘든 원칙들을 고수하고, 또 캐피톨의 추가 공격에 대해 항시 경계해 가며 언제나 버텨냈다.

이제 이곳 주민들은 거의 언제나 지하에서만 지낸다. 운동을 하거나 햇빛을 쬐러 밖으로 나갈 수는 있지만, 일정에 정해져 있는 시간만으로 한정된다. 일정은 어길 수 없다. 매일 아침이면 벽에 달린 기계 장치에 오른팔을 넣어야 한다. 그리고 팔 안쪽 부드러운 부분에 기분 나쁜 보라색 잉크로 그날의 일정을 문신한다. [7:00 - 조식]. [7:30 - 주방 일]. [8:30 - 교육 센터, 17호실]. 이런 식이다. 잉크는 [22:00 - 목욕] 때까지 지울 수 없다. 그때가 되면 문신을 방수상태로 유지하는 물질이 벗겨지고 일정은 씻겨 사라진다. 22시 30분에 있는 소등시간은 야간 근무를 하지 않는 사람은 모두 잠자리에 들어야 한다는 신호다.

처음에 내가 너무 아파서 병원에 있었을 때는 일정 문신을 피할 수 있었다. 하지만 엄마, 동생과 함께 주거용 객실 307호로 옮기고 나자 나 역시 이 규칙에 따르게 되었다. 식사 시간에 밥 먹으러 가는 걸 빼면 팔에 적힌 일정을 거의 무시하고 있긴 하지만. 그냥 나는 우리 객실에 있거나 13번 구역 여기저기를 돌아다니거나 눈에 띄지 않는 곳에서 자거나 한다. 버려진 통풍구. 세탁실의 송수관 뒤. 또 교육 센터에는 아주 좋은 벽장이 하나 있다. 학용품이 필요한 사람은 아무도 없는 것 같으니까. 여기 사람들은 너무 검소해서, 이곳에서 낭비란 거의 범죄로 여겨질 정도다. 다행히 12번 구역 사람들은 낭비란 걸 하며 살아 본 적이 없다. 하지만 나는 풀비아 카듀가 단어 몇 개밖에 적지 않은 종이 한 장을 구기는 걸 본 적이 있는데, 표정만 봤다면 사람이라도 죽인 줄 알았을 것이다. 얼굴이 토마토처럼 새빨개져서는 통통한 뺨에 새긴 은색 꽃들이 더욱 두드러져 보였다. 13번 구역에서 몇 안 되는 내 즐거움 중 하나는 응석받이로 자란 일부 캐피톨 '반군'들이 적응하려 노력하면서 당혹해하는 모습을 지켜보는 것이다.

날 받아준 이곳 사람들은 내게 정해진 시각에 정확히 맞춰 여기저기 나타나기를 요구한다. 언제까지 그걸 완전히 무시하고 지낼 수 있을지 모르겠다. 지금 나는 '지남력 상실(mentally disoriented: 시간과 공간, 대상과 인물을 제대로 인지하지 못하는 상태: 옮긴이)'로 분류되어 있는 상태라(내 플라스틱 의료 팔찌에 그렇게 쓰여 있다), 당장은 멋대로 돌아다니는 것을 모두들 참아주어야 한다. 하지만 언제까지나 이렇게 할 순 없는 일이다. 모킹제이 건에 대한 그들의 참을성 역시 영원할 수는 없을 것이다.

착륙장에서 게일과 나는 이리저리 이어진 계단을 따라 객실 307호로 간다. 엘리베이터를 탈 수도 있지만 경기장에 들어갈 때 탔던 엘리베이터가 생각나서 타지 않는다. 나는 지하에서 이렇게 오래도록 시간을 보내는 데 적응하느라 고생하고 있다. 하지만 그 장미와 마주치는 기묘한 경험을 하고 나니 처음으로 아래로 내려가는 게 더 안전하게 느껴진다.

307호 문 앞에서 나는 내게 질문을 던질 가족들을 생각하며 주저한다.

"어떻게 12번 구역 이야기를 해 주면 되지?"

내가 게일에게 묻는다.

"구체적으로 물어볼 것 같진 않은데. 불타는 걸 봤으니까. 주로 네가 어떻게 받아들이느냐를 걱정할 거야. 내가 그런 것처럼."

24

게일이 내 뺨을 만진다. 나는 잠시 동안 그의 손에 얼굴을 기댄다.

"난 살아남을 거야."

그러곤 숨을 깊이 들이마신 뒤 문을 연다. 엄마와 동생은 [18:00 - 명상] 일정에 맞추어 집에 와 있다. 저녁 식사 전 30분 동안 가질 수 있는 휴식시간이다. 두 사람이 내 감정 상태가 어떤지 파악하려 애쓰며, 얼굴 가득 걱정스러운 빛을 떠올리고 있는 것을 나는 볼 수 있다. 누가 질문을 꺼내기 전에 사냥감 자루에 든 것을 꺼내자 일정은 [18:00 - 고양이 예뻐하기]로 변한다. 프림은 바닥에 앉아 훌쩍이며, 그 끔찍한 버터컵을 안고 흔들기만 한다. 버터컵은 가끔 나를 보며 쉿 소리를 낼 때 말고는 계속 가르랑댄다. 내가 가져온 파란 리본을 프림이 목에 매줄 때 버터컵은 특히 의기양양한 표정을 내게 지어 보인다.

엄마는 결혼식 사진을 가슴에 댄 채 꼭 안아 보고 나서, 그것을 식물에 대한 책과 함께 13번 구역 정부에서 내준 서랍장 위에 놓으신다. 나는 아빠의 재킷을 의자 등받이에 걸었다. 그 순간만큼은 이곳이 거의 집처럼 보인다. 12번 구역에 다녀온 것이 시간 낭비만은 아니었구나 싶다.

[18:30 - 석식]에 맞춰 식당으로 가고 있는데 게일의 통신 팔찌가 삑삑거린다. 팔찌는 지나치게 큰 손목시계같이 보이지만, 메시지를 받아 출력할 수 있는 기능이 있다. 통신 팔찌를 받는 건 혁명에 있어 중요한 역할을 하는 사람들에게만 한정된 특권이다. 게일은 12번 구역의 주민들을 구출한 공으로 그런 지위를 얻었다.

"사령부에서 우리 둘을 호출하는데."

게일이 말한다.

그의 몇 발짝 뒤를 따라가며 미리 정신을 다잡으려 노력한다. 모킹제이에 대한 이야기를 또 한 번 끈질기게 늘어놓을 게 분명하니까. 사령부란 첨단 기술을 이용해 만든 군사 회의실로, 목소리가 나오는 컴퓨터화된 벽이며 여러 구역 부대들의 움직임을 보여주는 전자 지도, 내가 만져서는 안 되는 제어반이 달린 거대한 사각 테이블이 있다. 나는 문간에서 어슬렁거리지만 아무도 나를 알아보는 사람은 없다. 다들 방 한쪽 끝에 있는 텔레비전 화면 앞에 모여 있기 때문이다. 캐피톨의 방송이 하루 24시간 나오는 텔레비전이다. 슬쩍 빠져나갈 수 있겠다 생각하고 있는데, 넉넉한 몸집으로 텔레비전 화면을 가리고 있던 플루타르크가 나를 발견하고 어서 오라고 급히 손짓한다. 나는 대체 어떻게 하면 이 일에 관심을 가질 수 있을까 생각하며 마지못해 앞으로 나간다. 방송은 늘 똑같다. 전투 장면. 프로파간다(정치 선전: 옮긴이). 12번 구역 폭격 장면의 재방송. 스노우 대통령이 전달하는 불길한 메시지. 그래서 헝거 게임의 영원한 진행자인 시저 플리커맨(그는 색칠한 얼굴을 하고 반짝이는 양복을 입은 채 인터뷰를 준비하고 있다)이 나온 것을 보니 재미있게 느껴질 지경이다. 아니, 그랬었다. 카메라가 뒤로 물러나면서 인터뷰 대상이 피타라는 것을 보게 될 때까지는.

나도 모르게 소리를 낸다. 물속에 잠겨, 고통스러울 지경까지 산소 공급이 차단되었을 때 나는 것과 같은 소리다. '헉' 하는 소리와 신음이 섞인 소리. 사람들을 밀치고 피타 바로 앞까지 가서 화면에 손을 댄다. 피타의 눈을 보며 상처받지는 않았는지, 고통스러운 고문이 남긴 흔적은 없는지 찾아보았다. 아무것도 없다. 피타는 원기왕성해 보일 정도로 건강한 모습이다. 늘 그렇듯 전신을 손보았는지, 흠집 하나 없는 피부에서는 빛이 난다. 행동거지는 침착하고 진지하다. 내 꿈에 나타나는 얻어맞아 피 흘리는 아이와 이 모습 사이의 간극을 나는 극복할 수가 없다.

맞은편에 앉은 시저는 의자에 앉은 자세를 좀 더 편하게 고치고서 피타를 오랫동안 바라본다.

"자, 피타……. 돌아온 걸 환영합니다."

피타는 살짝 미소를 지어 보인다.

"저와 하는 마지막 인터뷰는 이미 끝났다고 생각하셨겠죠, 시저."

"솔직히 말하면 그랬어요. 특집 전날 밤…… 뭐, 우리가 피타를 다시 볼 수 있으리라고 누가 생각했겠어요?"

"제 계획대로 되지 않은 것만은 확실해요."

피타가 얼굴을 찡그리며 말한다. 시저는 피타 쪽으로 조금 몸을 기울인다.

"피타의 계획이 무엇이었는지는 우리 모두에게 명확했던 것 같은데요. 경기장에서 스스로를 희생해서 캣니스 에버딘과 피타의 아이가 살아남도록 하는 거였겠죠."

"그랬어요. 명확하고 단순하죠."

피타는 의자 팔걸이에 씌워 둔 천의 패턴을 손가락으로 더듬는다.

"하지만 다른 사람들에게도 계획이 있었어요."

나는 '그래, 다른 사람들에게 계획이 있었지.' 하고 생각한다. 그렇다면 피타는 반군이 우릴 어떻게 노리개로 사용했는지 추측해 낸 걸까? 처음부터 날 구출할 계획을 짜 놓고 있었다는 것을. 그리고 마지막으로, 우리의 멘터였던 헤이미치 애버내시가 관심 없는 척했던 그 목적을 위해 우리 둘 모두를 배신했다는 것도.

그 말에 곧바로 뒤따른 침묵이 흐르는 동안, 피타의 미간에 주름이 잡힌 것을 나는 눈치챈다. 추측했거나 설명을 들은 것이다. 하지만 캐피톨은 피타를 죽이지도, 심지어 처벌하지도 않았다. 지금 당장으로선 그것만으로도 내가 바랄 수 있는 최대치를 넘어서는 일이다. 나는 다치지 않은 피타의 멀쩡한 모습, 피타의 건강한 심신을 한껏 들이마신다. 그것이 병원에서 주었던 모플링처럼 내 몸 속을 흐르며 지난 몇 주간의 고통을 둔하게 만들어 준다.

"경기장에서 보냈던 마지막 날 밤 이야기를 해 주지 그래요? 우리가 몇 가지 일들을 이해할 수 있도록 좀 도와줘요."

시저가 제안한다. 피타는 고개를 끄덕이지만, 이야기하는 데 좀 시간이 걸린다.

"그 마지막 날 밤……, 그날 밤 이야기를 하려면…… 음, 일단 그 경기장에서 어떤 기분이었을지를 상상해 보셔야 해요. 푹푹 찌는 공기로 가득 찬 사발에 갇힌 벌레가 된 것 같았어요. 그리고 사방에는 온통 정글이…… 녹색의, 살아있고 째깍거리는 정글이 있었죠. 그 거대한 시계가 째깍거리며 목숨을 빼앗아가는 거예요. 매 시간마다 새로운 공포가 찾아오죠. 그 전 이틀 동안 열여섯 명이 죽었다는 것도 상상해 보셔야 할 거예요. 저를 지키려다 죽은 사람도 있었죠. 일이 진행되는 속도로 봤을 때 다음 날 아침까지 여덟 명이 더 죽게 될 상황이었죠. 한 명만 빼고요. 우승자. 그리고 제 계획은, 제가 우승자가 되지 않는 거였어요."

그 기억을 떠올리자 몸에서 땀이 솟아난다. 화면에 얹었던 내 손은 미끄러져내려 옆구리 부근에 힘없이 늘어진다. 피타는 붓이 없어도 헝거 게임의 이미지를 그려낼 수 있다. 말로도 똑같이 해낼 수 있다.

"일단 경기장에 들어가고 나면, 나머지 세상과 굉장히 멀어져요."

피타가 말을 잇는다.

"사랑했던, 아꼈던 사람들이며 물건 같은 것들이 거의 존재하지 않는 것과 마찬가지가 되죠. 핑크색 하늘과 정글 속의 괴물들, 내 피를 원하는 조공인들만이 마지막 남은 현실이 되고, 중요했던 것도 그것뿐이었던 것처럼 변해 버려요. 아무리 기분이 끔찍해지더라도, 살인도 하게 되죠. 왜냐하면 경기장에서는 한 가지 소원밖에 이룰 수 없으니까요. 그 대가는 아주 크죠."

"그 대가는 목숨이겠죠."

시저가 말한다.

"아, 아니에요. 목숨보다 훨씬 큰 대가를 치러야 하거든요. 무고한 사람을 죽인다는 것. 그에 대한 대가는 제 존재 전체예요."

"존재 전체."

시저가 조용히 되풀이한다.

방안에는 침묵이 내려앉는다. 판엠 전체에 침묵이 번지는 것을 느낄 수 있다. 나라 전체가 화면을 향해 몸을 기울이고 있다. 경기장에 있다는 게 진정으로 어떤 것인지 이전엔 그 누구도 말한 적이 없기 때문이다.

피타는 말을 계속한다.

"그러니 그 소원에 매달리게 되죠. 그리고 그 마지막 밤에…… 네, 제 소원은 캣니스를 구하는 거였어요. 하지만 반군에 대해서 알지 못했는데도 뭔가 이상하다고 느껴졌어요. 모든 게 너무 복잡했죠. 캣니스가 제안했던 것처럼 그날 좀 더 일찍 함께 달아나지 않은 것이 후회되더군요. 하지만 그 시점에선 이미 빠져나올 수가 없었어요."

"소금물 호수에 전기를 통하게 하자는 비티의 계획에 너무 깊이 관여하고 있었죠."

"다른 사람들과 동맹 행세를 하느라 너무 바빴죠. 그들이 우릴 떼놓게 두지 말았어야 하는 건데!"

피타가 폭발한다.

"그때 캣니스를 잃어버렸어요."

"피타가 번개 나무에 남았을 때, 캣니스와 조한나 메이슨이 와이어를 물가로 가져갔던 그때를 말하는 거죠."

시저가 구체적으로 지적한다.

"난 그러고 싶지 않았어요!"

피타는 흥분해서 얼굴을 붉힌다.

"하지만 우리가 동맹에서 떨어져 나갈 거란 티를 내지 않고서 비티와 말싸움을 할 수는 없었죠. 그 와이어가 잘리고 나자, 모든 일이 미쳐돌아갔어요. 기억이 조각조각 난 상태로밖에 떠오르지 않네요. 캣니스를 찾으려 했던 것, 브루투스가 채프를 죽이던 것, 제가 브루투스를 죽인 것, 캣니스가 제 이름을 부르고 있었던 건 알겠어요. 그리고는 번개가 나무를 때렸고, 경기장을 둘러싼 역장이…… 폭발했죠."

"캣니스가 폭발시켰어요, 피타. 영상 봤잖아요."

"자기가 무슨 일을 하는지도 모르고 한 거예요. 우리 중 비티의 계획을 이해했던 사람은 아무도 없어요. 영상을 보면 캣니스가 그 와이어를 가지고 어떻게 해야 할지 고민하고 있다는 걸 알 수 있잖아요."

피타가 내뱉듯이 대답한다.

"알았어요. 그저 조금 의심스러워서 한 말이에요. 마치 캣니스가, 내내 반군이 세운 계획의 일부였던 것처럼 보였으니까요."

피타는 일어나서 시저가 앉은 의자의 팔걸이를 양손으로 잡고 시저의 코앞에 얼굴을 들이댄다.

"정말요? 조한나의 손에 거의 죽게 되었던 것까지 캣니스의 계획이었다고요? 전기 충격을 받아서 마비된 것도? 폭격을 불러온 것도요?"

피타는 이제 고함을 치고 있다.

"캣니스는 몰랐어요, 시저! 우리는 둘 다, 서로가 상대방을 살려 두려고 하고 있다는 것 말고는 아무것도 몰랐다고요!"

시저는 피타의 가슴에 한 손을 얹는다. 방어하는 동시에 달래려는 동작이다.

"그래요, 피타. 난 피타 말을 믿어요."

"알았어요."

피타는 시저에게서 물러나고, 팔걸이에 얹었던 손을 들어 머리를 빗어 넘긴다. 섬세하게 스타일링한 금발 머리가 헝클어진다. 정신이 나간 것 같은 모습으로 피타가 의자에 털썩 앉는다. 시저는 잠시 기다리며 피타를 살핀다.

"멘터였던 헤이미치 애버내시는 어때요?"

피타의 얼굴이 굳어진다.

"헤이미치가 뭘 알고 있었는지 저는 몰라요."

"헤이미치가 음모의 일부였을 수도 있나요?"

"헤이미치는 그런 얘긴 절대로 입에 담지 않았어요."

시저는 계속 밀어붙인다.

"피타의 느낌으로는 어떤데요?"

"믿지 말았어야 한다는 것. 그뿐이에요."

호버크래프트에서 덤벼들어 얼굴에 긴 손톱자국을 남긴 이후로 나는 헤이미치를 보지 못했다. 그동안 헤이미치가 여기서 지내기 힘들었을 거란 점은 알고 있다. 13번 구역에서는 일체의 알코올음료 생산 및 소비를 금하고 있고, 심지어 병원의 소독용 알코올이 보관된 곳조차 반드시 잠가 둔다. 그리하여 헤이미치는 맨정신으로 있기를 강요당하고 있다. 과도기를 조금 편하게 해 줄 몰래 숨겨둔 술도, 집에서 만든 밀주도 없이. 헤이미치는 공개적인 곳에 나올 만한 몰골이 아니기 때문에 이곳에선 주독이 완전히 빠질 때까지 격리수용하고 있다. 몹시 괴롭겠지만, 헤이미치가 우리를 속였다는 것을 깨달은 이후로는 일말의 동정심마저 잃었다. 나는 피타 역시 그를 버렸다는 것을 알 수 있도록, 그가 지금 캐피톨 방송을 보고 있기를 바란다.

시저가 피타의 어깨를 두드린다.

"원한다면 여기서 끝내도 괜찮아요."

"더 이야기할 거리가 있었던가요?"

피타가 비꼬듯 대답한다.

"전쟁에 대해 어떻게 생각하는지 물어보려 했지만, 기분이 많이 안 좋다면……."

시저가 운을 뗀다.

"아, 그 질문에 대답 못할 정도로 안 좋진 않아요."

피타는 숨을 깊이 들이마시더니 카메라를 똑바로 바라본다.

"캐피톨 편이든 반군 편이든, 이걸 보고 계신 분은 잠시라도 멈춰서 이 전쟁에 어떤 의미가 있는지 모두 생각해 보세요. 인간에게 있어서요. 우린 예전에 서로 싸우다 거의 멸종될 뻔한 적이 있죠. 지금은 그때보다도 인구가 적어요. 생활환경은 더 위태로워졌고요. 우리가 원하는 게 정말 이런 건가요? 끝없이 서로 죽여서 결국 아무도 없게 되어 버리는 것? 어떤 희망을 품고 이러고 있는 거죠? 연기가 피어오르는 지구를, 어떤 훌륭한 다른 종이 물려받기를 바라는 건가요?"

"난 사실…… 이해가 잘 가지 않……."

시저가 말한다.

"우린 서로 싸워선 안 돼요, 시저."

피타가 설명한다.

"인류가 계속 유지될 만큼의 인구가 남지 않을 거예요. 모두가…… 그것도 지금 당장 무기를 내려놓지 않는다면, 인류는 끝장날 거라고요."

"그러면…… 휴전을 하자는 건가요?"

시저가 묻는다.

"네, 휴전하자는 거예요. 이제 경비병들을 불러서 절 숙소로 데려가도록 하는 게 어때요? 카드집이나 또 백 개 정도 더 짓게요."

피타가 지친 목소리로 말한다. 시저가 카메라 쪽으로 몸을 돌린다.

"좋아요. 이 정도로 마무리하면 될 것 같군요. 그럼 정규 방송 일정으로 돌아가도록 하겠습니다."

음악이 나오며 두 사람은 사라지고, 여자 한 명이 등장해 캐피톨에서 부족하게 될 물자들의 목록을 읽는다. 신선한 과일, 태양 전지, 비누. 모두들 인터뷰에 대한 내 반응을 기다리고 있으리란 걸 알기에, 나는 평소답지 않게 그 여자를 열심히 바라본다. 하지만 이 모든 일의 의미를 그렇게 빨리 이해할 방법이란 없었다. 다치지 않고 살아 있는 피타를 본 기쁨, 내가 아무것도 모르고 반군에 협조한 거라는 변호, 그리고 휴전을 주장한 피타는 지금 캐피톨과 공모하고 있다는 걸 부정할 수 없다는 사실. 아, 피타는 전쟁의 양측 모두를 비난하고 있는 것처럼 들리게 말했다. 하지만 반군이 사소한 승리만 몇 번 거둔 지금 상황에서, 휴전은 우리를 예전 상태로 되돌리는 결과밖에 낳을 수 없다. 아니면 더 나빠지거나.

내 뒤에서 피타를 비난하는 소리가 점점 커지는 게 들린다. '배신자', '거짓말쟁이', '적'이란 단어들이 벽에 부딪혀 메아리친다. 격분한 반군들에 동조할 수도, 맞받아칠 수도 없어서 나는 여기서 나가는 게 최선이라는 결론을 내린다. 문까지 가자, 코인의 목소리가 다른 사람들의 목소리보다 크게 울린다.

"가도 좋다고 허락한 적 없어, 에버딘 병사."

코인의 부하 중 하나가 내 팔 위에 손을 얹는다. 결코 공격적인 행동은 아니었지만 경기장에 다녀온 이후로 나는 낯선 사람의 손길에 방어적으로 반응한다. 곧바로 팔을 잡아 빼고는 복도를 따라 달리기 시작한다. 뒤에서 옥신각신하는 소리가 들리지만 멈추지 않는다. 내가 숨곤 하는 여기저기의 작은 장소들을 재빨리 생각해 보고, 학용품 벽장에 도착해 분필 상자에 기댄 채 몸을 웅크린다.

"너 살아 있구나."

양손을 뺨에 대며 나는 속삭인다. 얼굴에 미소가 떠오르는 게 느껴진다. 너무 활짝 미소 짓고 있어서 아마 찡그린 얼굴처럼 보일 것이다. 피타는 살아 있다. 그리고 배신자다. 하지만 지금 이 순간 난 그런 건 아무래도 상관없다. 무어라 말하든, 누굴 위해 말하든 상관없다. 아직 피타가 말을 할 수 있다는 것만이 중요하니까.

잠시 후에 문이 열리고 누군가가 들어온다. 게일은 코피를 흘리며 내 옆에 슬그머니 앉는다.

"어떻게 된 거야?"

"내가 복스의 길을 막았거든."

게일은 어깨를 으쓱하며 대답한다. 나는 내 옷소매로 코를 닦아 준다.

"조심해!"

게일이 말한다. 더 부드럽게 닦아 주려 노력한다. 이번엔 문지르지 않고 살짝 두드리듯 해 본다.

"복스가 누구야?"

"아, 너도 알 거야. 코인의 오른팔인 심부름꾼. 널 막으려 했던 사람. 그만! 이러다 나 과다출혈로 죽겠다."

게일은 내 손을 밀어낸다. 뚝뚝 떨어지던 피가 이제 줄줄 흐르기 시작했다. 나는 응급치료를 포기한다.

"복스랑 싸웠어?"

"아니, 널 따라가려 하기에 문간을 막아섰던 것뿐이야. 팔꿈치가 내 코에 부딪혔어."

"너 아마 벌 받을걸."

"벌써 받았어."

게일은 손목을 들어 보인다. 나는 영문을 모른 채 바라본다.

"코인이 내 통신 팔찌를 빼앗았어."

나는 계속 진지한 상태를 유지하려 노력하며 입술을 깨문다. 하지만 너무 어처구니없는 기분이다.

"유감이야, 게일 호손 병사."

"그러지 마, 캣니스 에버딘 병사. 어차피 차고 다니면 바보가 된 기분이었는걸."

게일은 씩 웃는다. 우리 둘 다 웃기 시작한다.

"상당한 강등 조치였던 것 같아."

13번 구역에 와서 생긴 몇 안 되는 좋은 일 중 하나가 이런 것이다. 게일을 되찾은 것. 캐피톨이 중매를 섰던 나와 피타의 결혼에 대한 압력이 사라지고 나자 우리는 우정을 되찾을 수 있었다. 게일은 이제 키스하려 하거나 사랑한다고 말하면서 밀어붙이지 않는다. 내가 너무 아파서 그랬거나, 게일이 내게 여유를 좀 주려 했던 것이거나, 아니면 피타가 캐피톨의 손아귀에 있는 지금 그런 행동을 하는 게 너무 잔인하다는 걸 알아서였을 거다. 이유야 어쨌든, 내겐 다시 비밀을 말할 수 있는 사람이 생겼다.

"여기 사람들은 어떤 사람들이야?"

내가 묻는다.

"이 사람들은 우리야. 우리에게 석탄 덩어리 대신에 핵폭탄이 있었다면 이 사람들이 되었을 거야."

"난 12번 구역은 암흑기에 다른 반군들을 저버리지 않았을 거라고 생각하고 싶어."

"우리도 그랬을지 몰라. 버리거나, 항복하거나, 핵전쟁을 시작하거나 셋 중 하나를 골라야 했다면 말이지. 어떻게 보면 이들이 살아남았다는 것 자체가 대단한 거야."

신발에 우리 구역이 남긴 재가 아직 묻어 있기 때문일까. 나는 이제까지는 주저해 왔지만 처음으로 13번 구역 사람들을 인정하기 시작한다. 그 모든 것을 겪고도 살아남았다는 점을. 도시가 폭격을 당해 잿더미가 된 뒤 지하실에 모여 지냈을 초기에는 끔찍했을 것이다. 사람들이 떼죽음을 당하고, 원조를 요청할 동맹도 없었다. 누구의 도움도 없이 그렇게 지난 75년간 그들은 자급자족하고, 시민들을 군대로 양성하고, 새로운 사회를 건설하는 법을 익혔다. 천연두가 유행해 출생률이 낮아지고 새로운 유전자가 절실하게 필요한 상태가 되지 않았더라면 지금보다도 훨씬 더 강력했을 것이다. 군국주의적이고 지나치게 통제적이며, 유머 감각이 조금 부족할지는 모르지만 그들은 여기에 있다. 그리고 캐피톨과 한판 붙을 의지도 가지고 있다.

"그래도 나타날 때까지 너무 오래 걸렸어."

"그렇게 단순한 일이 아니었어. 캐피톨에서 반군의 거점을 만들어야 했고, 각 구역에서 지하 조직을 모아야 했으니까. 그리고 이 모든 것을 움직이게 할 사람이 필요했지. 그들에겐 네가 필요했어."

"그들에겐 피타도 필요했지만, 그건 잊어버린 모양이야."

게일의 표정이 어두워진다.

"피타가 오늘 밤 많은 피해를 끼쳤을 거야. 반군들이야 대부분 피타의 말을 흘려듣겠지. 하지만 아직 저항이 미미한 구역들이 있어. 휴전은 분명 스노우 대통령이 해낸 생각이지. 하지만 피타의 입에서 나오니 너무나 그럴듯하게 들리잖아."

게일의 대답이 두렵지만 그래도 나는 물어본다.

"왜 그렇게 말했을 거라고 생각해?"

"고문에 시달렸을 수 있지. 아니면 설득당했거나. 내 추측은 이래. 피타가 너를 보호하기 위해 거래를 했을 거라는 것. 너를 '반군들에게 잡혀갔을 때 무슨 일이 일어났는지 전혀 몰랐던, 어찌할 바를 모르는 임신한 소녀'로 묘사할 수 있게 해 주면 휴전하자고 말하겠다고 약속했을지도 모르지. 그렇게 해 두면 구역들이 만약 패배한다고 해도 네게 관용을 베풀 여지가 있으니까. 네가 그에 맞춰 잘 행동한다면 말이지만."

게일이 다음 문장을 아주 천천히 말하는 것을 보니 내가 아직 당혹스러운 표정을 짓고 있나보다.

"캣니스……, 피타는 지금도 너를 살려 두려 하고 있는 거야."

'날 살려 두려 한다고?' 그제야 나는 이해할 수 있다. 게임은 아직도 진행 중이다. 우리는 경기장을 떠났지만, 우리 둘 다 죽지 않았으니 내 목숨을 지키겠다는 피타의 마지막 소원은 아직 유효하다. 피타는 내게 시선이 쏠리지 않게 해서, 전쟁이 끝날 때까지 안전하게 가두어 두려는 생각인 거다. 그러고 나면 어느 쪽도 나를 죽일 이유가 없을 테니까. 그렇다면 피타는? 반군이 이긴다면 피타에게는 재앙이 될 것이다. 캐피톨이 이긴다면 어찌 될지는 그 누가 알 수 있을까? 어쩌면 우리 둘 다 살 수 있도록 허락받을 지도 모른다. 내가 '잘 행동한다면'. 우린 살아남아서 헝거 게임이 진행되는 걸 지켜보게 되겠지…….

다양한 이미지가 내 머릿속을 스쳐 지나간다. 경기장에서 루의 몸을 꿰뚫던 창. 형틀에 매달려 채찍질을 당하고 의식을 잃고 있던 게일, 시체가 즐비한 황무지로 변한 나의 고향. 무엇 때문에? 무엇 때문에? 피가 확 뜨거워지며 다른 일들도 함께 떠오른다. 8번 구역의 반란을 처음으로 보았던 일. 특집 전날 밤 손을 잡고 섰던 우승자들. 그리고 내가 경기장에서 역장에 화살을 날린 게 단순한 사고가 아니었다는 것. 그 화살이 내 적의 심장 깊이 들어가 박히기를 나는 얼마나 원했었는지.

내가 벌떡 일어나는 바람에 연필 백 자루가 든 상자가 쓰러져 바닥에 연필이 쏟아진다.

"뭐야?"

게일이 묻는다.

"휴전은 안 돼."

나는 몸을 숙이고 짙은 회색의 흑연 막대기들을 상자에 담느라 바닥을 더듬는다.

"나도 알아."

게일은 연필을 한 줌 쓸어 쥐고는 바닥에 톡톡 두드려 완벽하게 가지런한 다발을 만든다.

"피타가 무슨 이유로 그런 말을 한다고 해도, 피타는 틀렸어."

멍청한 막대기들이 상자에 잘 들어가지 않는다. 잘 되지 않아 애를 쓰다 결국 나는 몇 자루를 부러뜨린다.

"나도 알아. 이리 줘. 그러다 다 부러뜨리겠다."

게일이 내 손에서 상자를 가져가 빠르고 정확한 동작으로 다시 채운다.

"피타는 그들이 12번 구역에 무슨 짓을 했는지 몰라. 만약 피타가 땅 위에 남은 것들을 봤다면······."

"캣니스, 네 말에 반대하는 게 아냐. 만약 내가 버튼 하나를 눌러서 캐피톨을 위해 일하는 모든 사람을 죄다 죽일 수 있다면 난 누를 거야. 망설이지 않고."

게일은 마지막 한 자루를 상자에 집어넣고 뚜껑을 닫는다.

"문제는, 너는 어떻게 할 거야?"

그간 나를 잠식해 오던 문제의 답은 단 하나밖에 있을 수 없는 것으로 밝혀졌다. 하지만 피타의 술책을 알게 되고서야 그 답을 깨달을 수 있었다.

'나는 어떻게 해야 하지?'

숨을 깊이 들이쉬었다. 팔을 살짝 들었다가 다시 늘어뜨린다. 마치 시나가 내게 주었던 흑백의 날개를 떠올리듯.

"나는 모킹제이가 되겠어."

3

프림의 팔꿈치 안쪽을 베고 누운 버터컵의 눈은 문 위에 달린 안전등의 희미한 불빛을 받아 빛나고 있다. 버터컵은 다시 밤에 프림을 보호해 주는 임무를 수행하고 있다. 프림은 엄마 품으로 바싹 파고든 상태다. 잠든 두 사람은 내가 처음으로 게임에 참가했던 추첨날 아침과 똑같은 모습이다. 나는 아직 회복기이기 때문에 침대를 혼자 쓴다. 어차피 악몽과 몸부림 때문에 아무도 나와 같이 잘 수는 없다.

몇 시간이나 이리저리 뒤척이다, 오늘 밤은 뜬눈으로 보내게 될 거라는 사실을 마침내 받아들인다. 계속 지켜보는 버터컵의 시선을 받으며, 차가운 타일바닥을 살금살금 걸어 서랍장으로 간다.

가운데 서랍에는 정부에서 준 내 옷들이 들어있다. 모두가 똑같은 회색 바지와 셔츠를 입고, 셔츠는 바지 속으로 넣어 입는다. 그들이 경기장에서 날 들어 올렸을 때 가지고 있던 물건 몇 가지를 그 옷 밑에 두었다. 내 모킹제이 핀. 피타가 상징으로 지녔던, 엄마와 프림과 게일의 사진이 든 황금 로켓(사진을 넣어 목걸이에 다는 작은 갑: 편집자). 나무 수액을 채취할 때 썼던 삽관, 내가 역장을 날려 버리기 몇 시간 전에 피타가 주었던 진주를 싼 은빛 낙하산. 내가 가지고 있던 연고는 13번 구역이 병원에서 사용하려고 압수했고, 무기를 지닐 수 있도록 허가받은 사람은 경비병들뿐이기 때문에 활과 화살 역시 빼앗겼다. 지금은 무기고에서 보관하고 있다.

더듬더듬 낙하산을 찾고는 진주가 잡힐 때까지 안에 손가락을 밀어 넣는다. 다리를 꼰 자세로 침대에 앉아 매끈한 무지갯빛 표면을 입술에 대고 문지른다. 왠지 몰라도 마음이 가라앉는다. 진주를 준 사람이 서늘한 키스를 해 주는 것 같다.

"캣니스? 뭐 잘못됐어?"

프림이 속삭인다. 잠에서 깬 프림은 어둠 속에서 나를 바라보고 있다.

"아무것도 아냐. 그냥 안 좋은 꿈을 꿔서. 다시 자."

자동으로 입에서 나오는 말이다. 프림과 엄마를 보호하기 위해 밀어내는 것이다.

프림은 엄마를 깨우지 않도록 조심하며 침대 밖으로 나와서 버터컵을 안아들고 내 옆에 앉는다. 프림이 진주를 쥐고 있던 내 손을 만진다.

"언니 몸이 차."

그 애는 침대 발치에서 여분의 담요를 가져온 뒤 우리 셋을 덮는다. 내 동생의 온기와 털이 많은 버터컵의 체온이 나를 감싸 준다.

"언니, 나한테는 말해도 돼. 나 비밀 잘 지켜. 엄마한테도."

그 아이는 정말 가 버렸구나. 셔츠 자락이 오리 꼬리같이 뒤로 빠져 나와 있던 어린 여자아이, 접시에 손이 닿지 않아 도와주어야 하던 아이, 빵집 창문을 통해 장식된 케이크를 보고 싶다고 조르던 아이. 시간과 비극 때문에 프림은 너무 빨리 자라 버렸다. 적어도 나에겐 너무 빠르다. 이 아이는 피가 흐르는 상처를 꿰매고, 우리 엄마가 감당할 수 있는 이야기는 어디까지인가를 아는 젊은 여성이 되었다.

"내일 아침에, 모킹제이가 되겠다고 말하려고 해."

내가 말해 준다.

"하고 싶어서야, 아니면 강요당하는 것 같아서?"

프림이 묻는다. 나는 조금 웃는다.

"둘 다인 것 같은데. 아니, 하고 싶어. 그게 반군이 스노우를 이기는 데 도움이 된다면 난 해야만 해. 하지만 그냥…… 피타 때문에. 만약 우리가 정말 이기면, 피타를 배신자로 처형할까 봐 무서워."

나는 주먹으로 진주를 더 단단히 쥐었다. 프림은 잠시 생각해 본다.

"캣니스 언니, 언니는 이 일에 있어 언니가 얼마나 중요한지 모르고 있는 것 같아. 중요한 사람들은 보통 원하는 걸 손에 넣어. 피타를 반군들로 부터 지키고 싶다면, 지킬 수 있어."

내가 중요한 것 같긴 하다. 그들은 나를 구하기 위해 정말 많은 고생을 했으니까. 또 나를 12번 구역에도 데려다 줬다.

"네 말은…… 피타에게 면책권을 달라고 요구할 수 있다는 거야? 그러면 그들도 동의해 줘야 할 거라고?"

"거의 뭐든 요구하기만 하면 동의할 수밖에 없을걸. 그런데 약속을 지킬지는 어떻게 알지?"

프림은 눈썹을 찡그린다.

나는 헤이미치가 피타와 나를 자기가 원하는 대로 행동하게 하려고 우리에게 했던 거짓말들을 모두 기억한다. 반군이 약속을 어기지 않게 만들 수 있는 게 뭐가 있지? 밀실에서 구두로 하는 약속이라면, 아니 설령 서류로 만든다고 해도 전쟁이 끝나고 나면 쉽게 증발해 버릴 수 있다. 그런 약속이 존재했다는 것, 그게 유효하다는 것을 부정해 버리면 그만이다. 사령부 내의 증인은 쓸모가 없을 것이다. 실은 바로 그들이 피타의 사형 집행 영장을 쓰게 될 사람들일 테니. 내겐 훨씬 더 많은 증인이 필요하다. 구할 수 있는 모든 사람이 필요할 것이다.

"공개적으로 해야겠다."

내가 말한다. 버터컵이 꼬리를 한 번 흔드는 것을 나는 동의의 표시로 받아들인다.

"코인이 13번 구역 주민 전체 앞에서 발표하도록 해야겠어."

내 말에 프림은 미소를 짓는다.

"아, 그거 좋다. 100% 보장되는 건 아니지만 그렇게 되면 약속을 어기기가 훨씬 어려워지겠지."

실제적인 해결책이 생기면 따라오는 그런 안도감을 나는 느낀다.

"너를 더 자주 깨워야겠다, 꼬마 오리야."

"나도 언니가 그랬으면 좋겠어. 이제 좀 자 봐, 응?"

프림은 내게 입을 맞춘다. 나는 잠이 든다.

아침에 일어나 보니 〔7:00 - 조식〕의 바로 다음 순서가 〔7:30 - 사령부〕다. 나 역시 일을 시작할 참이었으니 괜찮다. 식당으로 가서 내 일정표를 센서에 비춘다. 일정표엔 신분증 번호 비슷한 것이 들어있다. 나는 음식이 담긴 큰 통들 앞에 있는 금속 선반 위로 식판을 밀고 간다. 아침식사는 보통 먹는 것들이다. 뜨거운 곡식 한 대접, 우유 한 잔, 과일이나 채소 조금. 오늘은 으깬 순무다. 모든 음식은 13번 구역의 지하 농장에서 온다. 나는 에버딘 가족과 호손 가족, 그리고 다른 난민 몇 명에게 배정된 식탁에 앉아 음식을 퍼먹는다. 한 그릇 더 먹고 싶지만 이곳에선 절대 음식을 더 주지 않는다. 과학적으로 영양 관리를 하고 있다. 그래서 더도 덜도 아니고, 딱 다음 끼니때까지 버틸 수 있는 만큼의 칼로리만 섭취하고 식당을 나서게 된다. 배식량은 나이, 키, 체형, 건강 상태, 일정에 따른 육체 활동량에 따라 정해진다. 12번 구역에서 온 사람들은 체중을 늘리기 위해 이미 13번 구역 원주민들보다 조금 더 많이 배식 받고 있다. 깡마른 군인은 너무 빨리 지쳐 나가떨어지나 보다. 어쨌든 효과는 있었다. 한 달밖에 되지 않았는데 우리는 좀 더 건강한 모습이 되기 시작했다. 특히 어린아이들이 그렇다.

게일이 내 옆에 식판을 놓고 앉는다. 나는 게일의 순무를 너무 애처로운 눈길로 보지 않으려 노력한다. 난 정말로 더 먹고 싶고, 게일은 자기 몫을 내게 나눠 주는 버릇이 이미 들어 있기 때문이다. 냅킨을 깔끔하게 접는 데 집중하려고 하는데도, 내 그릇에 순무 한 순갈이 들어온다.

"너 이런 거 그만둬야 돼."

하지만 이미 순무를 입에 넣고 있으니 내 말에는 그다지 설득력이 없다.

"정말이야. 아마 불법일걸."

여기서는 음식에 대한 규정이 아주 엄격하다. 예를 들어, 음식을 다 먹지 않고 두었다가 나중에 먹고 싶을 경우 식당 밖으로 가지고 나갈 수 없다. 듣자하니 초기에 식량 비축에 얽힌 사건이 있었던 모양이다. 몇 년이나 가족들에게 식량을 공급하는 일을 책임졌던 나와 게일 같은 사람들 몇몇에겐 적응하기가 쉽지 않다. 우리는 굶주리는 법은 알지만, 가지고 있는 음식을 이렇게 저렇게 다루라고 명령받는 데에는 익숙하지 않다. 어떤 면에서 13번 구역은 캐피톨보다도 더 통제가 심하다.

"그들이 뭘 할 수 있겠어? 이미 통신 팔찌도 가져갔는데."

게일이 대답한다. 그릇을 싹싹 긁으며 비우다 내 머릿속에 영감이 떠오른다.

"아, 어쩌면 그걸 모킹제이가 되는 조건으로 걸어야 할지도 모르겠다."

"내가 너에게 순무를 먹여 줄 수 있게 해 달라고?"

"아니, 우리가 사냥할 수 있게 해 달라고."

이 말에 게일은 주의를 기울인다.

"아마 잡은 건 다 주방에 넘겨야겠지. 하지만, 그래도 우린……."

게일은 이미 알고 있기 때문에 말을 끝맺을 필요도 없다. 우린 지상으로 나갈 수 있다. 숲 속으로 들어갈 수 있다. 다시 우리 자신이 될 수 있다.

"그렇게 해. 지금이 기회야. 네가 달을 달라고 해도 그들은 달을 따올 방법을 궁리해 내야 할걸."

게일은 내가 피타의 생명을 지켜 달라고 요구하는 것만으로도 이미 달을 요구하고 있다는 사실을 모른다. 게일에게 이야기할지 말지 아직 결정을 내리지 못했는데 식사 시간이 끝났다는 종소리가 울린다. 혼자서 코인을 대할 생각을 하니 긴장된다.

"네 일정은 뭐야?"

게일은 자기 팔을 살펴본다.

"핵 역사 수업. 그러고 보니 너, 그 수업 결석한 거 들켰다."

"난 사령부에 가야 돼. 같이 갈래?"

"그래. 하지만 어제 일 때문에 쫓겨날지도 몰라."

식판을 반납하러 가는데 게일이 말한다.

"있잖아, 요구사항 목록 속에 버터컵도 넣는 게 좋을 거야. 쓸모도 없는 애완동물이라는 개념을 여기 사람들이 잘 알고 있을 것 같지 않거든."

"아, 뭔가 일거리를 맡기겠지. 아침마다 앞발에 일정을 새길걸."

말은 그렇게 하지만 프림을 위해 버터컵도 목록에 넣어야겠다고 생각해 둔다.

사령부로 가보니 코인과 플루타르크, 그리고 그 부하들은 이미 모두 모여 있다. 게일을 보고 눈썹을 치켜 올리는 사람이 몇 있지만 아무도 내쫓지는 않는다. 생각이 머릿속에 너무 엉켜 있어 곧바로 종이 한 장과 연필을 달라고 한다. 내가 모임에 관심을 가진 게 분명해 보이자(여기 온 이래 처음 있는 일이다) 사람들은 놀란다. 몇 명은 시선을 주고받는다. 내게 들려주려고 준비한 아주 특별한 잔소리가 있었던 건지도 모르겠다. 하지만 코인이 직접 내게 종이와 연필을 건네주고, 내가 테이블에 앉아 목록을 갈겨쓰는 동안 모두 묵묵히 기다린다. '버터컵. 사냥. 피타의 면책권. 공개적으로 발표할 것.'

지금이다. 협상할 기회는 이번뿐일 것이다. '생각해, 또 원하는 게 뭐야?' 내 어깨 옆에 서 있는 그가 느껴진다. 목록에 '게일'을 추가했다. 게일 없이 해낼 수는 없을 것 같다.

두통이 찾아오고 생각들이 얽히기 시작한다. 눈을 감고 말없이 되뇌어 보기 시작한다.

'내 이름은 캣니스 에버딘이다. 나는 열일곱 살이다. 내 고향은 12번 구

역이다. 난 헝거 게임에 참가했다. 나는 탈출했다. 캐피톨은 나를 증오한
다. 피타는 포로로 잡혔다. 피타는 살아 있다. 배신자이지만 살아 있다. 나
는 피타를 살려 두어야 한다……'

목록은 여전히 너무 짧아 보인다. 더 크게 생각할 필요가 있다. 내가 아
주 중요한 존재인 지금, 우리의 상황을 넘어설 만한 생각을 해야 한다. 내
가 가치 없는 존재가 되어 버릴 미래까지 고려해야 하니까. 그러니 더 많
은 걸 요구해야 하지 않을까? 내 가족을 위해. 살아남은 우리 구역 사람들
을 위해. 죽은 사람들의 재 때문에 피부가 가려워진다. 신발에 해골이 와
닿던 때의 그 역겨운 느낌이 다시 돌아온다. 피와 장미의 향기가 내 코를
찌른다.

연필이 저절로 움직인다. 눈을 뜨고 삐뚤삐뚤한 글씨를 본다. '스노우
는 내가 죽인다.' 스노우가 사로잡힌다면, 그를 죽이는 특권은 내가 갖고
싶다.

플루타르크는 조심스레 기침을 한다.

"대충 끝나가니?"

고개를 들어 시계를 본다. 난 여기에 20분 동안 앉아 있었다. 집중력 문
제가 있는 사람은 피닉만이 아니다.

"네."

쉰 목소리가 나와서 나는 헛기침을 하고 다시 대답한다.

"네, 이렇게 하죠. 전 모킹제이가 될게요."

다들 안도의 소리를 내고, 축하하며 서로 등을 두드릴 수 있게 기다려 준
다. 코인은 언제나 그렇듯 무표정한 얼굴을 고수하며 나를 바라볼 뿐이다.

"하지만 조건이 몇 개 있어요."

나는 목록을 잘 펴고 이야기를 시작한다.

"우리 가족이 고양이를 계속 키우게 해 줘요."

내 요구 사항 중 가장 사소한 것 때문에 논쟁이 벌어진다. 캐피톨 반군들은 대수롭지 않게 생각하지만(당연히 애완동물을 키울 수 있다고 대답한다), 13번 구역 사람들은 이 일 때문에 얼마나 극단적인 애로사항들이 생길 수 있는지 늘어놓는다. 마침내 우리가 쓰는 객실을 맨 위층으로 옮기는 것으로 합의를 본다. 지상으로 난 20센티미터 크기의 창문이 있는 곳이다, 사치스럽게도. 버터컵은 내키는 대로 드나들 수 있다. 하지만 먹을 것은 알아서 구해야 한다. 통행금지 시간을 어기면 문을 잠글 것이다. 보안문제를 일으키면 즉시 총살한다.

괜찮은 것 같다. 우리가 버리고 온 뒤 버터컵이 해 온 생활과 크게 다르지 않다. 총살만 빼고. 너무 마른 것 같으면 내장을 조금 먹여 주면 된다. 내 다음 요구가 받아들여진다면.

"사냥하고 싶어요. 게일과 함께. 숲 속에서."

이 말을 하자 모두들 잠시 아무 말도 하지 못한다.

"멀리 가지는 않을 거예요. 우리 활을 쓸게요. 고기는 주방에 넘기고요."

게일이 덧붙인다. 안 된다고 하기 전에 서둘러 나는 말한다.

"그저…… 난 여기 이렇게 갇혀서는 숨을 쉴 수가……. 저는 더 나아지고, 더 빨라질 거예요……. 사냥할 수 있다면."

플루타르크가 곤란한 점들을 설명하기 시작하려는데(위험, 추가적인 보안 문제, 부상당할 가능성 등등……) 코인이 말을 자른다.

"아뇨. 그러라고 해요. 하루에 두 시간씩, 훈련시간에서 빼서 사냥을 할 수 있게 하죠. 단 800미터 이상 떨어진 곳은 갈 수 없고, 통신 장비와 위치추적 발찌를 차고 나갈 것. 다음은?"

나는 다시 목록을 훑어본다.

"게일. 반군 활동을 하려면 게일이 함께 있어야 해요."

"어떻게? 카메라에 비치지 않는 곳에서? 네 옆에 언제나 같이? 너의 새

애인으로 나오길 원하니?"

코인이 묻는다.

딱히 악의를 가지고 한 말은 아니었다. 오히려 그 반대에 가깝다. 굉장히 사무적인 말투였다. 그래도 나는 충격을 받아 입을 딱 벌린다.

"뭐라고요?"

"현재의 로맨스를 유지해야 한다고 생각합니다. 피타를 그렇게 금방 버리면 시청자들이 캣니스에 대한 공감을 잃을 수 있어요. 모두 캣니스가 피타의 아이를 가지고 있다고 생각하고 있으니 특히 더 그렇죠."

플루타르크가 말한다.

"동감입니다. 그러면 화면상에서 게일은 그냥 동료 반군인 걸로 묘사하기로 하죠. 괜찮니?"

코인이 말한다. 나는 코인을 그저 바라볼 뿐이다. 짜증이 나는지 코인은 다시 말한다.

"게일 말이야. 이렇게 하면 되겠니?"

"계속 사촌이라고 해도 되겠지."

풀비아가 말한다.

"우린 사촌 아니에요."

게일과 내가 동시에 말한다.

"그래, 하지만 카메라 앞에서는 계속 사촌인 걸로 해둬야 할지도 몰라. 카메라가 없을 때는 네 마음대로 해라. 다른 것도 있니?"

플루타르크가 말한다.

나는 대화가 이렇게 진행되어 당황스럽다. 내가 피타를 그렇게 쉽게 버릴 수 있다고, 게일을 사랑한다고, 그 모든 것이 연기였다고 생각하다니. 뺨이 타오르는 것 같다. 지금 이 상황에서, 누가 내 연인으로 등장했으면 좋겠는지 내가 조금이라도 생각하고 있다고 간주하는 것 자체가 모욕적이다. 나는 분노의 힘을 빌어 내 가장 큰 요구 사항을 제시한다.

"전쟁이 끝났을 때, 만약 우리가 이기면, 피타는 사면해 줘요."

정적. 게일의 몸이 긴장하는 것이 느껴진다. 미리 말해 줬어야 했을 것 같지만 그가 어떻게 반응할지 확신이 생기지 않았다. 피타가 관련되어 있으니까.

"그 어떤 형태의 처벌도 없어야 해요."

나는 말을 잇는다. 새로운 생각이 떠올랐다.

"체포된 다른 조공인들도 마찬가지고요. 조한나와 에노바리아."

솔직히, 잔인한 2번 구역 조공인 에노바리아가 어찌 되든 나는 상관없다. 사실은 싫어하지만, 그래도 빼놓는 것은 잘못일 것 같다.

"안 돼."

코인이 단호하게 말한다.

"돼요. 당신들이 경기장에 버리고 온 게 그 사람들 잘못은 아니잖아요. 캐피톨이 그들에게 무슨 짓을 하고 있을지 어떻게 알아요?"

내가 맞받아친다.

"다른 전범들과 함께 재판을 받을 거고, 재판소에서 합당하다고 생각하는 대로 처리될 거다."

코인이 말한다.

"면책권을 줘야 해요!"

의자에서 벌떡 일어나는 나 자신이 느껴진다. 목소리가 크게 울린다.

"13번 구역의 전 주민과 12번 구역 생존자들 앞에서 직접 발표하세요. 어서. 오늘 하세요. 후대까지도 볼 수 있도록 녹화하세요. 당신 자신과 정부가 그들의 안전을 책임지겠다고 해요. 만약 싫으면 다른 모킹제이를 찾으시고요!"

한참 동안이나 아무도 입을 열지 않는다.

"저 모습이에요! 바로 저렇게. 의상을 입고, 뒤에서 총성이 울리고, 연기가 조금 나고."

풀비아가 플루타르크에게 날카롭게 속삭이는 소리가 들린다.

"그래, 우리가 원하는 게 그런 거야."

플루타르크가 숨을 죽여 대답한다.

그 두 사람을 노려보고 싶지만, 코인에게서 시선을 떼는 건 실수일 거라는 느낌이 든다. 코인은 내가 얼마나 가치가 있을지 생각해 보며, 내 최후통첩을 따를 경우의 득과 실을 따져보고 있는 모습이다.

"어떻게 하시겠습니까, 대통령? 이런 상황이라면 공식적으로 사면을 해 줄 수도 있을 겁니다. 그 아이는…… 아직 성년도 되지 않았어요."

플루타르크가 말한다.

"좋아요. 하지만 넌 연기를 제대로 하는 게 좋을 거야."

코인이 마침내 대답한다.

"발표를 하시고 나면 연기할게요."

"오늘 명상 시간에 전국 안보 모임을 소집해요. 그때 발표하겠다. 아직 목록에 남은 사항이 있니, 캣니스?"

코인이 명령하고서 내게 묻는다.

나는 종이를 뭉친 채 오른손 주먹에 쥐고 있었다. 종이를 테이블 위에 펴고 얼기설기 써놓은 글자를 읽는다.

"딱 하나만 더요. 스노우는 제가 죽일 거예요."

처음으로 대통령의 입술에 미소 같은 것이 떠오른다.

"그때가 되면, 너도 명단에 넣어 주마."

그 말이 옳을지도 모른다. 스노우의 목숨을 앗을 권리가 있는 사람은 물론 나 혼자만이 아니다. 코인이라면 스노우를 죽이는 일을 믿고 맡겨도 될 것 같다.

"좋아요."

코인은 아까 자기 팔과 시계를 흘끗거렸다. 그녀 역시 따라야 할 일정이 있다.

"그럼 캣니스는 당신에게 맡기겠어요, 플루타르크."

코인이 방을 나서고, 그녀의 팀도 뒤따른다. 방에는 플루타르크, 풀비아, 게일, 나만 남았다.

"아주 좋아, 아주 좋아."

플루타르크는 의자에 깊숙이 앉으며, 팔꿈치를 테이블에 올린 채 눈을 비빈다.

"내가 제일, 그 무엇보다 그리워하는 게 뭔지 아니? 커피야. 한번 물어보자. 귀리죽과 순무를 목으로 넘기게 해 줄 음료를 바라는 게 그렇게 생각조차 할 수 없는 일이니?"

"우린 여기가 이렇게 융통성 없을 줄은 몰랐어. 고위급들까지도."

풀비아가 플루타르크의 어깨를 문질러 주며 우리에게 설명한다.

"아니면 적어도 샛길이라도 있을 줄 알았지. 내 말은, 심지어 12번 구역에도 암시장은 있지 않았니?"

플루타르크가 말한다.

"네, 호브가 있었죠. 우리가 거래하던 곳이에요."

게일이 말한다.

"그래, 그렇지? 그런데 너희 둘은 얼마나 도덕적이냐! 너희를 타락시키는 건 아마 불가능할 거야. 음…… 뭐, 전쟁이란 게 영원히 계속되지는 않으니까. 그러니 네가 합류해 줘서 기쁘다."

플루타르크는 한숨을 쉬고서 풀비아가 이미 옆에 꺼내 놓은, 검은 가죽으로 장정된 큰 스케치북을 향해 손을 뻗는다.

"전반적으로 우리가 어떤 요구를 하고 있는지는 너도 알지, 캣니스? 네가 우리와 손을 잡으면서도 긍정적으로만 생각하고 있지는 않다는 걸 알아. 이게 도움이 되었으면 좋겠구나."

플루타르크는 내 쪽으로 스케치북을 민다. 나는 잠시 의심스럽게 쳐다보다, 결국 호기심을 이기지 못하고 커버를 들춰 본다. 그 안에는 내가 몸을 곧게 펴고 강인한 모습으로 검은 유니폼을 입고 서 있는 그림이 있다. 이 의상을 디자인한 사람은 세상에 단 하나뿐이다. 처음 보면 그저 실용적으로만 보이지만, 다시 살펴보면 예술 작품이다. 쭉 떨어지는 헬멧의 선, 가슴을 가린 갑옷의 곡선, 팔 아래의 흰 주름이 보이도록 조금 넓게 만든 소매. 그의 손에서 나는 다시금 모킹제이가 된다.

"시나."

내가 속삭인다.

"그래. 시나는 네가 모킹제이가 되겠다고 스스로 결정하기 전까지는 이걸 보여주지 않겠다고 내게 약속하게 했어. 내 말을 믿으렴, 유혹이 아주 강했단다. 계속해서 살펴 봐."

나는 천천히 페이지를 넘기며 유니폼의 각 부분을 자세히 그려 놓은 것을 본다. 한 겹 한 겹 조심스레 재단한 방탄복, 부츠와 벨트에 숨겨둔 무기, 내 심장 부분에 특별히 보호장구를 단 것. 마지막 페이지에는 내 모킹제이 핀 스케치가 있다. 시나는 그 아래에 '나는 이번에도 너에게 걸 거야.'라고 적어 두었다.

"시나가 언제……."

목소리가 나오지 않는다.

"어디 보자. 25주년 특집 발표 뒤였지. 아마 헝거 게임이 시작되기 몇 주 전이었던가? 스케치만 있는 게 아니야. 네 유니폼도 가지고 있단다. 아, 그리고 비티는 무기고에서 너를 위해 정말 특별한 걸 준비해 뒀어. 그게 뭔지 미리 알아채 버릴 만한 힌트는 주지 않으마."

플루타르크가 말한다.

"넌 역사상 가장 옷을 잘 입은 반군이 될 거야."

게일이 미소 지으며 말한다. 그가 나를 기다리고 있었다는 사실을 갑자기 깨닫게 된다. 시나처럼, 게일은 내가 이런 결정을 내리기를 계속 기다리고 있었던 것이다.

"우리 계획은 공중파 습격을 시작하는 거야. 우리가 '프로파간다 스팟', 줄여서 프로포라고 부르는 영상이 있어. 네가 출연하는 그런 영상을 여러 개 만들어서 판엠 전체에 방송하는 거지."

"어떻게요? 방송은 캐피톨에서만 통제할 수 있잖아요."

게일이 말한다.

"하지만 우리에겐 비티가 있지. 10년쯤 전에 비티는, 어떤 프로그램이든 송신할 수 있는 지하 네트워크를 통째로 다시 만들다시피 했어. 성공할 가능성이 제법 있다고 하더군. 물론 방송에 내보낼 거리가 있어야겠지. 그러니까 캣니스, 스튜디오가 너를 기다리고 있다. 풀비아?"

플루타르크는 자기 조수 쪽을 돌아본다.

"플루타르크와 나는 그동안 계속 의논해 왔어. 대체 어떻게 하면 성공할 수 있을지를. 우리는 우리의 반군 지도자인 너를, 밖에서부터…… 안으로 만들어 나가는 게 최선이라고 생각한단다. 무슨 뜻이냐면 가능한 한 가장 멋있는 모킹제이의 모습을 찾은 다음, 너의 성격을 그에 합당한 수준까지 끌어올리는 거지!"

풀비아가 밝은 목소리로 말한다.

"유니폼은 벌써 있잖아요."

게일이 말한다.

"그렇지. 하지만 다치고 피투성이인 모습일까, 혹은 반란의 불길로 빛나고 있어야 할까? 사람들이 역겹다고 생각하지 않는 선에서 얼마만큼이나 더러운 모습을 보여줄 수 있을까? 어쨌거나 캣니스는 무언가가 되어야 하는 거지. 내 말은, 이 모습은 분명히……."

풀비아는 내게 재빨리 다가와 손으로 내 얼굴 둘레에 프레임을 만들어 보인다.

"안 된다는 거지."

나는 반사적으로 머리를 뒤로 빼지만, 풀비아는 이미 자기 물건들을 정리하느라 바쁘다.

"그러니까 그걸 명심하도록 하고, 너를 놀라게 해 줄 게 또 있어. 이리 와, 이리 와."

풀비아가 우리에게 손을 흔들어 보이고, 게일과 나는 그녀와 플루타르크를 따라 복도로 나간다.

"의도는 참 좋은데, 아주 모욕적이네."

게일이 내 귀에 속삭인다.

"캐피톨이란 곳이 원래 이래."

내가 입모양으로 대답한다. 사실 나로선 풀비아의 말이 아무렇지도 않다. 그저 스케치북을 단단히 끌어안고서 내게 찾아오는 희망적인 기분을 거부하지 않는다. 이건 분명 옳은 선택일 거야. 시나가 원했다면.

우리는 엘리베이터에 올라타고, 플루타르크는 메모를 확인한다.

"어디 보자. 3908호 객실이군."

그는 39라고 쓰여 있는 버튼을 누르지만 아무 일도 일어나지 않는다.

"열쇠를 써야 하나 봐요."

풀비아가 말한다.

플루타르크는 셔츠 속에서 가느다란 사슬에 연결된 열쇠를 꺼내 어딘가에 넣는다. 나는 열쇠 구멍이 있는 줄도 모르고 있었다. 문이 닫힌다.

"아, 됐군."

엘리베이터는 열 층, 스무 층, 서른 층 이상을 내려간다. 나는 13번 구역이 이렇게 깊은 줄도 몰랐다. 문이 열리자 빨간 문이 죽 늘어선 넓고 흰 복도가 나온다. 더 높은 층의 회색 문에 비하면 거의 장식적으로 보일 정도다. 각 문에는 숫자만 쓰여 있다. 3901, 3902, 3903……

내려서면서 나는 뒤를 돌아보고, 엘리베이터 문이 닫히는 것과 쇠창살이 아래에서 내려와 엘리베이터 문 앞을 막는 장면을 본다. 다시 앞을 보니 복도 저쪽 끝에 있는 방 중 하나에서 경비병 한 명이 나와 서 있었다. 우리를 향해 성큼성큼 걸어오는 그의 등 뒤로 문이 조용히 닫힌다.

플루타르크는 그를 향해 걸어가며 인사로 손을 들어 보인다. 우리는 그를 따라갔다. 여기 와 있으니 뭔가 크게 잘못되어 있다는 느낌이 든다. 엘리베이터 문을 이중으로 강화해 둔 것, 지하로 이렇게 깊이 내려온 데 대한 폐소 공포증, 코를 찌르는 소독약 냄새만이 아니다. 게일의 얼굴을 한번 보기만 해도, 게일도 같은 느낌을 받고 있다는 걸 알 수 있다.

"안녕하세요. 우리는……."

플루타르크가 입을 연다.

"잘못 오셨습니다."

경비병이 퉁명스럽게 말한다.

"그래요?"

플루타르크는 메모를 다시 확인한다.

"3908이라고 여기 쓰여 있는데요. 전화를 한 통 해 주시면 안 될지……."

"죄송하지만 지금 즉시 나가주시겠습니까? 임무가 잘못 배정된 것은 본부에서 정정받으실 수 있습니다."

경비병이 잘라 말한다.

우리 바로 앞에 있다. 3908호. 불과 몇 발자국 앞이다. 그 문은……, 아니 실은 여기 있는 모든 문이 전부 다 불완전해 보인다. 손잡이가 없다. 지금 저 경비병이 나온 문처럼, 경첩에만 의지해 자유롭게 여닫을 수 있는 문이 분명하다.

"그게 어디라고요?"

풀비아가 묻는다.

"본부는 7층에 있습니다."

경비병은 우리를 엘리베이터로 돌아가게 하려고 팔을 뻗으며 말한다.

3908호에서 소리가 들려온다. 훌쩍거리는 아주 작은 소리가. 겁먹은 개가 얻어맞지 않으려고 낼 법한 소리지만, 너무 사람 소리 같은 데다 귀에 익은 소리다. 게일과 나는 아주 잠깐 눈을 맞췄을 뿐이지만, 우리처럼 움직일 수 있는 두 사람에겐 충분한 시간이었다. 나는 경비병의 발치에 시나의 스케치북을 떨어뜨려 큰 소리가 나게 한다. 경비병이 그걸 주우려고 몸을 숙이고, 그 1초 뒤에 게일도 몸을 숙이며 일부러 그와 머리를 부딪쳤다.

"아, 죄송해요."

게일은 가볍게 웃으며, 균형을 잡으려는 듯 경비병의 팔을 잡아 나에게서 조금 떨어지게 한다.

지금이 기회다. 나는 경비병이 정신이 파는 틈을 타 3908이라고 쓰여 있는 문을 밀어 열고, 그들을 발견한다. 반쯤 벌거벗고 멍이 든 채 벽에 사슬로 묶여 있는 그들.

내 준비 팀이다.

씻지 않은 몸과 퀴퀴한 오줌, 감염된 부위에서 나는 악취가 소독약의 구름을 뚫고 풍겨 온다. 엄청나게 눈에 띄는 그 몸치장을 보고 세 사람을 겨우 알아볼 수 있는 정도였다. 베니아의 얼굴에 새겨진 금빛 문신, 플라비우스의 오렌지 색 스크루 모양 곱슬머리, 옥타비아의 연둣빛 피부. 옥타비아의 피부는 흐늘거리며 처져 있다. 마치 그녀의 몸이 천천히 바람이 빠지는 풍선이기라도 한 것처럼.

나를 보자 플라비우스와 옥타비아는 공격해 올 것을 예상한 듯 타일을 바른 벽에 기대며 몸을 움츠린다. 난 그들을 해친 일이 전혀 없는데도. 내가 그들에게 했던 가장 심한 짓은 친절하지 못한 생각이었고, 그 생각을 입 밖으로 낸 적은 없었다. 그런데 왜 움찔하는 거지?

경비병은 내게 나가라고 명령하고 있지만, 이어지는 발소리를 들으니 게일이 어떻게든 그를 붙잡고 있다는 걸 알 수 있다. 나는 대답을 듣기 위해 언제나 그들 중 가장 강했던 베니아에게로 간다. 쭈그리고 앉아 얼음장 같은 손을 잡자 베니아는 양손으로 내 손을 바이스처럼 단단하게 감싸 쥔다.

"어떻게 된 거예요, 베니아? 여기서 뭐해요?"

"그들이 데려왔어. 캐피톨에서."

베니아가 쉰 목소리로 대답한다. 플루타르크가 들어와 내 뒤에 섰다.

"대체 무슨 일이야?"

"누가 데려왔어요?"

내가 다그쳐 묻는다.

"사람들이. 네가 경기장에서 나온 날."

베니아는 모호하게 대답한다.

56

"늘 같이 일하던 팀이 있으면 네가 편안해 할 것 같았거든. 시나가 요청했어."

플루타르크가 뒤에서 말한다.

"시나가 이런 걸 요청했다고요?"

내가 으르렁거린다. 내가 아는 것 단 한 가지가 있다면, 이 세 명을 학대하는 일은 시나가 절대 허락하지 않았으리라는 것이다. 시나는 이들을 늘 부드럽고 참을성 있게 대했다.

"이 사람들이 왜 범죄자 취급을 받고 있는 거죠?"

"난 정말로 모르겠다."

플루타르크의 목소리에서 느껴지는 무언가가 그 말을 믿게 만들고, 풀비아의 얼굴에 떠오른 창백한 기색을 보니 확신이 더해진다. 플루타르크는 막 문간에 나타난 경비병을 돌아본다. 게일이 경비병의 바로 뒤에 서 있다.

"나는 이들이 억류 중이라는 말밖에 못 들었소. 왜 처벌을 받고 있는 거요?"

"음식을 훔쳤습니다. 빵을 두고 언쟁이 벌어졌고, 제지해야만 했습니다."

베니아의 미간이 좁아진다. 아직도 이해해 보려고 애쓰는 것 같은 표정이다.

"아무한테서도, 아무 얘기도 못 들었어요. 우린 너무 배고팠어요. 빵 한 쪽만 가져왔는데."

옥타비아는 너덜거리는 튜닉으로 입을 막고 소리를 죽여 흐느끼기 시작한다. 처음으로 내가 경기장에서 살아 돌아왔을 때, 내가 배고파 하는 걸 참지 못하고 옥타비아가 식탁 밑으로 롤빵 하나를 몰래 건네주던 것을 생각한다. 나는 그녀의 흔들리는 몸을 향해 기어간다.

"옥타비아?"

내가 손을 대자 옥타비아는 움찔한다.

"옥타비아? 괜찮아질 거예요. 내가 여기서 꺼내 줄게요. 알았죠?"

"이건 극단적인 조치로 보이는데."

플루타르크가 말한다.

"빵 한쪽 가져왔다고 이렇게 만든 거예요?"

게일이 묻는다.

"그전까지도 반복적으로 위반했다. 경고 조치도 했고. 그런데도 빵을 더 가져왔어."

경비병은 우리가 격하게 반응하는 게 의아하다는 듯 잠시 멈췄다가 다시 말을 잇는다.

"빵을 가져가면 안 돼."

얼굴을 가린 옥타비아의 손을 치우게 할 수는 없었지만, 그래도 그녀는 조금 고개를 들었다. 손목에 찬 차꼬가 조금 흘러내려 까진 상처가 드러났다.

"우리 엄마한테 데리고 갈 거예요. 풀어줘요."

내가 경비병에게 말한다. 경비병은 고개를 가로젓는다.

"그런 허가는 없었다."

"풀어줘요! 당장!"

나는 소리 지른다.

내 말에 경비병은 침착함을 잃었다. 보통 시민들은 그에게 이런 식으로 말하지 않는다.

"석방 명령을 받은 적 없다. 그리고 너에겐 그럴 권한이 없……!"

"내 권한으로 풀어주겠소. 어차피 이 세 명을 데리러 온 거였으니. 특별한 방어체제를 위해 필요해요. 모든 책임은 내가 지도록 하지."

플루타르크가 말한다.

경비병은 전화를 걸기 위해 방을 떴다가 열쇠를 몇 개 들고 돌아온다. 준비 팀은 너무 오랫동안 비좁은 곳에서 불편한 자세를 취하고 있어서, 차꼬를 풀고 나서도 걷기 힘들어 한다. 게일과 플루타르크, 그리고 내가 도와주어야 한다. 플라비우스의 발이 바닥의 둥그런 구멍 위에 얹힌 금속제 배수구 뚜껑에 걸렸다. 왜 방에 배수구가 있을까 생각하다 보니 뱃속이 졸아든다. 이 흰 타일에 호스로 물을 뿌려 씻어냈을 인간의 고통의 얼룩들……

병원으로 가서 내가 믿고 맡길 수 있는 유일한 사람인 엄마를 찾는다. 세 사람의 현재 상태가 말이 아닌지라 엄마는 한동안 그들을 알아보지 못하시지만, 얼굴에는 이미 실망의 기색이 떠올라 있다. 학대당한 몸을 봤기 때문은 아니라는 걸 나는 알고 있다. 12번 구역에서는 매일 보았던 모습이니까. 이런 일이 13번 구역에서도 일어난다는 것을 깨달았기 때문에 실망하신 거다.

엄마는 병원에서 환영받으셨지만, 평생 환자를 치료해 왔는데도 의사보다는 간호사에 가깝게 간주되었다. 하지만 상처를 살펴보기 위해 세 사람을 진료실로 데리고 가는 엄마를 막는 사람은 없다. 나는 병원 입구 밖 복도의 벤치에 앉아 엄마가 들려주실 소견을 기다린다. 엄마는 몸의 상태를 보고 그들에게 가해진 고통을 읽어낼 수 있으실 거다.

게일이 옆에 앉아 팔로 내 어깨를 감싼다.

"네 어머니가 낫게 해 주실 거야."

나는 고개를 한 번 끄덕이며, 게일은 전에 자신이 12번 구역에서 잔혹하게 태형을 받았던 일을 떠올리고 있지는 않을까 생각해 본다.

플루타르크와 풀비아는 우리 맞은편의 벤치에 앉았지만 준비 팀의 상태에 대해서는 아무 언급도 하지 않는다. 만약 저들 역시 준비 팀이 학대당하고 있었다는 사실을 몰랐다면, 저들은 코인 대통령의 이런 행동을 어떻게 해석할까? 나는 조금 도와주기로 결심한다.

"우리 모두 통보를 받은 것 같네요."

"응? 아니야. 무슨 말이니?"

풀비아가 묻는다.

"내 준비 팀을 처벌한 건 경고예요. 나에게만 하는 경고가 아니에요. 두 분한테도 경고하는 거예요. 여기서 진짜 통제권을 가진 사람이 누구인지, 자기 명령에 따르지 않으면 어떻게 되는지. 만약 당신들에게 힘이 있다는 환상을 갖고 계신다면, 나라면 그 생각 이제 버리겠어요. 보아하니 캐피톨 혈통이라는 건 여기서 보호막이 되어주지 못하는 것 같네요. 어쩌면 오히려 부담이 될 수도 있겠어요."

내가 말해준다.

"이번 반군들의 전쟁을 지휘한 플루타르크와 저 미용사 셋은 비교 대상이 될 수 없어."

풀비아는 얼음장 같은 목소리로 말한다.

나는 어깨를 으쓱한다.

"그렇게 말씀하신다면야 그렇겠죠, 풀비아. 하지만 코인에게 잘못 보이면 어떻게 될까요? 제 준비 팀은 납치를 당해서 여기 왔어요. 최소한 언젠가 캐피톨로 돌아가기를 바랄 수라도 있죠. 또 게일과 저는 숲 속에서 살 수 있어요. 하지만 당신들은요? 두 분은 어디로 도망치실래요?"

"아마 우리는 네가 믿고 있는 것보다는 이 전쟁에 필요한 존재들일 거다."

플루타르크는 별 관심 없다는 목소리로 대답한다.

"물론 그러시겠죠. 조공인들도 헝거 게임에 있어 필요한 존재들이었는 걸요. 필요 없어질 때까지는. 그러고선 굉장히 버리기 쉬운 존재가 되었고요. 안 그래요, 플루타르크?"

이 말로 대화는 끝났다. 우리는 엄마가 찾아오실 때까지 그냥 조용히 앉아 있었다.

"괜찮아질 거야. 영구적으로 남게 될 상처는 없어."

"좋아요. 아주 잘됐군요. 언제부터 일할 수 있을까요?"

플루타르크가 묻는다.

"아마 내일부터요. 그런 일을 겪었으니 감정적으로 조금 불안정할 거라는 점은 예상하셔야 해요. 캐피톨에서 살다 왔으니 특히 더. 이런 일을 겪을 준비가 되어 있지 않았잖아요."

엄마가 대답한다.

"우리 모두 그렇지 않나요?"

플루타르크가 말한다.

준비 팀이 정상적으로 일할 상태가 아니기 때문인지, 아니면 내가 너무 신경이 곤두서 있는 탓인지는 몰라도 플루타르크는 오늘 남은 시간 동안 모킹제이의 임무에서 날 해방시켜 주었다. 게일과 나는 점심을 먹으러 가서 콩과 양파 스튜, 두꺼운 빵 한 쪽, 물 한 컵을 받는다. 베니아의 이야기를 듣고 난 뒤라 빵이 목에 자꾸 걸려서 남은 빵을 게일의 접시로 밀어 놓는다. 점심을 먹는 동안 우리 둘 다 별 말이 없었다. 그릇을 비우고 나자 게일은 소매를 걷어 일정을 살핀다.

"다음은 훈련이야."

소매를 걷고 내 팔을 게일 팔 옆에 내민다.

"나도."

이제 훈련은 곧 사냥을 의미한다는 사실을 나는 떠올린다.

두 시간만이라도 숲 속으로 탈출하고 싶어 안달이 나고, 지금까지 해 온 다른 걱정은 그에 밀려난다. 녹음(綠陰)과 태양빛 속에 파묻히면 생각을 정리하는 데 분명 도움이 될 것이다. 큰 복도를 벗어난 게일과 나는 어린아이들처럼 달려서 무기고로 간다. 도착하니 숨이 차오르고 어지러워서,

내가 아직 완전히 회복되지 않았다는 걸 상기시켜 준다. 경비병들은 우리가 쓰던 옛 무기를 꺼내주고, 칼과 사냥감을 담을 삼베 자루도 준다. 발목에 추적기를 다는 건 싫었지만 꾹 참고, 손에 들고 다니는 통신기 사용법을 설명해 줄 때는 귀를 기울이는 척한다. 내 머릿속에 남는 정보는 통신기에 시계가 달려있고, 정해진 시각까지 13번 구역 안으로 돌아오지 않으면 사냥을 할 수 있는 특권이 취소된다는 것뿐이다. 이 규칙은 아마 지키려고 노력할 것 같다.

우리는 밖으로 나가 숲 옆에 있는, 울타리에 둘러싸인 넓은 훈련 구역으로 들어간다. 경비병들이 기름을 잘 발라 둔 대문을 아무 말 없이 열어 준다. 우리 힘으로 이 울타리를 넘어가기는 쉽지 않을 것이다. 9미터에 이르는 높이에 언제나 전기가 흐르며, 꼭대기에는 면도칼처럼 날카로운 철사가 얹혀 있다. 우리는 울타리가 보이지 않는 곳까지 깊이 숲 속으로 들어간다. 작은 풀밭이 나오자 걸음을 멈추고 고개를 뒤로 젖혀 햇볕을 쬐었다. 나는 두 팔을 양옆으로 들고 세상이 핑핑 돌지 않도록 천천히 한 바퀴 돈다.

12번 구역에서 본 가뭄은 이곳 식물들에게도 피해를 주었다. 나뭇잎이 바싹 말라서 우리 발밑에는 바스락거리는 카펫이 깔려있다. 우리는 신발을 벗는다. 어차피 내 신발은 잘 맞지도 않는다. 13번 구역을 지배하는 '낭비가 없으면 부족이 없다.'는 정신으로, 누군가가 발이 커져서 더 이상 신을 수 없게 된 신발을 지급받았다. 신발이 엉망으로 길이 들어있는 걸 보면 원래 주인과 나 중 한 사람은 걸음걸이가 이상한가 보다.

우리는 옛날처럼 묵묵히 사냥한다. 숲 속에 오면 우리는 하나의 존재 속 두 부분으로 나뉘어 움직이기 때문에, 말로 의사소통을 할 필요가 없다. 서로 상대방의 움직임을 예측하고, 엄호를 해 준다. 얼마 만이지? 8개월? 9개월? 우리가 이런 자유를 누리는 게. 이제껏 있었던 일들이나 우리 발목에 추적기가 달려 있다는 것, 그리고 내가 너무 자주 쉬어야 한다는 점 등을 생각해 보면 예전과 완전히 똑같지는 않다. 하지만 내가 지금 상황에서 얻을 수 있다 싶은 것 중에서는 행복에 가장 가깝다.

이곳에 사는 동물들은 경계심이 별로 없다. 우리의 낯선 체취를 알아채느라 지체하는 그 한순간이 곧 동물들의 죽음을 의미했다. 한 시간 반 만에 이런저런 동물들(토끼, 다람쥐, 그리고 칠면조)을 열 마리 넘게 잡고, 남는 시간 동안은 연못가에서 놀기로 한다. 물이 시원하고 단 것을 보니 수원은 지하수인 게 분명하다.

게일이 사냥감을 다듬겠다고 해서 반대하지 않는다. 나는 혀 위에 민트 이파리를 몇 개 얹고, 눈을 감고 바위에 기대 소리에 귀를 기울인다. 뜨거운 오후의 태양이 내 피부를 태우도록 하면서 거의 평화롭다고까지 느낀다. 그런데 게일의 목소리가 나를 방해한다.

"캣니스, 왜 그렇게 준비 팀에게 신경을 써?"

농담인지 확인하려고 눈을 떠 봤지만, 게일은 토끼 가죽을 벗기며 얼굴을 찡그리고 있다.

"그러면 안 돼?"

"음, 생각해 볼까. 그 사람들이 작년 내내 학살에 참가하는 너를 예쁘게 만들어 주면서 보냈으니까?"

"그보다는 좀 더 복잡해. 내가 아는 사람들이거든. 사악하거나 잔인한 사람들이 아니야. 심지어 똑똑하지도 않고. 그 사람들을 해치는 건 어린애들을 해치는 거나 마찬가지야. 그들이 보기엔…… 내 말은, 그 사람들은 모르고……."

말이 꼬이기 시작한다.

"그 사람들이 뭘 모르는데, 캣니스? 조공인들……, 그 괴짜 삼인조가 아니라 진짜 어린애들 말이야. 그 애들이 죽을 때까지 싸우라고 강요당한다는 걸 모른다고? 보고 즐길 오락거리를 제공하기 위해서 네가 경기장에 들어간다는 걸 모른다는 거야? 그게 캐피톨에선 큰 비밀이었나?"

"그런 게 아냐. 그래도 우리와는 보는 관점이 다르지. 그들은 그걸 보면서 자랐고……."

"너 지금 그 사람들을 변호하는 거야?"

게일은 재빨리 손을 움직여 토끼 가죽을 단번에 벗겨낸다.

조금 마음이 아프다. 왜냐하면 난 사실 그러고 있는 셈이고, 이건 정말 말도 안 되는 일이기 때문이다. 어떻게 하면 논리적인 입장이 될 수 있을지 생각하려 애쓴다.

"빵 한 쪽을 가져갔다고 해서 그런 취급을 받는 사람이라면 누가 됐든 변호하고 있는 거야, 난. 칠면조 한 마리 때문에 너한테 일어났던 일이 너무 생생하게 떠올라서였을까?"

그래도 게일이 옳다. 내가 이렇게까지 준비 팀을 걱정하는 게 좀 이상해 보이긴 할 것이다. 나는 그들을 싫어해야 하고, 그 사람들이 목 매달린 꼴을 보고 싶어 해야 한다. 하지만 그들은 정말 아무것도 모르고 있었던 데다, 시나의 팀이었고…… 시나는 내 편이었으니까. 이렇게 생각하는 게 맞나?

"싸우자는 건 아니야. 하지만 그 사람들이 이곳 규칙을 어겼다고 벌을 준 게 곧 코인이 너에게 엄청난 메시지를 보내고 있는 거라곤 생각지 않아. 어쩌면 네가 보고 좋아할 거라고 생각하지 않았을까."

게일은 토끼를 자루에 넣고 일어선다.

"제시간에 도착하려면 이제 움직이는 게 좋겠다."

"그래."

일으켜 주려고 뻗은 게일의 손을 무시하고 나는 비틀거리며 일어난다.

돌아오는 길에는 둘 다 말이 없었지만, 대문 안으로 들어오고 나자 다른 생각이 난다.

"특집 때, 옥타비아와 플라비우스는 내가 다시 들어가게 된 것 때문에 울음을 참을 수가 없어서 중간에 나가야 했어. 베니아는 작별인사도 겨우 했고."

"그걸 계속 생각하도록 노력할게, 그들이…… 너를 개조하는 동안."

"그렇게 해."

우리는 주방으로 가서 그리지 세이 아줌마에게 고기를 건네준다. 아줌마는 여기 요리사들이 상상력이 좀 부족하다고 생각하고 있지만, 그래도 13번 구역을 꽤 마음에 들어 하신다. 들개 고기와 대황으로 맛있는 스튜를 만들어 내던 사람이라면 이곳에선 두 손이 묶인 것 같은 기분이 들 수밖에 없다.

사냥을 하느라 지쳤고 잠이 부족한 터라 객실로 돌아가 보니 텅 비어 있다. 버터컵 때문에 이사했다는 걸 그제야 기억해 냈다. 맨 위층으로 가서 객실 E를 찾아간다. 307호와 똑같이 생겼지만 유일한 차이는 창문이다. 폭 60센티미터, 높이 20센티미터의 창문은 바깥 벽 꼭대기 중앙에 나 있다. 그 위로 덮이는 묵직한 금속판이 있지만 지금은 열려 있고, 고양이는 어디 있는지 눈에 띄지 않는다. 침대에 몸을 쭉 뻗고 누우니 오후의 햇살 한줄기가 내 얼굴에 비쳐 온다. 잠시 후 정신을 차려 보니 내 동생이 (18:00 - 명상)을 위해 나를 깨우고 있었다.

프림은 점심때부터 계속 모임이 있을 거란 안내가 있었다고 말해 준다. 의무적으로 일을 해야만 하는 사람들을 제외하고는 13구역 전원이 참석해야 한다. 우리는 지시에 따라 회의실로 간다. 수천 명을 다 수용할 수 있을 정도로 큰 방이다. 이보다 더 큰 모임을 위해 만든 곳이라는 걸 알 수 있었다. 어쩌면 천연두가 유행하기 전에는 더 큰 모임이 있었을지도 모른다. 프림은 조용히 그 참사가 낳은 곳곳의 결과를 가리킨다. 사람들 몸에 남은 천연두 흉터, 몸이 조금 상한 어린아이들.

"여기 사람들 고생 많이 했어."

프림이 말한다. 오늘 아침에 있었던 일 이후로 나는 13번 구역을 딱하게 여길 기분이 아니다.

"12번 구역 사람들보다 더 고생한 건 아니지."

내가 대꾸한다. 엄마가 병원복 차림의 몸을 움직일 수 있는 환자들을 한 무리 데리고 들어오시는 게 보인다. 피닉이 그 틈에 끼어 서 있다. 멍한 모습이지만 여전히 미남이다. 손에는 30센티미터도 되지 않는 가느다란 밧줄을 하나 들고 있다. 아무리 피닉이라 해도 쓸모 있는 올가미를 만들어 낼 수는 없을 길이다. 그는 손가락을 재빠르게 움직이면서, 자동적으로 여러 매듭을 묶었다 풀었다 하며 여기저기 둘러보고 있다. 아마 치료의 일환인가 보다. 나는 다가가서 말을 건다.

"안녕, 피닉."

눈치채지 못하는 것 같아서, 나는 주의를 돌리려고 그를 쿡 찌른다.

"피닉! 잘 있었어요?"

"캣니스, 우리 왜 여기 모이는 거야?"

피닉은 내 손을 잡으며 말한다. 친숙한 얼굴을 보고 안도하는 것 같다.

"나, 코인에게 모킹제이가 되겠다고 했어요. 그 대가로 반군이 이길 경우 다른 조공인들을 모두 사면해 주겠다고 약속하게 만들었고요. 증인을 충분히 확보할 수 있게 공개적으로 하라고 했죠."

"아, 잘됐다. 애니 때문에 걱정하고 있었거든. 자기도 모르게 배신으로 해석될 수 있는 말을 하면 어쩌나 하고."

애니. 이런, 까맣게 잊고 있었다.

"걱정 말아요, 내가 다 손써 놨으니까."

나는 피닉의 손을 한 번 꼭 쥐어주고 회의실 앞의 연단으로 간다. 발표

문을 훑어보고 있던 코인이 나를 보고 눈썹을 치켜 올린다.

"사면자 명단에 애니 크레스타도 넣어 주세요."

내가 코인에게 말한다. 대통령은 얼굴을 살짝 찌푸린다.

"그게 누군데?"

"피닉 오데어의……."

뭐라고 해야 할지 정말 모르겠다.

"피닉의 친구예요. 4번 구역 출신의 다른 우승자죠. 경기장이 폭발했을 때 체포돼서 캐피톨로 잡혀갔어요."

"아, 그 미친 여자. 사실 넣을 필요도 없을 텐데. 우리에겐 그렇게 나약한 사람을 처벌하는 관습은 없어."

내가 오늘 아침에 걸어 들어가서 목격했던 장면을 떠올린다. 벽에 기대 쭈그리고 있던 옥타비아를. 나와 코인이 나약하다는 정의를 내리는 기준은 엄청나게 다를 것이 분명하다. 하지만 난 그냥 이렇게만 말한다.

"그래요? 그러면 애니를 넣어 줘도 아무 문제없겠네요."

"알았어."

대통령은 대답하고 연필로 애니의 이름을 써 넣으며 묻는다.

"발표할 때 너도 나와 함께 이 위에 올라오고 싶니?"

나는 고개를 가로젓는다.

"그럴 거라 생각했지. 얼른 내려가서 관중 속에 숨으렴. 곧 시작할 참이니까."

나는 피닉에게 돌아간다.

13번 구역에서는 말도 낭비하지 않는다. 코인은 관중들에게 집중해 달라고 한 다음, 내가 다른 우승자들(피타, 조한나, 에노바리아, 애니)이 반군에 어떤 피해를 준다 해도 책임을 면제받는다는 조건 하에 모킹제이가 되기로 합의했다고 말한다. 관중들이 웅성거리는 가운데 반대하는 소리들이 들려온다. 내가 모킹제이가 되고 싶어 한다고 모두들 조금의 의심도 없이 믿고 있었나보다. 그러니 대가(적일 수 있는 사람들을 용서해 주는 대가 말이다)를 요구하는 데 화가 난 것이다. 나는 내 쪽으로 날아오는 적대적인 시선들을 무시하며 서 있는다.

대통령은 잠시 사람들이 불만을 표시하도록 두고는, 특유의 사무적인 태도로 말을 잇는다. 이제야 대통령의 입에서는 내가 처음 듣는 이야기가 나온다.

"하지만 전례가 없는 이런 요청을 받아들여 주는 대가로, 에버딘 병사는 우리의 활동에 전념하기로 했습니다. 그녀의 동기나 실제 행동 그 어느 쪽이든 임무에서 조금이라도 벗어나게 되는 일이 생기면, 이 합의를 어긴 것으로 간주할 것입니다. 면책특권은 종료될 것이며 우승자 네 명의 운명은 13번 구역의 사법부가 결정하게 될 것입니다. 에버딘 양의 운명 역시 마찬가지입니다. 감사합니다."

바꿔 말하면, 내가 선을 넘으면 우린 다 죽는 거다.

5

싸워야 할 또 하나의 권력이 생겼다. 나를 자기 게임 속의 한 부분으로 이용하기로 결심한 또 하나의 강력한 플레이어가 등장한 것이다. 물론 뜻대로 돌아가는 일이라곤 없는 것 같지만. 처음에는 게임운영자들이 나를 자기들의 스타로 만들더니, 독이 든 딸기 한 줌이 가져온 후폭풍으로 휘청거렸다. 그러고는 스노우 대통령이 나를 이용해 반란의 불길을 끄려 했지만 내 모든 행동은 사람들을 선동하는 결과만 낳았다. 다음엔 반군들이 나를 금속 집게발로 경기장에서 끄집어내 자신들의 모킹제이로 삼으려 했다가 내가 날개를 원치 않을지도 모른다는 충격에서 회복해야만 했다. 그리고 이제는 소중한 핵무기 조금과 잘 돌아가는 기계 같은 구역을 소유한 코인이 모킹제이는 잡기보다 훈련시키기가 훨씬 어렵다는 것을 깨닫고 있다. 하지만 내게 나만의 계획이 있고, 그러니까 섣불리 믿어서는 안 된다는 것을 가장 빨리 깨달은 것은 코인이다. 내가 위협적이라고 공개적으로 낙인을 찍은 것도 코인이 처음이다.

욕조에서 두꺼운 거품 층을 손가락으로 쓸어 본다. 씻기는 것은 새로운 외모를 결정하는 예비 단계일 뿐이다. 내 머리는 산에 손상되고 피부는 태양볕에 타 버린 데다 보기 싫은 흉터도 생겼다. 준비 팀은 나를 일단 예쁘게 만든 다음, 다시 보다 매력적으로 손상시키고, 태우고, 흉터를 내야 한다.

"미녀 레벨 0으로 개조해요. 거기서부터 시작할 테니."

풀비아가 오늘 아침 제일 먼저 한 일은 이런 명령을 내리는 것이었다. 미녀 레벨 0이라는 것은 아침에 일어났을 때 완전무결해 보이면서 동시에 자연스러운 모습을 가리키는 것으로 밝혀진다. 내 손톱을 완벽한 모습으로 다듬었지만 광은 내지 않는다. 머리카락은 부드럽고 반짝거리지만 스타일링은 하지 않는다. 피부는 매끈하고 맑아 보이지만 화장은 하지 않는다. 체모를 왁스로 제거하고 다크서클도 지웠지만, 눈에 띄는 보정은 하지 않는다. 내가 조공인으로서 캐피톨에 도착하던 첫날 시나가 이것과 똑같은 지시를 내렸던 것 같다. 다른 점이라면 그때는 내가 경기의 참가자였다는 점뿐이다. 반군이 되면 좀 더 내 자신에 가까운 모습이 될 거라고 생각했다. 하지만 텔레비전에 나오는 반군은 어느 정도 수준의 외모를 가져야 하는가 보다.

몸에 묻은 비누 거품을 씻어내고 나서 몸을 돌리니 옥타비아가 수건을 들고 기다리고 있다. 화려한 옷, 진한 화장, 염색한 머리에 달아 놓은 보석이며 장신구가 없는 옥타비아는 내가 캐피톨에서 알던 여자와는 너무나 다른 모습이다. 하루는 밝은 핑크빛 머릿단에 쥐 모양으로 생긴 알록달록한 빛나는 장식을 여럿 달고 있었던 것을 기억한다. 옥타비아는 집에서 애완용 쥐를 몇 마리 기른다고 했다. 당시엔 그 생각을 하자 혐오감이 들었다. 우리는 요리하지 않은 쥐를 해로운 동물로 생각하기 때문이었다. 하지만 옥타비아는 어쩌면 쥐들이 작고, 부드럽고, 찍찍 소리를 내서 좋아했을지도 모른다. 꼭 자기처럼. 옥타비아가 내 몸을 톡톡 두드려 닦아 주는 동안, 나는 13번 구역의 옥타비아에게 익숙해지려고 노력한다. 알고 보니 원래 머리색은 예쁜 적갈색이었다. 얼굴은 평범하지만 부인할 수 없는 다정함을 지니고 있다. 내 생각보다 나이가 어렸다. 20대 초반쯤 되어 보인다. 7센티미터가 넘는 장식용 손톱을 떼고 보니 뭉툭하다시피 한 손가락은 계속 떨리고 있다. 괜찮다고, 코인이 다시 해치지 못하게 하겠다고 말해 주고 싶다. 하지만 그녀의 녹색 피부 밑에 피어난 여러 가지 색깔의 멍은 내가 얼마나 무력한지를 상기시켜 줄 뿐이다.

플라비우스 역시 평소 바르던 보라색 립스틱과 밝은 색 옷 없이 나타난다. 그래도 오렌지색 곱슬머리는 어찌어찌 원래 모습에 가깝게 하고 왔다. 가장 변화가 적은 것은 베니아다. 청록색 머리를 삐죽삐죽하게 하지 않고 그냥 늘어뜨리고 있고, 모근 쪽에서는 회색 머리가 자라나고 있는 것을 볼 수 있다. 하지만 베니아의 모습 중에 가장 눈에 띄는 특징이었던 문신은 언제나처럼 황금색이고 충격적이다. 베니아가 와서 옥타비아의 손에서 수건을 받아든다.

"캣니스는 우리를 해치지 않을 거야. 캣니스는 우리가 여기 와 있는 것도 모르고 있었어. 이제 지내기 좀 나아질 거야."

베니아는 작지만 단호한 목소리로 옥타비아에게 말한다. 옥타비아는 고

70

개를 살짝 끄덕이지만 나와 눈을 맞출 엄두는 내지 못한다.

플루타르크는 캐피톨에서 여러 가지 제품과 도구, 장비를 꼼꼼하게 챙겨 오는 선견지명을 갖고 있었지만, 나를 미녀 레벨 0으로 되돌리는 것은 쉬운 일이 아니다. 조한나가 내 팔에서 추적기를 파냈던 곳을 손보려 해 보기 전까지는 준비 팀은 꽤 잘해 나간다. 의료진이 내 팔에 난 구멍을 꿰맬 때 겉모습에 신경 쓴 사람은 아무도 없었다. 이제 나에게는 사과 크기 정도의 면적을 차지하는, 울퉁불퉁하게 툭 튀어나온 흉터가 남았다. 보통은 옷소매에 가려지지만, 시나의 모킹제이 유니폼은 소매가 팔꿈치 바로 위까지만 오도록 디자인되어 있다. 이 흉터가 워낙 큰 문제라 풀비아와 플루타르크를 불러 의논한다. 내 흉터를 보자 풀비아가 거의 토할 뻔했다고 맹세해도 좋다. 게임운영자와 일하는 사람치고는 끔찍이도 민감하다. 하지만 불쾌한 모습은 화면 속에서만 보는 데 익숙해져 있으리라.

"내가 여기에 흉터가 있다는 건 다들 안다고요."

내가 퉁명스럽게 말한다.

"아는 거랑 보는 건 다른 문제야. 보기 역겹잖아. 점심시간 동안에 플루타르크와 내가 뭔가를 생각해 낼게."

풀비아가 말한다.

"괜찮을 거야. 완장을 채우거나 하면 되지 뭐."

플루타르크가 별일 아니라는 듯 손을 내저으며 말한다.

짜증이 나서 나는 식당으로 가려고 옷을 입는다. 준비 팀은 문간에 한데 모여 있다.

"식사는 여기로 가져다 준대요?"

내가 묻는다.

"아니, 식당으로 가야 한대."

베니아가 말한다.

이 세 명을 이끌고 식당에 들어갈 것을 상상해 보고 속으로 한숨을 쉰다. 하지만 사람들은 어차피 나를 쳐다보는걸. 결과는 비슷할 것이다.

"어디 있는지 알려드릴게요. 따라오세요."

그간 사람들은 나를 몰래 흘끗거리거나, 작은 목소리로 무슨 말인가 웅얼거리거나 했다. 내 준비 팀의 기묘한 모습이 불러일으킨 반응에 비하면 지금까지는 아무것도 아니었다. 딱 벌어진 입, 손가락질, 깜짝 놀란 외침들.

"그냥 무시해요."

나는 준비 팀에게 말한다. 눈을 내리깐 채 기계적인 움직임으로 그들은 나를 따라 줄을 서고, 생선과 오크라로 만든 회색빛 스튜가 든 그릇과 물컵을 받는다.

우리는 내가 앉는 식탁의 경계 출신 사람들 옆자리에 앉는다. 경계 사람들은 13번 구역 사람들보다는 절제된 반응을 보이지만, 아마 부끄러워서 그러는 것일 거다. 12번 구역에 살 때 내 이웃이었던 리비는 준비 팀에게 조심스레 인사를 건네고, 그들이 잡혀갔다는 사실을 아마 알고 있을 게일의 엄마 헤이즐은 스튜를 한 숟갈 떠서 들어 보인다.

"걱정 말아요. 보기보다는 맛있으니까."

하지만 가장 큰 도움을 주는 사람은 게일의 5살짜리 여동생 포시다. 포시는 벤치를 따라 쪼르르 옥타비아에게 가서 손가락으로 조심스럽게 그녀의 피부를 만져 본다.

"피부가 녹색이네요. 아프세요?"

"패션이야, 포시. 립스틱을 바르는 것 같은 거야."

내가 말한다.

"예쁘라고 한 건데."

옥타비아가 속삭이고, 눈물이 속눈썹을 넘어 차오르려는 것이 보인다.

포시는 그 말을 듣고 생각해 보더니 객관적인 어조로 말한다.

"제 생각엔 어떤 색깔이라도 예쁘실 것 같아요."

옥타비아의 입술에 작디작은 미소가 떠오른다.

"고마워."

"포시를 정말 감동시키려면 밝은 핑크색으로 해야 할 거예요. 포시가 제일 좋아하는 색이거든요."

게일이 내 옆자리에 자기 식판을 쿵 내려놓으며 말한다. 포시는 키득거리며 자기 엄마에게 돌아간다. 게일은 플라비우스의 그릇 쪽으로 고개를 까딱해 보인다.

"나라면 식기 전에 먹겠어요. 딱딱해지거든요."

다들 먹는 데 전념한다. 스튜의 맛은 나쁘지 않지만, 적응하기 어려운 끈적거리는 느낌이 있다. 한 번 입에 넣을 때마다 세 번은 삼켜야 음식이 제대로 내려가는 것 같은 느낌이다.

보통은 식사 중에 말을 많이 하지 않는 게일이 대화를 계속 끌고 가려고 노력하며, 내 변신에 대해서 물어본다. 우리 사이를 부드럽게 하려는 시도임을 알 수 있다. 어젯밤 게일이, 내가 코인에게 우승자들의 안전을 보장하라고 요구한 것은 코인에게 다른 요구로 맞받아치게 하는 기회를 주었을 뿐이라고 해서 우리는 말다툼을 했다.

"캣니스, 코인은 이 구역을 지배하는 사람이야. 네 의지에 굴복하는 것처럼 보여서는 지배할 수가 없는 거야."

"네 말은 이의를 제기하는 걸 코인이 참지 못한다는 뜻이겠지. 그게 공정한 이의 제기라고 해도."

나는 이렇게 맞받아쳤다.

"네가 코인을 곤란한 위치로 몰아넣었다는 얘기야. 피타와 다른 사람들이 어떤 피해를 줄지조차 알지 못하는데 사면시켜 주게 했잖아."

게일은 이렇게 말했었다.

"그러면 그냥 계획대로 따라가고, 다른 조공인들은 운에 맡겨야 했다는 거야? 그럼 별로 신경 쓸 것도 없겠네. 어차피 우리 모두가 지금 하고 있는 게 그거니까!"

나는 그렇게 말하고서 문을 게일의 면전에 대고 쾅 닫았다. 아침 먹을 때는 같이 앉지 않았고, 오늘 아침에 플루타르크가 게일을 훈련하러 보냈을 때도 말 한마디 하지 않고 그냥 보냈다. 게일은 나를 걱정해서 그렇게 말한 것뿐이란 건 알지만, 나로서는 그가 꼭 코인 편이 아니라 내 편을 들어주어야 한다. 게일은 어떻게 그걸 모를 수가 있지?

점심 식사 후 게일과 나의 일정은 특별 방어로 내려가서 비티를 만나는 것이다. 엘리베이터에 타자 게일이 마침내 말한다.

"너 아직 화났구나."

"넌 아직 안 미안하고."

내가 대답한다.

"난 아직 전에 말했던 것과 같은 생각이야. 내가 거짓말을 하면 좋겠어?"

"아니, 네가 다시 생각해 보고 옳은 의견을 가지게 되었으면 좋겠어."

하지만 게일은 이 말을 듣고 웃을 뿐이다. 포기해야겠다. 게일의 생각을 지배하려고 애쓰는 것은 무의미하다. 솔직히 말하면 내가 게일을 믿는 이유 중 하나가 그것이기도 하다.

'특별 방어'는 거의 우리가 준비 팀을 발견했던 지하 감옥만큼이나 깊은 곳에 위치하고 있다. 컴퓨터로 가득찬 방과 연구소들, 조사 장비, 실험을 위한 장소들이 벌집처럼 모여 있다.

비티를 찾으니, 미로를 뚫고 엄청나게 큰 판유리 창문이 있는 곳까지 데려다 준다. 그 안에는 내가 13번 구역 건물 내에서 처음으로 보는 아름다운 것이 있었다. 초원을 재현해 놓았다. 진짜 나무와 꽃을 피운 식물이 가득하고, 벌새들이 날아다닌다. 비티는 초원 한가운데의 휠체어에 꼼짝 않고 앉아서, 녹색 벌새가 공중에 뜬 채 큰 오렌지 꽃에 든 꿀을 빨아먹는 모습을 지켜보고 있다. 날아가는 새를 눈으로 쫓다가 그가 우리를 발견한다. 비티는 들어오라고 우리에게 정답게 손짓한다.

공기가 찌는 듯 습할 줄 알았는데 시원하고 숨쉬기 좋았다. 사방에서 작은 날개가 파닥이는 소리가 들려온다. 고향의 숲에서 이 소리를 들으면 벌레 소리인 걸로 착각하곤 했다. 여기서 이렇게 쾌적한 곳을 지을 수 있었다니 어떤 행운이 따랐던 것일까.

비티는 아직 회복기 환자답게 창백한 얼굴빛을 하고 있지만, 잘 맞지 않는 안경 뒤의 눈은 흥분으로 빛나고 있다.

"정말 대단하지 않니? 13번 구역은 여기서 여러 해에 걸쳐 공기 역학을 연구해 왔어. 전진 비행과 후진 비행이 가능하고, 최고 속도는 시속 96킬로미터야. 캣니스, 내가 너에게 저런 날개를 만들어 줄 수만 있다면!"

"제가 감당할 수 있을지 잘 모르겠는데요, 비티."

나는 웃는다.

"여기 있다가 1초 만에 사라져 버리는 거야. 너 화살로 벌새도 맞출 수 있니?"

"시도해 본 적 없어요. 고기도 별로 없으니까."

"그렇지. 그리고 너는 재미로 생명을 죽일 사람은 아니지. 그래도 분명 맞추기 힘들 거야."

"덫으로는 잡을 수 있을지도 몰라요."

게일이 말한다. 게일의 얼굴에는 게일이 뭔가를 궁리하고 있을 때 짓는, 먼 곳을 보는 듯한 표정이 떠올라 있다.

"아주 촘촘한 그물을 이용하는 거죠. 안에는 꿀이 든 꽃을 미끼로 두고. 꿀을 먹는 동안 입구를 닫아 버리는 거죠. 그 소리를 듣고 날아가겠지만,

가 봤자 반대쪽도 그물로 막혀있는 거죠."

"그게 잘 될까?"

비티가 묻는다.

"몰라요. 그냥 아이디어예요. 눈치를 채고 걸려들지 않을 수도 있죠."

게일이 말한다.

"그럴 수도 있지. 어쨌든 너는 위험을 피해 달아나려는 벌새의 본능을 이용하려는 거구나. 사냥감처럼 생각한다……, 그렇게 하면 그들의 맹점을 찾아낼 수 있지."

비티가 말한다.

생각하고 싶지 않은 기억이 떠오른다. 특집에 대비하면서 나는 비티가 출연했던 헝거 게임의 테이프를 보았다. 아직 소년이던 비티는 전선 두 개를 연결해서 그를 사냥하던 아이들 한 무리를 감전시켰다. 경련하던 몸과 아이들의 그로테스크한 표정들. 비티는 그 옛날의 헝거 게임에서 자신이 비로소 승리를 얻어 낼 때까지 순간 순간 다른 사람들이 죽는 것을 바라보았다. 그의 잘못은 아니다. 자기방어일 뿐이다. 우리 모두 스스로를 지키려 행동했던 것뿐…….

갑자기 누가 덫을 놓기 시작하기 전에 벌새가 있는 방을 떠나고 싶어진다.

"비티, 플루타르크가 그러는데 저한테 주실 게 있다면서요."

"맞아, 그래. 네가 쓸 새 활."

비티는 팔걸이에 달린 버튼을 눌러 방 밖으로 나간다. 우리가 그를 따라 특별 방어의 꼬불꼬불한 길을 걷는 동안, 비티는 휠체어에 대해 설명한다.

"이제 조금은 걸을 수 있어. 하지만 너무 빨리 지쳐서 말이야. 이걸 타고 돌아다니는 편이 더 쉬워. 피닉은 어떻게 지내니?"

"피닉은…… 집중력 문제가 있어요."

내가 대답한다. 완전히 돌아 버렸다는 말은 하고 싶지 않다.

"집중력 문제라……. 피닉이 최근 몇 년간 어떤 일들을 겪었는지 안다면, 아직 살아 있는 것만 해도 얼마나 대단한 일인지 너도 알 텐데. 그래도 내가 피닉을 위한 새 삼지창을 만들고 있다고 전해 줄래? 정신을 조금이라도 흐트러지게 만들어 줄 거리가 되도록."

비티가 으스스한 웃음을 짓는다. 피닉의 정신을 흐트러 놓을 필요는 전혀 없는 것 같지만, 나는 전해 주겠다고 약속한다.

'특수 무기고'라고 표시된 복도의 입구는 병사 네 명이 지키고 있다. 우리의 팔에 인쇄된 일정을 살피는 것은 예비 단계에 불과하다. 지문, 망막, DNA를 스캔하고, 특수한 금속 감지기를 통과해야 한다. 보안 검사를 통과하고 나자 다른 휠체어가 지급되긴 했지만 비티는 자기 휠체어를 밖에 두고 들어가야 한다. 13번 구역에서 자란 사람 그 누구도 정부에서 주의해야 할 위협적인 존재가 되리라고는 상상할 수 없어서, 이 모든 절차가 묘하게 느껴진다. 최근에 이민자들이 몰려 들어와서 이런 경비 절차를 설치한 것일까?

무기고 문에서 두 번째로 신분 확인을 하고(복도를 따라 20미터를 걷는 동안 내 DNA가 바뀌기라도 했을까 봐), 마침내 무기를 모아 둔 곳에 들어가도록 허가받는다. 무기들을 보고 깜짝 놀랐다는 건 인정해야겠다. 화기며 발사기, 폭발물, 무장 차량들이 끝도 없이 줄지어 서 있다.

"물론 공수사단용 물품은 다른 곳에 보관되어 있지."

비티가 우리에게 말한다.

"그렇겠죠."

나는 당연한 일이라는 듯 대답한다. 그리곤 이런 첨단기술 장비들 틈에 단순한 활과 화살을 위한 자리가 있을 수 있을까 생각하는데, 무시무시한 활들이 늘어선 벽에 도착한다. 훈련을 받는 동안 캐피톨의 활은 많이 써

봤지만 군사용으로 제작된 것은 없었다. 원거리용 조준경과 온갖 장비가 잔뜩 달린, 그 위력이 치명적일 것 같은 활에 내 주의를 집중한다. 쏘는 것은 고사하고, 나는 들지도 못할 거란 확신이 든다.

"게일, 네가 몇 개 시험해 보지그래."

비티가 말한다.

"정말요?"

게일이 묻는다.

"물론 전투용으로는 결국 총을 지급받겠지. 하지만 프로포에서 캣니스의 팀으로 등장할 거라면 이런 활이 좀 더 그럴듯해 보일 거야. 네게 맞는 활이 뭔지 알아보고 싶어 할 것 같아서."

비티가 말한다.

"네, 맞아요."

게일은 방금 전 내 주의를 끌었던 바로 그 활을 쥐고 어깨 높이까지 들어 올렸다. 그가 조준경을 들여다보며 방 안을 돌아본다.

"사슴한테는 공정한 처사가 아닌 것 같은데."

내가 말한다.

"사슴한테 쏠 건 아니잖아?"

그가 대답한다.

"금방 돌아오마."

비티는 패널에 암호를 입력하고, 작은 문이 열린다. 비티가 나가고 문이 닫힐 때까지 바라본다.

"그럼 너는 괜찮겠어? 그걸로 사람을 쏘는 거 말이야."

내가 묻는다.

"그렇게 말하진 않았어. 하지만 내게 12번 구역에서 일어난 일을 막을 수 있는 무기가 있었다면…… 네가 경기장에 들어가지 않게 할 수 있는 무기가 있었다면……, 나는 사용했을 거야."

게일은 활을 옆구리 쪽으로 내린다.

"나도."

나는 인정한다. 하지만 사람을 죽인다는 행위의 결과에 대해서 어떻게 말해야 할지 모르겠다. 그건 절대로 사라지지 않는다는 것을.

비티는 검고 긴 사각형 케이스를 휠체어 발걸이와 어깨 사이에 어색하게 얹고 돌아온다. 멈추더니 내 쪽으로 기울인다.

"네 거다."

케이스를 바닥에 평평하게 놓고 한쪽에 달린 잠금쇠들을 푼다. 경첩으로 연결된 뚜껑은 소리 없이 열린다. 케이스 안에는 옅은 적갈색의 벨벳이 깔려 있고, 그 위에 멋진 검은색 활이 놓여 있다.

"오."

내 입에서 감탄이 새어나온다. 활을 조심스레 공중으로 들어 올려 절묘한 밸런스, 우아한 디자인, 새가 날면서 날개를 펼친 모습을 떠올리게 하는 곡선을 음미한다. 그리고 그밖에도 다른 무언가가 있는 것 같다. 꼼짝 않고 가만히 들고 있어보고 나서야 내 상상이 아니라는 확신이 든다. 상상이 아니다. 손에 들린 이 활은 살아 있다. 뺨에 대고 눌러 보자 약한 진동이 내 얼굴뼈를 타고 울리는 것이 느껴진다.

"이게 지금 뭐하고 있는 거죠?"

내가 묻는다.

"인사하는 거지. 네 목소리를 들었거든."

비티가 씩 웃으며 설명해 준다.

"내 목소리를 알아들어요?"

"그래, 네 목소리만. 그들은 활을 디자인할 때 생김새에만 신경을 썼어. 네 의상의 일부로서 말이야, 알겠지? 하지만 난 계속 '이게 무슨 낭비람.'

이라고 생각했어. 가끔은 네가 실제로 써야 할 수도 있잖아? 패션 액세서리 이상으로 말이야. 그래서 외관은 단순하게 두었지만, 내부를 만들 땐 내 상상력을 발휘했지. 직접 써 보면서 설명하는 게 제일 좋을 거다. 시험해 보고 싶니?"

해 보고 싶다. 우리를 위한 테스트 공간도 이미 마련되어 있다. 비티가 디자인한 화살들은 활 못지않게 훌륭하다. 이 활과 화살을 사용하니 90미터가 넘는 거리에 있는 것도 정확히 맞출 수 있었다. 다양한 종류의 화살이 있어(아주 뾰족한 것, 불을 지를 수 있는 것, 폭발하는 것 등) 활은 다용도 무기로 변신한다. 각 종류의 화살대의 색깔이 달라서 구분할 수 있다. 목소리를 알아듣는 기능은 언제든 끌 수 있지만, 굳이 꺼야 할 이유가 있을지 알 수 없다. 활의 특수 기능을 끄고 싶으면 그냥 "잘 자." 하고 말해 주면 된다. 그러면 활은 내 목소리가 다시 깨울 때까지 잠이 든다.

비티와 게일을 남겨 놓고 준비 팀에게 돌아갈 무렵에는 기분이 좋아져 있다. 화장하는 동안 참을성 있게 앉아 기다리고, 의상을 입는다. 이제 의상에는 피 묻은 붕대가 추가되어 있다. 팔의 흉터에 감아 내가 최근에 전투에 참가했다는 점을 보여주기 위해서다. 베니아는 내 심장이 있는 곳에 모킹제이 핀을 달아 준다. 그들이 내가 특수 화살을 들고 돌아다니게 허락할 리 없다는 걸 알기에, 활과 비티가 만들어 준 평범한 화살이 든 화살통을 집어 든다. 방음이 된 스튜디오에 가서 메이크업을 고치고 조명과 연기의 수위를 조정하는 동안 서 있는 시간이 몇 시간은 되는 것 같다. 마침내 신비한 유리 부스 안의 눈에 보이지 않는 사람들이 인터콤으로 내리는 명령이 점점 줄어든다. 풀비아와 플루타르크는 나를 이리저리 바꾸기보다 살펴보는 데 더 긴 시간을 보낸다. 드디어 세트장에는 침묵이 흐른다. 꼬박 5분 동안 모두 나를 관찰하기만 했다. 플루타르크가 말한다.

"이거면 된 것 같군."

그가 나를 모니터 앞으로 부르더니 촬영분 중 마지막 몇 분을 보여준다. 나는 화면 속의 여자를 바라본다. 그 여자의 몸집은 나보다 큰 것 같고, 더 눈길을 끄는 모습이다. 얼굴은 더럽지만 섹시하다. 검은 눈썹의 각도는 반항적으로 보인다. 연기 줄기(이 여자의 몸에 붙었던 불을 방금 껐거나, 곧 화염에 휩싸이게 될 거라는 걸 암시하는)가 옷에서 피어난다. 이 사람이 누구인지 나는 모르겠다.

몇 시간째 세트장에서 어슬렁거리던 피닉이 내 뒤로 다가와 예전 그의 유머감각이 느껴지는 말을 한다.

"사람들은 너를 죽이거나, 키스하거나, 네가 되고 싶어 할 거야."

모두가 너무도 흥분했고, 자신들의 작품에 만족해 한다. 저녁 먹을 시간이 거의 다 되었지만 사람들은 계속 하자고 우긴다. 내일은 연설과 인터뷰에 집중할 것이고, 내가 반군 전투에 참전했다고 꾸며낼 예정이다. 오늘은 슬로건 하나, 코인에게 보여줄 짧은 프로포에 넣을 딱 한 줄만 따자고 한다.

"판엠의 인민이여, 우리는 싸우고, 도전하고, 정의를 위하여 우리의 굶주림을 끝장낸다!"

이런 한 줄이다. 내게 보여주는 모습을 보니 몇 달, 어쩌면 몇 년에 걸쳐 준비한 슬로건이고 그들이 진심으로 자랑스러워하고 있음을 알 수 있다. 하지만 내게는 길고 발음하기 힘들게 느껴진다. 그리고 딱딱하다. 캐피톨 억양을 써서 장난을 치는 게 아니라면, 일상 속에서 내가 실제로 그런 말을 하는 걸 상상할 수가 없다. 나와 게일이 에피 트링켓이 외치던 "확률의 신이 언제나 당신 편이기를!"을 따라했던 것처럼 말이다. 하지만 풀비아는 내게 달려들 듯한 기세로 내가 방금까지 어떤 전투를 치렀는지 설명한다. 죽은 전우들은 내 주위에 쓰러져 있고, 산 자들을 규합하기 위해서는 내가 카메라를 향해 그 대사를 외쳐야 한다고 강하게 말한다.

사람들에게 등을 떠밀려 내 자리로 돌아가고, 연기를 만들어 내는 기계가 가동되었다. 누군가가 조용히 하라고 외치고, 카메라가 돌아간다. "액션!"하는 소리가 들린다. 그래서 나는 활을 머리 위로 쳐들고 가능한 한 분노를 모두 끌어모아 외친다.

"판엠의 인민이여, 우리는 싸우고, 도전하고, 정의를 위하여 우리의 굶주림을 끝장낸다!"

세트장에는 정적만이 흐른다. 침묵은 계속된다. 쭉 계속된다.

마침내 인터콤에서 부스럭 소리가 나더니 헤이미치의 신랄한 웃음소리가 스튜디오에 가득 울린다. 그는 이 한마디를 할 수 있을 정도밖에 웃음을 참지 못한다.

"친구들, 이런 식으로 혁명이 죽는 거요."

6

어제 헤이미치의 목소리를 듣고, 그가 활동하고 있을 뿐 아니라 내 인생을 어느 정도 좌우하고 있었다는 사실을 알게 됐다. 충격을 받았고 불같이 화가 났다. 나는 곧바로 스튜디오에서 나와 버렸다. 또 오늘은 어제 그가 부스에서 한 말을 들었다는 것도 티 내지 않았다. 그렇지만 그가 내 연기에 대해 한 말이 옳다는 것만은 듣는 즉시 알 수 있었다.

헤이미치는 오늘 오전 내내 다른 사람들을 설득해서 내 한계를 인식하게 만들었다. 내가 해낼 수 없다는 것을. 의상을 입고 메이크업을 한 채 가짜 연기에 둘러싸여 텔레비전 스튜디오에서 선 내가 구역들을 연합해 승리로 이끄는 건 불가능하다. 이제까지 그렇게 오랫동안 카메라 앞에 섰는

데도 살아남았다는 것 자체가 놀라운 일이다. 그것은 물론 피타 덕분이었다. 나는 혼자서는 모킹제이가 될 수 없다.

우리는 사령부의 거대한 테이블에 둘러앉는다. 코인과 그녀의 부하들. 플루타르크, 풀비아, 내 준비 팀. 그리고 12번 구역 출신 사람들. 헤이미치와 게일이 있지만, 리비와 그리지 세이 아줌마처럼 왜 왔는지 이해할 수 없는 사람들도 있다. 마지막 순간에 피닉이 비티의 휠체어를 밀고 들어온다. 10번 구역에서 온 소 전문가 달튼도 함께다. 코인은 내가 실패했다는 사실의 증인으로 삼기 위해 이렇게 이상한 조합을 불러 모았나 보다.

하지만 모두에게 잘 오셨다고 인사를 하는 것은 헤이미치였다. 그리고 그의 말을 들으니 이들은 그가 개인적으로 초대한 사람들이다. 내가 손톱으로 할퀸 후 헤이미치와 같은 방에 있는 것은 처음이다. 그를 직접 보는 건 피했지만, 벽을 따라 늘어선 반짝이는 컨트롤 콘솔 중 하나에 비친 모습을 언뜻 본다. 피부가 약간 노란색이고, 체중이 많이 줄어서 쪼그라든 인상이다. 잠시 그가 죽어가고 있나 하는 걱정이 든다. 때문에 죽어도 나는 신경 쓰지 않는다고 스스로 상기시켜 주어야 했다.

헤이미치는 제일 먼저 우리가 촬영했던 영상을 보여 준다. 나는 플루타르크와 풀비아의 인도에 따라 저급함의 새로운 단계에 도달한 모양이다. 내 목소리와 몸은 모두 경련하는 것 같고, 전혀 일관성이 없는 듯한 느낌이 든다. 마치 보이지 않는 힘이 조작하는 꼭두각시 같다.

"좋아요. 이 영상이 우리가 전쟁에서 승리하는 데 쓸모가 있을 거라고 주장하고 싶은 사람 있습니까?"

영상이 끝나자 헤이미치가 말한다. 아무도 대답하지 않는다.

"시간이 절약되겠군요. 그러니 우리 모두 잠시 침묵해 봅시다. 나는 여러분 모두가 캣니스 에버딘 때문에 진정 감동했던 단 한 가지 사건을 생각해 봐 줬으면 해요. 헤어스타일을 보고 질투가 났을 때, 드레스가 불탔을 때, 활을 그럭저럭 잘 쐈을 때 말고. 피타가 당신이 캣니스를 좋아하도록 만들었을 때 말고. 캣니스 자신이 무언가 진정한 것을 느끼게 했던 한 순간을 듣고 싶어요."

침묵이 길어지고, 이 침묵이 끝나지 않을 거라는 생각이 들기 시작한다. 그때 리비가 말한다.

"추첨 때 프림을 대신해서 자원했을 때요. 나는 그때 캣니스가 분명히 죽을 거라고 생각했거든요."

"좋아요, 훌륭한 사례군요."

헤이미치가 말한다. 그는 보라색 마커를 들고는 메모지에 적는다.

"추첨 때 동생 대신 자원했다. 다른 사람?"

헤이미치는 테이블을 둘러본다.

다음으로 입을 여는 사람이 코인의 명령대로 움직이는 근육질 로봇이라고 내가 믿고 있던 복스라서 놀란다.

"노래를 불러 줬을 때요. 그 어린 여자애가 죽었을 때."

내 머릿속에 어린 남자아이 하나를 무릎 위에 앉히고 있던 복스의 이미지가 떠오른다. 식당에서 봤던 것 같다. 알고 보면 그는 로봇이 아닐지도 모르겠다.

"그걸 보고 목이 메지 않은 사람이 누가 있겠어요, 그렇죠?"

헤이미치가 적으며 말한다.

"전 피타를 위해 약을 가지러 가려고 피타에게 약을 먹이고 작별 키스했을 때 울었어요!"

옥타비아가 불쑥 말하고는, 큰 실수를 한 게 확실하다는 듯 입을 막는다.

하지만 헤이미치는 고개를 끄덕일 뿐이다.

"아, 네. 피타의 목숨을 구하려고 약을 먹었다. 아주 좋아요."

그리고 여러 순간들이 특별한 순서 없이 마구 쏟아지기 시작한다. 내가 루와 동맹을 맺었을 때. 인터뷰하던 날 밤 채프를 향해 손을 뻗었을 때. 맥스를 업고 가려 하던 것. 그리고 계속해서 언급되는, 내가 그 딸기를 내밀었던 순간은 사람들에게 각기 다른 의미로 다가왔다. 피타에 대한 사랑. 불가능한 상황에서도 포기하기를 거부하는 것. 캐피톨의 잔인함에 대한 저항.

헤이미치는 메모지를 들어올린다.

"그러면, 여기서 문제. 이 모든 것의 공통점이 뭐죠?"

"캣니스 스스로 한 행동이었죠. 아무도 이걸 해라, 어떻게 말하라 시키지 않았어요."

게일이 조용히 말한다.

"대본이 없었지, 그래!"

비티가 말한다. 그는 손을 뻗어 내 손을 톡톡 두드린다.

"그러니까 우린 널 그냥 내버려 둬야겠구나, 그렇지?"

사람들은 웃는다. 나까지도 조금 미소를 짓는다.

"글쎄요, 모두 아주 좋긴 하지만, 별 도움은 안 되는군요."

풀비아가 짜증난다는 듯 말한다.

"안타깝게도, 이곳 13번 구역에서는 캣니스가 환상적으로 변할 기회가 다소 제한적이네요. 그러니 만약 캣니스를 전장 한복판에 던져 놓자는 제안이 아니라면……"

"내가 제안하는 게 바로 그거요. 현장에 내보낸 다음 그냥 찍어요."

헤이미치가 말한다.

"사람들은 캣니스가 임신했다고 생각하잖아요."

게일이 지적한다.

"경기장에서 전기 충격을 받아 유산했다는 말을 퍼뜨리면 된다. 아주 슬프지. 굉장히 불운한 일이고."

플루타르크가 대답한다.

나를 전장에 내보낸다는 아이디어는 논란을 불러일으킨다. 하지만 헤이미치가 뜻하는 바는 확고하다. 내가 실제 상황에서만 연기를 잘할 수 있다면, 실제 상황에 투입해야 한다는 것이다.

"우리가 코치를 하거나 대사를 줄 때마다, 바랄 수 있는 최고는 그저 그런 수준이오. 캣니스 스스로 해야 해요. 사람들이 반응하고 있는 게 그런 거라고."

"우리가 조심한다고 해도, 안전을 보장할 수는 없어요. 캣니스는 언제나 표적이 될⋯⋯."

복스의 말을 끊고 내가 끼어들었다.

"전 가고 싶어요. 여기서는 반군들에게 아무 도움이 못되니까요."

"네가 죽으면?"

코인이 묻는다.

"죽는 장면을 꼭 찍어 두세요. 그건 써먹을 수 있을 거 아녜요."

내가 말한다.

"좋아. 하지만 한 번에 한 단계씩 밟아가기로 하자. 네 안에서 무언가를 자연스럽게 이끌어 낼 수 있는 상황을 고르되, 가장 덜 위험한 곳을 찾는 거야."

코인은 사령부를 돌아다니며 현재 참전한 병력들이 위치한 곳을 보여 주는, 빛이 나는 지역별 지도들을 둘러본다.

"오늘 오후에 8번으로 데려가요. 아침에 심한 폭격이 있긴 했지만 이제는 다 끝난 것 같군요. 보디가드를 한 팀 붙여요. 촬영 팀도 같이 내려가고. 헤이미치, 당신은 공중에서 캣니스와 연락을 취해요. 거기 가서 어떻게 되는지 보기로 합시다. 다른 제안 있는 사람?"

"세수 좀 시키죠."

달튼이 말한다. 모두 그를 돌아본다.

"아직 어린 여자앤데 35살처럼 보이게 해 놨잖아요. 잘못한 것 같은데요. 캐피톨이 할 법한 일 같아요."

코인이 회의를 끝마치자, 헤이미치는 코인에게 나와 단둘이 이야기를 나눌 수 있겠느냐고 한다. 다들 방에서 나가는데, 게일은 확신이 들지 않는 듯 내 옆에서 머뭇거린다.

"뭘 걱정하는 거냐? 보디가드가 필요한 사람은 난데."

헤이미치가 묻는다.

"괜찮아."

내가 그렇게 말하자 게일도 방에서 나간다. 장비에서 나는 '웅' 하는 소리, 환기 시스템에서 나는 바람소리만 남는다.

헤이미치는 내 맞은편 의자에 앉는다.

"우린 다시 같이 일해야 한다. 그러니 주저하지 말고 그냥 말해."

호버크래프트에서 서로 으르렁대며 잔인한 말을 주고받던 것을 생각한다. 그에 뒤따랐던 쓸쓸한 기분도. 하지만 내가 하는 말은 그저 이것뿐이다.

"피타를 구하지 않으셨다는 걸 믿을 수가 없네요."

"나도 안다."

헤이미치가 대답한다.

충분하지 않은 느낌이 든다. 헤이미치가 사과하지 않았기 때문은 아니다. 우리가 팀이었기 때문이다. 우리는 피타를 안전하게 지키자고 약속을 했었다. 술에 취해 밤의 어둠 속에서 했던 비현실적인 약속이지만, 그래도 약속은 약속이다. 그리고 내 마음속 가장 깊은 곳에서는, 우리 둘 다 실패했다는 사실을 알고 있다.

"이제 아저씨가 말하세요."

내가 말한다.

"나는 네가 그날 밤 피타를 네 시야 밖에 두었다는 걸 믿을 수 없다."

나는 고개를 끄덕인다. 바로 이거다.

"그때를 머릿속에서 계속 다시 곱씹어 보곤 해요. 어떻게 하면 동맹을 깨지 않고 피타를 내 옆에 둘 수 있었을지. 하지만 아무 방법도 안 떠올라요."

"너에겐 선택의 여지가 없었다. 그리고 그날 밤 나는 플루타르크에게 좀 더 오래 남아서 피타를 구하자고 할 수도 있었지만, 그랬다면 호버크래프트가 추락했을 거다. 우린 그때 정말 간신히 빠져나왔어."

나는 비로소 헤이미치와 눈을 맞춘다. 경계의 눈이다. 회색이고, 깊고, 잠을 설친 밤들 때문에 둥글게 팬 주름에 둘러싸여 있다.

"피타는 아직 죽지 않았다, 캣니스."

"우린 아직 게임을 하고 있는 거죠."

낙관적으로 말하려고 하지만, 내 목소리는 갈라져 나온다.

"아직 하고 있다. 그리고 난 아직 너의 멘토고."

헤이미치는 마커로 나를 가리킨다.

"네가 땅에 내려가면, 내가 공중에 있다는 걸 기억해라. 네가 보는 것보다 내 시야가 더 좋으니, 내가 하라는 대로 해."

"그건 두고 보죠."

내가 대답한다.

개조실로 돌아간다. 얼굴을 문질러 깨끗이 씻으며 메이크업이 한 줄기 한 줄기 흘러내려 배수구로 빠지는 것을 바라보았다. 거울에 비친 사람은 남루한 데다 피부는 고르지 못하고 눈은 지쳐 보인다. 하지만 그래도 나 같은 모습이다. 나는 완장을 뜯어내고 추적기를 뜯어낼 때 생긴 흉측한 흉터를 드러낸다. 그래, 저것. 저것 역시 나 같은 모습이야.

전장에 나가게 될 테니 시나가 디자인한 갑옷을 입는다. 비티가 도와준다. 내 머리에 딱 맞는, 금속실 같은 것으로 짠 헬멧. 천처럼 유연한 재질이라, 늘 쓰고 있고 싶지 않으면 후드처럼 젖히고 있을 수도 있다. 내 중요 장기를 더 잘 보호하기 위한 조끼. 옷깃에 전선으로 매달린 작고 흰 이어폰. 비티는 가스 공격을 받지 않는 한 쓸 필요가 없는 마스크를 내 벨트에 달아 준다.

"설명할 수 없는 이유로 쓰러지는 사람을 보거든 곧바로 쓰도록 해."

그리고는 마침내, 세 칸으로 나눠진 화살통을 내 등에 메어 준다.

"이것만 기억해. 오른쪽 불. 왼쪽 폭탄. 가운데 보통. 필요는 없겠지만, 유비무환이지."

공수 사단까지 나를 데려다 주러 복스가 나타난다. 엘리베이터가 도착하자마자, 동요한 상태인 피닉이 나타난다.

"캣니스, 나를 안 보내 준대! 나는 괜찮다고 말했지만, 호버크래프트에 태워 주지도 않으려고 해!"

피닉을 살펴보았다. 병원복 가운과 슬리퍼 사이로 맨다리가 드러나 있고, 머리는 마구 헝클어져 있다. 손가락에는 반쯤 매듭지은 밧줄이 감겨 있다. 내가 뭐라고 우겨도 소용없을 거라는 걸 알 수 있다. 심지어 나조차 피닉을 데려가는 게 좋은 생각인 것 같지 않다. 그래서 나는 이마를 탁 치며 이렇게 말한다.

"아, 깜빡했어요. 이 바보 같은 뇌진탕 때문이야. 특별 무기고에 가서 비티를 찾으라고 말해 줘야 했는데. 당신을 위해서 새 삼지창을 만들었어요."

'삼지창'이라는 단어를 듣자, 마치 옛날의 피닉이 다시 나타난 것 같다.

"정말? 어떤 기능이 있는데?"

"나도 몰라요. 하지만 내 활과 화살 같은 거라면 당신도 무척 마음에 들 거예요. 그걸로 훈련하기로 되어 있다던데요."

"좋아. 물론. 내려가 봐야겠는걸."

"피닉? 바지를 입는 게 어때요?"

그는 자기가 어떤 차림인지 처음으로 깨닫는 것처럼 자기 다리를 내려다본다. 그러고는 병원복 가운을 홱 벗어젖혀 속옷 차림이 된다.

"왜? 이걸 보니 하는 일에 집중이 안 되니?"

그러고서 그는 어처구니없는 도발적인 자세를 취한다.

우스워서 웃음을 참을 수가 없고, 복스가 너무 불편해하는 모습이라 더욱 우습다. 그리고 그렇게 말하는 피닉이 내가 특집 때 만났던 그 남자 같아서 기분이 좋다.

"나도 사람인걸요, 오데어."

나는 엘리베이터가 닫히기 전에 올라탄다.

"미안해요."

복스에게 말한다.

"미안해하지 마. 방금 일은 잘…… 처리해 낸 것 같은데. 내가 피닉을 체포해야 하는 것보다야 낫지."

"네."

곁눈질로 복스를 훔쳐본다. 아마 나이는 40대 중반일 것 같고, 회색 머리를 바짝 짧게 깎은 모습이며 눈은 푸르다. 자세는 놀라울 정도다. 그는 오늘 두 번 소리 내어 말했는데, 그 두 번 모두 그가 내 적이 아닌 친구라는 생각이 들었다. 복스에게 기회를 줘야 할지도 모른다. 하지만 그는 코인과 너무 잘 맞는 것 같아서…….

요란한 철컥 소리가 연달아 들린다. 엘리베이터는 잠시 멈추더니 왼쪽으로 움직이기 시작한다.

"옆으로도 움직여요?"

내가 묻는다.

"응. 13번 구역 지하에는 엘리베이터가 가는 길이 잔뜩 나 있어. 이건 5번 공수작전 발사대로 가는 길 바로 위에 있는 통로야. 격납고로 가는 거지."

격납고. 지하 감옥. 특별 방어. 식량을 재배하는 곳. 발전기. 공기와 물을 정화하는 곳.

"13번 구역은 제 생각보다 훨씬 크네요."

"우리 공이라고 할 수는 없지. 우린 이곳을 물려받은 셈이거든. 우리로선 계속 돌아가게 하는 게 고작이었어."

철컥 소리가 다시 들려온다. 우리는 다시 몇 층 정도 더 아래로 내려갔다. 그러자 문이 열리고 격납고가 보인다.

"오."

선단의 모습을 보고 나도 모르게 내뱉는다. 다른 종류의 호버크래프트들이 끝없이 줄지어 서 있다.

"이것들도 물려받은 건가요?"

"우리가 만든 것도 있어. 원래는 캐피톨 공군 소유였던 것도 있고. 물론 현대식으로 개조했지."

찌르르하며, 다시 13번 구역에 대한 증오가 느껴진다.

"그러면, 이 모든 걸 가지고 있었으면서도 다른 구역들을 캐피톨 앞에 무방비 상태로 내버려 둔 거군요."

"그렇게 단순한 게 아니야."

복스가 맞받아친다.

"최근까지는 전혀 역습할 수 있는 상태가 아니었어. 간신히 살아남았다고. 캐피톨에 맞선 뒤에 그쪽 사람들을 처형하고 나니까 호버크래프트를 몰 줄 아는 사람조차 몇 남질 않았어. 물론 핵 미사일을 쏠 수도 있겠지. 하지만 언제나 더 큰 문제가 있잖아. '우리가 캐피톨과 그런 전쟁을 벌이면, 인간이 남아나기는 할까?"

"피타가 했던 말이랑 비슷하게 들리는데요. 그땐 다들 배신자라고 불렀으면서."

내가 맞선다.

"휴전을 제안했기 때문이야. 어느 쪽도 핵무기를 쓰지 않았다는 걸 알겠지? 구식으로 전쟁을 하고 있어. 이쪽으로 오게, 에버딘 병사."

그는 개중 작은 편인 호버크래프트로 손짓한다.

계단을 올라가 보니 안은 텔레비전 촬영 팀과 장비로 가득 차 있다. 다른 사람들은 모두 13번 구역의 점프수트 모양 어두운 회색 군복을 입고 있다. 심지어 헤이미치도 같은 차림이다. 옷깃이 너무 꽉 끼는 게 마음에 안 드는 것 같긴 하지만.

풀비아 카듀가 부리나케 다가왔다가 내 얼굴이 깨끗한 것을 보고 실망한 듯한 소리를 낸다.

"그 모든 작업이 다 하수구로 흘러가 버렸구나. 네 탓을 하는 건 아니야, 캣니스. 카메라 앞에 당장 설 수 있는 얼굴을 타고나는 사람은 극히 드무니까. 애처럼. 잘생기지 않았니?"

풀비아는 플루타르크와 이야기를 나누고 있는 게일을 붙잡고 우리 쪽으로 돌려세운다.

유니폼을 입은 게일의 모습이 과연 멋진 것 같긴 하다. 하지만 그간 우리 사이에 있었던 일들을 생각하면 둘 다 어색해질 뿐이다. 재치 있는 대답을 생각해 내려고 애쓰고 있는데 복스가 퉁명스럽게 대답한다.

"흠, 우리가 엄청나게 감동받을 거라고 기대하진 말아요. 우린 방금 속옷만 입은 피닉 오데어를 봤으니까."

나는 그냥 복스를 좋아하기로 마음먹는다.

곧 이륙한다는 경고가 있어 게일 옆자리에 앉아 벨트를 맨다. 헤이미치와 플루타르크를 마주보는 자리다. 미로 같은 터널 속을 미끄러지듯 움직여 플랫폼으로 나간다. 일종의 엘리베이터 같은 장치가 호버크래프트를 천천히 몇 층 위로 올렸다. 갑자기 우리는 숲에 둘러 싸인 넓은 야외 들판에 나왔다. 호버크래프트가 플랫폼에서 떠올라 구름 속으로 들어간다.

이 임무가 시작되기까지 있었던 소란스러운 사건들이 다 끝나고 나서야 8번 구역에 가서 내가 무엇을 대하게 될지 조금도 모르고 있다는 사실을 깨닫는다. 사실 나는 전쟁의 실제 상황이 어떤지 거의 모른다. 이기려면 어떻게 해야 할지도 모른다. 또 이기면 어떻게 될지도 모른다.

플루타르크는 내게 쉬운 말로 설명해 주려고 애쓴다. 우선, 2번 구역을 제외한 모든 구역은 캐피톨과 전쟁 중이다. 2번 구역은 헝거 게임에 참가하는데도 불구하고 늘 우리의 적과 호의적인 관계를 맺어 왔다. 그래서 그들은 식량을 더 많이 받고 생활 상태도 더 낫다. 암흑기가 끝나고 13번 구역이 파괴된 것으로 알려진 이후, 2번 구역은 캐피톨의 새로운 방어본부가 되었다. 13번 구역이 흑연을 채굴하는 곳으로 알려졌듯, 2번 구역은 공식적으로는 판엠의 채석장이 있는 곳으로 통한다. 하지만 사실은 무기를 생산할 뿐 아니라 평화유지군 훈련도 시키고, 심지어 병력을 공급하기까지 한다.

"그 말씀은…… 2번 구역에서 태어난 평화유지군이 있단 말이에요? 다 캐피톨 출신인 줄 알았는데."

플루타르크는 고개를 끄덕인다.

"그렇게들 생각하도록 숨기고 있지. 실제로 캐피톨 출신도 분명 있고. 하지만 캐피톨 인구로는 그 정도 규모의 병력을 절대 유지할 수 없어. 그리고 캐피톨에서 자란 시민들을 채용해서 궁핍한 다른 구역에서 따분한 여생을 보내게 해야 한다는 문제도 있지. 평화유지군에 복무하는 20년간 결혼도, 출산도 용납되지 않아. 어떤 사람들은 복무의 영예 때문에 자원하고, 어떤 사람들은 처벌을 받는 대신 선택하기도 한단다. 예를 들어, 평화 유지군에 들어가면 채무가 변제되지. 캐피톨에는 빚에 허덕이는 사람들이 많지만, 그 사람들이 모두 군복무에 적합하지는 않아. 하지만 추가 병력을 필요로 하는 2번 구역이 있지. 또 2번 구역 사람들에게 평화유지군은 가난과 채석장에서 보내는 삶에서 벗어날 수 있는 탈출구가 되는 거고. 거기 사람들은 전사와 같은 사고방식을 배우며 자라. 거기 아이들이 조공인으로 자원하려고 얼마나 안달하는지 너 봤잖니."

카토와 클로브. 브루투스와 에노바리아. 나 역시 그들의 열망과 잔인한 충동을 보았다.

"그 외에 다른 구역들은 전부 우리 편인가요?"

"그래. 우리 목표는 하나하나씩 구역들을 장악하고, 2번 구역을 마지막으로 쓰러트려서 캐피톨의 물자 공급선을 끊어 놓는 거야. 그 뒤에 캐피톨의 전력이 약해지면 비로소 쳐들어가는 거지. 아마 전혀 다른 종류의 도전이 될 거야. 하지만 그건 그때 가서 생각할 문제고."

"우리가 이기면, 누가 정부 지도자가 되나요?"

게일이 묻는다.

"모두 다. 각 구역과 캐피톨에 있는 모든 사람들이, 중앙화된 정부에서 자신들의 목소리가 되어 줄 대표를 선출해 통치하는 공화국을 세울 거야. 그렇게 미심쩍은 표정 짓지 마. 예전에 기능했던 체제야."

"책 속에서."

헤이미치가 중얼거린다.

"역사 책 속이죠. 그리고 우리 조상들이 할 수 있었다면 우리들도 할 수 있어요."

플루타르크가 대꾸한다.

솔직히 말해 우리 조상들은 자랑할 것이 별로 없을 것 같다. 그들이 우리에게 남겨준 꼴을 보라지. 전쟁에, 폐허가 된 지구. 자신들 다음에 올 사람들에게 어떤 일이 일어날지는 신경조차 쓰지 않았던 게 분명하다. 하지만 이 공화국이라는 아이디어는 확실히 지금의 정부에 비해서는 낫게 들린다.

"우리가 지면요?"

내가 묻는다.

"우리가 지면?"

플루타르크는 창밖의 구름을 바라본다. 냉소를 띤 미소가 그의 입술을 비튼다.

"그렇게 되면 내년에는 잊을 수 없는 헝거 게임이 펼쳐질 것 같구나. 그러고 보니 생각나는데 말이야."

그는 조끼에서 약병을 꺼내 흔들더니, 짙은 보라색 알약 몇 개를 손 위로 떨어뜨리고 우리에게 내민다.

"너에게 경의를 표하는 의미에서 '자물쇠딸기'라고 이름 지었단다, 캣니스. 우리 중 누구라도 생포되면 반군에겐 치명타가 될 거야. 하지만 내가 약속하는데, 고통은 조금도 없을 거다."

나는 어디에 넣어야 할지 모른 채 캡슐을 받아든다. 플루타르크가 내 왼쪽 소매 앞의 어깨 부분을 톡톡 두드렸다. 살펴보니 작은 주머니가 있다. 알약을 잘 넣어둘 수 있는 동시에 숨겨 주는 주머니다. 만약 내 손이 묶인다 하더라도, 머리를 움직여 입으로 삼킬 수 있을 것이다.

시나는 모든 경우를 다 생각해 둔 모양이다.

7

호버크래프트는 재빨리 나선을 그리며 8번 구역 변두리의 대로에 착륙한다. 거의 즉시 문이 열리고, 계단이 미끄러져 내려 우리를 아스팔트 길 위에 뱉듯이 던져 놓는다. 마지막 한 명이 내리는 즉시 계단은 다시 안으로 들어간다. 호버크래프트는 떠오르더니 사라진다. 나는 게일, 복스, 다른 군인 두 명으로 구성된 보디가드와 함께 여기 왔다. TV팀은 곤충의 껍질처럼 몸 전체를 둘러싸는 무거운 이동용 카메라 장비를 들고 온 캐피톨 출신의 건장한 카메라맨 두 명, 박박 민 머리에 녹색 덩굴 문신을 한 크레시다라는 이름의 여자 디렉터, 그리고 그녀의 조수인 귀걸이를 여러 개 단 날씬한 젊은 남자 메살라로 구성되어 있다. 그는 혀에도 피어싱을 해서 구슬 크기의 은 덩어리를 달고 있다.

두 번째 호버크래프트가 착륙을 위해 나타나자 복스는 우리를 재촉해서 길옆에 늘어선 창고들 쪽으로 보낸다. 여기에는 의약품 여러 상자와 의료진 여섯 명이 실려 있다. 눈에 띄는 흰 옷을 보니 알 수 있다. 우리는 모두 복스를 따라 칙칙한 회색 창고 두 개 사이에 난 골목을 걸어간다. 흠집이 생긴 금속 벽에는 간간이 지붕으로 연결되는 사다리가 달려 있을 뿐이다. 대로로 나오자, 마치 다른 세상에 들어온 것 같다.

아침에 있었던 폭격 때문에 부상당한 사람들을 날라 오는 중이다. 집에서 만든 들것에 실어, 외바퀴 손수레에 실어, 수레에 싣거나 어깨에 들쳐메고, 양쪽에서 팔로 단단히 낀 채로 데리고 오고 있다. 피 흘리는 사람, 팔다리를 잃은 사람, 의식이 없는 사람들이 보인다. 문 위에 대충 'H'라고 써 둔 창고로 다급한 사람들이 부상자를 데리고 왔다. 예전에 우리 집 부엌에서 보던, 엄마가 죽어가는 사람들을 치료하는 모습을 10배, 50배, 100배로 늘려 놓은 광경이다. 나는 폭격으로 부서진 건물을 볼 줄 알았는데,

그 대신 손상을 입은 사람들의 육체를 마주 대하고 있다.

여기서 내 모습을 촬영하겠다고? 나는 복스를 돌아본다.

"이건 안 돼요. 난 여기선 쓸모가 없어요."

그가 잠시 멈춰 서서 내 양 어깨에 손을 얹는 것을 보니 내 눈에 떠오른 공포를 본 것이 분명하다.

"넌 쓸모가 있을 거야. 그냥 저 사람들이 너를 보게 해 줘. 이 세상 그 어떤 의사가 할 수 있는 것보다 저 사람들에게 더 많은 걸 해 주는 일이야."

그때 들어오는 환자들에게 방향 지시를 하던 여자가 우리 모습을 보고, 놀라서 다시 한 번 쳐다보더니 성큼성큼 걸어온다. 그녀의 짙은 갈색 눈은 지친 탓인지 부어 있고, 몸에서는 금속과 땀의 냄새가 난다. 목 주위에는 한 사흘 전에는 갈아 주었어야 했을 붕대를 감고 있다. 여자가 등에 멘 자동화기의 멜빵이 목으로 파고들어, 그녀는 자세를 바꾸기 위해 다른 쪽 어깨로 바꿔 멘다. 엄지손가락으로 가리키며 의료진에게 창고로 들어가라는 명령을 내린다. 의료진은 질문 없이 명령에 따른다.

"이쪽은 8번 구역의 페일러 사령관님이시다. 사령관님, 캣니스 에버딘 병사입니다."

복스가 말한다.

사령관이 되기엔 젊어 보인다. 삼십대 초반 정도. 하지만 그녀의 목소리에서는 권위가 느껴져서, 우연히 그 직책을 맡은 게 아니라는 느낌을 준다. 새 의상을 입고, 깨끗이 씻어 반짝거리는 모습으로 그녀 옆에 서니 얼마 전에 태어난 병아리가 된 느낌이다. 아직 검증되지 않은, 세상을 탐험하는 법을 이제 막 배우기 시작한 병아리.

"네, 누군지 알아요. 그러면 넌 살아 있었던 거구나. 우린 확실히 알 수가 없었지."

페일러가 대답한다. 내가 잘못 생각하는 걸까, 아니면 정말로 목소리에 비난하는 기색이 있는 걸까?

"제 스스로도 살아 있는 건지 아직 잘 모르겠어요."

내가 대답한다.

"회복기였거든요. 뇌진탕이 심했답니다."

복스는 그렇게 덧붙이며 자기 머리를 톡톡 두드린다. 그러고는 목소리를 잠시 낮춘다.

"유산했고요. 하지만 이 구역의 부상자들을 보러 오겠다고 우겨서요."

"그래요. 부상자가 많죠."

페일러가 말한다.

"이게 좋은 생각인 것 같으세요? 부상자들을 이렇게 모아두는 게."

게일이 병원 쪽을 향해 얼굴을 찡그리며 말한다.

나는 그렇게 생각하지 않는다. 어떤 종류의 전염병이든, 이곳에선 들불처럼 번질 게 분명하니까.

"죽도록 내버려 두는 것보다는 좀 나은 것 같구나."

페일러가 대답한다.

"그런 뜻이 아니었어요."

게일이 말한다.

"음, 지금으로선 다른 선택지가 그것뿐이란다. 하지만 네가 세 번째 선택지를 생각해 내고 코인의 지원도 얻어낼 수 있다면, 나는 꼭 듣고 싶은데."

페일러는 문쪽을 향해 손짓한다.

"들어와, 모킹제이. 그리고 친구들도 꼭 데리고 오렴."

나는 기괴한 쇼 같은 내 촬영 팀을 돌아본 후, 마음을 단단히 먹고 페일러를 따라 병원으로 들어간다. 육중한 공업용 커튼이 건물 끝에서 끝까지 걸려 있어 제법 큼직한 복도를 이루고 있다. 거기에 시체들이 나란히 누워 있다. 커튼이 시체의 머리 위를 스치고, 얼굴은 흰 천으로 가려 두었다.

"여기서 서쪽으로 몇 블록 가면 공동묘지가 있지만, 아직은 시체를 옮기는 데 인력을 할애할 수가 없어."

페일러가 말한다. 이어 그녀는 커튼의 틈을 발견하고, 넓게 벌려 연다.

내 손가락이 게일의 손목을 감싼다.

"내 곁을 떠나지 마."

나는 숨을 죽이며 말한다.

"난 여기 있어."

게일이 조용히 대답한다.

커튼 틈으로 들어가자마자 오감이 공격당한다. 가장 먼저 생기는 건 더러운 린넨과 썩어가는 살덩이, 토사물이 창고 안의 열기 속에서 무르익으며 풍기는 악취를 피해 코를 막고 싶다는 충동이다. 높은 금속제 천장에 십자 모양으로 나 있는 채광창을 열어 두었지만, 건물 안으로 간신히 들어오는 공기는 이 아래쪽에 있는 안개에는 영향을 주지 못하고 있다. 가느다란 햇살 몇 줄기가 유일한 조명이다. 눈이 적응해 감에 따라 줄지어 누운 부상자들이 보인다. 실려온 사람이 너무 많아 간이침대, 짚 요, 맨바닥에까지 누워 있다. 피를 빨아먹는 흑파리가 웅웅거리며 날아다니는 소리, 고통 받는 사람들의 신음소리, 환자를 지켜보는 그를 사랑하는 사람들의 흐느낌이 합쳐져 비통한 합창이 된다.

구역들에는 진정한 의미의 '병원'이 없다. 우리는 집에서 죽는데, 지금 이 순간에는 내 눈 앞에 놓인 상황에 비해 그게 훨씬 더 나은 것으로 느껴진다. 여기 있는 사람들은 아마 상당수가 폭격으로 집을 잃었을 거라는 생각이 뒤따랐다.

땀이 등을 타고 흐르기 시작하고, 손에도 땀이 찬다. 나는 냄새를 덜 느끼기 위해 입으로 숨을 쉬었다. 시야에 검은 점들이 떠다니고, 이러다 기절할 가능성도 클 것 같다. 하지만 그때 페일러의 모습이 눈에 들어온다.

나를 아주 유심히 지켜보며 내가 어떤 사람인지, 내게 의지할 수 있다고 생각했던 사람이 있다면 과연 그 생각이 옳았을지 알아내기 위해 대기하고 있다. 그래서 나는 게일의 손을 놓고 억지로 창고 안으로 더 깊숙이 들어가, 두 줄로 늘어선 침대들 사이의 좁은 길을 걷는다.

"캣니스?"

창고 안의 소음을 뚫고 내 왼쪽에서 쉰 목소리가 들려온다.

"캣니스?"

안개 속에서 나를 향해 손 하나가 다가온다. 나는 넘어지지 않기 위해 그 손에 매달린다. 손의 주인은 다리를 다친 젊은 여자다. 파리들이 피가 배어나온 두툼한 붕대 위를 기어 다닌다. 그녀의 얼굴에는 고통이 어려 있지만 다른 무언가, 그녀의 상황과 전혀 어울리지 않는 무언가도 함께 어려 있다.

"정말 당신인가요?"

"네, 저예요."

간신히 대답한다.

기쁨. 그녀의 얼굴에 떠오른 표정은 바로 기쁨이었다. 내 목소리를 듣자 얼굴이 밝아지고, 잠시나마 고통의 흔적도 사라진다.

"살아 있었군요! 우린 몰랐어요. 사람들이 살아 있다고 했지만, 우린 몰랐어요!"

그녀는 흥분해서 말한다.

"꽤 심하게 다쳤었어요. 하지만 이젠 좀 나았고요. 당신이 곧 나을 것처럼."

"동생한테 말해 줘야지!"

여자는 그렇게 얘기하며 힘겹게 몸을 일으키더니 침대 몇 개 너머에 있는 누군가를 부른다.

"에디! 에디! 캣니스 에버딘이 여기 왔어!"

12살쯤 되었을 남자 아이가 우리를 돌아본다. 얼굴의 절반은 붕대에 가려 보이지 않는다. 내가 볼 수 있는 입 한쪽이 탄성을 내뱉을 것처럼 벌어진다. 나는 그 아이에게 가서 이마를 덮은 축축한 갈색 곱슬머리를 뒤로 넘겨준다. 그러면서 인사말을 웅얼거린다. 소년은 말을 하지는 못했지만 보이는 한쪽 눈으로 내 얼굴의 모든 세세한 특징을 암기라도 하려는 듯 강렬하게 쳐다본다.

내 이름이 뜨거운 공기를 뚫고 잔물결처럼 병원 안에서 퍼져가는 소리가 들린다.

"캣니스! 캣니스 에버딘!"

고통과 비탄의 소리가 잦아들기 시작하고, 기대의 말들이 그 자리를 대신한다. 사방에서 나를 부르는 목소리가 들린다. 나는 움직이기 시작한다. 내게 뻗는 손들을 움켜쥐고, 팔다리를 움직일 수 없는 사람들의 다치지 않은 부위를 만지며 말한다. 안녕하세요, 괜찮으신가요, 만나서 반가워요. 조금도 중요하지 않은 말이고, 영감을 줄 수 있는 놀라운 말들 또한 아니다. 하지만 상관없다. 복스가 옳았다. 내 모습, 살아 있는 내 모습이 곧 영감이다.

내 살을 느껴보려는 굶주린 손가락들이 나를 게걸스레 먹어치운다. 괴로워하는 한 남자가 양손으로 내 얼굴을 쥘 때, 나는 달튼에게 메이크업을 지우라는 제안을 해 주어서 고맙다고 조용히 인사를 보낸다. 화장한 캐피톨식 얼굴을 이 사람들에게 보였다면 얼마나 어처구니없고 부적절한 일이 됐을까. 상처와 피로, 불완전한 모습. 이들은 그것으로 나를 알아본다. 내가 그들 중 하나인 것도 그것 때문이다.

시저와의 인터뷰가 논란을 빚었는데도 많은 사람들이 내게 피타에 대해 물어보고, 피타는 협박을 당해서 그렇게 이야기한 거라고 나는 장담한다.

우리의 미래에 대해 긍정적으로 들리게 이야기하려고 최선을 다했지만, 아기를 유산했다는 것을 듣고 사람들은 정말 큰 충격을 받는다. 흐느끼는 한 여인에게 다 거짓말이었다고, 게임의 일부였다고 솔직하게 말하고 싶지만, 지금 피타를 거짓말쟁이로 보이게 하는 건 그의 이미지에 좋지 않을 것이다. 또 내 이미지에도. 반군의 이미지에도.

나는 사람들이 나를 보호하기 위해 무슨 일까지 했는지 제대로 이해하기 시작한다. 내가 반군에게 어떤 의미를 가지는지. 지금도 진행 중인, 캐피톨에 맞서는 나의 투쟁이 외로운 여행으로 느껴질 때가 정말 많았지만 나는 혼자서 싸운 것이 아니었다. 여러 구역에, 수천 명이나 되는 내 편을 가지고 있었다. 나는 모킹제이의 역할을 받아들이기 한참 전부터 그들의 모킹제이였다.

다른 감각이 내 내면에서 싹트기 시작한다. 하지만 테이블 위에 올라서서 쉰 목소리로 내 이름을 부르는 사람들에게 작별 인사로 손을 흔들 때가 되어야 비로소 그 느낌을 정의할 수 있다. 힘. 스스로는 지닌 줄도 몰랐던 힘을 나는 가지고 있다. 스노우는 내가 그 딸기를 꺼내던 순간 그걸 깨달았다. 날 경기장에서 구출했던 플루타르크는 그걸 알고 있었다. 그리고 이제는 코인이 알고 있다. 통수권자는 내가 아니라고 자기 구역 사람들에게 공개적으로 일깨워 줘야 했을 정도로.

다시 밖에 나온 뒤 나는 창고에 기대 숨을 가다듬으며, 복스가 건네주는 물통을 받는다.

"아주 잘했어."

그가 말한다.

음, 기절하거나 토하거나 비명을 지르며 뛰쳐나오지는 않았지. 내가 한 일은 병원 안을 흐르는 감정의 파도에 몸을 맡긴 게 거의 전부다.

"안에서 괜찮은 장면을 좀 찍었어요."

크레시다가 말한다. 나는 장비 아래 모인 곤충 같은 카메라맨들을 본다. 땀이 비오듯 흐르고 있었다. 메살라는 메모를 하고 있다. 그들이 나를 촬영하고 있다는 것조차 잊고 있었다.

"한 일도 별로 없는걸요."

내가 말한다.

"넌 네가 과거에 한 일들에 대해서 네 공을 좀 인정할 필요가 있어."

복스가 말한다.

과거에 한 일? 나는 내가 지나온 흔적을 따라 일어난 파괴에 대해 생각해 본다. 무릎이 후들거려 쭈그려 앉게 된다.

"이런저런 일들이 있었죠."

"음, 네가 결코 완벽하다고는 할 수 없지. 하지만 지금 시대가 이러니 네 임무를 수행하렴."

복스가 말한다.

게일은 고개를 절레절레 흔들며 내 옆에 쭈그려 앉는다.

"저 사람들 전부가 너를 만지도록 해 주다니 믿을 수가 없다. 난 계속 네가 문으로 달려갈 거라고 생각했어."

"입 닥쳐."

난 웃으며 말한다.

"네 어머니가 영상을 보시면 굉장히 자랑스러워하실 거야."

"우리 엄마는 날 알아보지도 못하실걸. 저 안의 환경을 보고 끔찍해 하시느라."

그렇게 대답하고서 나는 복스를 돌아보며 묻는다.

"다른 구역들도 다 이런가요?"

"응. 대부분은 공격받고 있다. 우리는 도와줄 수 있는 곳은 모두 지원하려 하고 있지만 충분하지 못해."

그는 이어폰에서 들려오는 소리에 정신이 팔려 1분 정도 말을 끊는다. 한 번도 헤이미치의 목소리가 들리지 않았다는 것을 깨닫고 나는 이어폰을 만져보며 고장이 났나 생각한다.

"활주로로 가야 해. 지금 바로."

복스는 한 손으로 나를 일으켜 세우며 말한다.

"문제가 생겼다."

"무슨 문제요?"

게일이 묻는다.

"폭격기가 오고 있어."

복스는 대답하고, 손을 뻗어 시나가 만든 헬멧을 내 머리에 씌운다.

"움직여!"

무슨 일이 일어나고 있는지도 잘 모르는 채로 활주로로 이어지는 골목을 향해 창고 앞을 달린다. 하지만 위험이 곧 닥쳐 올 거란 조짐은 느껴지지 않는다. 하늘은 텅 비어 있고 구름 한 점 없이 푸르다. 부상자를 병원으로 데리고 가는 사람들을 제외하면 거리는 훤히 뚫려 있었다. 적도, 경보음도 없다. 그때 사이렌이 울리기 시작한다. 몇 초 만에 V자로 늘어선 캐피톨의 호버크래프트 편대가 나타나 우리 머리 위로 저공비행하고, 폭탄이 떨어지기 시작한다. 나는 창고 정면의 벽으로 날려갔다. 오른쪽 무릎 뒤 바로 위에서 타는 듯한 통증이 느껴진다. 무언가에 등도 얻어맞았지만 조끼가 뚫린 것 같지는 않다. 일어나려 했지만 복스가 나를 내리누르며 자기 몸으로 내 몸을 가린다. 호버크래프트에서 폭탄이 연달아 떨어져 터지며, 내 밑에서 땅이 파도치는 것이 느껴진다.

폭탄이 비 오듯 떨어지는 가운데 벽에 붙어 있는 기분은 무시무시하다. 손쉬운 사냥감을 아버지가 어떻게 표현하셨더라? '물통에 든 물고기를 쏘는 것 같다'고 하셨지. 우리는 물고기고, 이 거리는 물통이다.

"캣니스!"

귀에서 헤이미치의 목소리가 들려서 나는 놀란다.

"네? 네, 뭐요? 저 여기 있어요!"

나는 대답한다.

"잘 들어. 우린 폭격 중에는 착륙할 수가 없다. 그래도 너는 절대 눈에 띄어선 안 돼."

"캐피톨에서는 제가 여기 온 걸 몰라요?"

나는 평상시처럼 내 존재가 이런 처벌을 불러 왔으리라 생각하고 있었다.

"정보부에선 그렇지 않다고 생각하고 있다. 이미 계획되어 있었던 폭격이라고 판단했어."

플루타르크의 목소리가 들려온다. 침착하지만 단호하다. 압박을 받으며 지휘하는 것에 익숙한 최고게임운영자의 목소리다.

"세 집 아래에 하늘색 창고가 있다. 그 집 북쪽 모서리에 벙커가 있는데 거기까지 갈 수 있겠나?"

"최선을 다하겠습니다."

복스가 말한다. 내 보디가드들과 촬영 팀이 일어나는 걸 보니 플루타르크는 모든 사람들에게 말하고 있었나 보다. 내 눈은 본능적으로 게일을 찾고, 게일이 다친 데 없어 보이는 모습으로 일어서 있는 것을 발견한다.

"다음 폭격 때까지 아마 45초 정도 시간이 있을 거야."

플루타르크가 말한다.

오른쪽 다리에 체중이 실리자 아파서 끙 소리가 나지만, 나는 계속 움직인다. 상처를 살펴볼 시간도 없고, 어차피 지금은 보지 않는 게 낫다. 다행히 나는 시나가 디자인한 신발을 신고 있다. 발을 디딜 때는 아스팔트를 꽉 붙드는 것 같고, 발을 뗄 때는 튀어 오르는 것 같다. 13번 구역에서 준 잘 맞지 않는 신발을 신었다면 전혀 가망이 없었을 것이다. 복스가 앞장서지만, 나를 앞지르는 사람은 없다. 그러는 대신 내 걸음에 속도를 맞춰 양옆과 뒤를 지키며 걷는다. 1초, 또 1초 시간이 흐르고, 나는 억지로 전력질주한다. 두 번째 회색 창고를 지나 탁한 갈색의 건물을 따라 뛴다. 저 앞에 색이 바랜 푸른 건물의 정면이 보였다. 벙커가 있는 곳이다. 다른 골목에 다다랐다. 이 골목을 건너가기만 하면 문이 있는데, 다음 폭격이 시작된다. 나는 본능적으로 골목에 뛰어들어 푸른 벽으로 몸을 굴린다. 이번에는 게일이 몸을 던져 폭격으로부터 나를 지켜줄 또 한 겹의 보호막이 되어 준다. 폭격은 아까보다 긴 것 같지만, 우리는 더 먼 곳에 와 있다.

몸을 옆으로 돌려 보니 게일의 눈이 내 눈 바로 앞에 있다. 한순간 이 세상은 저 뒤로 물러나고, 상기된 그의 얼굴, 관자놀이에서 뛰는 맥박, 숨을 헐떡이느라 살짝 벌어진 그의 입술만 남는다.

"너 괜찮아?"

게일이 묻는다. 그의 말은 폭발음에 묻혀 거의 들리지 않는다.

"응. 날 본 것 같진 않아. 그러니까, 우리를 따라오고 있지 않다고."

내가 대답한다.

"아니, 다른 것을 목표로 삼았지."

게일이 말한다.

"알아, 하지만 저기에 있는 거라곤……."

우리 둘 다 동시에 깨닫는다.

"병원."

게일은 즉시 일어나 다른 사람들에게 외친다.

"병원을 폭격하고 있어요!"

"네가 상관할 일이 아니야. 벙커로 들어가."

플루타르크가 단호히 말한다.

"하지만 저기엔 다친 사람들밖에 없다고요!"

내가 외친다.

"캣니스."

헤이미치의 목소리에서 경고의 기색을 읽어내고 무슨 일이 닥칠지 알아차린다.

"너 그럴 생각이라도 했다간……!"

나는 이어폰을 귀에서 빼내 전선에 달린 채 대롱거리도록 내버려 둔다. 집중을 방해하는 이어폰을 빼고 나자 다른 소리가 들린다. 골목 맞은편의 흙빛 갈색 창고 옥상에서 기관총 소리가 난다. 누군가 대응 사격을 하고 있다. 누가 말리기도 전에 나는 옥상으로 이어지는 사다리로 달려가 오르기 시작한다. 기어오르는 것. 내가 제일 잘하는 일 중 하나다.

"멈추지 마!"

게일이 내 뒤에서 말하는 소리가 들린다. 곧이어 그가 부츠를 신은 발로 누군가의 얼굴을 차는 소리도 들렸다. 만약 복스의 얼굴이었다면, 게일은 나중에 대가를 톡톡히 치르게 될 것이다. 나는 끝까지 올라가 타르를 칠한 옥상에 기어오른다. 게일을 끌어올려 줄 정도만 멈춰 있었다가 창고 옥상의 길가 쪽에 한 줄로 늘어선 기관총 진지를 향해 함께 달려간다. 각 기관총마다 반군이 몇 명씩 붙어 있는 것 같다. 우리는 군인 두 명이 붙어 있는 진지로 기어들어가 엄호물 뒤에 숨는다.

"너희가 여기 올라온 걸 복스는 알고 있니?"

왼쪽을 보니 페일러가 총 뒤에 서서 좀 놀랐다는 표정으로 바라본다.

거짓말은 아닌 선에서 적당히 얼버무리려 해 본다.

"복스는 우리가 어디 있는지 알아요."

페일러는 웃는다.

"물론 알겠지. 이거 쓰는 훈련은 받았니?"

그녀가 자기 총의 개머리판을 철썩 친다.

"네, 13번 구역에서요. 하지만 제 무기를 쓰고 싶네요."

게일이 말한다.

"네, 저희에겐 활이 있어요."

내 활을 들어보였다가, 얼마나 장식품 같아 보일지 깨닫는다.

"보기보단 훨씬 강력해요."

"그래야겠지. 좋아. 적어도 세 번은 더 폭격을 할 걸로 예상하고 있어. 저들은 폭탄을 떨어뜨리기 전에 투명하게 해 주는 실드를 걷어야 해. 그때가 우리의 기회야. 몸을 낮추고 있어!"

나는 한쪽 무릎을 땅에 대고 활 쏠 자세를 취한다.

"불로 시작하는 게 좋겠다."

게일이 말한다.

나는 고개를 끄덕이고 오른쪽 화살통에서 화살 하나를 꺼낸다. 우리가 만약 목표물을 맞추지 못하면 이 화살은 다른 곳에 떨어질 것이다. 아마 길 건너의 창고에 떨어지겠지. 불은 끌 수 있지만, 폭탄은 복구가 불가능한 피해를 줄 수 있다.

갑자기 두 블록 아래쪽 하늘에 호버크래프트가 나타난다. 우리가 있는 곳에서 100미터 정도 높이의 상공인 것 같다. 작은 폭격기 일곱 대가 V자 모양을 이루고 있다.

"거위!"

내가 게일을 향해 외친다. 게일은 내 말이 무슨 뜻인지 정확히 이해할 것이다. 새들이 이주하는 계절에 사냥할 때, 게일과 나는 둘이서 같은 새를 겨냥하는 일이 없도록 각자 사냥할 새를 나누는 방법을 정해 두었다. V자의 두 갈래 중에서 내가 먼 쪽, 게일이 가까운 쪽을 맡고 맨 앞에 있는 새는 번갈아가며 쏜다. 더 자세히 의논할 시간은 없다. 나는 호버크래프트에 가 닿을 시간을 어림하면서 화살을 날린다. 호버크래프트 한 대의 안쪽 날개를 맞춰 불길에 휩싸이게 한다. 게일은 맨 앞에 있는 호버크래프트를 아슬아슬하게 놓쳤다. 길 건너편의 빈 창고 옥상에서 불이 피어오른다. 게일은 숨을 죽여 욕을 한다.

내가 맞춘 폭격기는 흔들리며 V자 대형을 이탈하지만, 그래도 폭탄을 떨어뜨린다. 모습을 감추지는 않는다. 총에 맞았으리라 짐작되는 다른 비행기 한 대 역시 사라지지 않는다. 공격을 받아 투명화 실드를 재가동하지 못하게 되었나 보다.

"잘 쐈어."

게일이 말한다.

"저걸 맞추려고 한 것도 아니었어."

내가 웅얼거린다. 나는 내가 맞춘 호버크래프트 앞에 있는 놈을 노리고 쏜 거였다.

"우리 생각보다 빨라."

"위치로!"

페일러가 외친다. 다음 호버크래프트들이 벌써 나타나고 있다.

"불 가지곤 안 되겠어."

게일이 말하고, 나는 고개를 끄덕인다. 우리는 모두 폭발물이 달린 화살을 메긴다. 길 건너 창고들은 어차피 버려진 곳 같아 보였다.

비행기들이 소리 없이 몰아치자 나는 다른 결정을 내린다.

"나 서서 쏜다!"

나는 게일에게 외치고 일어선다. 이 자세가 내가 가장 정확하게 쏠 수 있는 자세다. 내가 먼저 화살을 날려 선두에 있는 호버크래프트를 정통으로 맞추어 배에 구멍을 뚫는다. 게일은 두 번째 호버크래프트의 꼬리를 날려 버린다. 그놈은 뒤집어지며 거리로 떨어지고, 싣고 있던 폭탄이 터져 연달아 폭발이 일어난다.

경고 없이 세 번째 V자 편대가 나타난다. 이번에는 게일이 선두의 호버 크래프트를 제대로 맞춘다. 나는 두 번째 폭격기의 날개를 날려 버리고, 폭격기는 빙그르르 돌며 뒤에 있던 폭격기와 부딪힌다. 두 대 모두 추락해 병원 맞은편 창고의 옥상으로 떨어진다. 네 번째 놈은 총에 맞아 추락한다.

"좋아, 이제 끝이다."

페일러가 말한다.

불꽃과 짙은 검은 연기 때문에 잔해가 잘 보이지 않았다.

"병원을 맞췄나요?"

"분명 그랬겠지."

페일러가 음산한 목소리로 말한다.

창고 반대쪽에 있는 사다리로 서둘러 가는데, 통풍구 뒤에서 메살라와 곤충 같은 카메라맨 하나가 나타나 놀란다. 아직 골목에서 쪼그리고 있을 거라고 생각했는데.

"저 사람들 점점 마음에 드는데."

게일이 말한다.

사다리를 재빨리 내려간다. 땅에 발이 닿자 보디가드 한 명, 크레시다, 다른 곤충이 기다리고 있다. 혼 좀 날 거라고 생각했지만, 크레시다는 그저 병원 쪽으로 오라고 손짓할 뿐이다. 그녀는 소리 지르고 있다.

"상관없어요, 플루타르크! 그냥 5분만 더 달라고요!"

그냥 넘어가 주는데 토를 달 이유가 없다. 나는 대로 쪽으로 걸어 들어간다.

"아, 안 돼."

병원의 모습을 보고 속삭인다. 아니 병원이었던 것의 모습을. 나는 저 앞에 벌어진 참사를 바라보며, 부상자들과 불타는 비행기 잔해를 지나쳐 걸어간다. 사람들은 소리 지르고 미친 듯이 뛰어다니지만, 돕지는 못하고 있다. 폭탄은 병원 천장을 무너뜨렸고 건물에는 불이 났다. 안에 있던 환자들을 효과적으로 가둔 셈이다. 구조단이 하나 조직되어 안으로 가는 길을 뚫어 보려 하고 있다. 하지만 나는 그들이 무엇을 발견하게 될지 이미 알고 있다. 무너진 건물 잔해와 불꽃 때문에 죽지 않은 사람은 연기에 죽었을 것이다.

게일이 내 어깨에 손을 얹는다. 그가 아무것도 하지 않는다는 사실은 내 의심이 맞았다고 확인해 줄 뿐이다. 광부들은 가망이 없어지기 전까지는 사고를 그냥 내버려 두지 않는다.

"가자, 캣니스. 헤이미치가 이제 호버크래프트를 보내줄 수 있대."

게일이 말한다. 하지만 나는 움직일 수가 없을 것 같다.

"저런 짓을 왜 하는 거야? 왜 이미 죽어가는 사람들을 목표물로 삼아?"

내가 묻는다.

"다른 사람들에게 겁을 주는 거지. 다친 사람들이 도움 받는 걸 막는 거야. 네가 만난 사람들은 어차피 소모품이었어. 스노우에게는 말이야. 만약 캐피톨이 이긴다면, 다친 노예들 갖고 뭘 하겠어?"

숲에서 보냈던 여러 해들이 떠오른다. 게일이 캐피톨에 대해 고함치는 것을 듣던 기억. 나는 크게 주의를 기울이지 않았다. 게일은 무엇하러 캐피톨의 동기를 해부하는 것일까 생각하기도 했다. 캐피톨을 우리의 적으로 생각하는 게 소용있을 날이 오기나 할까 생각했다. 분명 오늘이라면 의미가 있었을 것이다. 게일이 병원의 존재에 의문을 제기했을 때, 게일은 질병이 아니라 이런 걸 생각하고 있었다. 게일은 우리가 맞서고 있는 자들의 잔인함을 결코 과소평가하지 않으니까.

천천히 병원에 등을 돌리니 크레시다가 양옆에 곤충들을 대동하고 내 몇 미터 앞에 서 있었다. 크레시다는 동요하지 않은 것 같다. 심지어 냉랭하기까지 하다.

"캣니스. 스노우 대통령이 방금 폭격을 생중계했습니다. 그리고는 직접 출연해서 자기는 이런 방식으로 반군들에게 메시지를 보낸다고 말했죠. 당신은 어때요? 반군들에게 들려주고 싶은 말이 있나요?"

크레시다가 묻는다.

"네."

내가 속삭인다. 카메라 중 한 대에서 빨간 불빛이 깜빡이는 것이 눈에 들어온다. 지금 내 모습을 촬영하고 있다.

"네."

나는 더 강하게 말한다. 모두(게일, 크레시다, 그리고 곤충들)가 내 곁에서 멀어지며 무대를 만들어 준다. 하지만 나는 빨간 불에 집중한 채 서 있다.

"반군들에게 제가 아직 살아 있다고 말해 주고 싶어요. 저는 8번 구역에, 캐피톨이 방금 무장하지 않은 남자와 여자, 아이들이 가득한 병원을 폭격한 바로 이곳에 있다는 걸요. 생존자는 아무도 없을 겁니다."

이제까지 느끼고 있던 충격이 격분에게 밀려나기 시작한다.

"사람들에게 말하고 싶어요. 만약 휴전을 할 경우 캐피톨이 우리를 공정하게 대할 거라고 단 1초라도 생각한다면, 스스로를 속이는 거라고. 왜냐하면 당신은 그들이 누구인지, 그들이 어떤 짓을 하는지 이미 알고 있으니까."

내 손이, 마치 나를 둘러싼 이 공포스러운 모습 전체를 가리키듯 위로 올라간다.

"그들이 하는 짓이 바로 이런 거예요! 우리는 맞서 싸워야 해요!"

분노가 저절로 발을 움직여 나는 카메라 쪽으로 걸어간다.

"스노우 대통령이 우리에게 메시지를 보냈다고 한다고요? 나도 스노우에게 전해 줄 메시지가 있어요. 당신은 우리를 고문하고, 폭격하고, 우리 구역을 불태워 잿더미로 만들 수 있겠지. 하지만 그거 알아?"

내가 우리 맞은편 창고 옥상에서 불타고 있는 비행기 두 대를 손가락으로 가리키자 카메라 한 대가 따라간다. 날개에 그려진 캐피톨 문장이 불길을 뚫고 선명하게 빛난다.

"불이 번지고 있어!"

나는 이제 스노우가 한 단어도 놓치지 않도록 소리 지르고 있다.

"만일 우리가 불타면, 당신도 같이 불타는 거야!"

내 마지막 말이 공중을 맴돈다. 시간이 유예된 것 같다. 내 주위에서 나오는 게 아닌, 내 자신에게서 나오는 열기의 구름을 타고 둥둥 뜬 것 같다.

"컷!"

크레시다의 목소리가 내 안에 타오르던 불을 끄고 현실로 되돌아오게 한다. 그녀는 내게 잘했다는 표시로 고개를 끄덕여 보인다.

"촬영 끝났어요."

8

복스가 나타나 내 팔에 단단히 팔짱을 끼지만, 이제 달아날 속셈은 없다. 병원을 돌아보자(때마침 건물이 마저 무너지는 광경이 보인다), 전의가 내 몸을 빠져나간다. 저 모든 사람들은, 수백 명의 부상자들과 그들의 친척들, 13번 구역에서 온 의료진은 더 이상 존재하지 않는다. 나는 복스를 돌아보고, 게일의 부츠에 차여 얼굴이 부어오른 것을 본다. 나는 전문가는 아니지만, 코가 부러진 게 거의 확실한 것 같다. 하지만 화났다기보다는 체념한 목소리다.

"착륙장으로 돌아간다."

나는 순순히 한걸음 내딛었다가 오른쪽 무릎에서 느껴지는 통증을 깨닫고 움찔 놀란다. 고통을 압도했던 아드레날린이 사라지니 몸의 다른 부위들도 여기저기서 불평을 한다. 타박상을 입고 피투성이가 됐으며, 누가 내 머리 안쪽에서 왼쪽 관자놀이를 마구 두드리는 것 같다. 복스는 재빨리 내 얼굴을 살펴보더니, 나를 들쳐 메고 활주로를 향해 천천히 달린다. 반쯤 갔을 때 그의 방탄조끼에 토한다. 복스가 숨을 헐떡이고 있어서 잘은 모르겠지만, 한숨을 쉬는 것 같다.

우리를 여기까지 태우고 온 것과는 다른 작은 호버크래프트가 활주로에서 기다리고 있다. 우리 팀이 타자마자 호버크래프트는 출발한다. 이번에는 편안한 의자나 창문이 없다. 일종의 화물 수송기에 탄 것 같다. 복스는 13번 구역에 도착할 때까지 버틸 수 있도록 응급 치료를 한다. 내 조끼에도 토사물이 상당히 묻어 있어 벗고 싶지만, 너무 추워서 그런 생각은 할 수 없다. 나는 게일의 무릎을 베고 눕는다. 마지막으로 기억나는 일은 복스가 내게 삼베 자루 몇 개를 덮어 주던 것이다.

일어나 보니 따뜻하고, 내가 입원해 있을 때 쓰던 침대에 누워 있다. 엄마가 옆에서 내 호흡, 체온 등을 확인하고 계셨다.

"좀 어떠니?"

"좀 피곤하지만 괜찮아요."

"아무도 네가 가기 전까지 거기 간다는 말도 안 해줬어."

갑자기 고통스러울 정도로 죄책감이 느껴진다. 우리 가족은 나를 두 번이나 헝거 게임에 보내야 했다. 그러니 이런 건 사소해 보이지만 간과해서는 안 될 일이다.

"죄송해요. 공격이 있을 줄은 예상하지 못했거든요. 그냥 환자들만 만나고 올 계획이었어요. 다음에는 꼭 엄마한테 허락받게 할게요."

나는 설명한다.

"캣니스, 나한테 허락받고 뭔가 하는 사람은 아무도 없어."

사실이다. 나 역시 그러지 않으니까. 아빠가 돌아가신 후로는. 아닌 척할 필요 있나?

"음, 엄마한테…… 꼭 이야기하라고 할게요."

침대 옆의 테이블에는 내 다리에서 제거한 파편 조각이 하나 있다. 의사는 폭발 당시 두뇌가 입었을 손상을 더 걱정하고 있다. 애초에 뇌진탕이 완전히 나은 상태가 아니었기 때문이다. 하지만 사물이 두 개로 보인다거나 하지는 않고, 충분히 또렷하게 생각할 수 있다. 오후부터 밤까지 내리 잤기 때문에 배가 무척 고프다. 내 아침 식사는 실망스러울 정도로 양이 적다. 빵 몇 조각을 따뜻한 우유에 적신 게 전부다. 사령부에서 이른 아침에 열리는 회의에 오라는 연락을 받았다. 나는 일어나려고 하다가 그들이 내 병원 침대를 거기까지 밀고 갈 생각임을 깨닫는다. 걷고 싶지만 그건 안 되니까 타협해서 휠체어를 타는 걸로 바꾸었다. 난 정말 멀쩡하다. 머리, 다리, 멍든 곳이 쓰라린 것과 아침을 먹고 나서 몇 분 후 토할 것 같았던 것만 빼고. 어쩌면 휠체어를 타는 게 좋을지도 모르겠다.

누가 밀어 주는 휠체어를 타고 내려가는 동안, 회의에서 마주치게 될 일이 걱정되기 시작한다. 어제 게일과 나는 명령에 불복종했고, 복스는 그 사실을 입증하는 상처를 입었다. 물론 반향이 있겠지만, 코인이 우승자들을 사면해 주기로 한 것을 무효화할 정도일까? 피타에게 줄 수 있었던 그 보잘것없는 보호막마저 내가 없애 버린 건가?

사령부에 가 보니 와 있는 사람은 크레시다와 메살라, 곤충들뿐이다. 메살라는 우리에게 활짝 미소 지으며 말한다.

"귀여운 우리 주인공이 왔네!"

다른 사람들도 너무나 진심어린 미소를 지어서, 나 역시 미소로 답해 줄 수밖에 없다. 그들은 8번 구역에서 폭격 중에 나를 따라 옥상으로 올라오고, 자신들이 원하는 영상을 찍기 위해 플루타르크를 물러서게 만들어서 내게 강한 인상을 남겼다. 자신들이 해야 할 일 이상을 해내고, 거기에 자부심을 갖는 것이다. 시나처럼.

나는 우리가 함께 경기장에 들어갔다면, 동맹을 맺을 상대로 저들을 골랐을 것 같다는 이상한 생각이 든다. 크레시다, 메살라, 그리고…… 그리고…….

"저, 당신들을 '곤충들'이라고 부르는 건 그만해야겠어요."

나는 카메라맨들에게 불쑥 내뱉는다. 그러곤 그들에게 나는 당신들 이름을 모르지만 입고 있는 옷이 껍질이 있는 생물을 연상시켰다고 설명한다. 곤충과 비교해서 기분이 상한 것 같지는 않다. 카메라 껍질을 벗고 나서도 두 사람은 서로 많이 닮았다. 엷은 갈색 머리, 붉은 수염, 푸른 눈. 손톱을 마구 물어뜯은 쪽이 자신은 캐스터라고 소개하고, 다른 쪽은 자신의 형제이며 이름은 폴룩스라고 말해 준다. 나는 폴룩스가 인사를 건네기를 기다리지만 그는 고개만 끄덕일 뿐이다. 처음에는 수줍음을 타거나 말수가 적은 사람이라고 생각했다. 하지만 다른 것이 마음에 걸린다. 입술의 위치, 침을 삼킬 때 유달리 힘들어 하는 것……. 캐스터가 말해 주기 전에 알아차린다. 폴룩스는 무성인이다. 그들은 폴룩스의 혀를 잘라냈고, 그는 다시는 말하지 못할 것이다. 그가 캐피톨을 전복시키기 위해 모든 것을 건 이유가 무엇인지 명백해진다.

방이 점점 차기 시작하면서 나는 이보다 덜 친밀한 만남에 대한 각오를 한다. 하지만 조금이라도 부정적인 태도를 보이는 사람은 늘 기분이 언짢은 헤이미치와 떨떠름한 얼굴을 한 풀비아 카듀뿐이다. 복스는 윗입술에서 눈썹까지 살색 플라스틱 마스크를 쓰고 있어서(코뼈가 부러졌다는 내

116

생각이 옳았다) 표정을 읽기가 힘들다. 코인과 게일은 제법 정답게 이야기를 주고받고 있다.

게일이 내 휠체어 옆 의자에 앉자 나는 말한다.

"새 친구를 사귀는 중이야?"

그의 시선이 대통령에게 향했다가 다시 돌아온다.

"우리 중 한 사람은 다가가기 편해야지."

게일은 내 관자놀이를 부드럽게 만진다.

"좀 어때?"

아침 식사로 마늘과 호박 스튜가 나왔나 보다. 사람들이 많이 모일수록 냄새가 더 강해진다. 속이 뒤틀리고 갑자기 불빛이 너무 밝게 느껴진다.

"좀 어찔거리네. 너는?"

"괜찮아. 파편 몇 조각을 파냈어. 대단한 건 아니고."

게일이 대답한다.

코인이 회의를 시작했다.

"우리는 공중파 습격을 공식적으로 시작했습니다. 어제 20시에 방송된 우리의 첫 프로포를, 혹은 그 이후 비티가 성공적으로 이루어 낸 17번의 재방송을 못 보신 분들을 위해서 그 영상을 다시 보는 것으로 회의를 시작하겠습니다."

다시 본다고? 사용 가능한 영상을 얻었을 뿐 아니라, 벌써 프로포를 완성해서 여러 번 틀었다는 얘기다. 내 모습을 텔레비전에서 볼 생각을 하니 손바닥에 땀이 찬다. 여전히 내가 형편없으면 어쩌지? 스튜디오에 있었을 때처럼 딱딱하고 아무 의미가 없는데, 더 나은 것을 끌어내려는 노력을 그만둬 버린 거라면? 테이블에서 1인용 스크린이 올라오고, 조명이 조금 약해지고, 방 안의 사람들은 소리를 죽인다.

처음에 화면은 그냥 까맸다. 그러다 가운데서 작은 불꽃이 깜빡인다. 피어나고, 번져가며 조용히 검은색을 먹어치우고, 마침내 화면 전체가 불길에 휩싸인다. 불길은 너무나 생생하고 강렬해서, 거기서 열기가 뿜어져 나온다고 상상해 보았다. 붉은 기가 도는 금빛으로 빛나는 내 모킹제이 핀의 모습이 나타난다. 그리고 내 악몽에 등장하는 깊고 울림이 좋은 목소리가 말하기 시작한다. 헝거 게임의 공식 아나운서 클라우디스 템플스미스의 목소리다.

"불타던 소녀, 캣니스 에버딘은 계속 타오릅니다."

갑자기 모킹제이 대신 내가 나타난다. 나는 8번 구역의 진짜 불길과 연기 앞에 서 있다.

"반군들에게 제가 아직 살아 있다고 말해 주고 싶어요. 저는 8번 구역에, 캐피톨이 방금 무장하지 않은 남자와 여자, 아이들이 가득한 병원을 폭격한 바로 이곳에 있다는 걸요. 생존자는 아무도 없을 겁니다."

컷이 바뀌고 무너져 내리는 병원, 절망적으로 그것을 바라보는 사람들이 보인다. 내 목소리가 계속 들려온다.

"사람들에게 말하고 싶어요. 만약 휴전을 할 경우 캐피톨이 우리를 공정하게 대할 거라고 단 1초라도 생각한다면, 스스로를 속이는 거라고. 왜냐하면 당신은 그들이 누구인지, 그들이 어떤 짓을 하는지 이미 알고 있으니까."

내 주위의 잔인무도한 일을 가리키려 양 손을 올리는 내 모습으로 돌아온다.

"그들이 하는 짓이 바로 이런 거예요! 우리는 맞서 싸워야 해요!"

여기서 진짜 환상적인 전투 장면 모음이 나온다. 첫 번째 폭격, 달려가는 우리들과 날아가 쓰러지는 모습(피투성이가 된 내 상처도 그럴싸하게 클로즈업된다), 옥상으로 올라가고 진지로 뛰어드는 모습. 반군과 게일, 그리고 주로 내 모습들, 내가 하늘에 뜬 비행기들을 격추시키는 놀라운 장면들. 다시 컷이 바뀌더니 카메라로 다가서는 내가 등장한다.

"스노우 대통령이 우리에게 메시지를 보냈다고 한다고요? 나도 스노우에게 전해 줄 메시지가 있어요. 당신은 우리를 고문하고, 폭격하고, 우리 구역을 불태워 잿더미로 만들 수 있겠지. 하지만 그거 알아?"

우리는 카메라와 함께 시선을 돌려 창고 옥상에서 불타고 있는 비행기 두 대를 돌아본다. 날개에 그려진 캐피톨 문장이 화면에 클로즈업된다. 문장은 녹아 없어지고, 대통령에게 소리 지르는 내 얼굴이 다시 나온다.

"불이 번지고 있어! 만일 우리가 불타면, 당신도 같이 불타는 거야!"

다시 한 번 불길이 화면을 에워싼다. 그 위에는 검고 또렷한 대문자로 쓰인 문장이 겹쳐져있다.

만일 우리가 불타면
당신도 불탄다

글자에 불이 붙더니 화면 전체가 타 없어져 다시 검은색으로 돌아간다.

기쁨의 정적이 잠시 흐른다. 이어 박수가 쏟아지며 다시 보자고들 한다. 코인은 너그럽게 '리플레이' 버튼을 누르고, 이번에는 무엇이 나올지 알고 있으니 나는 경계에 있는 내 집에 앉아 텔레비전을 보고 있다고 생각해 본다. 캐피톨에 반대하는 주장. 텔레비전에 그런 것이 나온 적은 단 한 번도 없었다. 적어도 내 평생 동안은 나온 적 없다.

화면이 두 번째로 타올라 검은색이 되었을 때는 좀 더 알아야겠다는 생각이 든다.

"판엠 전체에 방송했어요? 캐피톨에서도 이걸 봤나요?"

"캐피톨에는 안 나갔어. 캐피톨의 시스템을 넘어설 수가 없었지. 비티가 지금 작업 중이긴 하지만. 하지만 다른 구역들에는 모두 나갔단다. 심지어 2번 구역에도 들었어. 지금 이 시점에서는 캐피톨보다도 더 가치 있는 일일지도 몰라."

플루타르크가 말한다.

"클라우디스 템플스미스가 우리 편인가요?"

내가 묻는다.

이 말을 듣고 플루타르크는 크게 웃는다.

"목소리만. 하지만 그건 그냥 가져다 쓰면 되는 거지. 우린 특별히 편집할 필요도 없었어. 네 첫 번째 게임에서 그 말을 실제로 했거든."

그가 손으로 테이블을 탁 치고는 말한다.

"크레시다와 놀라운 그녀의 팀, 그리고 무엇보다 우리의 재능 있는 주인공에게 박수를 한 번 더 보내는 게 어떻겠습니까!"

나도 같이 박수를 치다가, '재능 있는 주인공'이 바로 나고, 스스로에게 박수를 치는 것이 아주 불쾌한 일일지도 모른다는 것을 깨닫고 멈춘다. 하지만 관심을 갖는 사람은 없다. 그렇지만 풀비아의 얼굴이 굳어 있는 것이 어쩔 수 없이 눈에 들어온다. 풀비아가 스튜디오에서 찍었던 영상은 완전히 실패했는데, 헤이미치의 아이디어가 크레시다에 의해 성공적으로 연출된 것을 지켜보는 상황이란 얼마나 힘들까 생각해 본다.

코인은 자축하는 것을 지켜보면서 참을성이 한계에 다다른 것 같다.

"네, 박수 받을 만합니다. 우리가 바랐던 것 이상의 결과물이 나왔어요. 하지만 상당한 추가 위험까지 무릅쓰고 작업하셨는데, 이 정도까지 감수하는 게 과연 옳은 일일지 짚고 넘어가야겠습니다. 폭격을 예상하지 못했다는 건 알고 있어요. 하지만 지금 상황을 볼 때, 캣니스를 실제 전투에 참여시키기로 결정했던 것은 다시 의논해 봐야 할 것 같습니다."

결정? 나를 전투에 참여시키기로 했다고? 그렇다면 코인은 내가 노골적으로 명령을 어기고, 이어폰을 빼 버리고, 보디가드들을 따돌리고 도망간 걸 모르는 건가? 그 밖에 코인에게 숨긴 것이 또 뭐가 있을까?

"힘든 결정이었습니다."

플루타르크는 눈썹에 주름을 만든다.

"하지만 총소리가 울릴 때마다 벙커 같은 곳에 가두어 버리면, 쓸 만한 영상은 전혀 얻을 수 없을 거라는 일반적인 공감대가 있었죠."

"그럼 넌 괜찮니?"

대통령이 묻는다.

게일이 테이블 밑에서 나를 걷어차고서야 나에게 하는 말이라는 것을 깨닫는다.

"아! 네. 전 전혀 아무렇지도 않아요. 평소 안 하던 일을 하니까 기분 좋았어요."

"음, 캣니스를 노출시킬 때 조금만 더 신중해지기로 하죠. 특히 이제는 캣니스가 어떤 일을 할 수 있는지 캐피톨이 아니까요."

테이블 전체에서 찬성하는 소리가 웅얼웅얼 들려온다.

아무도 게일과 나를 믿고하지 않았다. 우리에게 권위를 무시당한 플루타르크도. 코뼈가 부러진 복스도. 우리가 불 속으로 데리고 간 곤충들도. 헤이미치도…… 아니, 잠깐. 헤이미치는 내게 지독한 미소를 지어보이며 달콤하게 말하고 있다.

"네, 우리의 작은 모킹제이가 드디어 노래하기 시작했는데 잃어서는 안 되겠죠."

헤이미치는 그 멍청한 이어폰 때문에 내게 복수심을 품고 있는 게 분명하다. 나는 헤이미치와 단둘이 방에 있는 일이 없도록 해야겠다고 생각한다.

"그래서, 다른 계획은 어떤 게 있죠?"

대통령이 묻는다.

플루타르크는 크레시다에게 고개를 끄덕여 보이고, 크레시다는 클립보드를 꺼낸다.

"8번 구역 병원에서 캣니스의 훌륭한 영상을 좀 찍었어요. 그 영상을 편집해서 '왜냐하면 당신은 그들이 누구인지, 그들이 어떤 짓을 하는지 알고 있으니까.' 라는 주제로 다른 프로포도 만들 수 있을 겁니다. 환자들, 특히 어린이들과 소통하는 캣니스의 모습, 병원 폭격과 그 잔해에 초점을 맞출 거예요. 메살라가 편집 중입니다. 모킹제이 편도 고려중이에요. 캣니스가 가장 훌륭했던 순간들과 반군들이 일어나는 장면, 전투 장면을 교차 편집하는 거죠. 우린 그 편을 〈불이 번지고 있다〉편이라고 불러요. 그리고 풀비아가 아주 멋진 아이디어를 냈죠."

풀비아가 놀라며 신 포도를 입에 문 것 같던 표정이 사라지지만, 곧 그녀는 정신을 차린다.

"음, 얼마나 멋진 생각인지는 모르겠지만, 〈우리는 기억한다〉라는 프로포 시리즈를 만들면 어떨까 생각해 봤어요. 각 편마다 죽은 조공인 한 명을 등장시키는 거죠. 11번 구역의 어린 루라든가, 4번 구역의 나이 든 맥스라든가. 특정 구역을 타깃으로 삼아 그곳 사람들에게 아주 개인적인 의미를 느끼게 해 줄 수 있는 걸 만들자는 아이디어죠."

"조공인(tribute)들을 기리는(tribute) 프로포가 되는 거죠."

플루타르크가 말한다.

"정말 멋진 생각이에요, 풀비아. 사람들에게 싸우고 있는 이유를 되새겨 줄 완벽한 방법이에요."

나는 진심으로 말한다.

"효과가 있을 것 같아. 피닉이 도입 부분과 내레이션을 맡으면 어떨까 생각했어. 흥미가 있다면."

"솔직히, 〈우리는 기억한다〉 프로포는 많을수록 좋을 것 같군요. 오늘부터 제작에 들어갈 수 있나요?"

코인이 말한다.

"물론이죠."

풀비아가 대답한다. 자기 아이디어에 대한 반응으로 기분이 많이 누그러진 것이 분명하다.

크레시다의 대처 덕분에 제작 담당 부서의 문제가 매끄럽게 해결되었다. 실제로 아주 좋았던 풀비아의 아이디어를 칭찬했고, 가상 아닌 현실을 촬영해 모킹제이를 묘사하는 자신의 프로포를 차질 없이 계속할 수 있게 했다. 흥미로운 것은 플루타르크가 자신의 공을 인정받을 필요가 전혀 없다는 듯 행동한다는 것이다. 그가 원하는 것은 공중파 습격이 성공하는 것뿐이다. 나는 플루타르크는 팀의 일원이 아니라 최고게임운영자라는 것을 떠올린다. 그러니, 그의 가치는 한 가지 요소에 의해 결정되는 게 아니고, 제작물 전체의 성공에 달려 있으리라. 우리가 전쟁에서 승리한다면, 그때가 플루타르크가 갈채를 받는 때이다. 그리고 대가를 받으려 하겠지.

대통령이 모두 일하러 가라고 보내서, 게일은 내가 앉은 휠체어를 밀고 병원으로 돌아온다. 우리는 코인에게 사실을 숨긴 것을 이야기하며 조금 웃는다. 게일은 우리를 통제할 수 없다고 시인해서 체면을 구기고 싶은 사람은 아무도 없었을 거라고 한다. 난 보다 상냥하게, 이제 쓸 만한 영상을 좀 찍었으니 우리를 다시 데리고 나갈 기회를 잃고 싶지 않았을 거라고 했다. 아마 둘 다 사실일 것이다. 게일은 비티를 만나러 특별 무기고로 가야 한다. 그래서 나는 꾸벅꾸벅 존다.

몇 분 정도 눈을 감고 있었던 것 같은데, 눈을 떠 보니 헤이미치가 내 침대 1미터 정도 앞에 의자를 놓고 앉아 있다. 기다리고 있는 거다. 시계가 맞는다면 몇 시간 정도 기다렸을 것이다. 소리쳐서 증인을 부를까 생각해 보지만, 어차피 조만간 대면해야 할 것이다.

헤이미치가 앞으로 몸을 기대며, 가느다란 흰 전선에 매달린 무언가를 내 코앞에 들고 흔들어 보인다. 초점을 맞추기가 쉽지 않지만, 그게 무엇인지 알 것 같다. 그가 그 물체를 이불 위에 떨어뜨린다.

"이게 네 이어폰이다. 이걸 쓸 기회를 딱 한 번 더 주마. 다시 빼 버린다면 그땐 이걸 채우게 하겠다."

헤이미치가 금속제 헤드기어 하나를 들어 보인다. 그걸 보는 순간 나는 '머리 차꼬'라고 이름 붙였다.

"이건 다른 오디오 기기야. 네 두개골 둘레를 감싸고, 턱 밑을 지나게 되지. 열쇠로 열지 않으면 풀 수 없어. 유일한 열쇠는 내가 가지고 있을 거다. 만일 네가 이걸 풀 수 있을 만큼 똑똑한 경우에는……."

헤이미치는 머리 차꼬를 침대 위에 던지고는 작은 은색 칩을 꺼낸 뒤 말을 잇는다.

"이 수신기를 네 귓속에 다는 수술을 할 수 있도록 정부에 허가해 줄 거다. 내가 너에게 하루 24시간 이야기할 수 있도록."

헤이미치가 언제나 내 머릿속에! 무시무시하다.

"이어폰 끼고 있을게요."

내가 웅얼거린다.

"뭐라고?"

"이어폰 끼고 있겠다고요!"

병원 환자 절반은 깨울 정도로 크게 대답한다.

"확실하냐? 나는 셋 중 뭐든 다 괜찮거든."

"확실해요. 다른 하실 말 있어요?"

나는 이어폰을 뭉쳐서 지키듯이 주먹에 쥐고, 다른 손으로는 머리 차꼬를 그의 얼굴에 던져 버렸다. 하지만 그는 쉽게 받는다. 아마 내가 던지리라고 예상하고 있었을 것이다.

헤이미치는 가려는 듯 의자에서 일어난다.

"기다리는 동안…… 네 점심을 먹었다."

침대 옆 협탁의 접시 위에 놓인 빈 스튜 그릇이 눈에 들어온다.

"신고할 거예요."

나는 베개에 얼굴을 묻고 중얼거린다.

"그렇게 해라, 예쁜아."

내가 신고하는 타입이 아니라는 걸 아는 헤이미치는 방에서 나간다.

다시 잠들고 싶지만 가만히 있을 수가 없다. 어제 보았던 이미지들이 현재로 흘러 들어오기 시작한다. 폭격, 비행기가 불타며 추락하던 것, 이제는 세상에 존재하지 않는 부상자들의 얼굴, 사방에 있던 죽음을 떠올려 본다. 포탄이 떨어지기 전의 마지막 순간, 내 비행기의 날개가 폭파되고 무의식 속으로 어지러이 추락하는 느낌, 무력하게 침대에 묶여 있는 내 몸 위로 무너져 내리는 창고 지붕. 직접 보거나 테이프로 본 것들. 내가 활시위를 당겨 일으킨 일들. 내가 절대 기억에서 지워버릴 수 없을 일들.

저녁 시간이 되자 텔레비전에 나오는 최신 프로포를 함께 볼 수 있도록 피닉이 자기 식판을 들고 내 침대로 온다. 내가 살던 층에 객실을 배정받았지만, 정신병이 워낙 자주 재발하기 때문에 지금도 병원에서 사는 거나 마찬가지다. 반군은 메살라가 편집한 '왜냐하면 당신은 그들이 누구인지, 그들이 어떤 짓을 하는지 알고 있으니까.' 프로포를 방영한다. 스튜디오에서 이 사건에 대해 설명하는 게일과 복스, 크레시다의 짧은 영상이 교차편집으로 삽입되어 있다. 무슨 일이 일어날지 알고 있기 때문에, 8번 구역의 병원에서 사람들이 나를 맞아 주는 것을 보고 있기가 힘들다. 폭탄이 지붕 위로 비 오듯 쏟아지는 부분에서는 베개에 얼굴을 묻는다. 다시 고개를 들어 보니 피해자들이 모두 죽고 난 뒤고, 내가 마지막에 잠시 등장한다.

프로포가 끝나자, 피닉은 적어도 박수를 치거나 행복한 듯 행동하지는 않는다. 그저 이렇게 말할 뿐.

"저런 일이 있었다는 걸 사람들이 알아야 해. 이젠 알겠지."

"이제 꺼요, 피닉. 다시 나오기 전에."

나는 피닉을 재촉한다. 하지만 피닉이 리모콘으로 손을 뻗는 순간 다시 내가 외쳤다.

"잠깐!"

캐피톨이 특별 방송을 소개하고 있는데 무언가 낯이 익다. 그래, 시저 플리커맨이다. 초대 손님이 누구일지는 짐작이 간다.

피타의 몸에 일어난 변화를 보고 충격을 받는다. 내가 며칠 전에 보았던 건강하고 또렷한 눈을 한 소년은 체중이 적어도 7킬로그램은 줄었고, 불안한 듯 손을 떨고 있다. 겉치장은 여전하다. 하지만 눈 밑의 다크서클을 가려 주지 못하는 화장 속에는, 또 피타가 움직일 때마다 느끼는 고통을 감추지 못하는 좋은 옷 안에는 심하게 망가진 모습이 숨어 있는 게 분명했다.

나는 크게 동요한 채로, 일이 어떻게 된 건지 이해해 보려고 노력한다. 본 지 얼마나 됐다고! 나흘……, 아니 닷새. 닷새 전이었던 것 같다. 어떻게 저렇게 빨리 망가질 수가 있지? 그렇게 짧은 시간 동안에 뭘 한 거야? 그 순간 깨닫는다. 시저와의 첫 인터뷰를 기억할 수 있는 만큼 되짚어 보며, 인터뷰한 시기를 짐작할 수 있는 힌트가 있었나 생각한다. 없다. 내가 경기장을 날려 버리고 하루 이틀 후에 촬영했다가, 그 이후엔 피타에게 하고 싶은 대로 무슨 짓이든 했을 수도 있다.

"아, 피타……."

내가 중얼거린다.

시저는 피타와 내용 없는 말을 몇 마디 주고받은 뒤, 내가 구역들을 위해 프로포를 촬영하고 있다는 루머에 대해 묻는다.

"그들은 캣니스를 이용하고 있는 게 분명해요. 반군들을 자극하기 위해서요. 이 전쟁에서 무슨 일이 일어나고 있는지 캣니스가 정말 알고라도 있는지 의심스러워요. 진짜 위험에 처한 게 무엇인지 말이죠."

"캣니스에게 해 주고 싶은 말이 있나요?"

시저가 묻는다.

"있어요."

피타는 카메라를, 내 눈을 똑바로 쳐다보며 이렇게 말한다.

"캣니스, 바보처럼 굴지 마. 네 스스로 생각해. 그들은 널, 인류를 파괴하는 데 중요한 역할을 할 수 있는 무기로 변신시켰어. 만약 네게 진짜 영향력이 조금이라도 있다면 이 일을 멈추는 데에 사용해. 너무 늦기 전에 전쟁을 멈추는 데 사용하라고. 네 스스로에게 물어 봐. 넌 같이 일하고 있는 사람들을 정말 믿니? 무슨 일이 일어나고 있는지 정말로 알고 있어? 만약 모른다면…… 알아내."

검은 화면. 판엠의 문장. 쇼는 끝났다.

피닉은 리모컨의 전원 버튼을 누른다. 1분 안에 사람들이 여기로 와서 피타의 상태와 피타가 한 말들에 대한 피해 대책을 의논할 것이다. 나는 피타의 말을 부인해야 할 것이다. 하지만 실은 나는, 반군이나 플루타르크나 코인을 믿지 않는다. 그들이 내게 진실을 말하고 있다는 확신이 들지 않는다. 그런 생각을 숨기지 못할 것이다. 발자국 소리가 다가온다.

피닉은 내 양팔을 꼭 쥔다.

"우린 못 본 거야."

"네?"

내가 묻는다.

"우린 피타를 못 본 거야. 8번 구역의 프로포만 봤어. 그 이미지를 보고 넌 언짢아져서 텔레비전을 끈 거고. 알겠어?"

그가 묻는다. 나는 고개를 끄덕인다.

"저녁 마저 먹어."

나는 플루타르크와 풀비아가 들어왔을 때 입 안 가득 빵과 양배추를 넣고 있을 정도로 평정을 되찾는다. 피닉은 게일이 화면발이 정말 잘 받더라는 이야기를 하고 있다. 우리는 두 사람에게 프로포를 봤다며 축하해 준다. 그게 워낙 강렬해서 프로포가 끝나자마자 텔레비전을 껐다고 잘라 말한다. 그들은 안도한 표정이다. 우리가 하는 말을 믿고 있다.

피타 이야기는 아무도 하지 않는다.

9

잠들려고 노력하다가 입에 담을 수도 없는 악몽을 몇 번 꾸고 나서는 아예 시도조차 하지 않는다. 그 이후로는 누가 나를 살피러 오면 그냥 가만히 누워 쌔근거리는 척한다. 아침이 되자 나는 병원에서 풀려나고, 느긋이 지내라는 지시를 받는다. 크레시다가 새 모킹제이 프로포에 쓸 대사를 몇 줄 녹음해 달라고 부탁한다. 점심시간에는 사람들이 피타가 텔레비전에 출연했던 이야기를 꺼내기를 기다리지만, 아무도 언급하지 않는다. 분명 피닉과 나 말고도 본 사람이 있을 텐데.

훈련이 있지만, 게일은 비티와 무기 작업인지 뭔지를 한다고 한다. 그래서 나는 피닉을 숲으로 데려갈 수 있도록 허가받는다. 우린 잠시 돌아다니다 통신 장비를 덤불 밑에 버려둔다. 안전할 만큼 멀리 가고 나서 우리는 앉아 피타의 방송에 대해 의논한다.

"난 그런 얘기 한 마디도 못 들었어. 아무도 너한테 말 안 해 줬어?"

피닉이 묻는다. 나는 고개를 가로젓는다. 그는 잠시 멈췄다가 묻는다.

"게일도?"

나는 게일이 피타의 메시지에 대해 정말로 아무것도 모르고 있다는 실낱같은 희망에 매달리고 있다. 하지만 왠지 게일이 알고 있을 거라는 나쁜 예감이 든다.

"너와 단 둘이서 이야기를 나눌 기회를 기다리고 있을지도 모르지."

"어쩌면요."

우리가 너무 오랫동안 조용히 앉아 있어서, 수사슴 한 마리가 사정권에 걸어 들어온다. 화살 하나로 잡는다. 피닉이 울타리까지 짊어지고 온다.

저녁 식사로 나온 스튜에 사슴고기 간 것이 들어 있다. 게일은 식사 후에 객실 E까지 나와 함께 걷는다. 무슨 일이 있었느냐고 물어도, 피타에 대한 언급은 없다. 엄마와 동생이 잠들자마자 나는 서랍에서 진주를 꺼내, 손에 꼭 쥐고 잠 못 드는 두 번째 밤을 보내며 피타의 말을 머릿속으로 되뇐다.

"네 스스로에게 물어 봐. 넌 같이 일하고 있는 사람들을 정말 믿니? 무슨 일이 일어나고 있는지 정말로 알고 있어? 만약 모른다면…… 알아내."

알아내라. 뭘? 누구에게서? 피타도 그렇다. 캐피톨이 해 준 말 외에 무얼 알 수 있단 말인가? 그것 역시 캐피톨의 프로포일 뿐이야. 또 다른 잡음일 뿐이지. 하지만 만약 플루타르크가 피타의 말이 캐피톨이 써 준 대사에 불과하다고 생각한다면, 왜 나한테 말해 주지 않는 거야? 왜 아무도 피닉과 나에게 알려주지 않지?

이런 고민의 밑에는 내 고통의 진짜 원인이 숨어 있다. 피타다. 그들이 피타에게 무슨 짓을 했지? 지금 이 순간 뭘하고 있는 걸까? 피타와 내가 반군에 대해 아무것도 몰랐다는 이야기를 스노우가 믿지 않은 것은 분명하다. 그리고 내가 모킹제이 역할을 맡아 출연했으니 그의 의심은 더욱 강해졌을 것이다. 피타는 반군의 전략에 대해 추측했거나, 고문하는 사람들에게 말하기 위한 이야기를 지어냈을 수밖에 없다. 거짓말을 한 게 드러나면 가혹하게 처벌받을 것이다. 내가 자신을 버렸다고 생각하겠지. 첫 인터뷰에서 피타는 나를 캐피톨과 반군 양쪽 모두에게서 지키려고 했다. 그런데 나는 피타를 보호해 주지 못했을 뿐 아니라, 피타에게 더 끔찍한 일이 닥치게 했다.

아침이 찾아왔다. 나는 팔을 벽에 집어넣고 완전히 지친 상태로 하루의 일정을 노려본다. 아침 식사 바로 뒤에 영상 제작 일정이 있다. 식당에서 뜨거운 곡식과 우유와 으깬 순무를 먹고 있는데, 게일의 손목에 통신 팔찌가 있는 것을 눈치챈다.

"그건 언제 다시 받았어, 호손 병사?"

내가 묻는다.

"어제. 내가 너랑 같이 야외로 나가게 되면 예비 통신 수단이 될 수 있을 거라고 생각했대."

하지만 아무도 내게 통신 팔찌를 주겠다고 한 적은 없다. 달라고 하면 줄까?

"음, 우리 중 한 사람은 다가가기 편해야겠지."

나는 날이 선 목소리로 말한다.

"그게 무슨 뜻이야?"

"아무것도 아냐. 그냥 네가 했던 말을 반복하는 거지. 그리고 다가가기 편한 사람이 너여야 한다는 건 전적으로 동감이야. 나도 아직 너한테 다가갈 수 있기만을 바랄 뿐이지."

눈이 마주치자 나는, 내가 게일에게 얼마나 화가 났는지 깨닫는다. 게일이 피타의 프로포를 보지 않았다고는 단 1초도 믿지 않았다는 것을 깨닫는다. 게일이 나에게 그 이야기를 하지 않아서 완전히 배신당한 느낌이라는 것을 깨닫는다. 우리는 서로를 너무 잘 안다. 게일이 내 기분을 읽어 내

130

지 못할 수는 없다. 그 이유가 무엇인지 모를 수는 없다.

"캣니스……."

게일이 입을 연다. 이미 잘못을 인정하는 목소리다.

나는 식판을 집어 들고 반납구로 가서 선반 위에 쾅하고 놓는다. 복도에 나갔을 때 게일이 나를 따라잡는다.

"왜 아무 말도 안 했어?"

게일이 내 팔을 잡으며 묻는다. 나는 팔을 확 뺀다.

"왜 말 안 했냐고? 너는 왜 아무 말도 안 했는데, 게일? 그리고 난 했어. 어젯밤에 무슨 일이 있었느냐고 물었을 때!"

"미안해, 응? 나는 어떻게 해야 할지 몰랐어. 너한테 말하고 싶었지만, 모두들 피타의 프로포를 보면 네가 다시 아파질 거라고 걱정했어."

"그 말은 맞아. 아파졌어. 하지만 네가 코인을 위해 나한테 거짓말하는 것만큼 아프지는 않아."

이 순간 게일의 통신 팔찌가 삑삑거린다.

"코인이네. 서두르는 게 좋겠어. 해 줄 얘기가 생겼잖아."

게일은 잠시 동안 정말 상처받은 표정을 짓는다. 그리고는 차가운 분노가 그 자리를 대신한다. 발길을 돌리더니 가 버린다. 어쩌면 내가 그를 너무 악의적으로 대했고, 설명할 시간을 충분히 주지 않았는지도 모른다. 그리고 정말로 모두가 나를 보호해 주려고 거짓말하는 건지도 모른다. 상관없다. 나는 나를 생각해 주느라 내게 거짓말하는 사람들에겐 신물이 나니까. 왜냐하면 사실은 대부분 자기를 생각하느라고 거짓말하는 거니까. 캣니스가 미친 짓하지 않도록 반란에 대해서 거짓말을 하자. 우리가 건져낼 수 있도록 아무것도 모르는 채 경기장에 들어가게 해. 다시 아프게 될지도 모르니 피타의 프로포에 대해서 이야기하지 마. 그렇지 않아도 제대로 연기하게 하기 힘들잖아.

정말 아픈 기분이다. 마음이 아프다. 그리고 하루 종일 영상 제작을 하기엔 너무 지쳐 있다. 하지만 벌써 개조실 앞에 왔으니 안으로 들어간다. 오늘은 12번 구역으로 돌아간다는 것을 알게 된다. 크레시다는 파괴된 우리 도시에 대해 각본 없이 게일과 나를 인터뷰하고 싶어 한다.

"너희 둘 다 감당할 수 있다면 말이지."

크레시다가 내 얼굴을 가까이 들여다보며 말한다.

"난 해요."

내가 대답한다. 내 준비 팀이 내게 옷을 입히고, 머리를 만지고, 얼굴에 토닥토닥 메이크업을 하는 동안 말없이 마네킹처럼 뻣뻣하게 서 있다. 화장한 것을 알아볼 수 있는 정도는 아니고, 잠을 못 잔 내 눈 밑의 다크서클을 가릴 정도로만 한다.

복스가 나를 격납고로 데리고 갔다. 우리는 기본적인 인사를 넘어가는 대화는 하지 않는다. 8번 구역에서 내가 명령을 어긴 것에 대해 더 이상 이야기하지 않아도 된다는 게 고맙게 느껴진다. 그의 마스크가 너무 불편해 보여서 더욱 그렇다.

마지막 순간에 생각이 나서 엄마에게 내가 13번 구역을 떠난다는 것을 알려 달라고 말하고, 위험하지 않을 거라고 강조한다. 12번 구역으로 가는 짧은 비행을 위해 호버크래프트에 탑승한다. 그리고 나는 플루타르크와 게일, 크레시다가 지도를 들여다보며 골똘히 궁리하고 있는 테이블로 안내받는다. 플루타르크는 첫 프로포 몇 개가 방송되기 전과 방송된 후의 효과를 보여주며 만족감에 넘쳐 있다. 몇몇 구역에서는 기반을 거의 가지고 있지 않던 반군들이 연대했다. 반군은 3번과 11번 구역을 실제로 장악했고(11번 구역은 판엠의 식량을 주로 공급하는 곳이라 아주 결정적인 성과다), 다른 몇 구역에서도 진전이 있었다.

"희망적이야! 정말로 아주 희망적이야. 풀비아는 각 구역 출신 사망자의 모습을 담아내 특정 구역을 겨냥할 수 있도록 〈우리는 기억한다〉 첫 방송분을 오늘밤까지 완성해 둘 거야. 피닉은 믿을 수 없을 정도로 훌륭해."

플루타르크가 말한다.

"사실 보고 있자면 고통스러워. 피닉은 그중 너무 많은 사람들을 개인적으로 알고 지냈으니까."

크레시다가 말한다.

"그래서 그렇게 효과적인 거죠. 마음에서 우러난 거니까. 다들 아주 잘하고 있어요. 코인이 이보다 더 만족할 수는 없을걸요."

플루타르크가 말한다.

그러면 게일은 말하지 않은 거다. 내가 피타를 못 본 척한 것, 그들이 숨기고 있어서 내가 화났다는 사실을. 하지만 너무 늦었고, 너무 사소한 부분 같다. 아직 나는 마음이 풀리지 않았으니까. 상관없다. 어차피 게일도 나한테 말 안 하고 있는데 뭐.

초원에 착륙하고 나서야 헤이미치가 동행하지 않았다는 것을 깨닫는다. 플루타르크에게 왜 헤이미치가 없느냐고 묻자, 그저 고개를 가로저으며 이렇게 말할 뿐이다.

"볼 엄두가 안 난다는구나."

"헤이미치가? 그 사람이 볼 엄두가 안 나는 게 있다고요? 그보단 그냥 하루 쉬고 싶었나 보죠."

내가 말한다.

"헤이미치가 했던 말은 '술병 없이는 볼 엄두가 안 난다.' 였던 것 같아."

술 앞에 무너지는 내 멘터, 그리고 그가 볼 수 있는, 혹은 없는 것들에 대한 참을성이 진작 바닥난 나는 말도 안 된다는 듯 눈을 홉뜬다. 하지만 12번 구역에 돌아온 지 5분 정도 지나자, 나 역시 술 한 병이 있었으면 좋겠다는 생각이 든다. 나는 12번 구역의 죽음을 받아들였다고 생각했다. 이야기로 들었고, 공중에서 내려다보았고, 그 잿더미 속을 걸어 다녀보기도 했다. 그런데 왜 모든 것이 새롭게 격한 비통함을 불러오는 걸까? 내 세계가 사라졌다는 사실을 완전히 받아들이기에는 아직 내 정신이 온전치 못했던 걸까? 잔혹한 현실을 새롭게 일깨워 주는, 파괴 현장을 바라보는 게일의 얼굴에 떠오른 저 표정들 때문일까?

크레시다는 내 옛 집에서 나를 촬영하는 것부터 시작하라고 팀에게 지시한다. 나는 그녀에게 내가 뭘 하면 좋겠느냐고 묻는다.

"네가 하고 싶은 대로 하렴."

그녀가 대답한다. 부엌에 서자 아무것도 하고 싶지가 않다. 사실 나는 자꾸 하늘, 유일하게 남은 지붕인 하늘만 올려다보게 된다. 너무 많은 기억들 속에 빠져 허우적거리고 있기 때문이다. 잠시 후, 크레시다가 말한다.

"괜찮아, 캣니스. 넘어가자."

게일은 자신의 옛 집에 갔을 때 나처럼 쉽게 넘어가지 못한다. 크레시다는 말없는 게일을 그냥 몇 분 정도 촬영하지만, 게일이 잿더미 속에서 예전의 삶에서 남은 것 하나(뒤틀린 금속 부지깽이였다)를 꺼내자마자 그의 가족, 직업, 경계에서의 삶에 대해 질문하기 시작한다. 크레시다는 게일이 소이탄이 쏟아지던 날로 돌아가 그 날을 다시 설명하게 만든다. 게일의 집부터 시작해서, 초원을 가로질러 숲을 뚫고 호수까지 간다. 나는 촬영 팀과 보디가드들 뒤로 처져 걸어가며, 그들이 여기 온 것이 내가 사랑하는 숲을 모독하는 것이라고 느낀다. 여기는 사적인 곳이자 안식처인데, 이미 사악한 캐피톨 때문에 더럽혀져 있다. 울타리 근처의 숯이 된 그루터기를 뒤로하고 걷고 있는데도, 썩어가는 시체에 자꾸 발이 걸린다. 이걸 모두에게 보여주자고 촬영까지 해야 하나?

호수에 도착할 때쯤에는 게일은 말하는 능력을 잃은 것 같다. 모두(특히 곤충 껍질 같은 것에 싸인 캐스터와 폴룩스)가 땀을 뻘뻘 흘리고 있고 크레시다는 쉬자고 한다. 나는 호수에 뛰어들었다가 보는 눈 없이 혼자 알몸으로 나올 수 있다면 좋겠다고 생각하며 물을 손으로 몇 번 떠올린다. 호수 주위를 잠시 서성인다. 그러다 호수 옆의 작은 콘크리트 집으로 돌아온 나는 문간에 서서, 게일이 뒤틀린 부지깽이를 가져와 벽난로 옆 벽에 기대 세워 놓는 것을 본다. 순간 나는 먼 미래에 외로운 이방인이 야생에서 길을 잃고 헤매다 쪼개 놓은 통나무, 벽난로, 부지깽이가 있는 이 작은 피난처를 발견하는 모습이 떠오른다. 어쩌다 이런 것들이 여기 있게 되었을까 의아해 하는 모습. 게일이 나를 돌아보며 눈을 맞춘다. 게일은 우리가 마지막으로 여기서 만났던 일을 생각하고 있다는 걸 나는 알 수 있다. 도망갈지 말지를 놓고 싸웠던 때. 만약 우리가 도망쳤다면 12번 구역은 아직 존재할까? 그럴 것 같다. 하지만 캐피톨은 아직도 판엠을 지배하고 있었을 것이다.

모두에게 치즈 샌드위치를 나눠주어 우리는 나무 그늘에서 그것을 먹는다. 난 말을 하지 않아도 되도록 일부러 모임의 가장 바깥쪽에 있는 폴룩스 옆에 앉는다. 사실 모두가 별말이 없다. 상대적으로 조용한 가운데 새들이 숲을 되찾는다. 나는 팔꿈치로 폴룩스를 찌르고, 왕관을 쓴 것 같은 작고 검은 새를 가리킨다. 그 새는 다른 가지로 폴짝 뛰며 잠시 날개를 펼친다. 흰 깃털이 보였다. 폴룩스는 내 핀을 가리키며 질문하듯 눈썹을 치켜 올린다. 나는 모킹제이가 맞다는 뜻으로 고개를 끄덕인다. 나는 '기다려 봐요, 보여 줄 테니.' 라는 뜻으로 손가락 하나를 들어 보이고는 새소리처럼 휘파람을 분다. 모킹제이는 고개를 갸우뚱하더니 내가 분 음을 그대로 따라 불어 준다. 그러자 폴룩스도 몇 개의 음으로 된 멜로디를 휘파람을 불어서 나는 놀란다. 새가 그에게 즉시 대답한다. 폴룩스의 얼굴이 기쁨으로 환하게 밝아지고, 그는 모킹제이와 멜로디를 몇 번 주고받는다. 그가 몇 년 만에 처음으로 해 보는 대화이리라 짐작한다. 음악은 꽃이 벌을 끌어들이듯 모킹제이들을 끌어들이고, 얼마 지나지 않아 우리 머리 위의 나뭇가지에 여섯 마리 정도가 모여 앉는다. 그는 내 팔을 두드리더니 나뭇가지로 흙에다 쓴다. '노래할래?'

보통이라면 사양하겠지만, 이 상황에서 폴룩스에게 싫다고 말하는 것은 불가능할 것 같다. 게다가 모킹제이가 노래하는 소리는 휘파람 부는 소리와는 다르고, 폴룩스에게도 들려주고 싶다. 그래서 나는 내가 뭘하고 있는지 제대로 생각하기도 전에, 음 네 개로 된 루의 멜로디를 부른다. 루가 11번 구역에서 일을 마쳤다는 것을 알려 줄 때 썼던 멜로디다. 새들은 그 사실을 모르지만, 간단한 멜로디를 알아듣고 서로 아름다운 화음을 이루며 주고받는다. 헝거 게임에서 머테이션들이 숲을 뚫고 나와 코뉴코피아까지 우리를 쫓고, 피투성이 곤죽이 될 때까지 카토를 천천히 물어뜯기 전에 그랬듯이.

"진짜 노래 부르는 거 들어보고 싶어요?"

내가 불쑥 내뱉는다. 이 기억을 멈추기 위해서라면 뭐든지 하겠다. 나는 일어나서 숲속으로 들어가, 새들이 앉아 있는 단풍나무의 거친 둥치에 한 손을 얹는다. 〈매다는 나무〉는 금지곡이라 10년 동안 부르지 않았지만, 가사는 전부 기억하고 있다. 나는 아빠가 그러셨듯 부드럽고 달콤하게 노래를 시작한다.

"너는, 너는
그 나무로 올 거니.
세 사람을 살해했다던 남자를 매단 곳으로
여기선 정말 이상한 일들이 있었지.
너도 다 알게 될 거야.
우리가 매다는 나무에서 자정에 만난다면."

모킹제이들은 내가 새로운 노래를 불러주고 있다는 걸 깨닫고 자신들의 노래를 바꾸기 시작한다.

"너는, 너는
그 나무로 올 거니.
죽은 남자가 그의 사랑에게 도망가라고 외쳤던 곳으로
여기선 정말 이상한 일들이 있었지.
너도 다 알게 될 거야.
우리가 매다는 나무에서 자정에 만난다면."

새들은 이제 내게 관심을 보이고 있다. 단순하고, 거의 변화 없이 네 번 반복되는 노래니까 한 절을 더 부르면 분명 멜로디를 익힐 것이다.

"너는, 너는
그 나무로 올 거니.
우리 둘 다 자유로워질 수 있도록 내가 너에게 달아나라고 한 곳으로
여기선 정말 이상한 일들이 있었지.
너도 다 알게 될 거야.
우리가 매다는 나무에서 자정에 만난다면."

숲 속은 잠잠하다. 바람에 나뭇잎이 흔들리는 소리만 들려온다. 하지만 모킹제이나 다른 새들의 소리는 들리지 않는다. 피타가 옳았다. 내가 노래하면 새들은 정말로 조용해진다. 우리 아빠한테 그랬듯이.

"너는, 너는

그 나무로 올 거니.

나와 나란히 밧줄 목걸이를 맬 거니.

여기선 정말 이상한 일들이 있었지.

너도 다 알게 될 거야.

우리가 매다는 나무에서 자정에 만난다면."

새들은 내가 계속하기를 기다리고 있다. 하지만 여기서 끝이다. 마지막 절이니까. 정적 속에서 그 장면을 떠올린다. 나는 아빠와 숲에서 하루를 보낸 다음 집에 돌아왔었다. 겨우 아장아장 걷는 나이의 프림과 함께 바닥에 앉아 〈매다는 나무〉를 불렀다. 가사의 진짜 의미가 무엇인지도 모르면서, 노래에 나오는 것처럼 낡은 밧줄을 가지고 목걸이를 만들었다. 하지만 멜로디는 단순한 데다 화음을 쌓기 쉬웠고, 그 무렵 나는 곡조를 붙인 것은 한두 번만 들으면 거의 뭐든 외울 수 있었다. 갑자기 엄마가 밧줄 목걸이를 채가더니 아빠에게 소리를 지르셨다. 엄마는 절대 소리를 지르는 일이 없었기 때문에 놀란 나는 울기 시작했고, 프림도 마구 울어대서 밖으로 뛰쳐나가 숨었다. 내가 숨는 곳은 단 한 곳뿐이었기 때문에(초원의 인동덤불 아래였다) 아빠는 나를 곧바로 찾아내셨다. 아빠는 나를 달래주며 다 괜찮다고 말했지만, 그 노래는 앞으로 부르지 않는 게 좋겠다고도 하셨다. 엄마는 내가 잊어버리길 원하셨다. 그래서 당연히 가사 전체가 즉시, 되돌릴 수 없이 머릿속에 각인되었다.

그 이후로 아빠와 나는 그 노래를 부르지도, 심지어 언급하지도 않았다. 하지만 아빠가 돌아가신 뒤에는 자주 생각나곤 했다. 나이가 들면서 가사를 이해하기 시작했다. 첫 부분에는 남자가 여자친구와 자정에 몰래 만나려고 하는 것 같다. 하지만 살인을 한 남자가 매달리는 나무라니, 연인이 밀회하는 장소라기엔 이상한 곳이다. 살인자의 연인은 살인에 관여한 것

138

이 분명하다. 살인자의 시체가 그녀에게 도망가라고 하는 것을 보면, 그렇지는 않다고 해도 어쨌든 처벌을 당하기로 되어 있는 모양이다. 물론 시체가 말을 한다는 것도 이상하지만, 〈매다는 나무〉는 3절에 가서야 정말로 불편해진다. 이 노래의 화자가 죽은 살인자라는 것을 깨닫게 되니까. 그는 아직 매다는 나무에 있다. 그리고 자기 연인에게 도망가라고 말하기는 했지만, 동시에 연인에게 계속 자기를 만나러 올 거냐고 묻는다. '우리 둘 다 자유로워질 수 있도록 내가 너에게 달아나라고 한 곳으로.' 라는 부분이 가장 괴롭다. 언뜻 보면 남자가 여자에게 달아나라고, 아마도 안전한 곳으로 도망가라고 하는 것 같다. 하지만 다시 보면 남자는 자기에게 달려오라고 말하는 걸까 생각하게 되기도 한다. 죽음으로. 마지막 절에서는 그가 기다리는 게 바로 그거라는 사실이 명확해진다. 그의 연인은 밧줄 목걸이를 하고 나무에서 그의 옆에 죽은 채 매달려 있다.

나는 그 살인자가 내가 상상할 수 있는 가장 으스스한 사람이라고 생각해 왔다. 헝거 게임에 몇 번 다녀온 지금은 더 자세한 사실을 알기 전에는 판단하지 않기로 했다. 어쩌면 연인은 이미 사형을 당하게 되었고, 그는 그저 편하게 해 주려고 하는 걸지도 모른다. 그녀에게 자기가 기다리고 있을 거라는 사실을 알려주는 것이다. 혹은 그가 그녀를 남겨 두고 가는 곳이 사실은 죽음보다 더 나쁘다고 생각했는지도 모른다. 나 역시 피타를 캐피톨에서 구해 주기 위해 그 주사기로 죽이려 하지 않았던가? 정말 그 수밖에 없었나? 아마 아니었겠지만, 그때 나는 다른 생각은 해낼 수 없었다.

그래도 엄마는 이 모든 것이 일곱 살짜리에게는 너무 뒤틀린 이야기라고 생각하셨을 것이다. 직접 밧줄 목걸이를 만드는 애라면 더더욱. 목을 매다는 게 이야기 속에서만 일어나는 일은 아니었다. 12번 구역에서는 그렇게 처형당하는 사람이 많았다. 분명 엄마는 음악 시간에 내가 앞에 나가 이 노래를 부르길 원하지는 않으셨을 것이다. 심지어 내가 여기서 폴룩스에게 불러 주는 것도 원하지 않으셨겠지만, 적어도 난…… 잠깐, 아니다. 곁눈질로 보니 캐스터는 나를 찍고 있었다. 모두가 나를 열심히 바라보고 있다. 폴룩스의 뺨에는 눈물이 흘러내리고 있었다. 내가 부른 괴상한 노래가 그가 사는 동안 겪었던 어떤 끔찍한 사건의 기억을 파헤쳐 낸 게 분명하다. 끝내주는군. 나는 한숨을 쉬고 나무 둥치에 기댄다. 그때 모킹제이들이 〈매다는 나무〉를 부르기 시작한다. 새 소리로 들으니 노래가 꽤 아름답다. 나는 촬영 중이라는 것을 의식하고 크레시다가 "컷!"하고 외칠 때까지 조용히 서 있었다.

플루타르크가 웃으며 내게 다가온다.

"어디서 그런 게 나오는 거야? 우리가 만들어 냈다면 아무도 안 믿었을 거야! 넌 최고야!"

그는 한쪽 팔로 나를 감싸 안고 내 정수리에 요란하게 입을 맞춘다.

"촬영할 줄은 모르고 한 거였어요."

내가 말한다.

"그렇다면 촬영한 게 다행이었네. 자, 모두들 마을로 돌아가죠!"

그가 말한다.

천천히 숲 속을 걷다가 어느 바위에 다다르자, 게일과 나는 바람에 풍겨 오는 냄새를 맡은 개들처럼 같은 방향으로 고개를 돌린다. 크레시다가 그것을 눈치채고 그쪽에 뭐가 있느냐고 묻는다. 우리는 서로 모른 체하며 예전에 사냥할 때 만나던 곳이라고 말한다. 크레시다는 정말 아무것도 아닌 장소라고 우리가 아무리 말해도 보고 싶어 한다.

나는 '거긴 내가 행복했던 곳일 뿐이에요.'라고 생각한다.

계곡을 내려다보며 툭 튀어나온 우리의 바위. 평소보다 녹음은 덜할지 몰라도, 블랙베리 덤불은 열매가 잔뜩 열려 축 처져 있다. 사냥하고 덫을 놓고, 낚시하고 채집하고, 함께 숲을 배회하고, 사냥감 자루를 채우며 우리의 생각을 쏟아내던 셀 수 없이 많은 날들은 죄다 여기서 시작되었다. 여기가 바로 살아남는 동시에 제정신일 수 있게 해 주었던 유일한 보루였다. 그리고 우리는 서로의 열쇠였다.

이제는 탈출할 12번 구역도, 속여야 할 평화유지군도, 먹여야 할 배고픈 입들도 없다. 캐피톨이 그 모두를 빼앗아갔고, 이제 난 게일까지 잃어버릴 참이다. 그 모든 세월 동안 우리를 그렇게도 강하게 묶어주던 공통의 필요가 사라져 가고 있다. 우리 사이의 공간은 이제 밝지 않고 어둡다. 더구나 12번 구역의 끔찍한 죽음을 마주 대한 오늘, 어떻게 우리는 말도 하지 않을 만큼 서로에게 화가 나 있는 상태일 수 있을까.

게일은 내게 거짓말을 한 거나 마찬가지다. 내 걱정을 하느라 그랬다 해도 받아들일 수 없다. 사과는 진심인 것 같긴 했다. 그런데 나는 그걸 받아주지 않고, 게일의 마음이 아프도록 모욕을 덧붙여 그의 면전에 집어던졌다. 우리에게 무슨 일이 일어나고 있는 거야? 왜 우린 이제 언제나 싸우고 있는 거지? 전부 엉망진창이지만, 나는 우리 사이의 문제의 뿌리로 가면 그 행동이 바로 중심에 있을 거라는 기분이 든다. 나는 정말 게일을 쫓아 버리고 싶은 걸까?

내 손가락이 블랙베리 하나를 감싸고 그것을 줄기에서 떼어 낸다. 나는 엄지와 검지 사이에서 열매를 부드럽게 굴려 본다. 그러다 갑자기 게일을 향해 몸을 돌리고 블랙베리를 던진다.

"확률의 신이……."

나는 그렇게 말하고는, 게일이 후려쳐 버릴지 받을지 결정할 시간이 충분하도록 높이 던진다.

게일의 눈은 열매가 아닌 나를 보지만, 마지막 순간에 게일은 입을 벌리고 블랙베리를 받아먹는다. 씹어 삼키고는 한참이나 아무 말도 없다가 결국 이렇게 말했다.

"……언제나 당신의 편이기를."

그래도 말을 하기는 했다.

크레시다는 우리를 서로 몸이 닿을 수밖에 없는 바위 틈에 앉히고는, 사냥 이야기를 해 보라고 꼬드긴다. 우리를 숲 속으로 내몬 게 무엇인지, 우리가 어떻게 만났는지, 가장 좋았던 순간은 언제였는지. 벌과 들개, 스컹크가 등장하는 사고 이야기를 하며 우리는 누그러지고, 조금씩 웃기 시작한다. 우리가 익힌 무기를 다루는 기술을 8번 구역이 폭격 당할 때 사용한 기분이 어땠느냐는 이야기로 대화가 흘러가자 나는 대답하지 않는다. 게일은 그저 이렇게 말할 뿐이다.

"진작 그랬어야 했죠."

광장에 도착할 때쯤에는 오후에서 저녁으로 바뀌고 있었다. 나는 빵집의 잔해가 있는 곳으로 크레시다를 데리고 가서 좀 찍으라고 한다. 아무리 애써도 내가 느낄 수 있는 감정은 기진맥진한 피곤함뿐이다.

"피타, 이게 너희 집이야. 폭격 이후에 너희 가족 중 한 명도 소식이 없어. 12번 구역은 사라졌지. 그런데 휴전을 하자고? 네 말을 들을 사람은 아무도 남아 있지 않아."

나는 텅 빈 그곳 너머를 바라본다.

교수대였던 금속 덩어리 앞에 서자, 크레시다는 우리 두 사람 중 고문받아 본 사람이 있느냐고 묻는다. 게일은 대답 대신 셔츠를 벗고 카메라에 등을 돌린다. 채찍 자국을 빤히 바라보자, 다시 그때의 채찍 소리가 들려오고, 손목을 묶여 매달린 채 의식을 잃고 있던 그의 피투성이 몸이 보이기 시작한다.

"난 더 못하겠어요. 우승자 마을에서 만나요. 엄마께…… 가져다 드릴게 있어요."

내가 선언한다.

걸어서 이동했을 테지만, 다음 순간 정신을 차려 보니 나는 우승자 마을의 우리 집 부엌 찬장 앞 바닥에 앉아 있다. 도자기로 된 단지와 유리병을 세심하게 상자 안에 집어넣고 있었다. 깨끗한 면 붕대를 병 사이에 두어 깨지지 않도록 한다. 말린꽃을 잘 싼다.

갑자기 내 선반 위에 있던 장미가 떠오른다. 진짜였을까? 진짜라면 아직도 있을까? 살펴보고 싶은 유혹을 떨쳐야 한다. 만약 있다면, 다시 한 번 겁을 먹게 될 뿐이리라. 나는 짐 싸는 것을 서두른다.

찬장이 비었다. 일어나 보니 게일이 우리 집 부엌에 와 있었다. 게일은 아무 소리도 없이 나타날 수 있어 좀 거슬린다. 그는 식탁에 기대 손가락을 쫙 펴고, 나뭇결 위에 얹고 있다. 나는 나와 게일 사이에 상자를 놓는다.

"기억나? 여기가 네가 나한테 키스했던 곳이지."

채찍질당한 다음 잔뜩 맞았던 모플링도 게일의 의식에서 그 기억을 지우기엔 부족했던 모양이다.

"난 네가 기억 못할 거라고 생각했는데."

내가 말한다.

"그걸 잊으려면 죽어야 할걸. 어쩌면 죽어도 못 잊을지도 몰라. 어쩌면 〈매다는 나무〉의 그 남자처럼 될지도 모르지. 여전히 답을 기다리고 있는 남자 말이야."

게일이 우는 모습은 한 번도 본 적이 없는데, 눈에 눈물이 고여 있다. 눈물이 넘쳐 흐르는 것을 막으려고 앞으로 몸을 뻗고 게일의 입술에 내 입술을 댄다. 우리에게선 열기, 재, 고통의 맛이 난다. 이렇게 부드러운 키스에서 이런 맛이 나다니 놀랍게 느껴졌다. 게일이 먼저 입술을 떼더니 씁쓸한 미소를 지어 보인다.

"네가 키스해 줄 줄 알았어."

"어떻게?"

내가 묻는다. 나는 몰랐기 때문이다.

"내가 고통받고 있으니까. 내가 네 관심을 받을 수 있는 유일한 방법이지."

게일은 상자를 들어올린다.

"걱정 마, 캣니스. 고통은 지나갈 테니까."

내가 대답을 할 수 있기 전에 그는 나가 버린다.

게일의 마지막 공격을 견뎌 내기에 나는 너무 지쳐 있다. 13번 구역으로 돌아오는 짧은 비행 중에 의자 위에서 몸을 만 채로 나는 플루타르크가 자신이 가장 좋아하는 주제 중 한 가지에 대해 떠드는 것을 무시하려고 애쓴다. 그 주제는 더 이상은 인류가 원하는 대로 쓰지 못하게 된 무기들이다. 고공 전투기, 군용 위성, 세포 분해기, 무인 항공기, 유효 기간이 정해져 있는 생물학 무기. 대기에 의해 산화되었거나 자원이 부족했거나 도덕적으로 허용되기 힘든 것들이라 모두 없어졌다. 그의 목소리에서는 그런 장난감들에 대해 꿈만 꿀 수 있을 뿐, 호버크래프트, 지대지 미사일, 평범한 구식 총으로 만족해야 하는 최고게임운영자의 안타까움이 묻어난다.

모킹제이 옷을 벗고 나서 나는 식사도 하지 않고 바로 잠자리에 든다. 그랬는데도 다음 날 아침 프림은 나를 흔들어 깨워야 한다. 아침을 먹고 난 뒤에도 일정을 무시한 채 보급 창고에서 잠이 든다. 잠에서 깨어나 분필과 연필이 든 상자들 사이에서 기어 나오자, 다시 저녁 시간이 되어 있다. 콩 수프를 잔뜩 받아들고 객실 E로 돌아오려는데 복스가 나를 막는다.

"사령부에서 회의가 있다. 원래 일정은 무시해."

그가 말한다.

"그러죠."

내가 말한다.

"오늘 일정을 따르기는 했냐?"

그가 화를 내며 묻는다.

"어떻게 알아요? 저는 지남력 상실인데."

나는 내 의료 팔찌를 보여주려고 손목을 들었다가 팔찌가 사라졌다는 걸 알게 된다.

"이것 봐요. 팔찌를 가져간 것조차 기억을 못하고 있잖아요. 사령부로 왜 오라는 거죠? 제가 뭐 놓친 게 있나요?"

"크레시다가 12번 구역 프로포를 보여주고 싶어 하는 것 같아. 하지만 너는 방송에 나갈 때 보게 될 것 같구나."

"저한테 필요한 일정이 그거예요. 프로포 방송 일정."

내가 말한다. 그는 나를 노려보지만 더 이상 말은 없다.

사령부에는 사람들이 가득했지만, 피닉과 플루타르크 사이에 내 자리를 비워 두었다. 테이블에서는 이미 스크린이 올라와 있고, 늘 나오는 캐피톨 방송이 나오고 있다.

"무슨 일이죠? 12번 구역 프로포를 보는 거 아니었어요?"

내가 묻는다.

"아, 아니야. 어쩌면 그럴 수도 있지. 비티가 어떤 영상을 사용할 계획인지 정확히는 몰라."

플루타르크가 말한다.

"비티는 전국 방송에 침입할 방법을 찾은 것 같다고 생각해. 우리 프로포가 캐피톨에서도 방영되도록 말이지. 비티는 지금 특별 방어에서 작업하는 중이야. 오늘밤에 생방송이 있어. 스노우가 나온다든가 뭐 그렇다더군. 지금 시작하는 것 같은데."

피닉이 말한다.

국가가 흐르는 가운데 캐피톨의 문장이 나타난다. 다음 순간 나는 스노우 대통령의 뱀 같은 눈을 정면으로 바라보며, 그가 나라 전체에 인사를 건네는 소리를 듣는다. 연단 뒤에 선 그는 바리케이드 뒤에 있는 것 같았지만, 옷깃의 흰 장미는 훤히 보인다. 카메라가 물러나자 한쪽 구석에 영사된 판엠의 지도 앞에 앉은 피타가 보인다. 피타는 금속 가로대에 발을 얹고서 높은 의자에 앉아 있다. 의족을 두드려 묘한 리듬을 불규칙하게 만들어 낸다. 입술 위와 이마에서는 메이크업을 뚫고 땀이 배어나와 있다. 나를 가장 무섭게 하는 것은 화가 나 있으면서도 초점이 없는 피타의 눈이다.

"더 심해졌어."

내가 속삭인다. 피닉이 내게 의지할 것을 주기 위해 손을 잡아주고, 나는 버티려 노력한다.

피타는 불만스러운 목소리로 휴전을 해야 할 필요성에 대해 말한다. 여러 구역에서 중요 사회 기반 시설들이 어떤 손상을 입었는지 강조하고, 피타의 말에 맞추어 지도의 각 부분이 밝아지며 파괴된 모습을 보여 준다. 7번 구역에서 파괴된 댐. 탈선한 기차와, 그 탱크에서 흘러나온 유독물질이 고여 있는 장면. 화재로 무너진 곡창. 이 모든 것을 피타는 반군 활동의 결과로 돌린다.

'쾅!' 경고도 없이 갑자기 내가 텔레비전에 등장한다. 빵집의 잔해 안에 서 있다.

플루타르크가 벌떡 일어난다.

"해냈어! 비티가 뚫고 들어갔다!"

방 안이 그에 대한 반응으로 시끄럽고, 주의가 산만해진 피타가 돌아온다. 피타는 모니터에서 내 모습을 보았다. 정수장에 폭탄이 떨어진 이야기를 하며 연설을 계속하려고 하는데, 루에 대해 이야기하는 피닉의 영상이 피타 모습 대신 나타난다. 캐피톨의 기술자들이 비티의 공격을 막아내려고 애쓰면서 이 프로그램 전체가 방송 배틀로 변해 버린다. 하지만 그들은

146

준비되어 있지 않은 상태였고, 비티는 5초 내지 10초짜리 영상을 잔뜩 가지고 있는 것으로 보아 자신이 계속 장악하고 있지는 못할 거라고 이미 예상했던 모양이다. 우리는 틈틈이 프로포에서 엄선한 영상들이 튀어나와 공식적인 방송이 망가지는 것을 지켜본다.

플루타르크는 기쁜 나머지 발작을 일으킬 지경이고, 거의 모두들 비티를 응원하고 있지만, 피닉은 꼼짝 않고 내 옆에 말없이 앉아 있다. 방 맞은편에 앉은 헤이미치와 눈이 마주친다. 나의 두려움과 똑같은 것이 그의 눈에 거울처럼 비쳐 있음을 본다. 환호가 한 번 터져 나올 때마다, 피타는 우리 손에서 더 멀어진다.

캐피톨의 문장이 다시 나타나고, 단조로운 배경음악이 흐른다. 20초가량 지나자 스노우와 피타가 돌아온다. 스튜디오는 소란스럽다. 그들이 있는 부스에서 정신없는 대화가 들려온다. 스노우는 힘겹게 앞으로 걸어 나오며 반군들이 지금 자기들의 잘못에 대한 정보를 알리는 것을 막고 있는 게 분명하지만, 결국 진실과 정의가 승리할 거라고 말한다. 보안이 복귀되면 방송을 계속하겠다고 한다. 그는 피타에게 오늘밤 반군의 시위를 고려했을 때, 캣니스 에버딘에게 작별인사로 하고 싶은 말이 없느냐고 묻는다.

내 이름을 언급하자, 애를 쓰느라 피타의 얼굴이 일그러진다.

"캣니스……, 이 전쟁이 어떻게 끝날 것 같아? 뭐가 남게 될까? 아무도 안전하지 않아. 캐피톨에서도, 구역들에서도. 그리고 너……, 13번 구역에 있는……."

피타는 숨을 쉬기가 힘든 것처럼 공기를 훅 들이마신다. 눈은 미친 사람 같다.

"아침이 되기 전에 죽어!"

카메라에 잡히지 않는 곳에서 스노우가 명령한다.

"끊어!"

비티는 병원 앞에 서 있는 내 모습이 담긴 스틸 컷을 3초 간격으로 내보내 방송 전체를 혼란에 빠트린다. 하지만 내 사진 사이사이로 우리는 스튜디오에서 벌어지는 실제 상황을 볼 수 있다. 이야기를 계속하려는 피타의 시도. 카메라가 쓰러져 흰 타일 바닥을 비추는 것. 부츠를 신은 발들이 돌아다니는 것. 피타의 괴로운 비명소리와, 그것과 연관돼 있을 게 분명한 구타소리.

그리고 타일 위에 뿌려지는 피타의 피.

PART 2

공격

10

비명소리는 내 등 아래쪽에서 시작해 몸을 뚫고 올라오지만, 결국 목에서 막혀 버린다. 나는 슬픔에 숨이 막혀 버린 벙어리 무성이다. 목의 근육을 풀어서 소리가 공간을 찢고 울리게 한다 해도, 지금 그걸 눈치채는 사람이 있을까? 방안은 아수라장이다. 피타의 말을 해석하려 하며 서로 질문하고 따지는 소리들이 울려 퍼진다.

"그리고 너……, 13번 구역에 있는……. 아침이 되기 전에 죽어!"

하지만 그 말을 한 사람에 대해서는 아무도 말이 없다. 화이트 노이즈가 떠오르기 전에 화면에는 바로 그 사람의 피가 비치고 있었는데.

목소리 하나가 다른 사람들을 집중시킨다.

"닥쳐!"

모든 사람의 눈이 헤이미치에게 향한다.

"대단한 수수께끼 같은 게 아니야! 저 놈은 우리가 공격당할 거라고 말한 거요. 여기서. 13번 구역에서."

"피타가 어떻게 그런 정보를 알 수 있죠?"

"우리가 왜 그 앨 믿어야 해요?"

"어떻게 아시는데요?"

헤이미치는 불만스럽다는 듯 으르렁거린다.

"지금 이 순간에 그들은 피타를 피떡이 되도록 때리고 있소. 뭐가 더 필요해요? 캣니스, 나 좀 도와줘라!"

몸을 부르르 떨고 나서야 말을 입 밖에 낼 수 있다.

"헤이미치가 맞아요. 피타가 어떻게 정보를 입수했는지는 모르겠어요. 정말인지도요. 하지만 피타는 그렇게 믿고 있어요. 그리고 그들은……!"

나는 스노우가 지금 피타에게 무슨 짓을 하고 있는지 소리 내어 말할 수가 없다.

"당신은 피타를 몰라요. 우린 알죠. 사람들을 준비시켜요."

헤이미치가 코인에게 말한다.

대통령은 걱정하는 것 같지는 않고, 일이 이렇게 된 것에 약간 당황한 것 같아 보인다. 코인은 자기 앞에 있는 컨트롤 패널 테두리를 한 손가락으로 살짝 두드리며 헤이미치의 말을 생각해 본다. 그녀는 곧 입을 열고, 헤이미치에게 차분한 목소리로 대답한다.

"물론 우리는 그런 시나리오에도 대비책을 세워 뒀어요. 비록 13번 구역을 직접 공격하는 건 캐피톨에게 있어서도 역효과를 낳을 거라는 가정을 뒷받침하는 수십 년의 세월이 있지만요. 핵미사일은 대기에 방사능을 유출시킬 것이고, 환경에 미칠 영향은 계산조차 할 수 없을 정도예요. 일반적인 폭격만으로도 우리의 군사 시설에 꽤 큰 피해를 줄 수 있죠. 캐피톨이 그걸 다시 손에 넣고 싶어 한다는 걸 우린 알고 있고요. 그리고 물론, 공격을 하면 반격을 불러오게 되죠. 현재 우리가 반군과 연대를 맺고 있다는 걸 고려해 볼 때, 이 정도 위험은 감수할 만한 걸로 고려할 수도 있겠죠."

"그렇게 생각하세요?"

헤이미치가 묻는다. 진심이 조금 묻어 있어서 더욱 그렇긴 하지만, 13번 구역에서는 비꼬는 말투를 잘 이해하지 못하는 경우가 많다.

"네. 어차피 5단계 보안 훈련을 할 때도 지났고요. 대피 조치를 취하도록 하죠."

그녀는 키보드를 빠르게 두드리기 시작하며 자신이 내린 결정을 인가한다. 그리고 코인이 고개를 들자마자 조치가 시작된다.

13번 구역에 온 이후 낮은 단계의 훈련이 두 번 있었다. 첫 번째 훈련은 잘 기억나지 않는다. 그때 나는 병원에서 집중관리를 받고 있었고, 환자들은 훈련에서 제외되었던 것 같다. 훈련을 위해 우리를 이동시키느라 생길 문제들이 훈련의 효과를 넘어섰기 때문이다. 황색 지대에 모이라고 안내하는 기계적인 목소리를 들었던 게 나는 어렴풋이 기억난다. 두 번째 훈련 때는 작은 규모의 사태(감기가 유행할 때 전염되었는지 검사하는 동안 일시적으로 격리 수용하는 정도)에 대비하는 2단계 훈련 때는 우리가 사는 객실로 돌아가야 했다. 나는 세탁실의 배수관 뒤에서 규칙적으로 삑삑거리는 방송을 무시한 채, 거미가 집을 짓는 것을 바라보았다. 두 경험 중 어느 것도 지금 이 사이렌 소리를 들을 준비가 되어 주지는 못했다. 말은 아무것도 없다. 그저 고막을 찢을 듯하고 두려움을 불러일으키는 사이렌만 13번 구역 전체에 퍼진다. 인구 전체를 광란으로 몰아가기 위해 만들어진 것 같은 이 소리를 그 누구라도 무시할 수는 없을 것이다. 하지만 여기는 13번 구역이고 광란 같은 것은 일어나지 않는다.

복스는 나와 피닉을 데리고 사령부 밖으로 나와서 복도를 따라 넓은 계단으로 이어지는 출입구로 간다. 사람들의 행렬이 모여들어 오직 아래로만 흐르는 강을 이룬다. 소리를 지르거나 밀치고 나아가려는 사람은 없다. 어린아이들조차 반항하지 않는다. 우리는 이 소리를 뚫고는 어떤 말도 들을 수 없기 때문에 그냥 말없이 한 층 한 층 계속 내려간다. 나는 엄마와 프림을 찾지만, 내 바로 옆에 있는 사람들 말고는 그 누구를 본다는 것도 불가능하다. 하지만 오늘 밤엔 두 사람 모두 병원에서 일하고 있으니 이 훈련에 참여하지 않을 방법은 없으리라.

귀가 터질 것 같고 눈도 묵직하게 느껴진다. 우리는 탄광만큼 깊이 내려 왔다. 유일한 장점은 땅 속 깊이 후퇴할수록 사이렌 소리가 덜 날카로워진 다는 것이다. 마치 물리적으로 우리를 땅 표면에서 먼 곳으로 몰아가기 위 한 목적인 것 같은데, 아마 실제로 그럴 것이다. 몇 집단은 표시된 입구로 들어가기 시작하지만 복스는 나를 계속 아래로 데리고 가고, 계단은 엄청 나게 큰 동굴 입구에 가서야 끝난다. 곧바로 안으로 들어가려는데 복스가 나를 막고, 내가 여기 온 사실이 기록되도록 스캐너 앞에 일정표를 가져다 대야 한다는 것을 보여 준다. 없어지는 사람이 없도록 어딘가에 있는 컴퓨 터에 정보를 기록하는 것이 분명하다.

이곳은 자연적으로 생긴 것인지 사람이 만든 것인지 판단하기 불가능해 보인다. 벽에는 돌로 된 부분이 있는가 하면, 강철 빔과 콘크리트를 잔뜩 써서 보강해 둔 곳도 있다. 부엌과 화장실, 응급 처치 구역이 있다. 오래 머무를 수 있도록 만들어 둔 곳이다.

동굴에는 글자나 숫자가 쓰여 있는 흰 간판이 일정한 간격으로 둘러서 있다. 복스가 피닉과 나에게 배정받은 객실과 일치하는 곳으로 가서 보고 하라고 이야기하고 있는데(내 경우는 객실 E니까 E로 가야 한다), 플루타 르크가 산책하듯 걸어온다.

"아, 여기 있었구나."

방금 일어난 일은 플루타르크의 기분에 거의 영향을 주지 않았다. 그는 아직도 비티의 공중파 습격이 성공해서 기뻐하는 기색이다. 나무가 아니 라 숲을 보는 것이다. 피타가 받게 될 처벌도, 13번 구역에 금방이라도 닥 칠 폭격도 보지 않는다.

"캣니스, 피타가 고생하고 있으니 지금이 분명 너에겐 괴로운 시간이겠지만, 다른 사람들이 너를 지켜볼 거라는 걸 너도 알고 있어야 해."

"네?"

피타의 절박한 처지를 겨우 고생 따위의 말로 표현하다니 믿을 수가 없다.

"벙커에 있는 다른 사람들은 너를 보며 어떻게 반응해야 할지 판단할 거야. 네가 차분하고 용감하면 다른 사람들도 그렇게 되려고 노력할 거야. 하지만 네가 어찌할 바를 몰라 한다면, 공황이 들불처럼 번질 수도 있어."

플루타르크가 설명한다. 나는 그저 빤히 바라볼 뿐이다.

"불이 번지고 있어, 말하자면."

한대 후려치고 싶은 것을 내가 이해가 늦다는 양 그는 말을 계속한다.

"그냥 촬영 중이라고 생각하면 어때요, 플루타르크?"

"그래! 완벽해. 사람은 관객이 있으면 언제나 훨씬 더 용감해지는 법이지. 피타가 방금 보여 준 용기를 봐!"

간신히 참는다.

"봉쇄하기 전에 코인에게 돌아가 봐야 해. 잘하렴!"

이렇게 말하고 그는 가 버린다.

나는 벽에 붙은 큰 E 글자를 향해 갔다. 돌바닥에 선을 그어 가로세로 3.6미터 정도의 정사각형을 만들어 놓은 곳이 우리가 쓸 공간이다. 벽을 파서 간이침대를 두 개 만들어 놓았다. 우리 중 한 명은 바닥에서 자야 한다. 투명한 플라스틱으로 코팅된 흰 종이가 하나 있고, '벙커 수칙'이라고 쓰여 있다. 나는 종이의 작고 검은 얼룩들을 뚫어져라 쳐다본다. 한동안은 계속 눈앞에 떠오르곤 하는, 내 시야에서 지워버릴 수가 없을 것 같은 핏자국에 가려서 보이지 않는다. 서서히 글자에 초점이 맞는다. 첫 부분에 〔도착 후〕라는 제목이 붙어 있다.

1. 객실을 쓰는 사람 전원이 도착하여 보고했는지 확인하시오.

엄마와 프림은 아직 도착하지 않았지만, 나는 벙커에 제일 먼저 도착한 사람들 중 하나였다. 아마 두 사람 모두 병원에서 환자들을 옮기는 등의 일을 돕고 있을 것이다.

2. 보급 구역에 가서 객실 인원 수만큼 배낭을 받아 오시오. 주거 공간 을 준비해 두시오. 배낭(들)은 반납할 것.

카운터가 있는 깊숙한 방인, 보급 구역의 위치를 찾을 때까지 동굴 안을 둘러본다. 카운터 뒤에서 기다리는 사람들이 있지만 아직은 그다지 붐비 지 않는다. 걸어가서 내 객실 이름을 대고 배낭 세 개를 달라고 한다. 한 남자가 서류를 확인하고는 우리 앞으로 지정된 배낭들을 선반에서 꺼내 카운터 위에 휙 올려놓는다. 하나를 등에 메고, 다른 두 개는 양손에 쥔 채 뒤돌아보니 사람들이 내 뒤에 빠른 속도로 모여들고 있다. 나는 사람들을 뚫고 보급품을 들고 가며 "실례합니다."라고 말한다. 타이밍 때문인가? 아니면 플루타르크 말이 맞았나? 이 사람들이 내 행동을 따라 하고 있는 걸까?

우리가 쓸 공간에 돌아와서 배낭 하나를 열어 보니 얇은 매트리스와 침 구, 회색 옷 두 벌, 칫솔, 빗, 손전등이 있다. 다른 배낭들을 살펴보고 내가 알아볼 수 있는 차이점은 다른 팩에는 회색 옷과 흰 옷이 같이 들어 있다 는 것뿐이다. 이 두 배낭은 의료 임무를 맡게 될 경우를 대비한 엄마와 프 림의 것이리라. 잠자리를 마련하고 옷을 넣어둔 뒤 배낭을 반납하고 나자, 마지막 규칙을 살펴보는 것 외에는 할 일이 없다.

3. 추가 지시가 있을 때까지 대기하시오.

나는 바닥에 양반다리로 앉아 기다린다. 사람들이 꾸준히 들어와 공간을 채우기 시작했다. 다들 자기 자리를 찾고, 보급품을 받아간다. 머지않아 꽉 찰 것이다. 병원에서 환자를 어디로 데려갔는지는 모르겠지만, 엄마와 프림이 거기서 밤을 보내는 걸까? 하지만…… 아니, 그럴 것 같지는 않다. 두 사람 모두 이곳 목록에 올라 있었다. 엄마가 나타나시자 불안해지기 시작한다. 나는 엄마 뒤를 바라보지만 낯모르는 사람들이 바다를 이루고 있다.

"프림은 어디 있어요?"

내가 묻자 엄마가 대답하신다.

"여기 없니? 병원에서 여기로 바로 오기로 되어 있었어. 나보다 10분 먼저 나갔는데. 어디 있지? 어딜 간 거야?"

나는 사냥할 때 동물을 추적하듯 생각해 보려고 잠시 눈을 꼭 감는다. 프림이 사이렌에 반응하고, 환자들을 도와주려 달려간다. 벙커로 내려가라고 손짓해서 고개를 끄덕인다. 그리고 프림과 함께 계단참에서 주저한다. 잠시 생각이 흩어져 있다. 하지만 대체 왜?

내 눈이 번쩍 떠진다.

"고양이! 고양일 데리러 간 거야!"

"아, 안 돼."

엄마가 부르짖는다. 내 말이 맞았다는 걸 우리 둘 다 알고 있다. 우리는 동굴로 들어오는 사람들의 물결을 거스르며 벙커 밖으로 나가려 노력한다. 위를 보니 금속으로 된 두꺼운 문을 닫으려 준비하고 있다. 양쪽에 달린 금속 바퀴를 천천히 안쪽으로 돌리는 중이다. 저 문을 일단 굳게 닫고 나면, 이 세상의 그 무엇도 저 군인들에게 다시 열게 만들지 못하리라는 것을 왠지 나는 알 수 있다. 어쩌면 그들이 열고 싶어도 열지 못할지도 모른다. 나는 기다리라고 소리 지르며 사람들을 닥치는 대로 떠민다. 두 문 사이의 간격이 점점 줄어든다. 1미터, 30센티미터……. 내가 그 틈으로 손을 밀어 넣었을 때는 한 뼘 정도밖에 되지 않았다.

"열어요! 내보내 줘!"

바퀴를 반대방향으로 조금 돌리는 군인들의 얼굴에 실망한 기색이 비친다. 내가 나갈 수 있을 정도는 아니지만, 손가락이 으스러지지는 않을 정도이다. 나는 이 틈을 이용해 어깨를 쑤셔 넣는다.

"프림!"

계단 위를 향해 외친다. 내가 비집고 나가 보려 꿈틀거리는 동안 엄마는 경비병에게 애원하신다.

"프림!"

그때 소리가 들린다. 계단에서 희미한 발소리가 들린다.

"가고 있어!"

내 동생이 대답하는 소리가 들렸다.

"문 잡아둬!"

이건 게일이다.

"오고 있어요!"

경비병들에게 말하자 그들은 문을 30센티미터 정도 연다. 하지만 우리 모두를 밖에 둔 채 닫아버릴까 두려워서, 프림이 나타날 때까지 움직일 엄두는 나지 않는다. 뛰어서 볼이 발그레해진 프림은 버터컵을 안고 있다. 나는 프림을 안으로 끌어들이고, 게일도 뒤따른다. 게일은 한 아름 든 짐을 벙커 안으로 들이느라 옆으로 돌려 들었다. 문은 마지막으로 요란한 소리를 내며 닫힌다.

"대체 무슨 생각으로 그런 거야?"

나는 화가 나서 프림을 흔들고는 껴안는다. 그 바람에 버터컵이 우리 사이에 꽉 낀다.

프림은 이미 설명을 하려는 참이다.

"언니, 버려 두고 올 수는 없었어. 두 번이나 버릴 순 없잖아. 방을 돌아다니며 울고 있던 걸 언니도 봤어야 돼. 우리를 지켜주려고 방으로 돌아왔던 거야."

"알았어, 알았어."

나는 진정하기 위해 숨을 몇 번 쉬고, 한 걸음 물러서서 버터컵의 목덜미를 잡고 들어올린다.

"기회가 있었을 때 널 물에 빠트려 죽였어야 했는데."

버터컵은 귀를 납작하게 하더니 앞발을 치켜든다. 버터컵이 쉿 소리를 내기 전에 내가 먼저 소리를 내자 버터컵은 조금 화가 난 듯하다. 그 소리가 경멸을 표시하는 자신만의 소리라고 생각하기 때문이다. 그에 대한 보복으로 버터컵은 무력한 아기 고양이 같은 야옹 소리를 몇 번 내고, 내 동생은 즉시 버터컵 편을 든다.

"아. 언니. 괴롭히지 마."

프림은 버터컵을 다시 자기 품에 안으며 말한다.

"벌써 기분이 많이 상했는걸."

내가 저 짐승의 가엾은 고양이다운 감정을 다치게 했다는 말을 들으니 더 코웃음이 나올 뿐이다. 하지만 프림은 진심으로 버터컵 걱정을 하고 있다. 그래서 나는 버터컵의 털가죽으로 만든 장갑 장식의 모습을 떠올려 본다. 여러 해 동안 버터컵을 참아 넘기는 데 도움을 준 이미지다.

"알았어. 미안. 우리 자리는 벽에 붙은 큰 E자 아래야. 버터컵이 미쳐 버리기 전에 거기 데리고 가."

프림은 서둘러 우리 자리로 가고, 나는 게일과 마주보고 섰다. 게일은

158

약이 든 상자를 들고 있다. 12번 구역에 있는 우리 집 부엌에서 가져온 것이다. 우리가 마지막으로 대화한 곳, 키스한 곳, 사이가 나빠진 곳 등등. 내 사냥감 자루를 어깨에 메고 있다.

"피타 말이 맞는다면, 이 물건들은 남아나지 못할 테니까."

게일이 말한다.

피타. 창문에 떨어지는 빗방울 같던 피. 부츠에 묻은 축축한 진흙 같은 피들.

"고마워……, 전부 다. 우리 방에서 뭐하고 있었어?"

나는 우리 짐을 받아들며 묻는다.

"그냥 확인하느라. 나 찾을 일 생기면 47번으로 와."

문이 닫히자 거의 모든 사람이 자기 자리를 찾아서, 나는 적어도 500명이 지켜보는 가운데 우리의 새 집으로 걸어가게 된다. 나는 미친 듯이 군중을 헤치고 갔던 일을 만회하기 위해 굉장히 침착한 것처럼 보이려고 애쓴다. 하지만 누가 속아넘어갈까. 본보기를 보이는 것도 이미 끝이다. 아, 누가 신경이나 쓸까? 어차피 다들 내가 미쳤다고 생각하는데. 내가 밀어서 넘어졌던 것 같은 남자는 나와 눈이 마주치자 화난 표정으로 팔꿈치를 문지른다. 그 사람한테까지 위협하는 소리를 낼 뻔했다.

프림은 버터컵을 아래쪽 침대에 눕히고 담요를 둘러 얼굴만 삐죽 튀어나오게 해 놓았다. 버터컵이 정말로 무서워하는 것은 천둥뿐인데, 천둥이 칠 때면 이러고 있고 싶어 한다. 엄마는 상자를 정육면체 모양 수납함에 조심스레 넣어 두신다. 나는 벽에 등을 기댄 채 쪼그리고 앉아서, 게일이 구해내 사냥감 자루에 담아온 것들이 무엇인지 살펴본다. 식물 책, 사냥용 재킷, 부모님의 결혼식 사진, 내 서랍에 들어 있던 물건들이다. 내 모킹제이 핀은 시나의 의상에 달려 있지만, 금으로 된 로켓과 삽관, 피타가 준 진주를 싼 은색 낙하산이 여기 있었다. 나는 진주를 낙하산 귀퉁이 부분으로

싸 묶어서 자루 안 깊숙한 곳에 넣어둔다. 마치 그것이 피타의 생명이고, 내가 그걸 지키고 있는 한 아무도 피타의 생명을 앗아갈 수 없다는 듯이.

희미하게 들려오던 사이렌 소리가 뚝 끊긴다. 코인의 목소리가 구역 전체에 설치된 오디오 시스템에서 흘러나왔다. 상층부에서 모범적으로 철수한 것을 모두에게 감사하고 있다. 코인은 12번 구역의 우승자 피타 멜라크가 오늘밤 13번 구역에 대한 공격이 있을 거라고 방송에서 경고했을 가능성이 있으므로, 이번 일은 훈련이 아니라고 강조한다.

그 순간 첫 번째 폭탄이 떨어진다. 먼저 충격이 감지되고, 뒤따르는 폭발이 내 몸 속 가장 깊은 곳, 내장의 내벽, 뼈 속의 골수, 그리고 치아의 뿌리에서 함께 울린다. '우린 다 죽을 거야.'라는 생각이 든다. 나는 천장에 거대한 틈이 쩍쩍 벌어지고 육중한 돌덩이가 우리 위로 비처럼 쏟아지는 모습을 보게 되리라 생각하며 위를 올려다보지만, 벙커는 살짝 진동할 뿐이다. 불이 꺼지고, 완벽한 어둠 속에서 나는 방향 감각을 잃는다. 언어가 아닌 인간의 소리들(동시에 터져 나오는 비명과 거친 숨소리, 아기가 훌쩍이는 소리, 노랫소리를 닮은 정신이 나간 것 같은 웃음소리 하나)이 격한 공기 속에서 춤춘다. 발전기가 울리는 웅 하는 소리가 들리고, 희미하게 흔들리는 불빛이 13번 구역의 표준인 적나라한 조명을 대신한다. 겨울밤에 촛불과 작은 모닥불을 피우던 12번 구역의 우리 집에 더 가깝다.

나는 어스름한 불빛 속에서 프림에게 손을 뻗어, 프림의 다리를 꼭 잡고는 곁으로 다가간다. 버터컵을 흥얼거리며 달래는 프림의 목소리는 안정되어 있다.

"괜찮아, 아가야, 괜찮아. 우리는 여기 아래에 있으니까 괜찮을 거야."

엄마가 우리를 감싸 안으신다. 나는 잠시 어린애처럼 구는 걸 스스로에게 허락하고 엄마 어깨에 머리를 기댄다.

"8번 구역에서 본 폭탄에 비하면 아무것도 아니에요."

내가 말한다.

"아마 벙커 미사일일 거야. 새로 온 주민들을 위한 오리엔테이션에서 배웠어. 폭발하기 전에 땅 속 깊이 파고들도록 설계된 거야. 이젠 13번 구역의 지면을 폭격하는 건 아무 의미가 없으니까."

프림은 고양이를 위해 차분한 목소리를 유지하며 말한다.

"핵폭탄이야?"

나는 서늘한 기운이 온몸을 뚫고 지나가는 것을 느끼며 묻는다.

"꼭 그러리란 법은 없어. 어떤 종류는 그냥 폭발물만 잔뜩 들어 있어. 하지만…… 핵일 수도, 아닐 수도 있을 것 같아."

어두워서 벙커 끝에 있는 육중한 금속 문이 잘 보이지 않는다. 저 문이 핵 공격을 조금이라도 막아 줄 수 있을까? 하지만 설령 방사능을 100% 막아 줄 수 있다고 해도(도저히 그럴 수 있을 것 같지는 않지만), 우리가 이곳을 벗어날 수 있을까? 얼마 남았는지 모를 내 여생을 이 돌로 된 지하무덤에서 보낸다고 생각하니 몸서리를 치게 된다. 미친 듯이 문으로 달려가서 저 위에 뭐가 있든 밖으로 내보내 달라고 요구하고 싶다. 무의미한 짓이다. 나를 절대 내보내 주지 않을 것이고, 나 때문에 사람들이 한 곳으로 마구 몰리는 일이 생길지도 모른다.

"이렇게 깊은 곳에 있으니 분명 우리는 안전할 거야. 그래도 아슬아슬했어. 피타가 우리에게 경고해 줄 수 있는 수단이 있어서 정말 다행이구나."

엄마가 힘없이 말씀하신다. 엄마는 아빠가 탄광에서 일어난 폭발로 무(無)가 되어 버린 기억을 떠올리고 계실까?

수단. 피타가 경고음을 내기 위해 필요했던 모든 것을 아우르는 일반적인 단어. 정보, 기회, 용기. 그리고 내가 정의할 수 없는 또 다른 무엇. 피타는 그 메시지를 입 밖에 낼 수 있게 하기 위해 머릿속에서 일종의 전쟁을 벌여 온 것 같은 모습이었다. 왜였을까? 언어를 손쉽게 다루는 것이 피타의 가장 큰 재능이었다. 고문받은 것 때문에 힘들어 했던 걸까? 아니면 더 심한 문제가? 광기라든가.

조금 더 단호해진 것도 같은 코인의 목소리가 벙커를 채운다. 조명이 깜빡이는 것처럼 소리의 크기도 오락가락한다.

"이걸 보니 피타 멜라크의 정보가 옳았고, 우리는 그에게 감사해야 합니다. 빚을 졌네요. 감지기에 따르면 첫 번째 미사일은 핵미사일은 아니었지만 아주 강력했습니다. 폭격이 더 이어질 것으로 예상하고 있습니다. 시민 여러분께서는 공격이 계속되는 동안에는 다른 지시가 없을 경우 지정된 곳에 계셔야 합니다."

군인 한 명이 와서 응급조치 구역에서 엄마가 필요하다고 알린다. 여기서 30미터밖에 안 되는 거리인데도 엄마는 우리를 두고 가고 싶지 않아 주저하신다.

"우린 정말 괜찮을 거예요. 누가 감히 저 녀석을 제치고 지나가겠어요?"

내가 그렇게 말하며 내가 버터컵을 가리키자 버터컵은 무성의하게 쉿 소리를 낸다. 우리 모두 조금 웃고 만다. 나마저도 버터컵이 안됐다는 기분이 든다. 엄마가 가시고 나자 내가 프림에게 말한다.

"버터컵을 데리고 안으로 들어오지 그러니, 프림?"

"바보 같다는 건 알지만…… 폭격 중에 침대가 무너져 내릴까 봐 무서워서 그래."

만약 침대가 무너진다면 이미 벙커 전체가 붕괴해서 우리를 묻어 버린 다음이겠지만, 이런 논리가 실제로 도움이 되지는 않을 거라고 결론 내린다. 그래서 나는 수납함에 든 것을 비우고 안에 버터컵의 침대를 만들어 준다. 그 앞에 동생과 함께 깔고 앉을 매트리스를 깔았다.

샤워는 취소되었지만, 소규모 인원이 돌아가며 화장실을 쓰고 이를 닦을 짬이 생긴다. 동굴에서 눅눅한 한기가 배어나와 프림과 나는 담요를 두 겹 덮고 함께 매트리스 위에 웅크리고 있다. 프림이 끊임없이 보살펴 주는데도 비참한 꼴인 버터컵은 수납함 안에 웅크린 채 내 얼굴에 고양이 숨을 뿜는다.

유쾌하지 못한 상황인데도 불구하고, 동생과 시간을 보내게 되어 기쁘다. 내가 여기 온 이후(아니, 실은 첫 번째 헝거 게임 이후라고 해야 할 것 같지만) 다른 것에 극단적으로 정신이 팔려 있어 프림에게 주의를 기울일 시간이 거의 없었다. 내가 예전에 돌봤던 것처럼 돌봐 주었어야 했는데 그러지 못했다. 결국 오늘 우리 객실을 살펴본 사람도 내가 아니라 게일이었다. 그만큼 프림에게 벌충해 주어야 한다.

이곳에 온 충격을 어떻게 감당하고 있는지조차 물어본 적이 없다는 것을 나는 깨닫는다.

"그래……, 13번 구역은 어때, 프림?"

내가 물어본다.

"지금 말이야?"

프림이 되묻고, 우리 둘 다 웃는다.

"가끔은 집이 정말 그리워. 하지만 문득 이젠 더 이상 그리워할 것이 남아 있지 않다는 걸 기억해내지. 여기서는 더 안전한 느낌이야. 우리가 언니 걱정을 할 필요가 없으니까. 음, 예전에 걱정하던 것처럼 걱정할 필요가 없는 거지."

프림은 잠시 말을 멈췄다가 입가에 수줍은 미소를 띠고서 덧붙인다.

"여기 사람들이 날 공부시켜서 의사가 되게 할 것 같아."

나는 처음 듣는 얘기였다.

"아, 물론 그렇겠지. 안 그렇게 하면 바보일 거야."

"내가 병원에서 일손을 거들 때 지켜보고 있었대. 벌써 의학 수업을 듣고 있어. 그냥 초보적인 것들이야. 집에서부터 알고 있던 것들이 많아. 그래도 새로 배울 것들은 충분히 있지."

프림이 말해 준다.

"정말 잘됐구나."

의사가 된 프림. 프림은 12번 구역에서 이런 일을 꿈조차 꿀 수 없었다. 성냥을 켜는 것처럼 작고 조용한 무언가가 내 안의 어둠을 밝힌다. 이런 게 반군이 가져올 수 있는 미래다.

"언니는 어때? 어떻게 버티고 있어? 잘 지낸다고 말하지는 마."

프림은 손가락 끝으로 버터컵의 눈 사이를 부드럽게 살짝살짝 쓰다듬는다.

사실이다. 잘 지내는 것의 정반대가 무엇이 되었든, 그게 내 상태다. 그래서 나는 피타에 대해 털어놓는다. 화면에 비친 그의 모습이 얼마나 악화되었는지, 지금 이 순간 그들이 분명 피타를 죽이고 있을 거라고 생각하고 있다는 것까지 이야기한다. 프림이 내게 주의를 기울이고 있어서 버터컵은 한동안 혼자서 버텨야 한다. 프림은 나를 더 가까이 끌어당기며, 손으로 내 머리카락을 귀 뒤로 넘겨주면서 이야기를 듣는다. 나는 더 이상 할 말이 없어 말을 멈추고, 심장이 있는 곳에서는 꿰뚫는 듯한 통증이 느껴진다. 어쩌면 심장마비가 온 걸지도 모르지만, 심장마비가 왔다는 말은 할 가치가 없는 것 같다.

"캣니스 언니, 난 스노우 대통령이 피타를 죽일 것 같지 않아."

프림이 말한다. 물론 그렇게 말하겠지. 나를 가라앉혀 줄 방법은 그것뿐이라고 생각하고 있을 테니. 하지만 다음 말이 나를 놀라게 한다.

"피타를 죽이고 나면, 스노우에겐 언니가 원하는 사람이 하나도 남지 않아. 언니에게 상처를 줄 방법이 없어지는 거잖아."

갑자기 다른 여자애가 떠오른다. 캐피톨이 저지를 수 있는 모든 악행을 다 본 사람. 지난 번 경기장에 있었던 7번 구역 조공인, 조한나 메이슨. 조한나 메이슨이 사랑하는 사람이 고문 받는 소리를 재잘어치가 흉내 내는 정글 속으로 가지 못하도록 나는 말리려 했지만, 그녀는 날 밀어제치며 이렇게 말했다.

"새들은 날 상처주지 못해. 난 너희들이랑 달라. 내가 사랑하는 사람은 한 명도 안 남았어."

그러자 프림의 말이 옳다는 것, 스노우는 피타의 생명을 낭비할 수 없다는 것을 깨닫게 된다. 특히 모킹제이가 이렇게 말썽을 일으키고 있는 지금은 더욱 그렇다. 스노우는 벌써 시나를 죽였다. 내 고향을 파괴했다. 이제 내 가족과 게일, 심지어 헤이미치도 그가 어떻게 할 수 없게 되었다. 그에게 남은 것은 피타뿐이다.

"그래서, 그들이 피타에게 무슨 짓을 할 것 같아?"

내가 묻는다.

대답하는 프림의 목소리는 나이가 1천 살은 된 사람의 것 같다.

"언니를 좌절시킬 수 있는 거라면 뭐든지."

11

'나를 좌절하게 만드는 것, 그게 뭘까?'

이 안전한 감옥으로부터 풀려나기를 기다리는 다음 사흘 동안 이 질문에 사로잡힌 채 지낸다. 내가 백만 조각으로 산산이 부서져 고칠 수 없게 되고, 쓸모없게 될 만큼 나를 좌절시킬 일이 무엇일까? 누구에게도 말하지는 않았지만 이 질문은 깨어 있는 동안에는 나를 잠식하고 악몽을 꾸는 내내 여기저기 등장한다.

이 기간 동안 벙커 미사일 네 개가 더 떨어졌다. 모두 거대하고 굉장한 피해를 줄 수 있는 것들이지만 아주 급박한 상황은 아니다. 하나가 떨어지고 나면 한참 조용했다가 이제 폭격이 끝난 걸까 싶을 때쯤 또 한 번 폭발이 일어나 내장 속까지 충격파가 울린다. 13번 구역 사람들을 대량 살상하려는 것보다는 우리를 가둬두려는 게 목적이라는 느낌이다. 그래, 이 구역을 불구로 만드는 것이다. 이곳을 다시 돌아가게 만들기 위해 사람들에게 해야 할 일을 잔뜩 주는 거다. 하지만 여길 파괴한다? 아니, 그 점에서는 코인의 말이 옳았다. 미래에 손에 넣고자 하는 것을 파괴하지는 않는 법이다. 단기적으로 그들이 정말 원하는 것은 공중파 습격을 멈추고, 내가 판엠의 텔레비전에 나오지 못하게 하는 것이리라 나는 짐작한다.

상황이 어떤지에 대한 정보는 거의 듣지 못했다. 화면은 절대로 켜지지 않고, 폭탄의 종류에 대해서는 코인이 음성 방송으로 간략히 알려줄 뿐이다. 분명 전쟁은 계속되고 있지만, 진행 상황에 대해서는 우리 모두 어둠 속에 있다.

벙커 안에서는 모두 협력하는 분위기다. 우리는 엄격한 규칙에 따라 식사와 목욕, 운동, 수면을 한다. 지루함을 덜기 위한 짧은 사교 시간이 허용된다. 아이들과 어른들 모두 버터컵에게 홀딱 반해서 우리의 생활 공간은 아주 인기 있는 곳이 되었다. 저녁 시간의 '미친 고양이' 놀이 때문에 버터컵은 유명인사가 되었다. 몇 년 전 겨울에 정전이 되었을 때 내가 우연히 만든 놀이다. 손전등 불빛을 버터컵 앞의 바닥에 비추기만 하면 된다. 그러면 버터컵은 그 불빛을 잡으려 한다. 버터컵이 멍청해 보이는 놀이라고 생각하기 때문에, 옹졸한 나는 이 놀이를 즐긴다. 이유는 알 수 없지만, 여기 사람들은 모두 버터컵이 영리하고 사랑스럽다고 생각한다. 나는 심지어 이 용도에 쓰라고 특별히 건전지(엄청난 낭비다)까지 지급 받았다. 13번 구역 사람들은 진정으로 놀 거리에 굶주려 있다.

세 번째 날 밤에 미친 고양이 놀이를 하다가 나를 잠식하던 질문의 답을 찾는다. 미친 고양이는 내 상황에 대한 비유가 된다. 나는 버터컵이다. 내가 너무나 지키고 싶어 하는 피타는 불빛이다. 버터컵이 자기 발밑에서 자꾸 달아나는 빛을 잡을 수 있다고 생각하는 한, 버터컵은 발끈하며 덤벼든다(경기장을 떠난 이후로, 피타가 살아 있는 것을 알고 나서 나는 언제나 그런 상태였다). 불빛이 완전히 꺼지고 나면 버터컵은 잠시 정신이 나가버리고 혼란스러워하지만, 회복하고는 다른 일로 관심을 돌린다(피타가 죽으면 나는 그렇게 될 것이다). 하지만 버터컵을 완전히 미쳐 버리게 만드는 건 내가 불을 켜긴 했지만 도저히 버터컵이 닿을 수 없는, 높이 뛰는 솜씨에도 불구하고 닿을 수 없는 높은 벽에 비쳐 둘 때이다. 버터컵은 벽 아래를 맴돌고, 소리를 지르고, 위안을 얻지도 다른 일에 관심을 돌리지도 못한다. 내가 불을 꺼 버릴 때까지 버터컵은 아무것도 하지 못한다(지금 스노우가 내게 하려는 일이 이거다. 그의 게임이 어떤 형태를 취하고 있는지 내가 모를 뿐이다).

어쩌면 스노우에게 필요했던 것은 내가 이런 사실을 깨닫는 것뿐인지도 모른다. 피타가 그의 손아귀에 있고, 반군의 정보를 내놓으라고 고문당한다는 걸 생각하는 것도 힘들었다. 하지만 피타가 나를 무능력하게 만들기 위한 목적으로 고문당한다고 생각하니 참을 수가 없다. 이 사실이 드러나자 그 무게에 짓눌린 나는 진정 꺾이기 시작한다.

미친 고양이 놀이를 마치자 취침 명령이 내려온다. 전원이 들어왔다가 끊겼다가 한다. 조명은 가끔 최대 밝기로 밝아지지만, 다른 때에는 어두워져서 눈을 찌푸리고 서로를 봐야 할 때도 있다. 수면 중에는 조명을 거의 끄다시피 하고, 각 생활공간마다 안전등을 켠다. 벽이 무너지지 않을 거라고 결론내린 프림은 버터컵을 데리고 아래층 침대에 파고들어 잔다. 엄마는 위에서 주무신다. 나도 벽 안의 침대에서 자겠다고 했지만, 자는 동안

워낙 많이 움직이기 때문에 엄마와 프림이 나를 바닥의 매트리스에서 자
게 했다.

요즘은 그리 몸부림치지 않는다. 스스로를 추스르느라 긴장되어 근육이
굳어 있기 때문이다. 심장 부위의 고통이 돌아오고, 나는 거기서부터 생겨
난 미세한 균열이 온 몸 안으로 퍼져나가는 것을 상상한다. 내 몸뚱이를
거쳐 팔 다리로, 얼굴로 번지며 갈라진 자국을 남긴다. 벙커 미사일의 충
격이 한 번만 크게 울리면 나는 면도칼처럼 날카로운 모양으로 조각나 산
산이 부서질 것이다.

가만히 있지 못하고 꼼지락거리던 사람들이 대부분 잠이 들고 나서, 나
는 조심스레 담요를 걸고 일어나 살금살금 동굴을 걸으며 피닉을 찾는다.
이유는 명확하게 알 수 없지만 피닉이라면 이해할 수 있을 것 같다는 느낌
이다. 피닉은 자기 공간의 안전등 밑에 앉아 밧줄로 매듭을 묶으며 자는
척조차 하지 않고 있다. 나를 굴복시키려는 스노우의 계획을 알아냈다는
이야기를 속삭이다 깨닫는다. 이 전략은 피닉에게는 아주 친숙한 것이다.
피닉을 무너뜨린 것도 바로 이거였으니까.

"그들이 애니를 가지고 당신한테 하는 짓도 이런 거 아닌가요?"

내가 묻는다.

"음, 애니가 반군에 대한 정보를 많이 알고 있으리라 생각해서 체포한
건 아니지. 내가 애니에게 그런 이야기를 하는 위험한 짓을 하지는 않으리
란 걸 알고 있으니까. 애니 자신을 보호하기 위해서 말이야."

"아, 피닉. 정말 안됐어요."

"아니, 내가 미안해. 네게 어떻게든 경고해 주지 못해서."

갑자기 기억 하나가 떠오른다. 나는 구출된 후 침대에 묶여 있고, 분노
와 슬픔으로 미쳐 있는 상태다. 피닉은 나를 달래주려 하고 있다.

"피타가 아무것도 모른다는 걸 금방 알게 될 거야. 그리고 너를 상대하

는 데 쓸모가 있다고 생각하면 죽이지 않을 거고.”

“하지만 경고해 줬잖아요, 호버크래프트에서. 나를 상대하려고 피타를 이용한다고 했을 때, 나는 그냥 미끼처럼 사용한다는 의미로 생각했어요. 어떻게든 나를 캐피톨로 꾀어들이려고요.”

“그 말조차 하지 말았어야 했어. 네게 도움이 되기에는 이미 너무 늦었거든. 25주년 특집 시작 전에 경고해 주지 않았으니, 스노우가 어떤 식으로 행동하는지에 대해서도 입을 닫고 있어야 했지.”

피닉은 밧줄 한 쪽 끝을 획 잡아당기고, 복잡한 매듭은 다시 곧은 줄이 된다.

“널 처음 만났을 때는 이해하지 못했었지. 네 첫 번째 게임 후에 나는, 로맨스 전체가 네게 있어서 그냥 연기라고 생각했어. 우리 모두는 네가 그 전략을 계속 유지하리라 생각했지. 하지만 피타가 역장에 부딪혀 거의 죽을 뻔했을 때에서야 나는……”

피닉은 주저한다.

나는 경기장에서 있었던 일을 생각해 본다. 피닉이 피타를 되살려냈을 때 나는 얼마나 울었던가. 피닉의 얼굴에 떠오른 의아해 하는 표정. 피닉은 임신했다는 설정을 들먹이며 내 행동에 애써 핑계를 댔었다.

“그때 뭐요?”

“내가 너를 잘못 판단했다는 걸 알게 되었지. 네가 피타를 정말 사랑한다는 것도 알았고. 어떤 방식으로 사랑했는지를 말하는 건 아니야. 아마 네 스스로도 모르고 있을 수 있겠지. 하지만 주의 깊게 본 사람이라면 누구라도 네가 얼마나 피타를 아끼는지 알 수 있었어.”

피닉이 부드럽게 말한다.

누구라도? 우승자 투어 전에 스노우가 나를 찾아왔을 때, 그는 피타에 대한 나의 사랑에 그 어떤 의심의 여지도 없게 하라고 했다. “내가 확신을 갖게 해 줘."라고 말했었지. 피타의 생사가 불확실해졌던 그 뜨거운 핑크 빛 하늘 아래서, 마침내 나는 스노우에게 확신을 갖게 해 준 모양이다. 또한 그렇게 하는 과정에서 스노우가 나를 꺾기 위해 필요한 무기까지 준 것이다.

피닉과 나는 온갖 매듭이 피어났다가 사라지는 것을 한참 동안 바라보며 말없이 앉아 있다. 마침내 내가 묻는다.

"당신은 어떻게 참아요?"

피닉은 믿을 수 없다는 듯 나를 바라본다.

"난 못 참아, 캣니스! 못 참고 있다는 게 뻔하잖아. 나는 아침마다 악몽 속에서 깨어나고, 깨고 나면 일어나 봤자 위안 같은 건 없다는 걸 알게 돼."

내 표정에 떠오른 무엇인가를 보고 피닉은 이야기를 멈췄다. 그가 다시 말하기 시작한다.

"굴복하지 않는 게 나아. 한번 무너지고 나면, 다시 정신을 차리는 데 걸리는 시간은 무너지는 데 걸리는 시간의 열 배는 되거든."

음, 피닉이라면 분명 알고 하는 말일 거다. 나는 숨을 깊이 쉬고, 다시 온전한 한 덩어리가 되도록 힘쓴다.

"다른 일에 정신을 더 많이 팔수록 좋아. 내일 아침이 되자마자 일단 네가 쓸 밧줄을 구하자. 그때까진 내 걸 써."

피닉이 말한다.

그날 밤 우리는 남은 시간 내내, 매트리스 위에서 강박적으로 매듭을 만들었다. 매듭을 만든 뒤에는 버터컵에게 살펴보라고 들어 보인다. 매듭이 수상하게 생겼으면 버터컵은 공중에서 낚아채, 확실히 죽을 때까지 몇 번 깨문다. 아침 무렵엔 손가락이 쓰라렸지만 계속 한다.

폭격 없이 24시간이 지나자, 코인은 마침내 벙커에서 나가도 좋다는 방송을 한다. 우리가 살던 객실은 폭격으로 파괴되었다. 모두 지시를 정확히 따라 새로운 객실로 가야 한다. 모두들 지시에 따라 각자 쓰던 공간을 청소하고, 고분고분 문으로 간다.

절반도 못 갔는데 복스가 나타나 나를 줄 밖으로 끌어낸다. 그는 게일과 피닉에게도 합류하라고 신호를 보낸다. 사람들은 우리가 지나가도록 길을 비켜 준다. 미친 고양이 놀이가 나를 좀 더 사랑스럽게 만들어 주었는지, 내게 미소 지어 주는 사람까지 있다. 문을 나서 계단을 오른다. 다시 복도를 지나 상하 좌우로 움직이는 엘리베이터로 간 다음, 마침내 특별 방어로 간다. 거기까지 가는 길에 파괴된 것은 볼 수 없지만, 우린 아직 굉장히 깊은 곳에 있다.

복스는 사령부와 거의 똑같이 생긴 방으로 우리를 데리고 간다. 코인, 플루타르크, 헤이미치, 크레시다, 그리고 테이블에 둘러 앉은 다른 사람들 모두 아주 피곤해 보인다. 누군가가 마침내 커피를 내놓았고(긴급 흥분제로만 취급되고 있을 거라고 확신한다), 플루타르크는 당장이라도 누가 빼앗아 갈 것처럼 컵을 양손으로 꼭 감싸 쥐고 있다.

잡담 따위는 없다.

"너희들 넷이 옷을 차려입고 지상으로 나가야겠다. 두 시간을 줄 테니 폭격의 피해를 보여주는 영상을 찍도록 해. 13번 구역의 군사 시설은 아직 기능하고 있을 뿐 아니라 그들보다 우위에 있다는 걸 확실히 보여주고, 제일 중요한 건 모킹제이가 아직 살아 있다는 걸 보여주는 거지. 질문 있나?"

대통령이 묻는다.

"커피를 마실 수 있을까요?"

피닉이 질문한다.

그들이 김이 모락모락 나는 컵들을 건네준다. 나는 커피를 썩 좋아해 본 적이 없어서 반짝이는 검은 액체를 불쾌하게 바라보지만, 그래도 두 발로

서 있는 데 도움이 될지 모르겠다는 생각을 한다. 피닉은 내 컵에 크림을 조금 넣고 설탕 그릇에 손을 뻗는다.

"각설탕 먹을래?"

피닉은 예전의 유혹적인 목소리로 묻는다. 우리가 처음 만났을 때 피닉은 내게 설탕을 권했다. 우리가 동맹이 되기 전, 말들과 마차들에 둘러싸여 관중을 위해 의상을 입고 화장을 한 채로. 무엇이 그를 불안하게 만드는지 내가 전혀 알지 못했을 때. 그 기억을 떠올리니 나도 모르게 미소를 짓게 된다.

"설탕 넣으면 더 맛있어."

피닉은 꾸밈없는 목소리로 말하며 내 컵에 각설탕 세 개를 퐁당 넣는다.

모킹제이 의상을 입으러 가려고 몸을 돌렸다가 게일이 나와 피닉을 불만스러운 표정으로 지켜보는 것을 언뜻 보게 된다. 또 뭐지? 우리 사이에 뭔가 있다고 생각하는 건가? 어쩌면 어젯밤 내가 피닉에게 가는 걸 봤을지도 모른다. 피닉에게 가는 길에 호손 가족이 있는 공간을 지나쳤을지도 모른다. 아마 그걸 오해했나 보다. 내가 자기 대신 피닉을 찾는 것을. 하, 끝내주는군. 손가락은 밧줄에 스쳐 까졌고, 눈을 뜨고 있기도 힘들고, 촬영 팀은 내가 뭔가 멋진 일을 하기를 기다리고 있다. 스노우는 피타를 데리고 있다. 게일은 뭐 좋을 대로 생각하라지.

특별 방어의 새 준비실에서 준비 팀은 커피가 식기도 전에 내게 모킹제이 의상을 입히고, 머리를 매만져 주고, 최소한의 메이크업을 한다. 10분도 지나지 않아 다음 프로포의 출연진과 촬영 팀은 빙 둘러 밖으로 나가는 길을 따라가고 있다. 나는 가면서 커피를 홀짝인다. 크림과 설탕을 넣으니 맛이 훨씬 좋아진다는 것을 알게 되었다. 컵 바닥에 가라앉은 찌꺼기까지 들이켜며, 핏줄을 따라 살짝 짜릿한 기분이 도는 것을 느낀다.

마지막 사다리를 기어 오른 뒤 복스는 천장에 달린 문을 여는 레버를 누

172

른다. 신선한 공기가 쏟아져 들어온다. 나는 크게 숨을 들이쉬고는 내가 벙커를 얼마나 싫어하고 있었는지 처음으로 자유롭게 느낀다. 우리는 숲으로 들어서고, 나는 양손으로 머리 위의 나뭇잎들을 만진다. 막 단풍이 들기 시작하는 나뭇잎들도 있다.

"오늘이 며칠이죠?"

나는 누구에게랄 것도 없이 묻는다. 복스가 다음 주면 9월이라고 말해 준다.

9월. 이제까지 스노우가 5주, 어쩌면 6주 동안 피타를 손아귀에 쥐고 있었다는 뜻이다. 손바닥 위에 나뭇잎 하나를 놓고 살펴보는데 내 손이 떨리는 것이 보인다. 떨림을 멈추게 할 만한 의지를 짜낼 수가 없다. 나는 커피 탓을 하며 호흡을 천천히 하는 데 집중하려고 애쓴다. 걷는 속도에 비해 호흡이 너무 빠르다.

숲의 바닥에서 잔해가 눈에 띄기 시작한다. 우리는 첫 번째 폭격 지점에 다다른다. 구멍의 폭은 30미터 정도이고, 깊이가 어느 정도인지는 모르겠다. 아주 깊다. 복스는 최상부 10층에 있었던 사람들은 다 죽었을 거라고 한다. 우리는 구멍 주위를 따라 걸으며 계속 나아간다.

"재건할 수 있나요?"

게일이 묻는다.

"당장은 못해. 저 미사일이 가져온 피해는 크지 않았어. 예비 발전기 몇 개와 가금류 농장 하나 정도였지. 그냥 봉쇄해 둘 거다."

복스가 말한다.

울타리 안쪽으로 들어가자 나무들이 사라진다. 미사일이 떨어진 구멍 주위에는 옛 폐허와 새로 생긴 폐허가 있다. 폭격 전에는 13번 구역 시설 중 지상에 있는 것은 거의 없었다. 경비 초소 몇 개, 훈련 장소. 우리 건물 꼭대기 층의 30센티미터 정도(버터컵이 드나들던 창문이 튀어나와 있던)

가 드러나 있고, 그 위에 쇠가 1미터 정도 덮여 있었다. 그나마도 아주 가벼운 공격 이상을 버텨내기 힘들었을 것이다.

"그 놈이 경고해 준 것이 얼마나 도움이 되었소?"

헤이미치가 묻는다.

"우리 시스템이 자체적으로 미사일을 감지해 내는 것보다 10분 정도 빨랐죠."

복스가 말한다.

"하지만 도움이 된 거죠, 그렇죠?"

내가 묻는다. 아니라는 대답이 돌아오면 참을 수 없을 것이다.

"물론이지. 민간인 대피를 끝낼 수 있었잖아. 공격받을 때는 1초, 1초가 중요하단다. 10분이라면 여러 사람의 생사가 오가는 시간이지."

복스가 대답한다.

'프림, 그리고 게일.' 나는 생각한다. 두 사람은 첫 미사일이 떨어지기 겨우 몇 분 전에 벙커에 들어왔다. 피타가 그들을 구해 준 것일 수 있다. 나는 끝없이 그 아이에게 빚을 지고 있다. 내가 진 빚의 목록에 두 사람의 이름도 추가된다.

크레시다는 옛 법원 건물의 폐허 앞에서 나를 촬영하자는 아이디어를 낸다. 캐피톨은 그곳을 여러 해 동안 13번 구역이 더 이상 존재하지 않는다는 것을 보여주는 가짜 뉴스 방송의 배경으로 사용했으니, 이건 일종의 농담이다. 최근의 공격 때문에 이제 법원 건물은 새로 생긴 구멍에서 10미터쯤 뒤에 위치하고 있다.

거대한 정문이었던 곳으로 다가가던 중, 게일이 무언가를 가리켜서 일행 전원은 발걸음을 늦춘다. 나는 처음에는 뭐가 문제인지 몰랐다가 땅에 싱싱한 핑크색과 빨간색의 장미가 흩뿌려진 것을 본다.

"만지지 말아요! 나한테 온 거야!"

나는 외친다.

들큰하고 역겨운 냄새가 내 코를 찌르고, 심장이 가슴을 세게 때리듯 쿵쾅대기 시작한다. 내 상상이 아니었구나. 선반 위에 있던 장미 송이는. 내 앞에는 스노우가 두 번째로 보내온 것들이 펼쳐져 있다. 긴 줄기가 달린 핑크색과 빨간색의 아름다운 꽃들. 피타와 내가 우승한 뒤 인터뷰를 했던 세트를 장식했던 바로 그 꽃들. 한 사람을 위한 꽃이 아닌, 한 쌍의 연인을 위한 꽃이다.

나는 다른 사람들에게 최선을 다해 설명한다. 살펴보니 꽃들은 유전자 조작이 되었을지는 몰라도 해를 주는 것 같지는 않다. 스물네 송이다. 살짝 시들어 있다. 마지막 미사일 공격을 받은 후 떨어진 것 같다. 특수복을 입은 팀원이 장미를 모아 수레에 싣고 간다. 하지만 별다른 점을 발견하지는 못할 거라는 확신이 든다. 스노우는 자기가 나한테 무슨 짓을 하고 있는지 정확히 알고 있다. 마치 내가 조공인의 유리관 속에서 지켜보는 가운데 시나를 묵사발이 되도록 두들겨 패는 것과 같은 일이다. 나를 미치게 하려는 의도이다.

그때처럼 나는 제정신을 차리고 맞서 싸우려 해 본다. 하지만 크레시다가 캐스터와 폴룩스를 자리 잡게 하는 가운데, 점점 불안감이 쌓이는 것을 느낀다. 나는 너무나 피곤하고, 너무 초조하고, 장미를 본 이후로는 피타 외에 다른 것을 생각하기가 너무 어렵다. 커피를 마신 것은 큰 실수였다. 나에게 흥분제는 필요 없었다. 내 몸은 눈에 띄게 떨리고, 숨을 고르기도 힘든 느낌이다. 벙커에서 며칠을 보내고 난 뒤라 어느 쪽을 보나 눈을 찌푸리게 되고, 빛 때문에 눈이 아프다. 시원한 바람이 부는데도 얼굴에 땀이 흐른다.

"그래서, 제가 해야 할 일이 정확히 뭐라고요?"

내가 묻는다.

"네가 살아 있고 아직도 맞서 싸우고 있다는 걸 보여줄 대사 몇 줄만 하면 돼."

크레시다가 말한다.

"알았어요."

나는 내가 설 곳으로 가서 빨간 불빛을 노려본다. 노려본다. 노려본다.

"죄송해요. 할 말이 없어요."

크레시다가 내게 걸어와 묻는다.

"너 괜찮니?

나는 고개를 끄덕인다.

"예전처럼 질문하고 답하는 식으로 하면 어떨까?"

크레시다는 그렇게 말하며 주머니에서 작은 천을 꺼내 내 얼굴을 닦아 준다.

"네. 그러면 도움이 될 것 같은데요."

나는 대답하면서 떨리는 것을 숨기기 위해 팔짱을 낀다. 피닉을 흘긋 보았더니 내게 양손 엄지손가락을 세워 보여 준다. 하지만 피닉도 상당히 불안정해 보인다.

크레시다는 자리를 잡고 섰다.

"자, 캣니스. 캐피톨의 13번 구역 폭격에서 살아남으셨는데요. 8번 구역 지상에서 겪은 것과 비교하면 어땠나요?"

"이번에 우리는 워낙 깊은 지하에 있어서, 정말 위험한 일은 없었어요. 13번 구역은 멀쩡히 잘 살아 있고 저도 그래……."

내 목소리는 메마른, 끽끽거리는 소리를 내며 끊어진다.

"그 말을 다시 해 보자. '13번 구역은 멀쩡히 잘 살아 있고 저도 그래요.'"

크레시다가 말한다.

나는 호흡을 하며 내 횡격막으로 공기를 밀어 넣으려 애쓴다.

"13번 구역은 멀쩡하고 저도……."

아니, 틀렸다. 그 장미 냄새를 아직도 맡을 수 있다고 맹세해도 좋다.

"캣니스, 그 말 한마디만 하면 오늘 할 일은 끝이야. 약속할게. '13번 구역은 멀쩡히 잘 살아 있고 저도 그래요.'"

크레시다가 말한다.

긴장을 풀려고 양팔을 휘두른다. 양주먹을 쥔 채 엉덩이에 얹는다. 그러고는 팔을 늘어뜨린다. 입 안에는 침이 말도 안 되는 속도로 차오르고, 목구멍 안쪽에서 토할 것 같은 느낌이 난다. 힘겹게 침을 삼킨 뒤 그 바보 같은 대사를 하고 숲으로 가서 숨으려고 입을 벌렸다가…… 나는 울기 시작한다.

모킹제이가 되는 것은 불가능하다. 이 한 문장을 마치는 것조차 불가능하니까. 이제는 내가 하는 모든 말이 곧바로 피타에게 갈 거란 사실을 알기 때문이다. 피타를 고문하는 걸로 귀결될 것이다. 하지만 죽이지는 않겠지. 그렇게 자비로운 일은 해 주지 않겠지. 스노우는 반드시 피타의 삶이 죽음보다 훨씬 더 나쁘도록 만들 것이다.

"컷."

크레시다가 조용히 말하는 소리가 들린다.

"쟤 왜 저래?"

플루타르크가 속삭이듯 말한다.

"스노우가 피타를 어떻게 이용하고 있는지 알아차렸어요."

피닉이 말한다.

내 앞에 반원을 그리고 선 사람들은 동시에 안타까워하는 한숨 같은 소리를 낸다. 내가 이제 그 사실을 알고 있기 때문이다. 내가 이 사실을 다시 모르게 될 수 있는 방법은 없기 때문이다. 그리고 모킹제이를 잃는 군사적 약점을 넘어서, 내가 좌절해 버렸기 때문이다.

몇 명이 나를 안아 주려 한다. 하지만 결국, 나를 달래 주었으면, 하고 내가 진정 바라는 유일한 사람은 헤이미치이다. 그 역시 피타를 사랑하기 때문이다. 나는 그를 향해 팔을 뻗으며 그의 이름과 비슷한 소리를 내고, 헤이미치는 즉시 내게 와 안아 주며 등을 두드려 준다.

"괜찮아. 괜찮아질 거다, 예쁜아."

그는 나를 길쭉한 모양의 부러진 대리석 기둥 위에 앉히고, 내가 훌쩍이는 동안 한쪽 팔로 안아 준다.

"저 더는 못하겠어요."

내가 말한다.

"나도 안다."

"생각나는 거라곤 한 가지……, 스노우가 피타에게 무슨 짓을 할지…… 전 모킹제이니까요!"

겨우 그렇게 내뱉는다.

"나도 안다."

헤이미치의 팔이 나를 더 단단히 안는다.

"봤어요? 걔 행동이 얼마나 이상했는지. 그들이 대체…… 무슨 짓을 하고 있는 거예요?"

나는 흐느껴가며 숨을 헐떡이지만, 마지막 한 문장을 간신히 뱉어낸다.

"나 때문이에요!"

그리고는 선을 넘는 정도의 히스테리를 부리게 되고, 곧 내 팔에 바늘이 꽂히며 세상이 아스라이 멀어진다.

내게 주사한 게 뭔지는 몰라도, 꼬박 하루가 지나서야 정신을 차리게 된 걸 보니 약효가 센 것이었나 보다. 하지만 내 잠은 평화롭지 못했다. 나는 혼자서 귀신이 출몰하는 어두운 곳을 돌아다니다 겨우 헤치고 나온 것 같은 기분을 느낀다. 헤이미치가 내 침대 옆 의자에 앉아 있다. 피부는 창백하고 눈에는 핏발이 서 있었다. 나는 피타 일을 기억해 내고 다시 떨기 시작한다.

헤이미치는 손을 뻗어 내 어깨를 꼭 잡는다.

"괜찮아. 우리는 피타를 구해 볼 생각이다."

"네?"

말도 안 되는 얘기다.

"플루타르크가 구출 팀을 보낼 거다. 내부에 우리 편이 있거든. 피타를 산 채로 구출할 수 있을 거라고 생각하더군."

"그럼 왜 진작 하지 않고요?"

"대가가 크니까. 하지만 모두들 해야 할 일이라는 데 동의하고 있다. 우리가 경기장에서 했던 것과 같은 선택이지. 너를 계속 나아가게 하기 위해 필요한 일은 뭐든 하는 거다. 이제 와서 모킹제이를 잃을 순 없으니까. 그리고 넌 스노우가 피타에게 보복할 수 없다는 걸 알지 않는 한엔 연기할 수 없지. 자, 좀 마셔라."

헤이미치는 내게 컵을 준다. 나는 천천히 일어나 앉아 물을 한 모금 마신다.

"대가가 크다는 게 무슨 뜻이에요?"

헤이미치는 어깨를 으쓱한다.

"정체를 숨겼던 사람들이 드러나게 되겠지. 죽는 사람이 나올 수도 있고. 하지만 죽는 사람은 매일 생긴다는 걸 기억해라. 그리고 피타만 구해 내는 것도 아니야. 피닉을 위해서 애니도 구할 거다."

"피닉은 어디 있어요?"

내가 묻는다.

"저 장막 뒤에. 진정제를 맞고 자고 있다. 우리가 네게 주사를 놓은 직후에 이성을 잃었어."

나는 살짝 미소를 짓는다. 조금 덜 약해진 기분이 든다.

"그래, 정말 훌륭한 촬영이었지. 너희 둘은 정신을 잃고, 복스는 피타 구출 계획을 짜려고 가 버렸으니. 공식적으로는 재방송을 시작했다."

"음, 복스가 지도한다니 잘됐네요."

"아, 복스는 최고지. 자원하는 사람만 참가하는 거지만 내가 손을 쳐들고 흔들어 댈 때는 못 본 척하더구나. 알겠니? 이미 훌륭한 판단력을 보여 준 거지."

뭔가 잘못되었다. 헤이미치는 나를 기운 차리게 하려고 좀 지나치게 노력하고 있다. 그답지 않다. 내가 물었다.

"그럼 또 누가 자원했는데요?"

"다 합쳐서 일곱 명이었지, 아마."

헤이미치가 얼버무린다.

뱃속 깊은 곳에서 좋지 않은 기분이 든다.

"또 누가 자원했는데요, 헤이미치?"

내가 계속 묻는다. 헤이미치는 마침내 성격 좋은 척하던 연기를 그만 둔다.

"너도 알잖냐, 캣니스. 누가 제일 먼저 자원했는지 너도 알잖아."

물론 나도 안다.

게일.

12

'오늘 난 어쩌면 두 사람 다 잃을지도 몰라.'

게일과 피타 두 사람의 목소리가 모두 멎어 버린 세상을 상상하려 해 본다. 그들의 손이 멈춘다. 눈이 더는 깜박이지 않는다. 나는 두 사람의 시체 앞에 서서 마지막으로 그들을 바라본 뒤 그들이 누운 방에서 나오고 있다. 하지만 세상에 발을 내딛으려 문을 열자, 내 앞에는 거대한 공동(空洞)이 있을 뿐이다. 내 미래에 존재하는 건 오직 창백한 회색 무(無)뿐.

"끝날 때까지 약으로 재워 줄까?"

헤이미치가 묻는다. 농담하는 게 아니다. 이 남자는 성인이 된 이후의 삶을 술병 바닥에서 보내며, 스스로를 마취시켜 캐피톨이 저지르는 범죄를 잊으려고 한 사람이다. 두 번째 25주년 특집에서 우승한 16살짜리 소년에겐 자기가 사랑하는 사람들(가족, 친구들, 어쩌면 애인도)이 있었을 것이다. 그 사람들에게 돌아가기 위해 소년은 싸웠을 것이다. 그들은 지금 어디에 있나? 어쩌다 피타와 내가 그에게 맡겨지기 전까지는 그의 인생에 아무도 없게 된 거지? 스노우는 그들에게 무슨 짓을 했지?

"아뇨. 저는 캐피톨에 가고 싶어요. 구출 임무에 동참하고 싶어요."

"이미 출발했다."

헤이미치가 말한다.

"간 지 얼마나 됐어요? 따라잡으면 되잖아요. 저는……."

내가 뭐? 대체 뭘 할 수 있지?

헤이미치는 고개를 가로젓는다.

"그런 일은 절대 없을 거다. 너는 너무 귀중하고 또 너무 약해. 캐피톨의 주의를 분산시키기 위해서, 구출하는 동안 너를 다른 구역에 보내자는 말이 나왔다. 하지만 네가 감당할 수 있을 거라고 생각한 사람은 아무도 없었어."

"제발, 헤이미치! 저도 뭔가 해야 돼요. 그냥 여기 앉아서 그들이 죽었는지 소식을 듣기만 기다릴 수는 없어요. 제가 할 수 있는 일이 있을 거예요!"

나는 이제 거의 빌고 있었다.

"알았다. 플루타르크에게 이야기하고 오마. 넌 여기 있어라."

하지만 가만히 있을 수가 없다. 헤이미치의 발소리가 아직 바깥 복도에서 울리는 가운데, 나는 손으로 더듬으며 커튼의 틈을 찾아 피닉에게 간다. 피닉은 양손을 베갯잇에 쑤셔 넣고 엎드려 자고 있다. 어슴푸레하고 조용한 약의 세계에서 그를 깨워 황량한 현실로 데려오는 것은 비겁하고, 심지어 잔인하기까지 한 일이지만 나는 혼자서는 견딜 수 없어서 피닉을 깨워 버린다.

내가 우리 상황을 설명해 주자, 피닉이 처음에 보이던 불안함이 기이하게도 사라진다.

"모르겠니, 캣니스? 이걸로 결론이 날 거야. 이거든, 저거든. 오늘 하루가 끝날 무렵이면 그들은 죽거나 우리와 함께 있거나 둘 중 하나가 되겠지. 그건…… 그건 우리가 바랄 수 있는 것 이상이지!"

음, 우리 상황을 긍정적으로 보면 그렇군. 하지만 이 고통이 끝날 수 있다는 생각을 하니 마음이 좀 차분해지기도 한다.

커튼이 홱 젖혀지고 헤이미치가 나타난다. 그는 만약 정신을 차릴 수 있다면 우리가 할 일이 있다고 말한다. 폭격 후의 13번 구역 영상이 필요하다는 점엔 변함이 없으니까.

"앞으로 몇 시간 내에 영상을 만들 수 있다면 비티는 구출할 때까지 방송할 수 있고, 그러면 캐피톨의 주의를 다른 곳에 돌릴 수 있을지 몰라."

"네, 분산시키는 거죠. 말하자면 바람잡이랄까요."

피닉이 말한다.

"우리에게 정말 필요한 것은 관심을 사로잡는 것, 스노우 대통령 자신조차 시선을 뗄 수 없는 그런 거야. 그런 거 있나?"

헤이미치가 묻는다.

구출 작전에 도움이 될 수 있는 일을 맡으니 집중력이 돌아온다. 아침을 먹고 준비하면서 내가 무슨 말을 할지 생각해 본다. 스노우 대통령은 피가 튄 바닥과 장미가 내게 어떤 영향을 주었는지 궁금해하고 있을 것이다. 내가 박살나기를 원한다면 나는 온전한 한 조각이어야 할 것이다. 하지만 저항하는 대사 몇 마디를 카메라에다 대고 외친다고 스노우에게 어떤 확신을 줄 수 있을 것 같지는 않다. 게다가 그런 걸로는 구출 팀에게 시간을 벌어 주지도 못할 것이다. 감정의 폭발은 짧다. 시간이 걸리는 것은 이야기다.

잘될지는 모르겠지만, 텔레비전 팀이 지상에 모두 모였을 때 나는 크레시다에게 피타 이야기를 묻는 것으로 시작해 달라고 부탁한다. 그러고는 내가 이성을 잃었을 때 앉았던 쓰러진 대리석 기둥에 앉아, 빨간 불이 켜지고 크레시다가 질문하기를 기다린다.

"피타를 어떻게 만났어요?"

크레시다가 묻는다.

나는 헤이미치가 내 첫 인터뷰 때부터 원했던 것을 한다. 속을 터놓고 이야기하는 것.

"피타를 처음 만났을 때 저는 11살이었고, 죽기 직전이었어요."

나는 빗속에서 아기 옷을 팔려고 했던 그 끔찍한 날에 대해 이야기하고, 빵집 문간에서 피타의 어머니가 나를 쫓아내셨던 것과 우리의 목숨을 구해 준 그 빵을 내게 주기 위해 피타가 맞았던 일도 이야기한다.

"우리는 서로 말 한마디도 나눠 본 적 없었죠. 처음으로 피타와 말을 했던 건 헝거 게임으로 가는 기차에서였어요."

"하지만 피타는 이미 캣니스를 사랑하고 있었고요."

크레시다가 말한다.

"그랬던 것 같아요."

나는 살짝 미소를 짓는다.

"피타와 떨어져 있는데, 잘 지내고 있나요?"

"아뇨. 언제라도 스노우가 피타를 죽일 수 있다는 걸 알아요. 특히 피타가 13번 구역 폭격을 경고한 뒤론 더욱요. 이 사실을 알면서 살아야 한다니 끔찍하죠. 하지만 그들이 피타에게 하고 있는 짓 때문에, 나는 더 이상 아무것도 주저하지 않아요. 캐피톨을 파괴하기 위해 필요한 일이라면 뭐든 할 거란 뜻이에요. 마침내 난 자유로워졌어요."

나는 시선을 하늘로 올리고 매 한 마리가 하늘을 가로지르며 날아가는 것을 바라본다.

"스노우 대통령은 캐피톨이 무너지기 쉽다고 제게 인정한 적이 있어요. 그때는 제가 너무 겁에 질려 있었기 때문에 명확하게 보기가 힘들었죠. 이제는 그렇지 않아요. 캐피톨은 모든 것을 구역들에게 의존하고 있기 때문에 무너지기 쉬워요. 음식, 에너지, 심지어 치안을 지키는 평화유지군 인력마저 의존하고 있죠. 우리가 우리의 자유를 선언하면 캐피톨은 붕괴해요. 스노우 대통령, 당신 덕분에 난 오늘 공식적으로 내가 자유롭다고 선언해요."

내가 눈부시지는 않았을지 몰라도, 할 몫은 해냈다. 모두가 빵 이야기를 굉장히 좋아한다. 하지만 플루타르크의 머릿속에서 뭔가가 돌아가게 만드는 것은 내가 스노우 대통령에게 보내는 메시지다. 그가 급히 피닉과 헤이미치를 부르고 세 사람은 짧지만 격렬한 대화를 나누는데, 헤이미치는 그 대화를 마음에 들지 않아 하는 것을 볼 수 있다. 플루타르크가 이긴 것 같다. 피닉은 창백하지만, 대화가 끝날 때쯤에는 고개를 끄덕이고 있다.

피닉이 내가 앉았던 카메라 앞자리에 가자 헤이미치가 말한다.

"꼭 하지 않아도 되는데."

"아니, 전 할 거예요. 애니에게 도움이 된다면요. 준비됐습니다."

피닉은 밧줄을 말아 손 안에 쥔다.

무슨 이야기가 나올지 알 수 없다. 애니에 대한 사랑 이야기? 4번 구역에서 있었던 가혹 행위에 대한 이야기? 하지만 피닉 오데어는 전혀 다른 방향으로 나간다.

"스노우 대통령은…… 나를 팔곤 했죠. 내 몸을요."

피닉은 평탄하고 감정 없는 목소리로 이야기를 시작한다.

"저만이 아니었어요. 우승자가 매력적이면 대통령은 우승자를 상으로 주거나, 어마어마한 금액을 내고 살 수 있게 만들었죠. 우승자가 거부하면, 스노우는 우승자가 사랑하는 사람을 죽여요. 그러니 할 수밖에 없죠."

그래서 그랬던 거구나. 캐피톨에 피닉의 연인이 넘쳐났던 것이. 절대로 진짜 연인들이 아니었다. 자기가 그렇게 할 수 있다는 이유로 절박한 상황에 놓인 여자들을 사서 유린한 뒤 버렸던 우리 구역의 옛 평화유지군 대장, 크레이 같은 사람들이었다. 나는 촬영에 끼어들어 피닉에게 내가 그에 대해 가졌던 잘못된 생각들을 모두 용서해 달라고 빌고 싶어진다. 하지만 우리에겐 해야 할 일이 있고, 피닉의 역할이 내 역할보다 훨씬 더 효과적이리란 걸 느낄 수 있다.

"저만 그랬던 건 아니지만, 제가 인기가 제일 많았죠. 그리고 어쩌면 가장 무방비했던 사람인지도 몰라요. 제가 사랑했던 사람들이 너무나 무방비했으니까. 제 후원자들은 스스로 기분이 좋아지려고 선물로 돈이나 보석을 주곤 했지만, 저는 훨씬 더 가치 있는 형태의 보답을 발견했죠."

나는 '비밀'이라고 생각했다. 피닉은 내게 자기의 연인들이 그걸로 지불한다고 말했었다. 그때 나는 그 모든 것이 다 피닉의 선택이라고 생각했지만.

"비밀이죠."

피닉이 내가 생각한 답을 말한다.

"그리고 스노우 대통령, 잘 듣는 게 좋을 거예요. 그중에선 당신에 대한 비밀이 아주 많으니까. 하지만 다른 사람들 비밀부터 시작해 볼까요."

피닉은 촘촘하게 짜인 양탄자 같은 이야기를 풀어 놓기 시작한다. 디테일이 워낙 풍부해서 진실성을 의심할 수가 없다. 기괴한 성적 취향이며 배신, 끝을 모르는 탐욕, 피 튀는 권력 다툼이 있는 이야기들. 한밤중에 술에 취해 축축한 베갯잇 위에서 속삭인 비밀들. 피닉은 사고파는 대상이었다. 구역 출신의 노예였다. 잘생기고 해될 것 없는 노예. 피닉이 누구한테 그걸 이야기하겠어? 그리고 말한다 해도 누가 그걸 믿겠어? 하지만 어떤 비밀은 공유하지 않기엔 너무 재미있는 것들이었다. 나는 피닉이 이름을 대는 사람들을 모르지만(모두 캐피톨의 유력 인사들인 것 같다) 내 준비 팀이 수다 떠는 것을 들은 경험으로, 판단을 아주 조금이라도 잘못하는 것이 얼마나 큰 관심을 불러 모으는지는 알고 있다. 만약 머리를 잘못 자른 게 몇 시간 동안 가십 거리가 된다면 근친상간, 중상모략, 공갈과 방화를 저질렀다는 이야기는 대체 어떤 결과를 낳게 될까? 충격과 맞대응하려는 움직임이 캐피톨에 번져나가는 와중에도, 그곳 사람들은 지금의 나처럼 대통령 이야기를 기다리고 있을 것이다.

"그리고 이제, 우리의 훌륭하신 코리올라누스 스노우 대통령 이야기를 해 보지요."

피닉이 말한다.

"그가 권력을 잡았을 때는 아주 젊었지요. 권력을 계속 지켜 낸 걸 보면 정말 영리한 사람이고요. 스스로에게 물어보세요. 그가 어떻게 그걸 해냈을까? 한 단어. 딱 한 단어만 아시면 돼요. '독(毒)'."

피닉은 내가 전혀 모르는 이야기인, 스노우가 정치적으로 부상할 당시의 이야기에서부터 현재까지 훑으며 스노우의 적들이 의문사한 사건들을 하나하나 짚어 간다. 더 심한 것은 그를 위협할 정도로 클 잠재력이 있는 같은 편 사람들까지 의문사한 사건들이다. 연회장에서 쓰러져 죽은 사람들이며, 몇 달에 걸쳐 이유를 알 수 없이 건강이 나빠져 그림자 속으로 사라져 버린 사람들. 그때마다 상한 조개, 정체불명의 바이러스, 대동맥이 약한 것을 간과했다는 등의 이유를 댔다고 했다. 의심을 피하기 위해 스노우 스스로 독을 넣은 잔을 들고 마시기도 했다. 하지만 해독제가 늘 듣지는 않았다. 사람들은 그가 향수 냄새가 풍기는 장미를 달고 다니는 이유는 그 때문이라고들 한다. 입 속에 절대 낫지 않는 상처가 있는데 거기서 나는 피 냄새를 감추기 위해서라는 것이다. 사람들 말로는, 사람들 말로는, 사람들 말로는…… 스노우는 명단을 가지고 있고, 다음이 누가 될지는 아무도 모른다.

독. 뱀을 위한 완벽한 무기다.

캐피톨과 고귀하신 대통령에 대한 내 평가는 원래 형편없었기 때문에, 피닉이 이야기하는 혐의들이 충격적이라고는 말 못하겠다. 캐피톨을 떠나온 반군인 팀원들과 풀비아에게 훨씬 더 효과가 있는 것 같다. 심지어 플루타르크마저 가끔씩은 놀랐다는 반응을 보인다. 아마 자기가 저런 재미있는 이야기를 왜 모르고 있었나 생각하는 것 같다. 피닉이 말을 마치고 나서도 카메라가 계속 돌아가게 놔두고 있어서, 마침내 피닉이 직접 "컷." 이라고 말한다.

촬영 팀은 영상을 편집하기 위해 서둘러 안으로 들어가고, 플루타르크는 이야기를 나누려고 피닉을 데리고 간다. 아마 다른 이야기들이 있나 알아보려는 것 같다. 헤이미치와 함께 폐허에 남은 나는, 나 역시 언젠가 피닉과 같은 운명이 되었을까 생각해 본다. 그러지 말란 법이 없지 않나? 불타는 소녀라면 스노우는 아주 좋은 값에 팔 수 있었을 것이다.

"아저씨한테도 그런 일이 있었어요?"

나는 헤이미치에게 묻는다.

"아니. 어머니와 남동생, 여자친구는 내가 우승한 지 2주 안에 모두 죽었다. 내가 역장을 가지고 했던 짓 때문에. 스노우에겐 나를 조종하기 위해 써먹을 사람이 하나도 없었어."

"그냥 아저씨를 죽여 버리지 않았다는 게 놀라운데요."

"아, 그건 안 되지. 나는 본보기였다. 어린 피닉들과 조한나들, 캐시미어들에게 보여 줄 사람. 말썽을 일으킨 우승자에게 어떤 일이 일어나는지 보여 주는 거지. 하지만 그는 자기에게 나를 움직일 지렛대가 없다는 사실을 알고 있었어."

"피타와 제가 나타나기 전까지는요."

나는 부드럽게 말한다. 헤이미치는 대답으로 어깨를 으쓱해 보이는 것조차 하지 않는다.

할 일을 하고 나니 피닉과 나에게 남은 일은 기다리는 것뿐이다. 우리는 자꾸만 늘어지는 시간을 특별 방어에서 때워 보려고 한다. 매듭을 묶는다. 점심을 먹으며 그릇 안에서 음식을 이리저리 굴린다. 사격장에서 이것저것을 날려 버린다. 들통 날 위험이 있기 때문에 구출팀에선 아무 연락도 보내지 않는다. 정해진 시간인 오후 3시가 되자 우리는 화면과 컴퓨터가 가득한 방 뒤쪽에서 긴장한 채 말없이 서서, 비티와 그의 팀이 공중파를 장악하려고 노력하는 것을 바라본다. 보통 비티는 가만히 있지 못하고 여기저기 정신을 팔곤 하는데, 지금은 내가 한 번도 본 적 없는 투지에 가득 차 있다. 내 인터뷰는 편집본에 거의 포함되지 못했고, 그냥 내가 살아 있으며 여전히 저항하고 있다는 것을 보여 줄 정도로만 들어갔다. 오늘 프로포의 주인공은 피닉이 들려주는 캐피톨의 음란하고 피가 튀는 모습이다. 비티의 기술이 나아지고 있는 걸까? 아니면 캐피톨에서 그를 상대하는 사람들이 이야기에 홀려서 피닉의 영상을 밀어내 버리고 싶지 않은 걸까? 그 뒤로 60분 동안, 캐피톨 방송에는 평상시 방송되는 저녁 뉴스와 피닉,

그리고 피닉을 몰아내고 아무것도 나오지 않게 하려는 시도가 번갈아가며 등장한다. 하지만 반군 기술팀은 그런 시도마저도 이겨내고, 스노우에 대한 비난을 거의 통째로 방송하는 쾌거를 이루어냈다.

"이제 끝!"

비티는 마지못해 방송을 캐피톨에게 돌려주며 양손을 쳐든다. 그가 천으로 얼굴을 닦는다.

"아직까지 못 빠져 나왔다면 다 죽을 거야."

비티가 그렇게 말하며 의자를 휙 돌리다가, 피닉과 내가 그의 말에 반응하는 것을 본다.

"하지만 계획이 훌륭하던걸. 플루타르크가 너희들에게도 보여 줬니?"

물론 보여 주지 않았다. 비티는 우리를 다른 방으로 데려가서 구출 팀이 내부 반군들의 도움을 받아 어떻게 지하 감옥에서 우승자들 구출을 시도할 것인지(혹은 시도했는지) 보여 준다. 환기구를 통해 마취 가스를 살포하고 전력을 차단하며 감옥에서 꽤 떨어진 정부 건물에 폭격을 퍼붓는 등. 그리고 방금 이루어진 방송 습격도 포함되어 있는 것 같다. 비티는 우리가 계획을 잘 이해하지 못하자, 그렇다면 적들에게도 이해하기 어려울 거라며 흡족해 한다.

"경기장에서 만드셨던 전기 덫 같은 건가요?"

내가 묻는다.

"바로 그거야. 그리고 알지? 그게 얼마나 효과적이었는지."

비티가 말한다.

'음…… 별로.' 나는 그렇게 생각한다.

피닉과 나는 구출에 대한 소식이 제일 먼저 들어올 게 확실한 사령부에 자리를 잡으려 하지만, 중대한 전쟁 관련 회의가 있어서 출입을 금지당한다. 우리는 특별 방어에서 나가기를 거부하고, 결국 벌새가 있는 방에서 소식을 기다리게 된다.

매듭을 묶는다. 매듭을 묶는다. 말은 하지 않는다. 매듭을 묶는다. 째깍 째깍. 이건 시계다. 게일 생각은 하지 마. 피타 생각은 하지 마. 매듭을 묶 는다. 저녁 같은 건 먹고 싶지 않다. 손가락이 까져 피가 난다. 피닉은 마 침내 포기하고, 경기장에서 재잘어치들에게 공격당했을 때처럼 웅크리고 있는다. 나는 목을 매다는 올가미 모양의 작은 매듭 하나를 완벽한 모양으 로 만들어 냈다. 〈매다는 나무〉의 가사가 머릿속에서 자꾸 들려온다. 게일 과 피타. 피타와 게일.

"애니를 보자마자 사랑에 빠졌어요, 피닉?"

내가 묻는다.

"아니."

한참 지나서야 피닉은 이렇게 덧붙인다.

"조금씩 가까워졌어."

나도 내 마음 속을 들여다보지만, 지금 이 순간 내게 조금씩 가까워지는 것을 느낄 수 있는 사람은 스노우뿐이다.

헤이미치가 문을 연 것은 자정이나 그다음 날이 되어서인 것 같다.

"돌아왔다. 병원에서 우리를 호출한다."

나는 질문을 홍수처럼 쏟아내려고 입을 열었지만, 헤이미치가 잘라 버 렸다.

"내가 아는 건 이것뿐이다."

달려가고 싶지만 피닉이 움직이는 능력을 잃어버린 것처럼 이상하게 행 동해서, 나는 피닉의 손을 잡고 어린아이처럼 끌고 간다. 특별 방어를 지 나, 이리저리 움직이는 엘리베이터를 타고 병동으로 간다. 엄청나게 소란 스럽다. 의사들이 소리치며 명령을 내리고, 복도에서 부상자들이 누운 침 대를 밀고 간다.

의식이 없고 수척한, 머리를 박박 민 여자를 눕힌 침대가 지나가다 우리에게 살짝 부딪힌다. 피부에는 멍이 들었고 딱지에서 피가 배어 나온다. 조한나 메이슨이다. 반군의 비밀을 알고 있었던 사람이다. 적어도 나에 대해서는 알고 있었다. 조한나는 그 대가를 이렇게 치렀다.

문 안에서 게일의 모습이 언뜻 보인다. 허리 위는 알몸이고 얼굴에는 땀이 줄줄 흐른다. 의사 한 명이 긴 핀셋으로 어깨뼈 아래서 무언가를 제거하고 있다. 다쳤지만 살아 있다. 게일의 이름을 부르며 다가가는데 간호사가 나를 밀어내고 문을 닫는다.

"피닉!"

비명과 기쁨의 외침 그 중간 정도 되는 소리가 들린다. 조금 후줄근하지만 사랑스러운 젊은 여자(헝클어진 짙은 빛깔의 머리칼, 바닷물 같은 녹색 눈이다)가 시트 한 장만 두른 채 우리에게 달려온다.

"피닉!"

별안간 이 세상에는 오직 이 두 사람만 존재하는 것 같다. 서로를 향해 돌진하는 두 사람. 그들은 몸을 부딪치고 서로 감싸 안으며, 균형을 잃고 쿵 소리를 내며 벽에 기댄 채 그대로 있다. 서로 달라붙어 한 명이 된다. 절대로 떼어 놓을 수 없다.

날카로운 질투가 느껴진다. 피닉이나 애니를 향한 질투가 아니라, 그들의 확신에 대한 질투. 그들을 보는 사람이라면 누구도 그들의 사랑을 의심할 수 없으리라.

조금 지친 것 같지만 다치지는 않은 복스가 나와 헤이미치를 찾는다.

"전부 데려왔습니다. 에노바리아만 빼고요. 하지만 2번 구역 출신이니 어차피 큰 피해는 없을 거라 봅니다. 피타는 복도 끝에 있어요. 가스에서 이제 깨어나는 참이에요. 일어날 때 옆에 있어 주세요."

피타.

멀쩡하게 살아 있다……. 아니 멀쩡하지는 않을지도 모르지만 살아 있고, 여기에 있다. 스노우에게서 떨어진 곳에. 안전하게. 여기에. 나와 함께. 잠시 후면 피타를 만져 볼 수 있다. 피타의 미소를 볼 수 있다. 피타의 웃음소리를 들을 수 있다.

헤이미치는 나를 보며 씩 웃는다.

"그럼 가 보자."

머리가 어찔하고 마음이 가볍다. 뭐라고 말할까? 아, 내가 무슨 말을 하든 무슨 상관이람? 피타는 내가 뭘 하든 황홀해 할 텐데. 어차피 나에게 키스해 줄 텐데. 경기장 물가에서 마지막으로 했던 키스들과 비슷한 느낌일지 궁금하다. 지금 이 순간까지는 그때에 대해 생각할 엄두를 내지 못했다.

피타는 벌써 일어나서 침대 옆에 앉아 있다. 의사 세 명이 달래고 있고, 피타는 얼떨떨해 하는 모습이다. 의사들은 피타의 눈에 불빛을 비춰 보고 맥박을 잰다. 일어나서 가장 먼저 보는 얼굴이 내 얼굴이 아니라서 실망스럽지만, 그래도 지금 피타는 내 얼굴을 보고 있다. 믿을 수 없어 하는 표정이고, 그에 더해 정체를 알 수 없는 더 강력한 어떤 감정이 떠오른다. 욕망? 절박함? 의사들을 제치고 벌떡 일어나 내 쪽으로 오는 걸 보니 둘 다인게 불명하다. 나는 피타를 껴안으려 양팔을 벌리고 달려간다. 피타의 양손도 내 쪽을 향한다. 내 얼굴을 감싸려는 모양이라고 생각했다.

피타의 이름을 부르려는 순간, 그의 손가락이 내 목을 조른다.

192

목에 두른 차가운 것에 쓸려 피부가 까지고, 몸이 떨리는 것을 제어하기가 더욱 힘들다. 적어도 이제는 폐소 공포증을 느끼게 하는 튜브 모양 장치 안에 들어 있지는 않다. 내가 그 안에 누워서 아직 숨을 쉴 수 있다고 스스로 확신을 가지려 애쓰는 동안 기계는 째깍거리며 윙윙 돌아갔고, 알 수 없는 곳에서 들려오는 목소리가 나에게 움직이지 말라고 말했다. 영구적인 손상은 남지 않을 거라고 의사들이 장담한 지금도 나는 공기를 갈구한다.

의료진이 가장 걱정했던 것들(척수, 기도, 혈관, 동맥 등의 손상)은 가라앉았다. 멍이나 목소리가 쉰 것, 후두가 쓰라린 것, 이상한 잔기침은 걱정하지 않아도 된다고 한다. 다 괜찮아질 것이다. 모킹제이는 목소리를 잃지 않을 것이다. 하지만 내 정신이 멀쩡한지 말해 줄 의사는 어디 있는지 묻고 싶다. 그런데 지금은 말을 하면 안 된다고 한다. 복스가 나를 살피러 들렀을 때 고맙다는 인사조차 하지 못했다. 복스는 나를 훑어보고, 한쪽 팔로 목 조르는 훈련을 할 때 이보다 훨씬 심한 부상을 입은 병사들을 봐 왔다고 말해 주러 왔다.

영구적인 손상이 생기기 전에 피타를 한 방에 날려 버린 사람이 복스였다. 헤이미치가 그렇게 무방비 상태가 아니었다면 나를 지켜주었으리란 걸 알고 있다. 헤이미치와 나 두 명 다 방심하고 있는 때는 흔치 않다. 하지만 우리는 피타를 구하는 일에 너무 정신이 팔려 있었고, 피타가 캐피톨의 손아귀에 있다는 사실에 너무도 고통 받고 있었기 때문에, 되찾았다는 기쁨에 둘 다 눈이 멀어 있었다. 내가 피타와 단둘이 재회했다면, 피타는 나를 죽였을 것이다. 이제 그는 미쳤으니까.

'아냐, 미친 게 아니야.' 다시 상기한다. '하이잭당한 거야.' 바퀴 달린 침대에 누워 복도를 지나가다 플루타르크와 헤이미치가 그 단어를 쓰는 것을 들었다. '하이잭당했다.' 무슨 뜻인지 모르겠다.

공격당한 지 얼마 지나지 않아 나타났고, 그 이후로 내내 나와 최대한 가까이 있는 프림이 내게 담요를 하나 더 덮어 준다.

"목에 두른 건 금방 떼 줄 것 같아, 캣니스 언니. 그러면 지금처럼 춥지 않을 거야."

복잡한 수술 보조를 맡고 계신 엄마는 아직 피타가 나를 공격했다는 소식을 듣지 못했다. 프림은 주먹을 꼭 쥐고 있는 내 한쪽 손을 잡고, 내가 주먹을 풀고 손가락에 다시 피가 통할 때까지 주물러 준다. 다른 손을 잡아 주었을 때 의사들이 나타나 목에 두른 것을 떼고, 통증과 부은 것을 완화시켜 줄 주사를 놓는다. 나는 목 부상을 악화시키지 않도록 시키는 대로 머리를 움직이지 않고 가만히 누워 있는다.

플루타르크와 헤이미치, 비티는 의사들이 나를 봐도 좋다는 허락을 내릴 때까지 복도에서 기다리고 있었다. 게일에게 말했는지는 모르겠지만, 여기 없는 걸 보니 말하지 않은 것 같다. 플루타르크는 의사들을 내보내고는 프림도 내보내려 하지만, 프림은 이렇게 말한다.

"안 돼요. 절 억지로 내보내신다면 곧바로 수술실로 가서 엄마한테 무슨 일이 일어났는지 말할 거예요. 미리 경고하는데, 엄마는 게임운영자가 캣니스 언니의 목숨을 좌지우지하는 걸 좋아하지 않으세요. 이렇게 형편없이 돌보셨으니 더욱 그렇죠."

플루타르크는 기분이 나쁜 것 같지만 헤이미치는 킬킬 웃는다.

"나라면 그냥 넘어가겠소, 플루타르크."

헤이미치가 말한다. 그래서 프림은 남는다.

"그래, 캣니스. 피타의 상태는 우리 모두에게 충격이었다."

플루타르크가 말한다.

"최근 인터뷰 두 번을 보면서 피타가 악화되고 있다는 건 당연히 알아챌 수밖에 없었지. 학대당한 것은 분명하고, 심리 상태의 원인도 그거라고 생각했었다. 하지만 지금은 그보다 더 많은 일이 있었으리라 믿고 있어. 캐피톨이 피타에게 하이재킹이라고 하는 좀 보기 드문 기술을 사용한 것 같다고 말이야. 비티?"

"미안하지만 자세한 내용을 모두 말해 줄 수는 없어, 캣니스. 캐피톨은 이런 형태의 고문을 아주 비밀스럽게 하고 있고, 그 결과 역시 일정하지 않은 것으로 보인다. 우리가 분명히 알고 있는 건 이거야. 이건 일종의 공포 훈련이라는 것. '하이잭'이라는 말은 '사로잡다(capture)', 혹은 그보다 더 적절한 뜻으로는 '장악하다(seize)'라는 의미를 지닌 옛 영어 단어에서 왔어. 우리는 이 기술이 추적말벌(tracker jacker) 독을 사용하기 때문에 이렇게 불린다고 생각해. '잭'이란 단어가 '하이잭'을 연상시키니까. 너는 처음으로 헝거 게임에 참가했을 때 쏘여 본 적이 있으니까 우리들 대부분과는 달리 그 독의 효과가 어떤지 직접 체험해 본 적이 있지."

엄청난 공포. 환각. 내가 사랑하는 사람들을 잃는 악몽 같던 이미지들. 그 벌의 독은 뇌에서 공포를 관장하는 부분을 목표물로 삼기 때문에 그런 것들을 만들어 낸다.

"얼마나 무서웠는지 분명 기억하고 있겠지. 독 때문에 정신적인 혼란을 겪은 적이 있니? 무엇이 진실이고 무엇이 거짓인지 판단할 수 없다는 느낌? 추적말벌에게 쏘이고 살아남은 사람들의 이야기를 들어보면 거의 대부분 그런 경험을 했더구나."

비티가 말한다.

그렇다. 피타와 마주쳤던 일도 그랬다. 내 머리가 맑아지고 나서도, 피타가 카토에게 맞서서 내 생명을 구해 줬는지 아니면 그냥 상상이었는지 확신이 되지 않았다.

"기억이란 바뀔 수 있기 때문에, 기억해 내기가 더욱 어려워지지."

비티는 자기 이마를 톡톡 두드리고서 말을 잇는다.

"네 마음의 중심으로 기억을 가져와서, 변형시킨 다음 바뀐 형태로 다시 저장하는 거야. 내가 너에게 무언가를 떠올려 보라고 한다고 상상해 보렴. 말로 언급하거나, 그 일을 촬영한 테이프를 보게 한다든지 말이야. 그리고 그 경험이 새로이 떠올랐을 때 내가 너에게 추적말벌 독을 주입하는 거야. 사흘 동안 정신을 잃게 될 정도는 아니고, 그 기억에 공포와 의심이 섞일 정도로만. 그러면 네 뇌는 그렇게 변형된 기억을 장기 저장하게 되는 거지."

메스꺼운 기분이 들기 시작한다. 프림이 내가 생각하던 바로 그 질문을 던졌다.

"그들이 피타에게 그런 짓을 한 거예요? 캣니스 언니에 대한 피타의 기억을 가져다 무서운 기억으로 왜곡한 건가요?"

비티는 고개를 끄덕인다.

"너무 무서워서 생명을 위협하는 존재로 볼 만큼. 피타가 캣니스를 죽이려 할 만큼. 응, 우리의 현재 이론으로는 그래."

나는 양팔로 얼굴을 가린다. 이건 사실이 아니야. 불가능해. 누군가 피타에게 날 사랑한다는 걸 잊게 만들다니……, 그런 일은 아무도 못해.

"하지만 되돌릴 수 있는 거죠, 그렇죠?"

프림이 묻는다.

"음……, 그에 대한 자료가 아주 적단다. 사실 아예 없어. 만약 하이재킹을 치료하려는 시도가 예전에 있었다 해도, 그에 대한 기록에 접근할 방법이 없어."

플루타르크가 말한다.

"그래도 노력은 하실 거잖아요. 그냥 벽에 쿠션을 댄 방에 가둬 놓고 괴로워하도록 내버려 두지는 않으실 거죠?"

프림이 집요하게 묻는다.

"물론 우린 노력할 거야, 프림. 그저 우리가 얼마나 성공할 수 있을지 모른다는 거야. 조금이라도 가능할지 모르겠다. 공포를 느꼈던 사건의 경우, 뿌리 뽑는 게 가장 어려울 거라고 나는 짐작하고 있어. 결국 우리가 가장 잘 기억하는 게 바로 그런 거니까."

비티가 대답했다.

"그리고 캣니스에 대한 기억 외에 다른 어떤 것을 건드려 놓았는지 아직 알 수 없단다. 우리는 반격할 방법을 찾기 위해 정신과 의사들과 직업 군인들로 팀을 구성하고 있어. 나는 개인적으로는 완치될 수 있을 거라고 긍정적으로 생각하고 있다."

플루타르크가 말한다.

"그러세요? 헤이미치 아저씨는 어떻게 생각하시나요?"

프림이 신랄하게 묻는다.

나는 팔 틈으로 헤이미치의 표정을 볼 수 있도록 팔을 조금 움직인다.

"피타가 나아질 거라고 생각해. 하지만…… 예전과 같아질 수는 없을 것 같다."

이렇게 인정하는 헤이미치는 지치고 낙담한 모습이다. 나는 다시 양팔을 붙여 틈을 없애고 그들 모두를 가려 버린다.

"적어도 살아 있긴 하잖아. 스노우는 오늘 밤 피타의 스타일리스트와 준비 팀을 처형하는 걸 텔레비전에서 생중계했어. 게다가 우린 에피 트링 켓에게 무슨 일이 일어났는지 전혀 모르고 있다. 피타는 상처를 입었지만 여기 있잖아. 우리와 같이. 12시간 전의 피타의 상태에 비하면 확실히 나아진 거지. 우리 모두 그걸 잊지 말자고, 응?"

플루타르크는 우리가 참을성을 잃고 있다는 양 말한다.

내 기운을 북돋워 주려던 플루타르크의 노력(그 안엔 또 다른 네 건, 어쩌면 다섯 건의 살인 소식이 들어 있었다)은 결국 거꾸로 작용했다. 포샤. 피타의 준비 팀. 에피. 눈물을 억누르려고 노력하니 목이 계속 쓰라려 숨이 턱 막히게 된다. 결국 그들은 나를 마취시키는 수밖에 없다.

깨어나자 이제 내가 잠들 수 있는 유일한 방법은 팔에 약을 맞는 것뿐일까 하는 생각이 든다. 하고 싶은 말이 아무것도 없기 때문에, 앞으로 며칠간 말을 하면 안 된다는 게 다행스럽다. 하고 싶은 것도 없다. 사실 나는 모범 환자다. 내 무기력함이 자제력 혹은 의사의 명령에 잘 따르는 것으로 받아들여져서다. 더 이상 울고 싶지 않다. 사실 나는 단순한 한 가지 생각밖에 떠올릴 수 없다. 스노우의 얼굴 이미지와 내 머릿속에서 들려오는 속삭임. '난 널 죽일 거야.'

엄마와 프림은 번갈아 가며 나를 간호하고, 달래가며 부드러운 음식을 몇 입씩 먹인다. 사람들이 정기적으로 찾아와 피타의 상태가 어떤지 소식을 전한다. 높은 수준의 추적말벌 독이 피타의 몸에서 빠져나가고 있다. 피타를 치료하는 사람들은 모두 13번 구역 원주민인 낯선 사람들이다. 고향이나 캐피톨에서 온 사람은 피타를 만날 수 없다. 위험한 기억을 건드리는 일이 없도록 하기 위해서다. 전문가들로 구성된 팀이 피타를 회복시킬 전략을 구상하느라 긴 시간을 보낸다.

게일은 어깨 상처 때문에 누워 있어야 해서 나를 찾아올 수 없게 되어 있다. 하지만 세 번째 날 밤 내가 약을 투여받은 후, 수면시간이 되어 조명이 약해진 다음에 게일이 조용히 내 방으로 들어온다. 게일은 말없이 손가락으로 내 목의 멍을 나방 날개만큼이나 가볍게 쓸어 보고, 눈 사이에 키스를 하고는 사라진다.

다음 날 아침에 나는 조용히 움직이고 말은 꼭 필요할 때만 하라는 지시를 받고 퇴원 조치된다. 팔에 일정이 찍혀 있지 않아서 나는 프림이 우리

가족의 새 객실로 데려다 주려고 잠시 양해를 구해 병원에서 나올 때까지 아무 목적 없이 돌아다닌다. 우리가 배정받은 2212호는 지난 번 객실과 똑같이 생겼지만 창문이 없다.

버터컵은 이제 매일 음식과 화장실 세면대 밑에 놔둘 모래 한 냄비를 배급받는다. 프림이 나를 침대에 눕히는데 버터컵이 내 베개 위로 뛰어올라, 프림의 관심을 얻기 위해 나와 경쟁한다. 프림은 버터컵을 안아 들지만 내게 집중한다.

"언니, 피타에 관한 이 모든 일들이 언니한테 끔찍하다는 건 알아. 하지만 이걸 기억해. 스노우는 피타를 몇 주나 데리고 있었지만, 우린 아직 며칠밖에 안됐잖아. 예전의 피타, 언니를 사랑하는 피타가 지금도 내부에 있을지 몰라. 언니에게 돌아오려고 애쓰면서 말이야. 그 피타를 포기하지 마."

나는 내 어린 여동생을 보며 우리 집안이 가지고 있는 가장 좋은 것들만 물려받았다고 생각한다. 사람을 치유하는 엄마의 손길, 아빠의 침착한 이성, 그리고 내 투지. 다른 것도 있다. 오직 프림만의 것인 무엇. 혼란스럽고 난장판이 된 인생을 들여다보고 그 실체가 무엇인지 파악하는 능력. 프림 말이 맞을 수도 있을까? 피타가 내게 돌아올 수 있다는 말이.

"난 병원으로 돌아가 봐야 돼. 둘이 벗 삼으며 있어. 알았지?"

프림은 버터컵을 침대 위에 올려놓으며 말한다.

버터컵은 침대에서 뛰어내려 문까지 프림을 따라가고, 뒤에 남겨지자 요란하게 불평한다. 우리는 서로에게 대략 흙먼지 정도의 벗이다. 30초 정도가 지나자 나는, 이 지하 감옥에 갇혀 있는 것을 참을 수 없다고 깨닫고 버터컵을 혼자 두고 나온다. 몇 번 길을 잃지만, 결국 특별 방어까지 내려간다. 나를 스쳐 지나는 사람은 모두 내 멍을 빤히 바라보고, 너무 신경이 쓰여 옷깃을 귀까지 올린다.

게일이 한 연구실에 비티와 함께 있는 걸 보니 게일 역시 오늘 아침에 퇴원했나 보다. 둘 다 그림을 한 장 놓고 고개를 숙여 아주 몰입해서 들여다보며 치수를 재고 있다. 그 그림을 조금 다르게 그린 것들이 테이블과 바닥에 잔뜩 있다. 다른 디자인들은 벽의 코르크판에 압정으로 꽂혀 있고, 컴퓨터 화면 몇 개에도 떠 있다. 그중 거친 선으로 그린 그림 하나를 보고, 게일이 놓는 나뭇가지를 휘어서 만드는 덫임을 알아본다.

"이게 다 뭐야?"

내가 쉰 목소리로 묻자 두 사람은 종이에서 내게로 관심을 돌린다.

"아, 캣니스, 우릴 찾아냈구나."

비티가 명랑하게 말한다.

"네? 이게 비밀이었어요?"

나는 게일이 여기서 비티와 하는 일이 많다는 것은 알았지만, 활과 총 같은 것을 붙들고 씨름할 거라고 생각했다.

"그렇지는 않아. 하지만 난 약간 죄책감이 들더라고. 너한테서 게일을 너무 오래 빼앗아 두는 것 같아서."

13번 구역에 있는 동안 나는 제정신이 아닌 상태로, 걱정에 휩싸여서, 화난 채로, 개조당하면서, 혹은 입원해서 보낸 시간이 대부분이었다. 때문에 게일이 없어서 내가 불편했다고 할 수는 없다. 우리 둘 사이가 그렇게 조화롭지도 못했다. 하지만 나는 비티가 내게 빚을 졌다고 생각하도록 내버려 둔다.

"게일의 시간을 잘 활용하셨길 바라요."

"와서 보렴."

비티는 나를 컴퓨터 화면 앞으로 부른다.

두 사람이 그동안 하던 일은 이거였다. 게일의 덫에서 기본적인 아이디어를 가져다가 인간을 목표물로 하는 무기로 개조하는 것이다. 주로 폭탄이다. 덫의 기술적 원리보다는 덫이 이용하는 심리가 더 유용하게 쓰인다.

생존에 필수적인 자원을 공급하는 지역에 부비트랩(숨겨진 폭발물 또는 위장 폭탄: 편집자)을 설치하는 것이다. 물이나 식량이 있는 곳이다. 사냥감에게 겁을 주어, 더 큰 파괴가 이루어지는 곳으로 여럿을 도망치게 만든다. 자식을 위험에 처하게 해서 실제 목표물인 부모를 유인한다. 안전한 피난처로 보이는 곳으로 희생양을 끌어들인다. 그곳에는 죽음이 기다리고 있다. 어느 시점에서부턴가 게일과 비티는, 야생은 버려두고 보다 인간적인 충동들에 집중한다. 예를 들어 연민. 폭탄이 터진다. 사람들이 부상자를 도우러 몰려올 시간을 준다. 그리고 더 강력한 두 번째 폭탄이 터져 그 사람들도 죽인다.

"그건 일종의 '선을 넘는' 일 같은데. 그래서……, 뭐든 해도 된다는 거야? 인간이 다른 인간에게 하는 일 중 용납할 수 없는 일이 무엇인지 정해 놓은 규정집은 아마 없겠지."

내가 말한다. 두 사람 모두 나를 빤히 쳐다본다. 비티는 망설이는 표정이고, 게일은 적대적이다.

"물론 있지. 비티와 나는 스노우 대통령이 피타를 하이잭할 때 사용했던 규정집을 따르고 있어."

게일이 말한다.

잔인하지만 요점을 짚는 말이다. 나는 더 이상 이야기하지 않고 나온다. 곧바로 밖으로 나가지 않으면 분통이 터질 것 같은 기분이어서다. 하지만 특별 방어에서 헤이미치가 나를 불러 세운다.

"따라와. 병원에서 네가 필요하다."

"왜요?"

"피타에게 뭔가 시도해 보려 해. 12번 구역 출신 중 가장 위험하지 않은 사람을 만나게 하는 거야. 피타와 어린 시절 기억을 공유할 법한 사람이지만, 너와 너무 가깝지는 않은 사람으로. 지금 누구로 할지 정하고 있는 중이다."

헤이미치가 대답한다.

피타와 어린 시절 기억을 공유하는 사람들은 시내 출신일 가능성이 높은데, 그곳 사람들은 거의 대부분 화재에서 탈출하지 못했으니 어려운 작업이 될 거라는 점을 알 수 있다. 하지만 피타 회복팀의 업무 공간으로 쓰고 있는 병실에 들어가자, 다름 아닌 바로 그 아이가 앉아 플루타르크와 이야기를 나누고 있다. 델리 카트라이트. 늘 그렇듯 델리는 내가 세상에서 자기와 가장 친한 친구라는 듯한 미소를 지어 준다. 델리는 누구에게나 이렇게 웃어 준다.

"캣니스!"

델리가 부른다.

"안녕, 델리."

델리와 남동생이 살아남았다는 이야기는 들은 적 있다. 하지만 시내에서 신발 가게를 하시던 델리의 부모님은 그렇게 운이 좋지 못하셨다. 델리는 누가 입어도 멋져 보이지 않는 13번 구역 옷을 입고 있고, 머리에 컬을 넣는 대신 실용적으로 땋고 있다. 내 기억보다 조금 마른 모습이다. 실은 그 애는 12번 구역에서 몇 안 되던 조금 통통한 아이 중 하나였다. 분명 이곳의 식사, 스트레스, 부모님을 잃은 슬픔……, 이 모든 것이 작용했을 것이다.

"어떻게 지내니?"

내가 묻는다.

"아, 한 번에 많은 변화가 있었지."

델리의 눈에 눈물이 고였다. 하지만 곧 이렇게 말한다.

"하지만 여기 13번 구역 사람들은 다 정말 좋아. 그렇지 않니?"

진심이 어린 얘기였다. 델리는 진정으로 사람들을 좋아한다. 몇 년 동안

저 사람이 어떤 사람인지 고민해 본 소수만 좋아하는 게 아니라, 모든 사람을 다 좋아한다.

"우리가 환영받는다고 느끼도록 노력해 줬지."

내가 말한다. 이 정도면 과장되지 않은, 공정한 말인 것 같다. 나는 델리에게 물었다.

"피타를 만나보도록 뽑힌 사람이 너야?"

"그런 것 같아. 피타 정말 안됐어. 너도 정말 안됐고. 나는 캐피톨을 영영 이해하지 못할 거야."

"이해하지 않는 게 나을지도 몰라."

"델리는 피타를 오래 알고 지냈어."

플루타르크가 말한다.

"아, 네! 어렸을 때부터 같이 놀았어요. 전 사람들한테 우리가 남매라고 말하고 다녔고요."

델리의 얼굴이 밝아진다.

"넌 어떻게 생각하냐? 너에 대한 기억을 떠올리게 할 가능성이 있냐?"

헤이미치가 내게 묻는다.

"다 같은 반이었지만 셋이 같이 논 적은 없어요."

내가 말한다.

"캣니스는 언제나 정말 대단했어요. 캣니스가 나를 알아볼 줄은 꿈에도 몰랐어요. 다들 굉장히 존경했어요. 캣니스가 사냥을 하거나 호브에 가서 거래를 하던 모든 것들 전부 다요."

델리가 말한다.

헤이미치와 나 둘 다 델리가 농담하는 것은 아닌지 확인하려고 그 애의 얼굴을 꼼꼼이 뜯어보게 된다. 델리의 설명을 들으면 내가 워낙 특별해서 다른 사람들이 기가 죽었기 때문에 나에게 친구가 하나도 없다시피 했던 것 같다. 사실이 아니다. 친구가 하나도 없다시피 했던 것은 내가 상냥하지 못했기 때문이다. 델리가 나를 뭔가 근사한 사람으로 바꿔주도록 내버려 두자.

"델리는 늘 사람들의 제일 좋은 면을 보거든요. 피타에게 델리와 관련된 나쁜 기억이 있을 수 있다고는 생각하지 않아요."

내가 설명한다. 그 순간 기억이 난다.

"잠깐만요. 캐피톨에서 이런 일이 있었어요. 제가 그 무성인 여자애를 알아보고 나서 거짓말을 했을 때요. 피타가 수습해 주면서 그 여자애가 델리랑 닮았다고 했어요."

"그건 나도 기억한다. 하지만 잘 모르겠어. 그 말은 사실이 아니었잖냐. 델리가 거기 있었던 건 아니야. 그 일이 수년간의 어린 시절 기억에 맞설 수는 없으리라 본다."

헤이미치가 말한다.

"델리처럼 상냥한 친구라면 더욱 그렇겠죠. 해 봅시다."

플루타르크가 말한다.

플루타르크와 헤이미치, 그리고 나는 피타가 갇혀 있는 방 옆의 관찰실로 들어간다. 회복팀원 10명이 펜과 클립보드를 들고 있어 붐빈다. 한쪽만 비치는 유리창과 오디오 장치가 있어 피타를 몰래 볼 수 있도록 해 두었다. 피타는 팔이 묶인 채 침대에 누워 있다. 뿌리치고 일어나려 하지는 않지만, 손가락을 계속 꼼지락거리고 있다. 내 목을 조르려 했을 때보다는 또렷한 표정을 짓고 있지만, 여전히 피타다운 표정은 아니다.

문이 조용히 열리자 피타가 경계하며 눈을 크게 뜨고 혼란스러워하기 시작한다. 델리는 방을 가로질러 조심스레 다가가지만, 피타에 가까워지자 자연스럽게 미소를 짓는다.

"피타? 나 델리야. 고향에서 온."

"델리? 델리. 너구나."

구름이 조금 걷히는 것 같다.

"응! 기분이 어때?"

델리가 그렇게 묻는다. 그 애가 안도하는 것이 눈에 보인다.

"끔찍해. 여기가 어디야? 무슨 일이 있었던 거야?"

피타가 묻는다.

"이제 시작이군."

헤이미치가 말한다.

"캣니스나 캐피톨에 대한 언급은 무조건 피하라고 말했어요. 델리가 고향 이야기를 얼마나 많이 끄집어 낼 수 있는지 봅시다."

플루타르크가 말한다.

"음……, 우린 13번 구역에 있어. 이제 여기 살아."

델리가 말한다.

"사람들이 그렇게 말하더라. 하지만 앞뒤가 안 맞잖아. 왜 고향에 있지 않고 여기에?"

델리는 입술을 깨문다.

"사…… 사고가 있었어. 나도 고향이 정말 그리워. 우리가 분필로 인도에 그렸던 그림을 생각하던 참이었어. 네가 그린 그림은 정말 멋졌는데. 서로 다른 동물을 그렸던 거 기억나?"

"응. 돼지, 고양이, 그런 것들. 사고가…… 있었다고?"

질문을 에둘러 피해가려 애쓰는 델리의 이마가 땀에 젖어 빛나는 것이 보인다.

"좋지 않은 사고였어. 아무도…… 남아 있을 수 없었어."

델리가 머뭇거리며 말한다.

"좀 더 버텨 봐, 델리."

헤이미치가 말한다.

"하지만 너도 여기가 마음에 들 거야, 피타. 여기 사람들은 우리에게 정말 잘해 줬어. 늘 음식과 깨끗한 옷이 있고, 학교도 훨씬 재미있어."

"우리 가족은 왜 날 보러 오지 않는 거지?"

"올 수가 없었어. 12번 구역을 빠져나오지 못한 사람이 많았거든. 그러니까 우리는 여기서 새 삶을 시작해야 해. 분명 솜씨 좋은 제빵사라면 쓸모가 있을 거야. 너희 아버지가 밀가루 반죽으로 여자애 모양, 남자애 모양을 만들게 해 주셨던 거 기억해?"

그렇게 묻는 델리의 눈에 다시 눈물이 차오른다.

"화재가 있었지."

피타가 갑자기 말한다.

"응."

델리가 속삭인다.

"12번 구역은 불타 없어졌어, 맞지? 그 여자애 때문에. 캣니스 때문에!"

피타가 화난 목소리로 말하더니 안전벨트를 잡아당기기 시작한다.

"아, 아니야, 피타. 캣니스 잘못이 아니었어."

"걔가 너한테 그래?"

피타가 으르렁대는 것 같은 목소리로 묻는다.

"데리고 나와요."

플루타르크가 말한다. 즉시 문이 열리고, 델리는 천천히 물러나기 시작한다.

"그런 거 아니야. 나는……!"

델리가 입을 연다.

"캣니스는 거짓말을 하고 있어! 거짓말쟁이야! 캣니스가 하는 말은 아무것도 믿으면 안 돼! 그 앤 캐피톨이 우리에게 이용하려고 만든 머테이

206

션이야!"

피타가 고함친다.

"아냐, 피타. 캣니스는……."

델리가 다시 시도해 본다.

"그 애를 믿지 마, 델리. 난 개를 믿었는데, 날 죽이려 했어. 내 친구들을 죽였어. 내 가족도. 근처에도 가지 마! 그 앤 머테이션이야!"

피타는 제정신이 아닌 목소리다.

문 밖에서 손 하나가 들어와 델리를 빼내고, 문은 닫힌다. 하지만 피타는 계속 소리 지른다.

"머테이션! 그 앤 빌어먹을 머테이션이라고!"

피타는 날 증오하고 죽이고 싶어 할 뿐 아니라, 더 이상 내가 인간이라고도 믿지 않는다. 차라리 목졸림 당하는 게 덜 괴로웠다.

내 주위의 회복 팀원들은 미친 듯 글자를 써내려가며 모든 단어를 기록한다. 헤이미치와 플루타르크는 내 팔을 잡고 방 밖으로 데리고 나온다. 그들은 나를 조용한 복도의 벽에 기대게 했다. 하지만 피타가 문과 유리창 뒤에서 계속 비명을 지르고 있다는 걸 난 알고 있다.

프림이 틀렸어. 피타는 되돌릴 수 없어.

"전 여기 더 이상 못 있겠어요. 내게 모킹제이를 시키고 싶다면 다른 곳으로 보내셔야 할 거예요."

내가 멍하게 말한다.

"어디로 가고 싶냐?"

헤이미치가 묻는다.

"캐피톨요."

내가 할 일이 있는 곳은 거기밖에 생각나지 않는다.

"그렇겐 못해. 다른 구역을 모두 차지하고 나기 전까진 안 돼. 좋은 소식은, 2번 구역 외에 다른 곳에서는 싸움이 거의 끝났다는 거지. 하지만 거긴 깨기 쉽지 않은 호두(tough nut to crack) 같은 곳이야."

플루타르크가 대꾸한다.

맞다. 일단 구역들부터. 캐피톨은 그 다음이다. 그리고 나면 나는 스노우를 사냥할 거다.

"좋아요. 2번 구역으로 보내 줘요."

14

산간 지방에 넓게 퍼진 여러 마을들로 구성된 2번 구역은 짐작할 수 있듯, 큰 구역이다. 각 마을은 원래 갱도나 채석장에 딸린 것이었지만, 지금은 상당수가 평화유지군들의 숙소 및 훈련소로 사용되고 있다. 13번의 공군을 손에 넣은 반군에게 있어서 이 모든 것이 큰 위협은 되지 못하지만, 한 가지 예외가 있다. 이 구역의 중심에는 캐피톨 병력의 핵심부가 자리한 뚫고 들어가기 거의 불가능한 산이 하나 있다.

내가 이곳의 지치고 낙담한 반군 지도자들에게 플루타르크가 썼던 '깨기 쉽지 않은 호두'라는 표현을 전해 준 이후로, 그 산에는 '호두'라는 별명이 붙었다. 13번 구역을 잃고 나서 새로운 지하 거점을 애타게 찾던 캐피톨이 암흑기가 끝난 직후부터 건설한 곳이다. 2번 구역은 캐피톨 자체의 외곽에도 군사 시설 일부(핵미사일, 항공기, 부대 등)를 두고 있지만, 상당 부분은 이제 반군의 통제 아래로 넘어갔다. 물론 수 세기에 걸쳐 만든 13번 구역과 똑같은 기지를 만들 수는 없었다. 하지만 2번 구역 근처의 낡은 갱도에서 그들은 기회를 발견했다. 공중에서 보면 호두는 입구가 몇 개 있는 그저 그런 산으로 보인다. 그러나 그 안에는 돌을 잔뜩 캐내어 생긴 거대한 구멍이 있다. 캐낸 돌들은 밖으로 날라서, 먼 곳의 건물들을 짓기 위해 좁고 미끄러운 도로를 통해 운반해 갔다. 광부들을 호두에서부터 2번 구역 가장 큰 마을의 중심가까지 데려올 수 있도록 철도 시설까지 설치해 두었다. 피타와 내가 우승자 투어 때 갔던 광장까지 곧바로 올 수 있게 되어 있다. 법원 건물의 넓은 대리석 기둥에 선 채 우리 바로 아래에 모여앉아 슬퍼하던 카토와 클로브의 가족들을 너무 자세히 보지 않으려고 애썼던 곳이다.

토사가 유출되고, 홍수와 산사태가 일어나는 곳이라 가장 이상적인 지역이라고 할 수는 없는 곳이다. 하지만 걱정거리보다 장점이 더 컸다. 산 속으로 깊이 파들어 가며 광부들은, 내부 시설을 지탱해 줄 만한 커다란 기둥들과 돌 벽을 남겨 두었다. 캐피톨은 기둥과 벽을 보강하고 산을 자신들의 새 군사기지로 만드는 작업에 착수했다. 컴퓨터 시설과 회의실, 병영과 무기고로 내부를 가득 채웠다. 격납고에서 호버크래프트가 나갈 수 있도록 입구를 넓혔고, 미사일 발사 장치도 설치했다. 하지만 산의 외관은 대체로 바꾸지 않고 내버려 두었다. 거칠고 바위가 많은 지형에 나무들이 얽혀 자라고 야생동물이 산다. 적들에게서 그들을 지켜줄 천연 요새인 셈이다.

캐피톨은 다른 구역의 기준에 비하면 이곳 주민들은 아기 다루듯 해 주었다. 2번 구역 반군들을 한 번 보기만 해도, 어렸을 때 괜찮은 음식을 먹고 돌봄을 받으며 자랐음을 알 수 있다. 자라서 채석장이나 광산 일을 하게 된 사람들도 있다. 다른 사람들은 호두에서 일하기 위해 교육을 받기도 했고, 평화유지군에 입대하기도 했다. 어릴 때부터 강도 높은 전투 훈련을 받았다. 여기서 헝거 게임은 다른 곳에서와는 달리, 부와 일종의 영광으로 가는 기회였다. 당연히 2번 구역 사람들은 우리 다른 구역들 사람과는 달리 캐피톨의 프로파간다를 더 쉽게 받아들였다. 그들의 방식을 받아들였다. 하지만 그럼에도 불구하고 가장 중요한 것은 그들은 여전히 노예라는 점이었다. 그리고 만약 평화유지군이 되었거나 호두에서 일하는 주민들이 그 사실을 잊었다 해도, 이곳 저항 세력의 근간을 이루는 채석공들은 잊지 않고 있다.

내가 2주 전에 도착한 뒤로 상황은 변하지 않았다. 외곽의 마을들은 반군이 장악했고, 시내는 세력이 나뉜 상태이며, 호두는 늘 그래 왔듯 손도 대지 못하고 있다. 호두의 몇 개 안되는 입구는 캐피톨에서 삼엄하게 지키고 있고, 중심부는 산 속에 안전하게 숨어 있다. 다른 모든 구역이 캐피톨의 통제를 벗어난 지금도 2번 구역은 캐피톨 손아귀에 있다.

매일매일 내가 도울 수 있는 일이면 무엇이든 했다. 부상자를 방문한다. 촬영 팀과 함께 짤막한 프로포를 찍는다. 실제 전투에 참가할 수 있도록 허락받지는 못했지만 전쟁의 진행 상황을 보고하는 회의에는 초대받는데, 그건 13번 구역에서 해 주었던 것보다 훨씬 더 큰일이다. 여기가 훨씬 낫다. 더 자유롭고, 팔뚝에 일정을 찍지도 않고, 시간을 어떻게 보내라는 따위의 명령도 더 적다. 나는 반군 마을이나 인근 동굴에 거주하며 지상에서 지낸다. 보안상의 이유로 거처를 자주 옮긴다. 낮 동안에는 경비병을 대동하고 너무 멀리까지 가지 않는 조건 안에서 내키는 대로 사냥할 수 있다는 허가를 받았다. 옅고 차가운 산 공기 속에 있다 보니 다시 몸에 힘이 조금 돌아오고, 머릿속에 남아 있던 안개 같은 기운이 사라지며 맑아지는 것이 느껴진다. 하지만 정신이 맑아지니 피타에게 무슨 일이 일어났는지를 더욱 날카롭게 인식하게 된다.

스노우는 피타를 내게서 훔쳐가서 알아볼 수 없을 정도로 뒤틀어 놓은 다음 다시 선물로 주었다. 나와 함께 2번 구역에 왔던 복스는 계획을 주도면밀하게 짜긴 했지만, 피타를 구출하는 작전이 지나치게 쉽게 진행되었다고 말해 주었다. 복스는 만약 13번 구역이 노력하지 않았더라고 해도 내게 배달되었을 거라고 믿고 있다. 전투가 진행 중인 지역에 떨어뜨려 놓고 가거나 어쩌면 13번 구역으로 직접 배달되었을 것이다. 리본을 달고, 내이름이 적힌 꼬리표를 단 채로. 나를 살해하도록 프로그래밍 된 채로.

피타가 엉망이 되고 난 지금에서야 피타의 진가를 진정으로 느낄 수 있다. 피타가 죽었을 경우 그랬을 것보다 더욱. 친절하고, 늘 변치 않던 피타. 예상치 못했던 열기를 숨기고 있는 그의 따스한 온기. 프림과 엄마, 게일 말고 이 세상에서 나를 무조건적으로 사랑해 줄 사람이 몇이나 될까? 내 경우 이제 그 질문에 대한 답은 '0'일 것 같다. 혼자 있을 때면 가끔 주머니에 늘 넣고 다니는 진주를 꺼낸다. 그러고는 빵을 준 아이, 기차에서 악몽을 쫓아주던 튼튼한 그의 두 팔, 경기장에서 했던 키스를 기억해 보려 한다. 내가 잃어버린 것에 이름을 붙이려 노력해 본다. 하지만 무슨 소용이 있을까. 이미 사라져 버렸는데. 그는 사라졌다. 우리 사이에 있었던 것은 모두 사라지고 없다. 남은 것은 스노우를 죽이겠다는 내 약속뿐이다. 나는 하루에 열 번씩 스스로에게 그렇게 말한다.

13번 구역에서는 피타의 재활 치료가 계속되고 있다. 내가 물어보지 않는데도 플루타르크는 전화를 걸어 유쾌하게 소식을 전해 준다. 이런 식이다.

"좋은 소식이야, 캣니스! 네가 머테이션이 아니라고 거의 확신시킨 것 같아!"

아니면 이런 식.

"오늘은 혼자서 푸딩을 먹었어!"

플루타르크가 헤이미치에게 전화를 바꿔주면, 그는 피타가 나아지지 않았다는 것을 인정한다. 불확실한 희망의 빛줄기를 유일하게 비추는 사람은 내 동생이다.

"프림이 역하이재킹을 시도하자는 아이디어를 냈다. 너에 대한 왜곡된 기억을 되살린 다음 모플링 같은 진정제를 잔뜩 주자는 거지. 이제까지 딱 한 가지 기억에만 시도해 봤다. 너희 둘이 동굴에 있을 때, 네가 프림에게 염소를 구해다 준 이야기를 하는 장면."

헤이미치가 말한다.

"진전이 있었나요?"

내가 묻는다.

"음, 극단적인 혼란이 극단적인 공포에 비해 진전이라면 그렇겠지. 하지만 과연 진전이라고 할 수 있을지 확신은 못하겠다. 몇 시간 동안 말할 능력을 잃어 버렸어. 인사불성 비슷한 상태가 되어 버렸지. 정신을 차리고서 물어본 건 염소에 대한 것뿐이었다."

헤이미치가 말한다.

"그렇군요."

"그쪽은 어떠냐?"

"진전은 없어요."

"산을 공격할 때 도울 팀을 보내고 있다. 비티와 다른 사람들. 너도 알잖냐, 두뇌집단들."

두뇌집단들이 선정되었을 때, 게일이 명단에 오른 것을 보고 나는 놀라지 않는다. 비티가 게일을 데려올 거라고 생각했으니까. 전문적인 기술 지식이 있어서가 아니고, 게일은 산을 덫으로 만들 방법을 생각해 낼 수 있을 거라는 기대감 때문이다. 처음부터 게일은 나와 함께 2번 구역에 오겠다고 자원했지만, 그렇게 되면 비티와 함께 하는 작업에서 떼어 놓는 일이 되리란 것을 나는 알고 있었다. 나는 게일에게 기다리라고, 그가 가장 필요한 곳에 있으라고 말했다. 네가 있으면 내가 피타에게 일어난 일을 애도하는 게 더 힘들어질 거라는 말은 하지 않았다.

어느 날 오후 늦게 그들이 도착했다. 곧 게일은 나를 찾아낸다. 나는 지금 살고 있는 마을 끝자락의 통나무에 앉아서 거위 털을 뽑고 있었다. 새 여남은 마리가 내 발치에 쌓여 있다. 여기 도착한 이래 엄청난 수의 거위 떼가 이 지역을 따라 이동했고, 쉽게 잡을 수 있었다. 게일은 말 한 마디 없이 내 옆에 앉아 새 한 마리를 집어 들고 깃털을 뽑기 시작한다. 일이 절반쯤 끝났을 때 게일이 말한다.

"우리가 이걸 먹을 기회가 있을까?"

"응. 대부분은 캠프 주방으로 가지만, 여기 사람들은 내가 오늘 밤 같이 있게 될 사람에게 두 마리쯤은 줄 거라고 생각하고 있어. 나를 데리고 있어 주는 대가로."

"그 사실 자체만으로 영광 아닌가?"

"그렇게 생각할지도 모르지. 하지만 모킹제이가 건강에 해롭다는 소문이 퍼졌어."

우리는 잠시 더 말없이 털을 뽑는다. 그리고는 게일이 말한다.

"어제 피타를 봤어. 창을 통해서."

"무슨 생각이 들었어?"

내가 물었다.

"이기적인 생각."

"이젠 더 이상 피타를 질투할 필요가 없다는 생각?"

내가 손가락으로 휙 잡아당기자 우리 사이에 깃털 구름이 떠올랐다가 내려앉는다.

"아니, 정반대 생각. 난……, 난 절대 저런 놈이랑 경쟁하지는 않을 거라고 생각했지. 아무리 고통스럽다 하더라도."

게일은 내 머리에 묻은 깃털 하나를 떼어 주더니 엄지와 검지 사이에 넣고 돌려 본다. 그가 말을 이었다.

"피타가 나아지지 않는다면 나에겐 기회가 없어. 넌 결코 피타를 놔주지 못할 테니까. 그리고 나와 함께하는 건 옳지 않다고 언제까지나 느끼게 되겠지."

"내가 피타랑 키스할 때마다 너 때문에 옳지 않다고 느꼈던 것처럼."

게일이 내 시선을 되받는다.

"정말 그렇게 생각했다면 나머지는 전부 다 참을 수 있는데."

"정말이야. 하지만 네가 피타에 대해서 한 말도 정말이야."

게일은 몹시 화가 난 듯한 소리를 낸다. 하지만 거위를 가져다 주고 나서 다시 저녁에 불을 피울 때 쓸 불쏘시개를 모으러 숲으로 돌아가겠다고 자원한 뒤, 나는 게일의 품에 안겨 있는 자신을 발견하게 된다. 그의 입술이 내 목의 멍을 쓰다듬고, 내 입술까지 천천히 올라왔다. 피타에게 느끼는 감정에도 불구하고, 이 순간 나는 피타가 결코 내게 돌아오지 않을 거라는 것을 마음 속 깊은 곳에서 받아들인다. 혹은 내가 다시는 피타에게 돌아가지 않을 거라는 사실을. 나는 2번 구역이 함락될 때까지 여기 있을 거고, 캐피톨에 가서 스노우를 죽일 거고, 아무 보람 없이 죽을 것이다. 피타는 미쳐 버린 채 나를 증오하며 죽을 것이다. 그래서 사라져 가는 햇빛 속에 나는 눈을 감고, 그간 해 주지 않았던 모든 키스를 보상하기 위해 게일에게 키스한다. 이제는 어떻게 되든 아무 상관없으니까. 그리고 너무 절망적으로 외로워서 견딜 수 없기 때문에.

게일의 손길과 입술의 맛, 그리고 열기는 적어도 내 몸은 아직까지 살아 있다는 것을 일깨워 준다. 잠시나마 반가움을 느꼈다. 나는 머릿속을 비우고 감각이 내 살을 뚫고 흐르도록 내버려 둔다. 스스로를 잃어버릴 수 있는 게 기쁘다. 게일이 살짝 몸을 뗐을 때 나는 우리 사이의 틈을 메우려 몸을 앞으로 하지만, 게일이 손으로 내 턱 밑을 잡는 게 느껴진다.

"캣니스."

눈을 뜨자마자 세상은 앞뒤가 맞지 않는 것처럼 느껴진다. 여기는 우리의 숲도, 또 산도 아니고, 이건 우리의 방식 역시 아니다. 내 손은 자동적으로 내가 혼란과 연결시키곤 하는 왼뺨의 상처를 만진다.

"키스해 줘."

게일이 다가와 내 입술에 자기 입술을 잠깐 동안 누르고, 나는 당황해서 눈도 깜빡이지 않은 채 서 있다. 게일이 내 얼굴을 자세히 살펴본다.

"무슨 생각하고 있어?"

"모르겠어."

나는 속삭여 대답한다.

"이런 식이면 술 취한 사람한테 키스하는 거나 마찬가지야. 키스로 칠수 없어."

게일은 조금 웃으려고 노력하면서 말한다. 그가 불쏘시개 한 움큼을 집어 올려 내 텅 빈 팔에 얹어서, 나는 내 자신으로 돌아온다.

"어떻게 알아? 술 취한 사람이랑 키스해 본 적 있어?"

실은 부끄러움을 감추기 위해서 물어보는 것에 가깝다. 12번 구역에서 게일은 다른 여러 여자들과 키스했을 수도 있으리라. 게일이라면 허락했을 여자들이 많았을 테니. 전에는 한 번도 이런 생각을 해 본 적이 없었다.

게일은 고개를 가로저을 뿐이다.

"아니. 하지만 상상하기 어렵지는 않아."

"그러면 다른 여자랑 키스해 본 적 한 번도 없어?"

내가 묻는다.

"그렇게 말하지는 않았어. 너도 알지만, 우리가 만났을 때 너는 겨우 12살이었잖아. 게다가 아주 골칫덩이였지. 너랑 사냥하는 것만이 내 인생의 전부는 아니었어."

게일이 땔감을 짊어지며 대답한다. 갑자기 나는 진심으로 궁금해진다.

"누구랑 키스했어? 어디서?"

"기억하기엔 너무 많아. 학교 뒤, 탄광 찌꺼기 무덤 위, 어디든."

나는 눈을 위로 치켜뜬다.

"그러면 언제 내가 그렇게 특별해진 거야? 그들이 날 캐피톨 행 기차에 태웠을 때?"

"아니. 그보다 6개월쯤 전이었지. 새해 직후에. 우린 호브에서 그리지 세이 아줌마의 수프를 먹고 있었어. 다리우스가 널 놀리며 토끼 한 마리를 주면 키스 한 번 해 주겠다고 했었지. 그때 깨달았어……, 신경 쓰인다는 걸."

게일이 말해 준다.

나는 그날을 기억하고 있다. 무척 추웠고 오후 4시가 되니 벌써 깜깜해졌다. 우린 사냥을 했지만, 눈이 많이 와서 다시 안으로 들어왔다. 호브는 추위를 피할 곳을 찾던 사람들로 붐볐다. 우리가 일주일 전에 활을 쏴 잡은 들개의 뼈로 우려낸 육수로 만든 그리지 세이 아줌마의 수프는 평소보다 못한 맛이었다. 하지만 따뜻했고, 카운터에 다리를 꼬고 앉아 그것을 떠먹던 나는 몹시 배가 고팠다. 다리우스는 가게의 기둥에 기대서 내 땋은 머리채 끝으로 내 뺨을 간지르고 나는 그의 손을 밀어냈다. 다리우스는 빨강 머리 남자가 가장 정력이 좋다는 사실은 누구나 알고 있기 때문에, 자기의 키스 한 번이 토끼 한 마리, 어쩌면 두 마리의 값어치가 있다고 나에게 설명하고 있었다. 다리우스는 말도 안 되는 소리를 끈질기게 늘어놓았고, 호브의 여러 여자들을 가리키며 '저 사람은 내 입술을 즐기기 위해 토끼 한 마리 이상을 내놓았다.'고 떠들어 대서 그리지 세이 아줌마와 나는 웃어 버렸다.

"보이지? 녹색 목도리를 한 여자. 가서 물어봐. 혹시라도 추천인이 필요하다면 말이야."

여기서 100만 킬로미터 떨어진 곳에서, 10억일쯤 전에, 그런 일이 있었다.

"다리우스는 그냥 농담하는 거였어."

내가 말한다.

"어쩌면. 비록 그가 진심이었다 해도 그걸 맨 마지막에 알아차릴 사람이 너였겠지만 말이야. 피타를 봐. 나를 봐. 심지어 피닉을 봐. 나는 피닉이 너를 마음에 들어 하는 게 아닐까 걱정되기 시작했지만, 피닉은 이제 정신 차린 것 같더군."

게일이 말한다.

"피닉이 나를 사랑할 거라고 생각했다면 넌 피닉을 모르는 거야."

내 말에 게일은 어깨를 으쓱해 보인다.

"피닉이 절박했다는 건 알지. 사람들은 그럴 때면 온갖 미친 짓을 다 하거든."

그게 나를 두고 하는 말이라는 생각을 떨칠 수가 없다.

다음 날 아침 일찍부터 두뇌집단은 호두 문제를 해결하기 위해 모였다. 내가 기여할 것은 별로 없지만 나도 회의에 참석해 달라고 요청받았다. 나는 회의 테이블을 피해, 문제의 그 산이 내다보이는 넓은 창문틀에 쪼그리고 앉는다. 2번 구역의 장군인 라임이라는 중년 여성이 우리를 데리고 호두의 가상 투어를 시켜주며 내부 구조와 방어 시설에 대해 설명하고, 그곳을 함락하려고 했다가 실패한 사례들을 이야기해 준다. 나는 여기 온 이후 그녀와 짧게 마주친 적이 몇 번 있었는데, 그동안 계속 전에 만난 적이 있는 것 같다는 느낌을 받아왔다. 키 180센티미터가 넘으며 강인한 근육의 소유자인 그녀는 충분히 인상적이다. 하지만 전장에서 호두의 정문 공격을 이끄는 그녀의 영상을 보고서야 갑자기 모든 게 분명해지며, 내가 다른 우승자와 함께 있다는 사실을 깨닫는다. 2번 구역 조공인이었던 라임은 한 세대도 더 전에 헝거 게임에서 우승했다. 에피는 25주년 특집을 준비하는 동안 다른 사람들의 영상과 함께 그녀가 담긴 테이프도 보내 주었다. 이제까지 헝거 게임을 보며 그녀의 모습을 언뜻언뜻 본 적이 있었겠지만, 그녀는 겉으로 드러나는 것을 삼가 왔다. 헤이미치와 피닉이 어떤 일을 당했는지 최근에야 알게 된 터라, 내게 떠오르는 생각은 '라임이 우승한 다음 캐피톨은 그녀에게 무슨 짓을 했을까?' 뿐이다.

라임이 프레젠테이션을 마치자 두뇌집단들은 질문을 하기 시작한다. 호두를 장악할 현실적인 계획을 찾는 동안 몇 시간이 지나고, 점심시간이 시작되었다가 끝난다. 비티는 컴퓨터 시스템 일부를 중단시킬 수 있을 거라 예측했고, 내부에 첩자를 몇 명 침투시키자는 토의가 진행되기는 하지만, 정말로 혁신적인 생각을 해내는 사람은 없다. 오후가 깊어감에 따라 대화는 이미 여러 번 시도했던 전략인 입구 기습으로 자꾸 돌아가게 된다. 이제까지 그런 작전의 여러 가지 변형판들이 정말 많이 실패했고, 병사들도 너무 많이 희생되었기 때문에 라임의 좌절감이 점점 쌓여가는 것을 볼 수 있다. 마침내 라임은 참지 못하고 이렇게 외친다.

"다음으로 입구를 공략하자는 의견을 낼 사람은 좋은 방법을 생각해 내는 게 좋을 거예요. 그 사람이 작전을 지휘하게 될 테니까!"

몇 시간 이상 테이블에만 앉아 있지 못하는 게일은 돌아다니다가 나와 함께 창틀에 앉아 있다가 한다. 입구는 공략할 수 없다는 라임의 판단에 일찍이 동의한 듯 대화에서 완전히 빠져 버렸다. 그는 최근 한 시간 정도는 집중하느라 눈썹을 찌푸린 채 조용히 앉아 창밖의 호두를 바라보고 있었다. 라임의 최후통첩 이후 찾아온 침묵 속에서 게일이 크게 말한다.

"우리가 정말 꼭 호두를 장악해야 하나요? 아니면 무력화하는 것만으로 충분한가요?"

"그렇게만 되어도 진전이라 할 수 있겠지. 무슨 생각을 하고 있니?"

비티가 묻는다.

"저기가 들개굴이라고 생각해 보자고요."

게일이 그렇게 말하고서 곧바로 이어 설명한다.

"저 안으로 쳐들어가지 않는다고 하면 두 가지 선택이 남죠. 개들을 가둬 버리거나, 밖으로 나오도록 몰거나."

"입구를 폭격하는 건 시도해 봤어. 돌 동굴 안쪽 너무 깊은 곳에 위치하고 있어서 피해를 입힐 수 없었지."

라임이 말한다.

"그 생각을 하던 게 아니에요. 산을 이용할 생각을 하고 있었죠."

게일이 말한다. 비티가 일어나 창가에 선 게일 옆으로 오더니 잘 맞지 않는 안경을 통해 노려본다.

"보이세요? 산비탈을 따라서요."

"산사태 자국이구나. 까다롭겠는데. 굉장히 주의 깊게 연달아 폭파해야 할 테고, 일단 시작하고 나면 통제하기 힘들 거야."

비티가 숨을 죽이며 말한다.

"호두를 장악한다는 생각을 버리면 통제할 필요 없어요. 닫아버리기만 하면 되죠."

게일이 대답한다.

"그러면 산사태를 일으켜서 입구를 막아 버리자는 거니?"

라임이 묻는다.

"그렇죠. 적들을 안에 가둬 버리고, 보급을 끊는 거예요. 호버크래프트를 내보낼 수도 없게 만들고요."

게일이 말한다. 모두가 이 계획을 고려해 보는 동안, 복스가 호두의 청사진들을 훑어보고는 얼굴을 찌푸린다.

"자칫하다간 안에 있는 사람들이 다 죽게 돼. 환기 시스템을 봐. 좋게 말해야 기초적인 시설 정도인걸. 13번 구역 것과는 비교가 안 돼. 산비탈에서 들어오는 공기에 전적으로 의존하고 있거든. 이 환기구를 막으면 안에 있는 사람은 누구든 다 질식사하게 돼."

"광장으로 통하는 기차 터널로 탈출할 수 있잖아요."

비티가 말한다.

"우리가 거기도 폭파시키면 탈출 못하죠."

게일이 퉁명스럽게 말한다. 그의 의도……, 그의 의도의 전말이 명확해진다. 게일은 호두 안에 있는 사람들의 목숨을 지키는 데는 관심이 없다. 나중에 사용하기 위해 사냥감을 생포하는 데에는 관심이 없다.

이 덫은 걸리면 죽게 되는 덫이다.

15

게일의 제안이 암시하는 바가 회의실 전체에 조용히 전달된다. 사람들의 얼굴에 떠오르는 반응을 볼 수 있다. 표정들은 기쁨부터 고통까지, 슬픔부터 만족까지 다양하다.

"거기서 일하는 사람들 대부분은 2번 구역 주민들이야."

비티가 중립적으로 말한다.

"그래서요? 우린 그 사람들을 다시는 믿을 수 없을 거예요."

게일이 대꾸한다.

"최소한 항복할 기회는 줘야지."

라임이 말한다.

"흠, 캐피톨이 12번 구역에 화염 폭탄을 쏟아부었을 때 우리에게 그런 사치는 없었지만, 여기 있는 당신들은 캐피톨과 훨씬 다정한 사이니까요."

게일이 말한다. 라임의 얼굴의 표정을 보니 게일을 쏴 버리거나, 최소한 주먹으로 한 방 먹일 것 같다. 그간 받아 온 거친 훈련을 생각하면 아마 게일보다 더 셀 것이다. 하지만 그녀의 분노는 게일을 더욱 화나게 할 뿐이고, 게일은 외친다.

"우리는 아이들이 불타 죽어가는 걸 보면서도 아무것도 할 수 없었다고요!"

내 안을 갈가리 찢는 이미지 때문에 잠시 눈을 감을 수밖에 없다. 게일이 의도했던 효과가 나타난다. 저 산 안에 있는 사람들이 다 죽었으면 좋겠다. 그렇게 말하기 직전이다. 하지만…… 나는 또한 12번 구역 출신 여자아이이기도 하다. 스노우 대통령이 아니다. 어쩔 수 없다. 나는 게일이 제안하고 있는 그런 죽음으로 누군가를 벌할 수 없다.

"게일."

나는 게일의 팔을 잡으며 이성적인 목소리로 이야기하려 한다.

"호두는 예전엔 광산이었어. 그건 대형 탄광 사고를 일으키는 것과 같은 거야."

이 말은 12번 구역 출신이라면 누구나 다시 한 번 생각해 보게 만들 말일 것이다.

"하지만 우리 아버지들을 죽인 사고만큼 빨리 끝나진 않겠지."

게일이 그렇게 대꾸하고서 모두를 향해 묻는다.

"다들 그걸 걱정하는 거예요? 우리 적들이 순식간에 산산조각 나는 대신, 몇 시간 정도 자신들이 죽어가고 있다고 생각할 시간이 있을까 봐?"

옛날 우리가 12번 구역 바깥에서 사냥하는 어린애 두 명에 불과하던 시절, 게일은 이런 말만이 아니라 더한 말도 하곤 했다. 하지만 그때는 그저 말뿐이었다. 반면 여기서 실행에 옮기게 되면 그 말들은 절대 되돌릴 수 없는 일이 된다.

"저기 있는 2번 구역 사람들이 어쩌다 호두에서 일하게 됐는지 넌 모르잖아. 강제로 끌려갔는지도 몰라. 자기 의지와 반해서 가게 됐는지도 모른다고. 우리 첩자도 있어. 그 사람들도 죽일 거니?"

내가 말한다.

"응, 나머지를 제거하기 위해서라면 몇 명은 희생할 용의가 있어. 그리고 만약 내가 저 안에 있는 첩자였다면 난 이렇게 말하겠어. '산사태를 일으켜!' 라고."

게일이 대답한다.

게일이 진실을 말하고 있다는 것을 알고 있다. 게일이라면 대의를 위해 자신의 목숨을 희생할 것이다. 아무도 그걸 의심하지 않는다. 아마 우리 모두는, 자신이 첩자이고 선택을 할 수 있다면 같은 것을 선택할지도 모른다. 하지만 다른 사람을 대신해서 결정하기에는 그들에게, 그리고 그들을 사랑하는 사람들에게 있어 너무 냉혹한 처사다.

"우리에겐 두 가지의 선택이 있다고 했지. 가둬 버리거나, 밖으로 몰거나. 산사태를 일으키지만 기차 터널은 그냥 두는 것이 어떨까. 사람들은 광장으로 탈출할 수 있겠지. 우리가 기다리고 있는 곳으로."

비티가 게일에게 말한다.

"중무장을 하고 기다리고 있길 바라요. 그들은 분명 그러고 올 테니까."

게일이 말한다.

"중무장을 해야지. 그들을 포로로 잡을 거다."

복스가 동의한다.

"이제 13번 구역도 회의에 참가시키죠. 코인 대통령도 끼워 보자고요."

비티가 제안한다.

"코인은 터널도 막고 싶어 할 거예요."

게일이 확언한다.

"그래, 아마 그렇겠지. 하지만 피타가 프로포에서 한 말에도 일리가 있었어. 우리 전체가 절멸하게 될 위험 말이야. 그동안 계산을 좀 해 봤다. 사상자와 부상자 수를 고려해 보니…… 적어도 대화를 나눠 볼 가치는 있을 것 같아."

비티가 말한다.

그 대화에 참석할 수 있도록 초대된 사람은 몇 명뿐이다. 나와 게일은 나머지 사람들과 함께 내보내진다. 게일이 화를 좀 풀 수 있도록 사냥에 데리고 가지만, 게일은 말이 없다. 아마 자기 말을 반박한 것 때문에 나한테 너무 화가 났나 보다.

13번 구역에 연락이 닿고, 결정이 내려졌다. 저녁 무렵엔 나는 모킹제이 의상을 입고, 한쪽 어깨에 활을 멘 채 13번 구역의 헤이미치와 연결되는 이어폰을 한쪽 귀에 끼고 있다. 혹시나 괜찮은 프로포를 건질 수 있는 기회가 생길 것을 대비해서다. 우리는 목표물이 훤히 보이는 법원 건물 옥상에 올라와 있다.

우리 비행기들은 과거에는 꿀단지 주위를 웅웅 날아다니는 파리들보다 더 큰 문제를 일으킨 적이 없었기 때문에, 호두 사령부는 처음에는 무시해 버린다. 하지만 산비탈 높은 곳에 두 번에 걸쳐 폭격을 하고 나자 그들의 주의를 끌게 된다. 캐피톨의 대공 무기가 불을 뿜기 시작할 무렵에는 이미 늦어 버린 뒤다.

게일의 계획은 그 누구의 예상도 뛰어넘었다. 산사태가 일단 시작되고 나면 통제할 수 없을 거라던 비티의 말은 옳았다. 산비탈은 본래 불안정하지만, 폭발 때문에 약해지고 나자 거의 액체로 된 것처럼 보인다. 호두의 한쪽 면이 우리 눈앞에서 통째로 내려앉고, 인간이 그곳에 한 번이라도 발을 디뎠던 흔적은 모조리 사라진다. 돌의 물결이 산을 따라 천둥치며 쏟아져 내리는 앞에 우리는 말문이 막힌 채, 티끌처럼 사소한 존재가 되어 서 있는다. 수 톤의 바위가 입구를 파묻는다. 먼지와 잔해가 구름처럼 피어올라 하늘을 검게 뒤덮는다. 호두를 무덤으로 바꿔 놓는다.

나는 산 속의 지옥을 상상해 본다. 사이렌이 울어 대고, 불빛이 깜빡이다 깜깜해진다. 돌먼지 때문에 공기는 숨이 막혀오고, 공포에 질린 갇힌 사람들의 비명이 나갈 곳을 찾아 미친 듯 울려 퍼진다. 입구와 발사대, 그리고 환기구 그 자체를 통해 흙과 바위가 밀려들어온다. 전기가 흐르는 전선이 휘두르듯 날아다니고, 화재가 일어나고, 익숙했던 길에 잔해가 쏟아져 미로가 되어 버린다. 언덕이 밀어닥치며 그들의 연약한 보호막을 부숴 버리겠다고 위협하는 와중에 서로 부딪히고 밀고 개미처럼 허둥대는 사람들.

"캣니스?"

이어폰에서 헤이미치의 목소리가 들린다. 대답하려는데, 보니 내 양손이 입을 단단히 막고 있다.

"캣니스!"

아빠가 돌아가시던 날, 학교 점심시간 중에 사이렌이 울리기 시작했다. 가도 좋다는 허락을 기다린 사람도, 누군가가 허락을 기다릴 거라고 생각한 사람도 없었다. 탄광 사고에 대한 반응은 캐피톨의 통제조차 벗어나는 사건이다. 나는 프림의 교실로 달려갔다. 지금도 기억한다. 일곱 살의 작은 프림은 몹시도 창백한 얼굴로, 그래도 양손을 책상 위에 얹은 채 꼿꼿이 앉아 있었다. 만약 혹시라도 사이렌 소리가 울릴 경우 기다리고 있으면 내가 데리러 가겠다고 약속했었기 때문이다. 프림은 자리에서 튕기듯 일어나 내 코트 소매를 잡았고, 우리는 물줄기처럼 거리로 쏟아져 나와 탄광 정문에 물웅덩이처럼 모인 사람들을 뚫고 갔다. 그러다 군중들이 들어오지 못하게 하려고 서둘러 묶어 둔 밧줄을 꼭 쥐고 계신 엄마를 발견했다.

지금 돌아보니 그 순간 나는 이미 뭔가 잘못되었다는 것을 알고 있었나 보다. 만약 그렇지 않았다면 왜 엄마를 찾았겠는가?

엘리베이터들은 매달린 케이블을 태워 버릴 기세로 끽끽거리며 오르내려 연기에 검게 그을린 광부들을 밝은 햇살 속으로 토해 냈다. 한 그룹이 도착할 때마다 안도의 울음이 터져 나왔고, 피붙이들은 밧줄 밑으로 달려가 그들의 남편과 아내들, 아이들, 부모들, 형제들을 데리고 나왔다. 오후 하늘에 구름이 덮이고, 가벼운 눈이 흙바닥으로 떨어지는 동안 우리는 얼어붙을 듯한 공기 속에 서 있었다. 엘리베이터의 움직임은 느려졌고, 쏟아내는 사람의 수도 줄었다. 나는 땅에 무릎을 꿇고 재 속에 양손을 밀어 넣으며, 너무도 간절히 아빠를 꺼내고 싶어 했다. 땅 속에 갇힌 사랑하는 사람에게 가 닿고 싶은 것보다 더 무력한 감정이 있다면 그게 무엇인지 나는 알지 못한다. 부상자들. 시체들. 밤새도록 계속되는 기다림. 낯선 사람들이 어깨에 둘러 주던 담요. 따뜻한 무엇인가가 담긴 컵을 받아들지만 마시지는 않는다. 그리고 마침내 새벽녘에 탄광 대장의 얼굴에 떠오르는, 단한 가지 의미밖에는 가질 수 없는 비통한 표정.

'우리가 방금 뭘 한 거지?'

"캣니스! 듣고 있냐?"

헤이미치는 지금 이 순간 내게 머리 차꼬를 씌울 생각을 하고 있을지도 모른다.

나는 양손을 내린다.

"네."

"안으로 들어가. 캐피톨이 남은 공군을 동원해 보복하려 할 경우를 대비해서."

그가 지시한다.

"네."

기관총을 담당하는 군인들을 제외하고 옥상에 있던 모든 사람이 안으로 들어가기 시작한다. 계단을 내려가며, 흠 하나 없는 흰 대리석 벽을 손가락으로 쓸어 보지 않을 수가 없다. 너무나 차갑고 아름답다. 심지어 캐피톨에서도 이 낡은 건물의 장려함에 비길 것은 없었다. 하지만 표면을 눌러 봐도 들어가지 않는다. 내 살만 납작해질 뿐, 온기를 빼앗길 뿐. 돌은 언제나 인간을 정복한다.

커다란 입구에 있는 거대한 기둥 중 하나의 밑에 앉는다. 문들을 통해 흰 대리석으로 된 넓은 공간과 거기에 이어진 광장으로 가는 계단이 보인다. 피타와 내가 저기 서서 헝거 게임에 대한 축하 인사를 받던 날 내가 얼마나 토할 것 같았는지 기억한다. 우승자 투어에 지쳤고, 구역들을 진정시키려는 시도는 실패했고, 클로브와 카토의 기억을 떠올려야 했다. 특히 머테이션들에 잡혀 소름끼치고 느리게 죽어 갔던 카토를.

복스가 내 옆에 쭈그리고 앉는다. 그늘 속에서 보이는 그의 피부는 창백하다.

"우리가 기차 터널은 폭격하지 않았잖니. 분명 빠져나오는 사람들이 있을 거야."

"그리고 우린 그 사람들이 얼굴을 드러내면 총으로 쏠 거고요?"

내가 묻는다.

"꼭 그래야 할 경우에만."

그가 대답한다.

"우리가 직접 기차를 보낼 수도 있잖아요. 부상자를 빼내는 걸 도와줘요."

"안 돼. 선로 전체를 그들 손에 맡기기로 결정했어. 그렇게 하면 모든 선로를 다 써서 사람들을 빼낼 수 있잖아. 게다가 광장에 우리 병력을 배치할 시간도 벌 수 있어."

복스가 말한다.

몇 시간 전에는 광장은 임자가 없는, 반군과 평화유지군 사이의 최전선인 완충지대였다. 코인이 게일의 계획을 승인하자, 반군은 열띤 공격을 통해 캐피톨 군을 몇 블록 뒤로 물러나게 했다. 호두를 쓰러뜨렸을 경우 기차역을 우리가 통제할 수 있게 하기 위해서였다. 자, 이제 호두는 쓰러졌다. 그것이 현실로 다가왔다. 생존자가 있다면 전부 광장으로 탈출할 것이다. 다시 총성이 들려온다. 평화유지군들이 동지들을 구하러 쳐들어오고 있는 게 분명하다. 우리 편 군인들이 이를 막기 위해 호출되고 있다.

"몸이 차구나. 담요를 찾을 수 있나 가 봐야겠다."

복스가 그렇게 말하고는 내가 반대할 틈도 없이 가 버린다. 대리석이 계속 내 체온을 빼앗아 가고 있긴 하지만 나는 담요를 원하지 않는다.

"캣니스."

헤이미치가 내 귓속에서 말한다.

"여기 있어요."

내가 대답한다.

"오늘 오후에 피타에 관해 흥미로운 일이 있었다. 네가 알고 싶어 할 것 같아서."

'흥미롭다'니 좋지 않다. '흥미롭다'는 '나아졌다'와는 다르니까. 하지만 나로선 듣는 수밖에 다른 선택의 여지가 없다.

"네가 〈매다는 나무〉를 부르는 영상을 보여 줬어. 그 영상은 방송된 적이 없기 때문에, 캐피톨에서 피타를 하이잭할 때 이용할 수가 없었지. 피타는 그 노래가 뭔지 알겠다고 하더군."

잠시 심장이 멎는 듯했다가, 그저 추적말벌 독에 의한 혼란일 뿐이리란 걸 깨닫는다.

"알 리가 없어요, 헤이미치. 피타는 제가 그 노래 부르는 걸 들은 적이 한 번도 없다고요."

"너 말고 네 아버지. 너희 아버지가 어느 날 빵집에 물물교환을 하러 오셨는데 그때 그 노래를 부르시는 걸 들었다더라. 피타는 아직 어렸지. 아마 예닐곱 살 때였겠지만, 그래도 새들이 하던 노래를 멈출지 궁금해서 귀를 기울였기 때문에 기억이 난다더군. 아마 정말 멈췄던가 보다."

헤이미치가 말한다.

예닐곱 살. 엄마가 그 노래를 금지시키시기 전일 것이다. 어쩌면 내가 그 노래를 처음 배웠던 무렵일 수도 있다.

"저도 거기 있었대요?"

"아닐걸. 어쨌든 너에 대한 언급은 없었다. 하지만 너와 연관된 것 중 미쳐 버리는 결과를 낳지 않은 최초의 기억이야. 그건 적어도 의미가 있는 일이다, 캣니스."

헤이미치가 말한다.

우리 아빠. 오늘은 어디를 가나 아빠가 계신 것 같다. 탄광에서 돌아가시는 아빠. 혼란스러운 피타의 의식을 향해 노래를 불러주시는 아빠. 나를 보호하듯 어깨에 담요를 둘러 주는 복스의 눈빛 속에 깜빡이는 아빠. 아빠가 너무 그리워 가슴이 아프다.

바깥에서는 총성이 정말로 요란해지고 있다. 게일이 반군 한 무리를 이끌고 열정적으로 전투 현장을 향해 뛰어간다. 그들이 허락해 주지도 않았겠지만, 나는 전사들과 함께 가게 해 달라고 부탁하지 않았다. 사실 그럴 힘도 없다. 내 피는 차갑게 식어 있었다. 피타(옛날의 피타 말이다)가 여기 있었으면 좋겠다. 피타라면 사람들(그들이 어떤 사람들이건 간에)이 저 산 밖으로 기어 나오려고 애쓰고 있는데 총격을 주고받는 게 얼마나 잘못된 일인지 분명히 설명할 수 있을 테니까. 아니면 내 개인사 때문에 지나치게 민감해진 것일까? 우리는 지금 전쟁 중이 아니던가? 이것 역시 우리 적을 죽이는 방법 중 하나일 뿐 아닌가?

금세 밤이 된다. 밝고 거대한 스포트라이트 여러 개가 켜져 광장을 비춘다. 기차역 안의 모든 전구도 최대한의 밝기로 타오르고 있음이 분명하다. 광장을 가로질러 맞은편에 있는데도 나는 길고 좁은 건물 앞의 판유리를 통해 그 안을 볼 수 있다. 기차가 도착한다면, 심지어 단 한 명이 나타난다고 해도 놓치기란 불가능할 것이다. 하지만 여러 시간이 지나도 아무도 오지 않는다. 매 분이 지날 때마다 호두의 공격에서 살아남은 사람이 하나라도 있을 거라고 믿기가 점점 어려워진다.

자정이 훨씬 넘었을 때 크레시다가 와서 내 의상에 특수 마이크를 단다.

"이건 왜요?"

내가 묻는다.

헤이미치의 목소리가 나타나 설명한다.

"좋아하지 않으리란 건 알지만, 넌 연설을 해야 할 필요가 있다."

"연설요?"

곧바로 불안한 기분이 든다.

"내가 불러주마, 한 줄 한 줄."

헤이미치가 안심시킨다.

"내가 하는 말을 그대로 따라 하기만 하면 돼. 봐, 저 산에서 누군가 살아 있다는 신호는 나오지 않고 있다. 우리가 이겼지만 싸움은 계속되고 있어. 우리는 만약 네가 법원 건물 계단으로 내려가서 '호두는 패배했고, 2번 구역 내의 캐피톨의 존재는 끝났다.'고 모두에게 이야기한다면 그들의 잔여 병력을 항복시킬 수도 있을 거라고 생각했다."

나는 광장 너머의 어둠을 들여다본다.

"저한테는 저쪽 군인들이 보이지도 않아요."

"그래서 마이크가 있는 거다. 네 말을 방송할 계획이다. 네 목소리를 긴급 오디오 시스템으로 내보내고, 사람들이 스크린을 볼 수 있는 곳이라면 전부 다 네 영상을 띄울 거다."

이곳 광장에 대형 스크린이 두 개 있다는 것은 알고 있다. 우승자 투어 때 보았다. 내가 이런 일에 소질이 있었다면 효과가 있을지도 모른다. 하지만 소질이 없다. 프로포 제작 초기 단계에서도 내게 대사를 주고 촬영하는 실험을 해 봤지만 실패였다.

"네가 많은 사람의 생명을 구할 수도 있다, 캣니스."

마침내 헤이미치가 말한다.

"알았어요. 해볼게요."

의상을 제대로 갖춰 입고 계단 위에 서서 밝은 조명을 받고 있는데도 내 연설을 들을 청중은 한 명도 보이지 않으니 묘하다. 마치 달에서 쇼를 하는 것 같다.

"서두르자. 너 지금 너무 노출돼 있다."

헤이미치가 말한다.

특수 카메라를 들고 광장에서 자세를 취한 촬영 팀이 준비되었다는 신호를 한다. 나는 헤이미치에게 시작하라고 하고, 마이크를 켜고 그가 내 연설의 첫 문장을 불러주기를 조심스레 기다린다. 내가 연설을 시작하자 광장의 스크린 중 하나에 나의 거대한 이미지가 떠오른다.

"2번 구역 여러분, 저는 여러분의 법원 건물 계단 위에서 말씀드리고 있는 캣니스 에버딘입니다. 여기는……."

기차 두 대가 끽 소리를 내며 나란히 역으로 들어온다. 슬라이드 문이 열리면서 호두에서 기차 속에 찼던 연기가 구름처럼 피어나고, 사람들이 쏟아져 나온다. 사람들은 상황을 회피하려는 것처럼 보인다. 광장에서 무엇이 기다리고 있을지 적어도 짐작은 하고 있었던 것이 분명하다. 대부분은 바닥에 엎드리고, 역 안에서 총을 마구 쏴 전구를 깬다. 그들은 게일의 예상처럼 무장하고 왔지만, 동시에 다친 상태이기도 하다. 다른 소리 없이

고요한 밤이라 신음소리를 들을 수 있다.

누군가 계단 위의 조명을 꺼서, 나를 그림자 속에 숨겨 보호한다. 역 안에서 불꽃이 피어오르고 짙고 검은 연기가 유리창에 퍼졌다. 다른 선택이 없어진 사람들은 광장으로 몰려나온다. 질식할 지경이지만 도전적으로 총을 휘두르고 있다. 내 눈은 광장을 둘러싼 건물들의 옥상을 훑는다. 모든 건물의 옥상에 반군의 기관총 기지가 있다. 기름칠한 총열이 달빛에 반짝인다.

젊은 남자 하나가 역에서 비틀거리며 걸어 나온다. 한 손으로는 피투성이 천을 뺨에 대고 누르고 있고, 다른 손으로는 총을 끌고 있다. 그가 발이 걸려 넘어져 땅에 얼굴을 부딪혔을 때 셔츠 뒷자락 아래에 살이 빨갛게 된 화상 자국이 보였다. 갑자기 남자는 그저 탄광 사고에서 화상을 입은 피해자 한 명에 불과하게 된다.

발이 계단을 날 듯이 내려가고, 나는 그를 향해 달려간다.

"멈춰요!"

나는 반군들에게 외친다.

"쏘지 말아요!"

내 말이 광장 안에 메아리치고, 마이크를 거쳐 증폭되어 더 먼 곳까지 울린다.

"멈춰요!"

젊은 남자에게 다가가 도와주려고 아래로 팔을 내미는데, 그가 무릎을 땅에 대고 몸을 일으켜 총을 내 머리에 겨눈다.

나는 본능적으로 몇 발짝 물러서고, 해를 입히려는 의도가 없었다는 것을 보여주려고 활을 머리 위로 올린다. 무언가(아마 떨어지는 돌멩이였을 것이다)가 그의 뺨에 너덜너덜한 구멍을 뚫은 것을 보게 된다. 그에게서는 머리카락과 살, 연료가 타는 냄새가 난다. 눈은 고통과 공포 때문에 제

정신이 아니다.

"꼼짝하지 마라."

헤이미치의 목소리가 귓속에서 속삭인다. 나는 그의 명령을 따르며 2번 구역 전체, 아마 판엠 전체가 지금 이 장면을 보고 있을 것임을 깨닫는다. 아무것도 잃을 것이 없는 사람 앞에 속수무책인 모킹제이.

그의 잘 알아들을 수 없는 말은 간신히 이해할 수 있을 정도다.

"내가 널 쏘면 안 되는 이유를 하나만 대 봐."

세상의 다른 모든 것들은 뒤로 물러난다. 존재하는 것은 내게 한 가지 이유를 대라고 주문하는, 호두에서 온 남자의 비참한 눈을 들여다보는 나뿐이다. 당연히 나는 수천 가지 이유를 댈 수 있어야 한다. 하지만 내 입술까지 와 닿는 말은 이것이다.

"못 대겠어요."

논리적으로라면 다음에 일어나야 할 일은 그 남자가 방아쇠를 당기는 일이다. 하지만 그는 당황하며 내 말을 이해해 보려 애쓰고 있다. 내가 한 말이 전적으로 진실이라는 것을 깨달으며 나 역시 혼란을 경험하고, 나를 이 광장을 가로질러 오게 만들었던 고귀한 충동이 차지했던 자리에 절망이 대신 들어선다.

"못 대겠어요. 그게 문제네요. 안 그래요?"

나는 활을 내린다.

"우린 당신들의 갱도를 폭파시켰어요. 당신들은 내 구역을 태워 없애 버렸고요. 우리에겐 서로를 죽일 만한 이유가 있어요. 그러니까 죽이세요. 캐피톨을 즐겁게 만들라고요. 난 캐피톨을 위해서 그들의 노예를 죽여 주는 일은 그만할래요."

나는 활을 땅에 떨어뜨리고 부츠로 툭 민다. 활은 돌바닥 위를 미끄러져 그의 무릎 앞에 멈춰선다.

"난 그들의 노예가 아니야."

그 남자가 웅얼거린다.

"나는 노예예요. 그래서 나는 카토를 죽였고…… 카토는 스레쉬를 죽였고…… 스레쉬는 클로브를 죽였고…… 클로브는 나를 죽이려 했죠. 이렇게 계속해서 이어지는데, 이기는 사람은 누구죠? 우리가 아니에요. 구역들이 아니라고요. 언제나 캐피톨이에요. 하지만 난 그들의 헝거 게임의 한 부분이 되는 것에 진력이 났어요."

내가 말한다.

피타. 우리의 첫 번째 헝거 게임 전날 밤 옥상에서 그렇게 말했지. 피타는 우리가 경기장에 발을 들여놓기도 전에 이미 다 이해하고 있었다. 피타가 지금 시청하고 있었으면 좋겠다. 그날 밤에 있었던 일을 기억해 냈으면 좋겠다. 그러면 내가 죽을 때 날 용서해 줄지도 몰라.

"계속 얘기해. 산이 무너지는 걸 봤던 이야기를 해라."

헤이미치가 요구한다.

"오늘 밤에 저 산이 무너져 내리는 걸 봤을 때, 어떤 생각을 했느냐면…… 그들이 또 한 번 해냈구나. 나로 하여금 당신들을 죽이게 만들었구나……, 구역 사람들을요. 하지만 내가 왜 그랬을까요? 12번 구역과 2번 구역 사이에 싸움 같은 건 없어요. 캐피톨이 우리에게 준 싸움 말고는."

젊은 남자는 이해가 되지 않는다는 듯 나를 보며 눈을 껌벅인다.

"그리고 당신은 왜 옥상에 있는 반군들과 싸우는 거죠? 당신 구역의 우승자였던 라임과 왜 싸우고 있어요? 당신의 이웃이었던 사람들, 어쩌면 심지어 가족인 사람들과?"

"난 몰라."

남자가 말한다. 하지만 내게 겨눈 총을 치우지는 않는다.

나는 일어나 천천히 한 바퀴 돌며 기관총들을 가리킨다.

"그 위에 있는 당신들은요? 저는 탄광 지역 출신이에요. 언제부터 광부들이 다른 광부들에게 그런 죽음을 내리고, 폐허에서 간신히 기어 나오는 사람들을 죽이려고 대기하고 있게 됐죠?"

"적이 누구지?"

헤이미치가 속삭인다.

"이 사람들은……."

나는 광장의 부상자들의 몸을 가리키고서 다시 말을 잇는다.

"당신의 적이 아니에요!"

나는 휙 돌아 역 쪽으로 간다.

"반군은 당신들의 적이 아니에요! 우리에겐 공통의 적이 하나 있고, 그 적은 바로 캐피톨이에요! 이번이 바로 그들의 권력을 끝장낼 기회지만, 그렇게 하려면 구역의 모든 사람들이 다 필요해요!"

나는 그 남자와 부상자들, 머뭇거리고 있는 판엠 전역의 사람들에게 손을 뻗치고, 카메라들은 나를 놓치지 않는다.

"제발! 우리와 함께해요!"

내 말이 울려 퍼지고, 나는 관중들 속에서 화해의 물결이 번지는 것을 보기를 기대하며 스크린을 올려다본다.

그 대신 나는 내가 총을 맞는 모습을 본다.

16

"언제나."

모플링이 만들어 낸 어스름 속에서 피타가 저 단어를 속삭이고 나는 피

234

타를 찾으러 간다. 하늘거리고, 보랏빛이 감돌고, 딱딱한 모서리가 없으며 숨을 곳은 많은 세상이다. 나는 뭉게구름을 뚫고 가고, 희미한 자취를 따라가며 계피와 딜(허브의 일종: 편집자)의 향을 맡는다. 한번은 피타의 손이 내 뺨에 닿은 것이 느껴져 잡으려 해 보지만, 손가락 사이로 안개처럼 흩어져 버린다.

13번 구역의 살균 병실에서 의식을 되찾자 기억이 난다. 나는 그때 수면제 시럽에 취해 있었다. 전기 울타리 위의 나뭇가지에 기어올라서 12번 구역으로 돌아오려다 떨어져 발목을 다쳤을 때였다. 피타가 날 침대에 눕혀 주었고, 나는 의식을 잃으며 피타에게 같이 있어 달라고 했다. 그때 피타가 속삭였던 말을 나는 알아듣지 못했다. 하지만 내 뇌의 일부분은 피타가 대답해 주었던 그 한 단어를 가두어 두었다가, 지금 꿈속을 헤집고 다니며 나를 비웃게 만들었다.

"언제나."

모플링은 모든 감정의 극단적인 부분을 둔하게 만들기 때문에, 찌르는 듯한 슬픔 대신 그저 공허함을 느낄 뿐이다. 꽃들이 피어나던 덤불이 죽은 채 텅 비어 있다. 불행히 내 핏속에는 몸 왼쪽에서 느껴지는 고통을 무시할 만큼의 약이 남아 있지 않다. 총에 맞은 곳이다. 나는 갈비뼈를 둘러싼 두꺼운 붕대를 손으로 더듬으며 왜 아직 살아 있는지 의아해 한다.

광장에서 내 앞에 무릎 꿇고 있던, 호두에서 화상을 입은 남자가 아니었다. 그는 방아쇠를 당기지 않았다. 멀리 관중 속에 있던 사람이었다. 꿰뚫는다는 느낌보다는 큰 망치로 얻어맞은 것 같은 느낌이었다. 그 충격의 순간 이후의 모든 것은 총성이 난무하는 혼란뿐이다. 일어나 앉아 보려 하지만, 내가 지금 할 수 있는 것은 신음하는 정도가 고작이다.

내 옆 환자와 내 침대 사이를 가리고 있는 흰 커튼이 젖혀지고, 조한나 메이슨이 나를 빤히 내려다본다. 그녀는 경기장에서 나를 공격했기 때문에 처음에는 위협당하는 기분이다. 그녀가 그랬던 것은 내 목숨을 구하기 위해서라는 것을 스스로에게 상기시켜 주어야 했다. 반군의 계획의 일부였다. 하지만 그렇다고 그녀가 나를 경멸하지 않는다는 뜻은 아니다. 혹시 나를 대했던 태도 전부가 캐피톨을 의식한 연기였을까?

"나 살아 있어요."

나는 쉰 목소리로 말한다.

"웃기시네, 머저리 같은 게."

조한나가 다가오더니 내 침대에 털썩 앉는다. 가슴팍에 날카로운 고통이 몇 줄기 스치고 지나간다. 내가 불편해 하는 것을 보며 조한나가 씩 웃자, 우리가 따스한 재회 장면을 연출할 일은 없을 거라는 걸 알 수 있다.

"아직 좀 아픈가 봐?"

조한나는 익숙한 솜씨로 내 팔에 연결된 모플링 링거를 떼어 자기 팔 안쪽에 꽂힌 주삿바늘에 연결한다.

"며칠 전부터 나한테 주는 배급량을 줄이기 시작했거든. 내가 6번 구역 약쟁이들처럼 될까 봐 걱정된다나. 보는 사람이 없을 때 네 걸 좀 빌려야 했어. 네가 싫어할 거라곤 생각하지 않았지."

싫어해? 조한나는 25주년 특집 이후 스노우에게 의해 죽기 직전까지 고문당했는데 어떻게 싫어할 수가 있겠어? 내겐 싫어할 권리가 없고, 조한나도 그걸 알고 있다.

모플링이 핏속에서 돌기 시작하자 조한나는 한숨을 쉰다.

"그 사람들은 아마 6번 구역에서 뭔가에 중독되어 있었나 봐. 약으로 정신을 마비시키고 몸에 꽃을 그리는 거지. 그리 나쁜 인생은 아니잖아. 어차피 우리들 중에선 그나마 행복해 보이던데."

내가 13번 구역을 떠나 있었던 몇 주 동안 그녀는 체중을 조금 되찾았다. 박박 밀었던 머리에는 부드러운 머리칼이 조금 돋아나, 흉터가 조금은 가려진다. 하지만 내 모플링을 빌려 맞을 정도라면 아직 힘든 것이다.

"머리를 담당하는 의사 하나가 매일 찾아와. 내가 회복되는 걸 도와준다나. 이런 토끼 사육장에서 평생 살아 온 사람이 나를 낫게 해 줄 거라니. 완전 바보야. 진료할 때마다 최소한 스무 번은 내가 이제 완전히 안전하다고 상기시킨다니까."

나는 간신히 미소를 한 번 짓는다. 그건 정말이지 멍청한 말이고, 특히 우승자에게 했다면 더욱 그렇다. 마치 완전히 안전한 상태가 어디서든, 누구에게든 존재한 적이 있기라도 했다는 듯이.

"넌 어때, 모킹제이? 완전히 안전하다고 느껴?"

"아, 네. 총 맞기 직전까지는 그랬죠."

내가 말한다.

"적당히 좀 해라. 그 총알은 너한테 맞지도 않았어. 시나가 손써 뒀지."

내 모킹제이 의상에 보호 갑옷이 여러 겹 있었던 것을 생각한다. 하지만 어디에선가 고통이 느껴진다.

"갈비뼈가 부러졌나?"

"그러지조차 않았어. 멍은 꽤 심하게 들었지. 또 총을 맞은 충격에 비장이 파열됐대. 그건 못 고친다고 하더라. 걱정 마, 비장은 없어도 살 수 있으니까. 그리고 필요하다면 널 위해 어디서든 구해다 주지 않겠어? 너를 살려 놓는 게 모두의 임무니까."

그녀는 그렇게 말하며 무시하듯 손을 흔들어 보인다.

"그래서 날 미워하는 건가요?"

내가 묻는다.

"어느 정도는."

그녀가 인정한다.

"질투도 분명 관련이 있어. 또 난 너를 받아들이기가 좀 힘들더라고. 조잡한 로맨틱 드라마에, 무력한 사람들의 수호자 연기에. 그런데 그게 연기가 아니라서 더 참기가 힘들어. 얼마든지 고깝게 생각해도 좋아."

"당신이 모킹제이가 되었어야 했어요. 누가 대사를 불러주지 않아도 할 수 있었을 텐데."

"맞는 말이야. 하지만 아무도 날 안 좋아해."

"하지만 당신을 믿었잖아요. 나를 꺼내는 역할을 맡았잖아요. 그리고 당신을 무서워하죠."

내가 일깨워 준다.

"여기선 그럴지도 모르지. 캐피톨에서 지금 무서워하는 사람은 너야."

게일이 문간에 나타나고, 조한나는 모플링 링거를 깔끔하게 뽑더니 다시 나에게 연결해 준다.

"네 사촌은 날 무서워하지 않아."

그녀는 자신 있게 말한다. 그러곤 침대에서 휙 일어나 문 쪽으로 가면서, 게일 옆을 지나치는 순간 그의 다리를 자기 엉덩이로 쿡 찌른다.

"안 그래, 미남?"

복도를 따라 사라지는 조한나의 웃음소리가 계속 들려온다.

내 손을 잡는 게일을 향해 눈썹을 치켜 올려 보인다. 게일은 입 모양으로 말했다.

"겁나서 죽을 뻔했어."

나는 웃었지만, 이내 움찔하게 된다.

"살살."

고통이 사라지는 동안 게일이 얼굴을 쓰다듬어 준다.

"너 말썽 한가운데 뛰어드는 것 좀 그만해야겠어."

"나도 알아. 하지만 누가 산을 폭파시켜서 말이야."

내가 대답한다.

몸을 뒤로 빼는 대신 게일은 더 가까이 다가와서 내 얼굴을 살핀다.

"넌 내가 비정하다고 생각하는구나."

"비정하지 않다는 건 알아. 하지만 괜찮다고 말해 주진 않을 거야."

그러자 게일은 거의 짜증스럽다는 듯 몸을 뒤로 뺀다.

"캣니스, 적들을 갱도 속에서 깔려죽게 만드는 거랑 비티가 만든 화살로 하늘에서 폭파시키는 거랑 다를 게 뭐가 있어? 결과는 똑같잖아."

"모르겠어. 일단 우린, 8번 구역에서는 공격받고 있었잖아. 병원이 공격받고 있었다고."

"그래. 그런데 그 호버크래프트들은 2번 구역에서 온 거였어. 그러니까 그들을 제거함으로써 미래의 공격까지도 방지한 거지."

"하지만 그런 식의 생각은…… 아무 때나, 또 아무나 죽일 수 있는 논리로 만들 수 있잖아. 구역들이 선을 넘는 걸 막기 위해서 아이들을 헝거게임에 보내는 것도 정당화할 수 있어."

"난 그렇게 생각 안 해."

게일이 말한다.

"난 그래. 경기장에 다녀와 봐서 그런가 봐."

내가 대답한다.

"좋아. 우린 다른 의견을 가지고도 어울릴 줄 아니까. 늘 그래 왔잖아. 좋은 건지도 모르지. 우리끼리 얘긴데, 이제 2번 구역도 넘어왔어."

"정말? 내가 총 맞은 이후에 싸움이 있었어?"

한순간 승리했다는 기분이 내 안에서 타오른다. 그러고는 광장에 있던 사람들이 생각난다.

"정확히는 아냐. 호두에서 일하는 사람들이 캐피톨 군인들을 덮쳤어. 반군들은 그냥 앉아서 구경만 했지. 사실 온 나라가 그냥 앉아서 구경했어."

"음, 그 사람들이 제일 잘하는 게 그거지."

주요 장기를 하나 잃으면 몇 주 정도는 누워서 보낼 수 있을 것 같겠지만, 왠지는 몰라도 의사들은 내가 거의 즉시 일어나서 돌아다니기를 원한다. 모플링을 맞는데도 몸 안의 통증이 아주 심하지만 첫 며칠이 지나자 상당히 줄어들었다. 하지만 멍든 갈비뼈의 쓰라림은 한동안 남아 있을 기세다. 내게 주는 모플링을 빼앗는 조한나에게 화가 나기 시작하지만, 그래도 원하는 것은 뭐든 가져가게 내버려 둔다.

내가 죽었다는 소문이 걷잡을 수 없이 퍼져나가서, 병상에 누워 있는 나를 촬영하러 팀을 보냈다. 나는 꿰맨 자국과 인상적인 멍을 자랑하고, 연대를 위해 성공적으로 싸워낸 구역들에게 축하를 전한다. 그리고 캐피톨에게 우리를 곧 보게 될 거라고 경고한다.

재활 치료의 일환으로 매일 지상에서 잠깐씩 산책을 한다. 어느 날 오후 플루타르크가 함께 나와 현재 상황이 어떻게 돌아가는지 소식을 전해 준다. 2번 구역이 우리와 동맹을 맺고 난 지금, 반군은 재정비를 위해 잠시 한숨 돌리고 있는 중이다. 보급로를 강화하고, 부상자들을 돌보고, 병력을 재조직하고 있다. 암흑기의 13번 구역이 그랬던 것처럼, 캐피톨은 현재 적들에게 핵공격을 하겠다고 협박을 하면서 외부와는 일체 단절된 상태이다. 13번 구역과는 달리, 캐피톨은 자급자족이 가능하도록 스스로 변할 수 있는 처지가 아니다.

"아, 캐피톨은 당분간은 버틸 수 있을 거야. 당연히 비상사태에 대비해 비축해 둔 물품이 있지. 하지만 13번 구역과 캐피톨의 중요한 차이점은 대중의 기대치일 거다. 13번 구역은 어려움에 익숙해져 있었던 반면, 캐피톨 사람들이 알았던 거라곤 '판엠 에트 키르켄세스' 뿐이거든."

플루타르크가 말한다.

"그게 뭐예요?"

'판엠'은 물론 알아듣겠지만 나머지는 뜻을 알 수가 없다.

240

"수천 년 전의 속담이란다. 로마라는 곳에 대한, 라틴어라는 언어로 된 속담이지. '판엠 에트 키르켄세스'를 번역하면 '빵과 서커스'라는 뜻이 돼. 이 말을 쓴 사람은 자기네 사람들이 배불리 먹고 유흥을 제공받은 대신에 정치적 책임을 저버렸고, 그래서 힘도 버렸다고 말하고 있는 거지."

플루타르크가 설명해 준다.

나는 캐피톨을 생각해 본다. 넘쳐나는 음식. 그리고 궁극의 유흥. 헝거게임.

"구역들이 있는 이유가 그거군요. 빵과 유흥을 제공하기 위해서."

"그래. 그리고 빵과 유흥이 계속 들어오는 한, 캐피톨은 자기들의 작은 제국을 통제할 수 있는 거지. 지금 당장은 아무것도 제공할 수 없어. 적어도 사람들이 익숙해져 있는 수준만큼은. 우리에겐 음식이 있고, 나는 분명 인기가 있을 만한 흥미로운 프로포를 제작하도록 지휘할 참이야. 어쨌거나 모두들 결혼식이라면 사족을 못 쓰니."

그가 제안하는 생각을 듣자 몸서리가 쳐져서 걷다 말고 우뚝 선다. 피타와 나의 괴상한 결혼식을 연출해 보겠다니. 돌아온 이후 나는 한쪽에서만 볼 수 있는 그 유리창 앞에 다시 설 수 없었고, 내가 직접 그러도록 부탁해서 피타 소식은 헤이미치를 통해서만 듣고 있다. 헤이미치는 피타 이야기를 거의 입에 담지 않는다. 서로 다른 여러 기술을 시도해 보았다. 피타를 진정으로 낫게 할 방법은 절대로 없을 것이다. 그런데 이제 프로포를 위해서 나와 피타를 결혼시킨다고?

플루타르크가 급히 나를 안심시켜 준다.

"아, 아니야, 캣니스. 네 결혼식이 아니야. 피닉과 애니의 결혼식이야. 네가 해야 할 일은 참석해서 기쁜 척해 주는 것뿐이야."

"그건 제가 연기하지 않아도 되는 얼마 안 되는 일 중 하나일 거예요, 플루타르크."

그 뒤 며칠은 행사를 계획하며 온갖 소동이 벌어진다. 캐피톨과 13번 구역의 차이가 선명하게 드러나게 된다. 코인이 '결혼식'이라고 할 때는 두 명이 서류 한 장에 서명하고 새 객실을 배정받는 것을 의미한다. 반면 플루타르크에게는 수백 명이 잘 차려입고 사흘 동안 축하 행사를 벌이는 것을 의미한다. 두 사람이 세부사항을 놓고 실랑이를 벌이는 것을 보고 있노라면 재미있다. 플루타르크는 손님 한 명, 노래 한 곡마다 놓고 싸워야 한다. 코인이 저녁 식사와 유흥, 알코올에 거부권을 행사하자 플루타르크는 소리를 지른다.

"재미 보는 사람이 아무도 없을 거라면 프로포는 왜 만드는 거요!"

게임운영자가 예산 한계를 지키게 하기란 어렵다. 하지만 명절이라는 게 전혀 없는 것 같은 13번 구역에서는 조용한 축하 행사조차 화제가 된다. 4번 구역의 결혼식 축가를 부를 아이들이 필요하다는 발표가 나자, 아이란 아이는 전부 몰려든다. 장식하는 것을 돕겠다는 자원자는 부족할 일이 없다. 사람들은 흥분한 채 식당에서 행사 이야기를 한다.

어쩌면 경축 행사 이상의 일일지도 모른다. 어쩌면 우리 모두가 좋은 일이 일어나기를 너무나 간절히 기다리고 있어서 다들 참여하고 싶은 건지도 모른다. 플루타르크가 신부의 옷을 놓고 난리를 칠 때, 내가 애니를 12번 구역의 우리 집으로 데려가겠다고 자원한 이유도 그것 때문일지 모른다. 우리 집 아래층의 큰 옷장에는 시나가 만든 다양한 야회복들이 있다. 시나가 나를 위해 만들어 주었던 웨딩드레스들은 다 캐피톨로 돌아갔지만, 우승자 투어 때 입었던 드레스들이 있다. 내가 애니에 대해서 아는 거라곤 피닉이 애니를 사랑한다는 것, 모두들 애니가 미쳤다고 생각한다는 것뿐이라 같이 있기가 약간 조심스럽다. 호버크래프트를 타고 가면서 나는 애니가 미친 것보다는 불안정한 것에 가깝다고 결론 내린다. 대화 중 뜬금없이 웃음을 터뜨리거나 다른 것에 정신이 팔린 듯 대화에서 빠지곤

한다. 녹색 눈이 어딘가에 너무 강렬하게 고정되곤 해서, 허공에서 애니가 무엇을 보고 있는지 찾으려 하게 된다. 가끔은 아무 이유 없이, 고통스러운 소리를 막으려는 듯 양손을 귀에 대고 누른다. 분명 이상하긴 하지만, 피닉이 사랑하는 사람이라면 나는 괜찮다.

내 준비 팀도 데려갈 수 있도록 허락받았기 때문에, 나는 패션에 대한 결정을 내릴 필요가 전혀 없었다. 옷장을 열자, 흐르는 천들에서 시나의 존재감이 너무나 강하게 느껴져 우리는 모두 침묵한다. 잠시 후 옥타비아가 털썩 무릎을 꿇고 스커트 단을 뺨에 문지르더니 울음을 터뜨린다.

"예쁜 걸 본 지 너무 오래됐어."

옥타비아는 간신히 말한다.

코인 측에서는 너무 낭비가 심하다고, 플루타르크 측에서는 너무 시시하다고 마뜩찮아 하지만 결혼식은 엄청나게 히트한다. 13번 구역에서 선정된 운 좋은 하객 300명과 여러 난민들은 평상복을 입고, 장식은 단풍이 든 나뭇잎으로 만들었고, 12번 구역에서 악기를 들고 탈출했던 바이올린 연주자 한 명과 어린이 합창단이 음악을 연주한다. 그러니 캐피톨 기준으로는 단순하고 소박하지만 그런 것은 상관없다. 신랑 신부의 아름다움에 비길 수 있는 것이 아무것도 없기 때문이다. 옷도 멋지긴 하지만, 빌려 입은 예복(애니는 내가 5번 구역에서 입었던 녹색 비단 드레스를 입었고, 피닉은 피타의 양복 한 벌을 수선해서 입고 있었다) 덕분은 아니다. 오늘 같은 날을 맞는 게 한때는 사실상 불가능했던 두 사람의 빛나는 얼굴에서 누가 눈을 뗄 수 있을까? 4번 구역의 결혼식 절차가 10번 구역과 비슷해서, 10번 구역에서 소를 키우던 달튼이 행사 진행을 맡는다. 하지만 4번 구역만의 독특한 풍습이 있다. 서약을 할 때 두 사람 위에 긴 풀로 짠 그물을 덮는다든가, 상대의 입술에 소금물을 바른다든가, 결혼 생활을 항해에 비유하는 오래된 결혼식 노래 등이 있다.

아니, 그들을 위해 기쁜 '척' 해 줄 필요는 없다.

둘의 결합을 확인하는 키스를 하자 사람들은 환호한다. 사과주로 건배까지 하고 나니 바이올린 연주자가 12번 구역 출신 사람들 전부의 고개를 돌아가게 하는 곡을 연주하기 시작한다. 판엠에서 제일 작고 가난한 구역일지는 몰라도, 우리는 춤추는 법은 안다. 이 시점에서 공식적으로 계획되어 있는 행사는 없었지만 통제실에서 프로포를 지휘하고 있는 플루타르크는 행운을 기대하고 있을 것이다. 당연히 그리지 세이 아줌마가 게일의 손을 잡고는 방 한가운데로 끌고 나가 마주 서신다. 사람들이 몰려나가 합류하고, 길게 두 줄로 늘어선다. 춤이 시작되었다.

내가 옆에 비켜서서 박자에 맞춰 손뼉을 치고 있는데 깡마른 손이 내 팔꿈치 위를 꼬집는다. 조한나가 나를 노려본다.

"스노우에게 네가 춤추는 걸 보여 줄 기회를 놓칠 셈이야?"

그 말이 맞다. 음악에 맞춰 빙빙 돌며 춤추는 행복한 모킹제이보다 더 요란하게 승리를 보여줄 수 있는 장면이 있을까? 나는 사람들 틈에서 프림을 찾아낸다. 겨울 저녁이면 연습할 시간이 많았기 때문에 우린 꽤 잘 출 수 있는 파트너. 내 갈비뼈를 걱정하는 프림의 말에 손을 내젓고는 함께 줄 안에 들어가 선다. 아프지만, 스노우에게 내가 꼬마 여동생과 춤추는 것을 보여 준다는 만족감이 다른 모든 느낌을 먼지처럼 작게 만들었다.

춤은 우리를 변하게 했다. 우리는 13번 구역 출신 하객들에게 스텝을 가르쳐 준다. 신랑 신부를 위한 특별곡을 연주하라고 우긴다. 손을 잡고 거대한, 빙빙 도는 원을 만들고 사람들은 발재간을 뽐낸다. 너무나 오랫동안 바보 같고 기쁜, 혹은 재미있는 일이 없었다. 플루타르크의 프로포를 위해 마지막 순서로 계획된 이벤트가 없었다면 밤새 춤출 수도 있었을 것이다. 나는 행사의 내용을 미리 듣지 못했지만, 깜짝 행사로 준비된 것이었다.

옆 방에서 네 명이 거대한 웨딩케이크가 놓인 수레를 끌고 들어온다. 하객들은 대부분 뒤로 물러나며 이 보기 드문 물건에게 길을 비켜 준다. 푸른색과 녹색이 섞여 있고, 위를 덮은 파도 모양 흰 설탕장식에서는 물고기와 요트, 물개, 바다 꽃이 헤엄친다. 나는 첫눈에 알아본 사실을 확인하기 위해 사람들을 제치고 다가간다. 애니의 드레스에 놓인 자수가 시나의 손으로 만든 것임이 분명하듯, 케이크를 장식한 설탕으로 된 꽃은 피타의 작품이다.

작은 것으로 보일지 몰라도 많은 것을 말해 주는 일이다. 헤미치는 내게 숨긴 것이 많았다. 내가 마지막으로 봤던 남자아이, 목이 터져라 소리 지르며 몸을 묶고 있는 벨트로부터 벗어나려던 그 아이는 절대 이런 것을 만들 수 없었다. 집중력을 발휘할 수도 없고, 손을 떨지 않을 수도, 피닉과 애니를 위해 이렇게 완벽한 것을 디자인할 수도 없었다. 내 반응을 예상했다는 듯 헤미치가 내 옆에 서 있다.

"우리 얘기 좀 하자."

그가 말한다.

카메라가 없는 복도로 나가서 내가 묻는다.

"피타는 어떻게 됐어요?"

헤미치는 고개를 가로젓는다.

"나도 몰라. 우리 중 그 누구도 몰라. 가끔씩은 거의 이성적이 되기도 했다가, 다음 순간 이유도 없이 다시 돌아 버리곤 해. 케이크 만드는 것도 일종의 치료였지. 며칠에 걸쳐 작업했어. 보고 있으려니…… 거의 예전 같더군."

"그러면 피타는 자유롭게 돌아다니나요?"

그렇게 생각하니 약 다섯 가지의 다른 수준으로 불안해진다.

"아, 아니. 엄하게 감시하는 가운데 케이크를 만들었다. 여전히 감금 상태고. 하지만 이야기를 나눠 봤어."

"마주보고 이야기하셨다고요? 근데 미치지 않던가요?"

"아니. 내게 꽤 화가 나 있긴 했지만, 거기엔 그럴 만한 이유가 있었다. 반군의 계획에 대해서 알려주지 않았던 것 등등."

헤이미치는 뭔가 결정을 내리려는 듯 잠시 침묵했다가 말했다.

"피타가 너를 만나고 싶다는구나."

나는 설탕으로 만든 배 위에 서 있다. 푸른색과 녹색의 파도에 이리저리 흔들리며, 내 발 밑에서 갑판이 마구 움직인다. 진정하려고 양 손바닥으로 벽을 꾹 누른다. 이런 건 계획에 없었다. 나는 2번 구역에서 피타를 포기했다. 캐피톨에 가서 스노우를 죽이고 나도 죽을 생각이었다. 총에 맞은 것은 일시적인 차질에 불과했다. '피타가 너를 만나고 싶다는구나.' 라는 말을 들을 계획 따위는 없었다. 하지만 이제 그 말을 들었으니, 거절할 방법 같은 건 없다.

자정에 나는 피타의 감방 문 밖에 서 있다. 병실이다. 우리는 플루타르크가 결혼식 영상 제작을 마칠 때까지 기다려야 한다. 플루타르크는 '화려한 볼거리'는 없다고 하면서도 만족해 한다.

"그동안 캐피톨이 12번 구역을 무시하다시피 해 왔던 결과 제일 좋았던 점은, 너희 구역 사람들은 아직도 즉흥적이고 자연스러운 면을 가지고 있다는 거야. 시청자들은 그런 걸 보면 환장하거든. 피타가 너를 사랑한다고 발표했을 때나 네가 그 딸기를 가지고 속임수를 썼을 때처럼. 텔레비전 방송에 아주 좋아."

나는 피타와 단둘이서 만나고 싶다. 하지만 한쪽에서만 그 반대편이 보이는 창문에는 클립보드를 들고 펜을 쥔 의사들이 모여 있다. 들어가도 좋다고 하는 헤이미치의 목소리가 이어폰에서 들려와서 나는 천천히 문을 연다.

그 푸른 두 눈이 곧바로 나를 바라본다. 양 팔마다 안전벨트를 세 개씩 차고 있고, 자제력을 잃을 경우에 대비해 마취약을 주사할 수 있는 튜브도 꽂혀 있다. 하지만 몸을 자유롭게 하려고 애쓰지는 않고, 자신이 머테이션과 함께 있는 거라는 가능성을 아직 배제하지 않은 사람의 경계하는 표정으로 나를 관찰할 뿐이다. 나는 침대에서 1미터 정도 떨어진 곳까지 걸어가 선다. 손으로 할 일이 아무것도 없어서 나를 보호하듯 갈비뼈 위로 팔짱을 끼고 말했다.

"안녕."

"안녕."

피타가 대답한다. 피타의 목소리 같다. 거의 피타의 목소리 같다. 뭔가 새로운 것이 깃들어 있다는 점을 빼면. 의심과 비난으로 날이 서 있다.

"헤이미치가 그랬어. 네가 나랑 이야기하고 싶어 한다고."

내가 말한다.

"우선 네 모습 좀 볼게."

마치 내가 자기 눈앞에서 침을 흘리는 변종 늑대로 변신하기를 기다리고 있는 것 같다. 나를 하도 오래 노려봐서 헤이미치가 지시를 좀 내려주길 기대하며 거울 쪽으로 몰래 눈길을 던지게 되지만, 이어폰은 잠잠하다.

"별로 크지는 않네? 특별히 예쁘지도 않고."

그가 지옥에 갔다가 돌아왔다는 건 나도 알지만, 피타가 그렇게 말하는 걸 들으니 왠지 화가 난다.

"음, 너도 원래는 지금보단 더 미남이었는데."

헤이미치가 대응하지 말라고 충고하는 소리는 피타의 웃음에 묻혀 잘 들리지 않는다.

"그리고 조금도 착하지도 않잖아. 그런 일들을 겪은 나한테 그런 말을 하다니."

"응. 우리 모두 많은 일을 겪었지. 그리고 착하기로 유명했던 사람은 너였어. 내가 아니고."

나는 모든 걸 다 망치고 있다. 내가 왜 이렇게 방어적으로 구는 건지 알 수가 없다. 피타는 고문을 받았다고! 하이잭당했어! 난 대체 뭐가 잘못된 거야? 갑자기 피타에게 소리를 지르게 될 것 같은(뭐라고 소리칠지조차 알 수 없지만) 기분이 들어서 나가야겠다고 결심한다.

"있잖아, 지금은 내가 몸이 별로 안 좋아. 내일 들르면 어떨까."

문까지 왔을 때 피타의 목소리가 나를 멈추게 한다.

"캣니스. 나 빵에 대해 기억해."

빵. 헝거 게임 전 우리 사이를 연결했던 단 한 번의 사건.

"내가 그 얘기하는 테이프를 보여 줬구나."

내가 말한다.

"아냐. 네가 그 얘기를 하는 영상이 있었어? 캐피톨이 왜 나한테 그걸 사용하진 않았지?"

피타가 묻는다.

"네가 구출되던 날 찍은 거야. 그래서 네가 기억하는 건 뭔데?"

내가 묻는다. 가슴 속의 고통이 내 갈비뼈 둘레를 단단히 둘러싼다. 춤춘 건 실수였어.

"너. 비를 맞고 있었지. 네가 우리 집 쓰레기통을 뒤진 것. 빵을 태운 것. 엄마에게 맞은 것. 빵을 돼지에게 주려고 들고 나왔다가 대신 너한테 준 것."

피타가 부드럽게 말한다.

"맞아. 그랬어. 다음 날, 학교가 끝나고 너한테 고맙다고 하고 싶었지만 어떻게 해야 할지 몰랐어."

"그날 수업이 끝나고 바깥에 있었지. 난 너와 눈을 맞추려고 했어. 넌 시선을 피했지. 그리고…… 왠지 몰라도 네가 민들레를 꺾었던 것 같아."

나는 고개를 끄덕인다. 정말로 기억한다. 나는 한 번도 그 순간에 대해 소리 내어 말한 적이 없었다.

"난 널 많이 사랑했나 봐."

"그랬어."

목이 메어 와서 나는 기침을 하는 척한다.

"그럼 너도 나를 사랑했어?"

피타가 묻는다.

나는 타일이 깔린 바닥만 바라본다.

"다들 그렇다고 얘기해. 다들 그것 때문에 스노우가 너를 고문했다고 해. 나를 좌절시키려고."

"그건 대답이 아니야. 어떤 테이프는 보고 나서 어떻게 생각해야 할지 잘 모르겠더라. 첫 경기 때는 네가 추적말벌을 가지고 나를 죽이려고 하는 것 같아 보이던데."

"너희들 모두를 죽이려고 했었지. 나는 나무에 올라간 채 너희들한테 포위당했어."

"나중에는 키스하는 모습도 많이 나오던데. 너는 별로 진심인 것 같아 보이지 않더라. 나랑 키스하는 게 좋았니?"

피타가 묻는다.

"가끔은."

내가 그렇게 인정하고서 다시 묻는다.

"지금 사람들이 우리 보고 있다는 거 알아?"

"알아. 게일과는?"

피타가 계속 이야기한다.

분노가 돌아온다. 회복 따위는 상관없다. 이건 저 창문 뒤에 있는 사람들이 알 일이 아니다.

"게일도 키스 잘해."

나는 짧게 대답한다.

"게일과 나는 둘 다 괜찮다고 생각했어? 네가 다른 남자랑 키스해도 말이야."

"아니. 너희 둘 다 괜찮지 않다고 생각했어. 하지만 네 허락을 받고 한 건 아니었지."

피타는 다시 웃는다. 차갑고, 멸시하는 웃음이다.

"음, 너 대단한 여자구나. 그렇지?"

나는 방에서 걸어 나오고, 헤이미치 역시 말리지 않는다. 복도를 걷는다. 벌집 같은 객실들을 지나친다. 세탁실에서 따뜻한 급수관을 찾아 그 뒤에 숨는다. 내가 이렇게까지 마음이 상한 진정한 이유를 깨닫기까지는 시간이 오래 걸린다. 깨닫고 나니 인정하기 싫을 정도로 굴욕적이다. 피타가 나를 아주 훌륭하다고 생각하는 것을 당연하게 받아들였던 시간들은 이제 끝나 버렸다. 마침내 피타는 나의 진짜 모습을 볼 수 있게 됐다. 폭력적이고, 의심이 많고, 남을 교묘하게 조종하고, 사람을 죽이는 나.

그래서 피타가 밉다.

17

허를 찔렸다. 헤이미치가 병원에서 소식을 전해 줄 때 드는 느낌은 그런 거였다. 나는 머릿속이 정신없이 돌아가는 가운데 여러 층을 날 듯이 내려가 사령부로 가서 전략 회의에 불쑥 끼어든다.

"제가 캐피톨에 못 간다니, 그게 무슨 말이에요? 전 가야 돼요! 제가 모킹제이잖아요!"

화면을 내려다보던 코인은 고개를 거의 들지도 않는다.

"모킹제이로서, 캐피톨에 맞서서 구역들을 연합시키는 너의 주된 목표는 성공적이었지. 걱정 마. 일이 잘 되면 항복할 때 항공편으로 데리고 갈 테니."

항복?

"그땐 너무 늦어요! 전투에 참가할 수 없잖아요. 제가 필요할 텐데요? 전 반군 최고의 명사수잖아요! 게일은 가잖아요!"

나는 소리 지른다. 보통은 이런 걸 자랑하지는 않지만, 적어도 진실에 가깝기는 할 것이다.

"게일은 승인받은 다른 임무가 있을 때 말고는 매일 훈련을 받았다. 우린 게일이 전장에서 잘 해낼 거라고 확신하고 있어. 너는 이제까지 훈련에 몇 번이나 참석한 것 같니?"

코인이 말한다.

한 번도 없다.

"음, 가끔은 사냥을 했어요. 그리고…… 특별 무기고에서 비티와 훈련도 했고요."

"그건 달라, 캣니스. 네가 영리하고 용감한 데다 활 솜씨가 좋은 건 우리 모두 알고 있어. 하지만 전장에서는 군인이 필요해. 넌 명령을 수행하는 것에 대해서는 아무것도 모르고, 지금은 신체적으로 상태가 좋은 것도 아니잖니."

복스가 대답했다.

"제가 8번 구역에 있었을 때 그런 거 상관없었잖아요. 2번에서도 마찬가지였죠."

내가 받아친다.

"넌 두 경우 모두 원래는 전투 참가 허가를 받은 게 아니었지."

플루타르크가 내가 너무 많은 것을 드러낼지 모른다는 신호를 보내는 표정을 지으며 말한다.

그렇다. 8번 구역에서 폭격기와 싸운 것, 2번 구역에서 내가 끼어들었던 것은 모두 즉흥적이었고 무모했으며, 허가받고 한 일은 절대 아니었다.

"그리고 두 번 모두 부상을 입게 되었고."

복스가 일깨워 준다. 별안간 나는 그의 눈으로 나 자신을 본다. 갈비뼈가 다 낫지 않아서 숨을 고르지도 못하는 자그마한 17살짜리 여자애. 꼴도 엉망이고, 규율도 잡히지 않은 아직 회복 중인 아이. 군인이 아니라 누군가 돌봐 줘야 하는 사람.

"하지만 전 가야 해요."

내가 말한다.

"왜?"

코인이 묻는다.

스노우에게 내 개인적인 앙갚음을 하기 위해서라고 말할 수는 없다. 게일은 싸우러 가는데 나는 지금의 피타와 함께 이곳 13번 구역에 남아 있어야 한다는 생각을 하면 참을 수가 없기 때문이라고 할 수도 없다. 하지만 캐피톨에서 싸우고 싶은 이유라면 잔뜩 있다.

"12번 구역 때문에요. 그들이 제 구역을 파괴했으니까."

대통령은 잠시 생각해 본다. 나에 대해 고려해 본다.

"음, 아직 3주가 있다. 길지는 않지만 훈련을 시작할 수는 있어. 배치 위원회에서 네가 적합하다고 판단한다면 고려 대상이 될 수 있겠지."

이거다. 내가 바랄 수 있는 최대한이 이거다. 내 잘못이겠지. 내 마음에 드는 경우가 아니라면 매일매일의 일정을 깡그리 무시해 버린 게 사실이니까. 일어나는 일들이 워낙 많아서, 총을 들고 운동장을 뛰어다니는 것은 그리 중요해 보이지 않았다. 이제 나는 내 태만함에 대한 대가를 치르게 되었다.

병원에 돌아와 보니 조한나가 나와 같은 상황에 처해 머리끝까지 화가 나 있다. 나는 조한나에게 코인이 했던 말을 전해 준다.

"아마 당신도 훈련하면 될 거예요."

"좋아. 훈련하지. 하지만 한 팀을 다 죽이고 직접 비행기를 모는 한이 있더라도 나는 빌어먹을 캐피톨에 갈 거야."

조한나가 말한다.

"훈련 때는 그런 말 안 하는 게 좋을걸요. 하지만 나한테도 교통편이 생겼다니 잘됐네요."

조한나는 씩 웃고, 나는 우리 관계에 작지만 중요한 변화가 생겼음을 느낀다. 우리가 친구인지는 모르겠지만, '동맹'이라는 단어라면 아마 정확할 것 같다. 잘된 일이다. 내겐 동맹이 필요할 것이다.

다음 날 아침 7시 30분에 훈련에 참석하자, 현실이 나를 좌절시킨다. 우리는 14, 15살짜리들과 함께 비교적 초보자 학급에 들어왔는데, 그들이 우리보다 훨씬 상태가 낫다는 것이 명백해지기 전까지는 조금 모욕적으로 느껴졌다. 게일을 비롯해 이미 캐피톨에 가기로 선발된 사람들은 우리와는 다른 더 가속화된 훈련 단계에 있다. 스트레칭을 하고 나서(아팠다) 몇 시간 동안 근육 강화 운동을 하고(역시 아팠다) 8킬로미터를 달리니 죽을 것 같다. 조한나가 나를 욕해서 힘을 더 냈는데도, 5분의 1을 뛰고 나니 나가떨어진다.

"갈비뼈 때문에 그래요. 아직 멍든 상태거든요."

나는 트레이너에게 설명한다. 허튼 수작 따위는 먹히지 않는 중년 여자로, 우리는 이 트레이너를 '요크 병사'라고 부르게 되어 있다.

"음, 에버딘 병사, 상처가 저절로 나으려면 앞으로 적어도 한 달은 있어 야 합니다."

나는 고개를 가로젓는다.

"전 한 달씩이나 못 기다려요."

그녀는 나를 위아래로 훑어본다.

"의사들이 치료 안 해 주던가요?"

"치료법이 있어요? 저절로 낫기를 기다려야 한다고 하던데요."

"의사들은 원래 그렇게 말해요. 하지만 내가 권장하면 더 빨리 낫게 해 줄 수 있습니다. 미리 경고하는데 즐겁지는 않을 겁니다."

"그렇게 해 주세요. 전 캐피톨에 가야 돼요."

요크 병사는 더 이상 묻지 않고 메모지에 뭔가를 쓰더니 나를 곧바로 병 원으로 보낸다. 나는 망설인다. 훈련에 더는 빠지고 싶지 않다.

"오후 훈련 때 돌아올게요."

내가 약속한다. 그녀는 그저 입술을 앙다물 뿐이다.

잠시 후 흉곽에 주사를 24방 맞은 다음, 병실 침대에 누워 모플링을 가 져다 달라고 빌고 싶은 것을 참느라 이를 박박 간다. 내가 필요할 때면 맞 을 수 있도록 침대 옆에 놔두고 있었다. 최근엔 사용하지 않았지만 조한나 를 위해서 둔 것이었다. 오늘은 내 피에 진통제가 남아 있지 않나 확인하 려고 피 검사를 했다. 모플링과 지금 내 갈비뼈를 태우고 있는 것 같은 이 약이 섞이면 위험한 부작용이 있기 때문이다. 의사들은 앞으로 며칠은 조 금 다를 거라고 분명히 말해 주었다. 하지만 나는 치료해 달라고 했다.

우리 병실의 밤은 즐겁지 않다. 잠잘 엄두도 낼 수 없다. 나는 내 가슴 주위에서 정말로 살이 타는 냄새가 나는 것 같고, 조한나는 금단 증상과 싸우고 있다. 나 때문에 모플링 공급이 끊기게 되어 미안하다고 아까 사 과했을 때 조한나는 손을 내저으며 어차피 일어날 일이었다고 말했다. 하지만 새벽 3시에 나는 7번 구역의 온갖 다채로운 욕설의 대상이 된다. 나를 훈련에 데리고 가기로 마음먹은 조한나는 새벽에 나를 침대에서 끌어낸다.

"난 못할 것 같아요."

내가 고백한다.

"넌 할 수 있어. 우리 둘 다 할 수 있어. 우린 우승자야. 기억하지? 우린 그들이 우리에게 그 무엇을 던져도 다 살아남을 수 있는 사람들이야."

조한나가 내게 으르렁거린다. 조한나는 몸이 아픈지 피부가 녹색 빛을 띠고 있고, 나뭇잎처럼 바들바들 떨고 있다. 나는 옷을 입는다.

아침을 견뎌 내다니 우리가 우승자이긴 한가 보다. 밖에 비가 억수같이 쏟아지고 있다는 것을 깨달았을 때 조한나가 쓰러질 것 같다는 생각이 든다. 얼굴이 잿빛이 되고, 호흡도 멈춘 것 같다.

"그냥 물이잖아요. 죽진 않을 거예요."

내가 말한다. 조한나는 어금니를 꽉 물고는 진흙탕으로 걸어 들어간다. 운동을 하고 육상 트랙을 묵묵히 뛰는 동안 빗물이 우리를 흠뻑 적신다. 나는 오늘도 1.6킬로미터를 뛴 뒤 나가떨어지고, 찬물이 내 갈비뼈를 식힐 수 있도록 셔츠를 벗어 버리고 싶은 유혹을 애써 떨친다. 야외에서 먹는 점심은 생선과 비트로 만든 질척거리는 스튜였다. 나는 억지로 먹어치우고, 조한나는 반 정도 먹고 토한다. 오후에는 총 조립하는 법을 배운다. 나는 해내지만, 조한나는 손이 떨려서 부품을 제대로 맞추지 못한다. 요크가 등을 돌린 사이 내가 도와준다. 비는 계속 내리지만, 오후에는 사격장에 가기 때문에 좀 낫다. 드디어 내가 잘하는 걸 하게 되었다. 활에서 총으로 바꾸느라 적응이 좀 필요하지만, 하루가 끝날 때쯤에는 내가 학급 전체에서 가장 좋은 점수를 받는다.

병원 문을 열고 들어오자마자 조한나가 선언한다.

"이제 이건 그만해야겠어. 병원에서 사는 것 말이야. 다들 우리를 환자로 보잖아."

나로선 문제될 것이 없다. 나는 우리 가족의 객실로 옮기면 되지만, 조한나는 객실을 배정받은 적이 없다. 조한나가 퇴원하고 싶다고 하자, 그들은 조한나가 매일 병원에 와서 정신과 의사를 만난다 하더라도 혼자 사는 것에는 찬성할 수 없다고 한다. 조한나가 그간 내 모플링을 맞아 왔다는 것을 의사들이 눈치챈 것 같은데, 그게 조한나가 불안정하다는 생각을 더 강하게 했을 것이다.

"혼자 사는 게 아니에요. 제가 방을 같이 쓸 거예요."

내가 단언한다. 반대 의견이 조금 있지만 헤이미치가 우리 편을 들고, 잠자리에 들 때쯤 우리는 프림과 엄마의 객실 맞은편에 있는 방을 배정받는다. 엄마가 우리를 살피고 돌봐 주기로 하셨다.

내가 샤워를 하고 조한나가 축축한 천으로 대충 몸을 닦고 나자, 조한나는 방을 대충 둘러본다. 몇 안 되는 내 물건이 든 서랍을 열었다가 재빨리 닫는다.

"미안."

나는 조한나의 서랍에 정부에서 지급한 옷밖에 없다는 것을 생각한다. 이 세상에서 조한나가 자기 것이라고 부를 수 있는 물건은 단 하나도 없다.

"괜찮아요. 보고 싶으면 제 물건들 보셔도 돼요."

조한나는 내 로켓을 열고 게일과 프림, 엄마의 사진을 살펴본다. 은색 낙하산을 펼쳐 삽관을 꺼내 새끼손가락에 끼운다.

"보기만 해도 목이 마르네."

그러고는 피타가 준 진주를 찾아낸다.

"이게……?"

"네. 어찌어찌 지켜냈어요."

256

피타 이야기는 하고 싶지 않다. 훈련을 받아서 가장 좋은 것 중 하나는 피타 생각을 하지 않게 된다는 것이다.

"헤이미치 말로는 낫고 있다던데."

"그럴지도 모르죠. 하지만 변했어요."

"너도 그래. 나도 그렇고. 피닉과 헤이미치와 비티도 그래. 애니 크레스타 이야기는 꺼낼 필요도 없지. 경기장이 우리 모두를 꽤나 망쳐 놨다고 생각하지 않아? 아니면 넌 네가 아직도 동생 대신 자원했던 그 여자애 같니?"

"아뇨."

내가 대답한다.

"내 정신과 의사가 한 말 중에 그 말 하나는 맞는 것 같아. 돌아갈 수는 없다는 거야. 그러니까 적응해 나가야지."

조한나는 내 물건들을 다시 단정하게 서랍 속에 넣고, 마침 불이 꺼지는 참에 내 맞은편의 침대로 기어든다.

"오늘밤 내가 널 죽일까 봐 겁나지는 않고?"

"싸우면 내가 이길 텐데요."

내가 대답한다. 그러고는 우리 둘 다 웃는다. 우리 몸은 하도 엉망이 되어 있어서, 내일 아침에 일어날 수 있다면 기적일 테니 말이다. 하지만 우리는 일어난다. 매일 아침 우리는 일어난다. 그리고 그 주가 끝날 무렵에 내 갈비뼈는 거의 새것이 된 것 같고, 조한나는 도움이 없이도 소총을 조립할 수 있게 된다.

하루 훈련을 마치는 우리에게 요크 병사는 잘했다고 고개를 끄덕여 보인다.

"잘했습니다, 병사들."

목소리가 들리지 않는 곳까지 오자 조한나가 중얼거린다.

"헝거 게임에서 우승하는 게 더 쉬웠던 것 같아."

하지만 얼굴을 보니 만족한 표정이다.

사실 식당에 갈 때는 거의 기분이 좋은 상태이다. 게일이 나와 함께 식사하려고 기다리고 있다. 쇠고기 스튜를 잔뜩 받은 것 역시 나쁘지 않은 일이다.

"오늘 아침에 첫 식량 수송품이 들어왔어. 10번 구역에서 온 진짜 쇠고기야. 너희들이 잡아오는 들개가 아니고."

그리지 세이 아줌마의 말이다.

"들개를 거절하셨던 기억은 없는데요."

게일이 맞받아친다.

우리는 델리, 애니, 피닉이 낀 무리와 함께 앉는다. 결혼 이후 피닉이 달라진 것을 보면 대단하다. 예전 모습들(특집 전에 만났던 방탕한 캐피톨의 스타, 경기장에서의 수수께끼 같은 동맹, 내가 무너지지 않도록 도와주려 하던 좌절한 젊은이)은 사라졌고, 그는 이제 생명력으로 빛나는 사람이 되었다. 피닉의 진짜 매력인 자신을 내세우지 않는 유머와 느긋한 성품이 처음으로 드러난다. 피닉은 절대 애니의 손을 놓지 않는다. 걸을 때도, 밥을 먹을 때도. 영영 놓지 않을 생각인 것 같다. 애니는 행복에 젖어 내내 멍한 상태다. 아직도 머릿속에 무언가가 떠올라서, 다른 세상에 빠져 우리를 보지 못하는 때가 있는 걸 볼 수 있다. 하지만 피닉이 몇 마디만 하면 되돌아온다.

어렸을 때부터 알았지만 별로 생각해 본 적은 없던 델리를 이제 판단할 수 있을 만큼 알게 되었다. 델리는 결혼식 이후에 피타가 내게 한 말을 들었지만 소문을 떠벌리는 아이는 아니다. 헤이미치에 의하면, 피타가 내 비난을 늘어놓기 시작할 때 나를 가장 잘 변호해 주는 사람이 델리라고 한다. 언제나 내 편을 들고, 피타가 나를 부정적으로 생각하는 것을 캐피톨에서 받은 고문 탓으로 돌린다고 한다. 델리는 피타가 정말로 아는 사람이기 때문에, 피타에게 다른 누구보다 더 큰 영향력이 있다고 했다. 델리가 설령 내 장점을 보기 좋게 꾸며 말한다 하더라도, 나는 고맙다. 솔직히 말해 나는 좀 보기 좋게 꾸며 줄 필요가 있다.

굶주렸던 참이고 쇠고기, 감자, 순무, 양파와 진한 그레이비소스가 든 스튜는 너무 맛있어서 나는 천천히 먹자고 자꾸 다짐해야 할 정도이다. 식당 전체에서 좋은 식사가 가져올 수 있는 활기가 돌아오는 효과가 느껴진다. 좋은 식사는 사람들을 더 착하게 하고, 더 재미있게 하고, 더 긍정적이 되게 하며, 계속 살아가는 게 실수가 아니라는 것을 일깨워 준다. 그 어떤 약보다도 낫다. 그래서 나는 오랫동안 먹으며 대화에 끼려고 노력한다. 피닉이 바다거북이가 자기 모자를 가지고 도망갔다는 황당한 이야기를 하는 걸 들으면서 빵을 그레이비소스에 적셔 조금씩 먹는다. 그가 서 있다는 것을 깨닫기 전에 나는 웃는다. 그런데 그가 있다. 식탁 바로 맞은편에, 조한나 옆의 빈 의자 뒤에. 나를 바라보고 있다. 그레이비에 적신 빵이 목에 걸려 잠시 숨이 막힌다.

"피타! 정말 좋다. 네가 나와서…… 다니는 걸 보니까."

델리가 말한다.

덩치 큰 경비병 두 명이 피타 뒤에 서 있다. 피타는 양 손목에 수갑을 차고 있어서 손가락 끝에 어색하게 식판을 들고 있다.

"그 예쁜 팔찌는 뭐야?"

조한나가 묻는다.

"날 아직 믿을 수 없대요. 여러분 허락이 없으면 여기 앉을 수조차 없어요."

피타는 그렇게 말하며 고갯짓으로 경비병들을 가리킨다.

"물론 여기 앉을 수 있죠. 우린 오랜 친구 사인데."

조한나가 옆에 자리를 내주며 말한다. 경비병들은 고개를 끄덕이고, 피타는 앉는다.

"피타와 나는 캐피톨 감옥에서 옆방을 썼어. 서로의 비명소리에 아주 익숙하지."

조한나의 옆에 있던 애니는 귀를 막고 현실에서 도피할 때의 동작을 취한다. 피닉은 한쪽 팔로 애니를 감싸 안으며 조한나에게 화난 표정을 짓는다.

"뭐? 정신과 의사가 나한테 생각을 스스로 검열해서는 안 된대. 치료의 일환이야."

조한나가 대답한다.

우리의 작은 파티는 생기를 잃었다. 피닉은 애니가 천천히 손을 치울 때까지 계속 속삭여 준다. 사람들이 먹는 척하는 동안 긴 침묵이 흐른다.

"애니. 결혼식 때 웨딩케이크를 장식한 사람이 피타였다는 거 알고 있었어요? 고향에서 피타네 집이 빵집을 했고, 장식은 전부 피타가 했거든요."

밝은 목소리로 델리가 말하자 애니는 조심스레 조한나 건너편을 본다.

"고마워요, 피타. 아름다웠어요."

"도움이 되어 기뻐요, 애니."

피타가 말하고, 나는 영영 사라진 줄 알았던 옛날 피타 목소리의 상냥함을 다시 듣는다. 나에게 한 말은 아니지만, 그래도.

"산책을 가려면 우린 가야겠다."

피닉이 애니에게 말한다. 피닉은 한 손으로 애니를 잡고, 다른 손으로는 식판 두 개를 같이 들 수 있도록 정리한다.

"반가웠어, 피타."

"잘해 주는 게 좋을 거예요, 피닉. 안 그러면 내가 빼앗으려 할지도 모르니까."

그렇게 차가운 목소리가 아니었다면 농담이었을 것이다. 그 말에 담긴 모든 것은 다 잘못되었다. 피닉에 대한 불신을 대놓고 드러내는 것, 피타가 애니에게 반했을지 모른다는, 그리고 애니가 피닉을 버릴 수 있을 거라는 암시. 나는 존재하지도 않는다는 암시.

"아, 피타. 내가 네 심장을 다시 뛰게 했던 걸 후회하게 하진 마."

피닉이 가볍게 말한다. 피닉은 걱정되는 듯 나를 한 번 보고는 애니를 데리고 사라진다.

두 사람이 가고 나자 델리가 나무라는 목소리로 말한다.

"피닉은 정말로 네 생명을 구했어, 피타. 여러 번."

"쟤 때문이었지."

피타는 내 쪽으로 살짝 고개를 끄덕여 보인다.

"반군을 위해서였고. 나를 위해서가 아니야. 나는 피닉에게 빚진 것 없어."

미끼를 물어선 안 되는데 물어 버렸다.

"없을지도 모르지. 하지만 맥스는 죽었는데 넌 아직 여기 있어. 거기엔 의미가 있어."

"응, 많은 일들이 겉보기와 다른 의미가 있지, 캣니스. 나한텐 이해할 수 없는 기억들이 좀 있는데, 캐피톨이 손댄 것 같지도 않아. 예를 들면 기차에서 보낸 여러 밤 같은 것들."

또다시 암시하고 있다. 기차에서 실제로 있었던 일보다 더 많은 일이 있었다는 암시. 실제 있었던 일(오직 피타가 나를 안고 있었기 때문에 내가 제정신을 지킬 수 있었던 밤들)은 더 이상 중요하지 않다는 암시. 모든 것이 거짓말이고, 모든 것이 피타를 악용하는 방법이었다.

피타는 숟가락으로 게일과 나를 연결하는 작은 몸짓을 해 보인다.

"그래서, 이제는 너희 둘이 공식적으로 커플인 거야? 아니면 아직도 비운의 연인 설정을 계속하고 있어?"

"아직도 하고 있어."

조한나가 말한다.

피타는 발작하듯 불끈 주먹을 쥐었다가, 묘하게 손가락을 편다. 내 목을 조르지 않고 겨우 참는 건가? 내 옆에 앉은 게일의 근육이 긴장하는 것이 느껴지고, 언쟁이 벌어지지 않을까 두려워진다. 하지만 게일은 그저 이렇게 말할 뿐이다.

"내가 직접 보지 않았다면 믿지 않았을 거야."

"무슨 말이야?"

피타가 묻는다.

"너 말이야."

게일이 대답한다.

"좀 더 자세하게 말해 줘야지. 내가 어때서?"

피타가 말한다.

"그들이 너를 너의 사악한 머테이션 버전으로 바꿔 놨다는 걸."

조한나가 말한다. 게일은 남은 우유를 다 마시고 내게 묻는다.

"다 먹었어?"

나는 일어나고 우리는 식판을 반납하러 간다. 내가 아직 그레이비가 묻은 빵을 꼭 쥐고 있어서, 문에서 노인이 나를 제지한다. 내 표정과, 어쩌면 빵을 숨기려는 노력도 전혀 하지 않았다는 사실 때문에 나를 거칠게 대하지는 않았다. 빵을 입에 넣게 하고는 보내준다. 게일과 내가 거의 내 객실까지 왔을 때에야 게일은 다시 입을 연다.

"그렇게 될 줄은 몰랐는데."

"걘 날 싫어한다고 말했잖아."

내가 말한다.

"너를 미워하는 방식을 말하는 거야. 너무나…… 익숙해. 나도 그런 기분이 들곤 했거든."

게일이 털어놓는다.

"네가 피타와 키스하는 걸 화면에서 볼 때. 나는 내가 그러는 게 완전히 공정한 건 아니라는 점을 알고 있긴 했지. 피타는 그걸 알 수 없어."

우리는 내 객실 문까지 온다.

"어쩌면 피타는 그저 진짜 내 모습을 보고 있는 건지도 몰라. 난 좀 자야겠어."

게일은 내가 사라지기 전에 내 팔을 잡는다.

"네가 지금 하는 생각이 그거야?"

나는 어깨를 으쓱한다.

"캣니스, 너의 제일 오래된 친구로서 말하는데, 지금 피타가 네 진짜 모습을 보는 게 아니라는 내 말을 믿어."

나는 침대에 앉아 군사 전술 책들을 읽으며 정보를 머리에 쑤셔 넣으려 해 보지만, 피타와 기차에서 보냈던 밤들에 대한 기억이 떠올라 집중을 방해한다. 20분 정도 지나자 조한나가 들어와 내 침대 발치에 몸을 던진다.

"너 제일 재밌는 걸 놓쳤어. 피타가 널 대하는 걸 보고 델리가 발끈했어. 끽끽거리는 소리를 엄청 냈다고. 마치 누가 포크로 쥐를 계속 찔러대는 것 같더라. 식당 전체가 완전히 빠져들었지."

"피타는 어떻게 했어요?"

"자기가 두 사람인 것처럼 스스로 말싸움을 하기 시작했어. 경비병들이 데리고 가야 했지. 좋은 면을 보자면, 내가 피타의 스튜를 다 먹은 건 아무도 눈치 못 챈 것 같아."

조한나는 튀어나온 배를 문지른다. 나는 조한나 손톱 밑에 낀 때를 본다. 7번 구역 사람들은 목욕은 전혀 안 하는 걸까.

우리는 몇 시간 동안 서로 군사 용어를 물어 봐 준다. 잠시 나는 엄마와 프림을 만나고 왔다. 내 객실에 돌아와 샤워를 한 다음, 어둠 속을 노려보며 마침내 묻는다.

"조한나, 정말로 피타 비명 소리가 들렸어요?"

"비명도 들렸지. 경기장에 있던 재잘어치들처럼. 하지만 이번엔 진짜였어. 1시간이 지나면 멈추는 것도 아니었고. 째깍, 째깍."

"째깍, 째깍."

나는 속삭여 대답한다.

장미들. 늑대 머테이션들. 조공인들. 설탕으로 만든 돌고래들. 친구들. 모킹제이들. 스타일리스트들. 나.

오늘밤 내 꿈에 나오는 것들은 모두 비명을 지른다.

18

나는 맹렬히 스스로를 훈련에 내던진다. 운동, 훈련, 무기 연습, 전략 강의를 먹고 살고 또 숨 쉰다. 우리 중 일부를 추가 학급으로 옮기는데, 내가 실제 전쟁에 참가할 후보일지도 모르겠다는 희망을 얻는다. 병사들은 그냥 '블록'이라고 부르지만, 내 팔뚝의 문신에는 S.S.C.라고 나온다. '거리 전투 시뮬레이션(Simulated Street Combat)'의 약자다. 13번 구역 깊은 곳에 캐피톨 거리를 가상으로 재현한 블록을 만들어 놓았다. 강사는 우리를 8인조 팀으로 나누고, 우리는 마치 실제로 캐피톨에서 싸우는 것처럼 임무(위치 점하기, 목표물 파괴하기, 가택 수색하기)를 수행한다. 부비트랩이 설치되어 있어서, 잘못될 수 있는 일이란 일은 전부 잘못된다. 걸음을 잘못 디디면 지뢰가 터지고, 옥상에서 저격수가 나타나고, 총이 망가지고,

울고 있는 아이에게 갔다가 매복 공격을 당하고, 중대장(프로그램 상의 목소리에 불과하지만)이 박격포에 맞아서 어떻게 할 것인지 명령 없이 스스로 생각해내야 한다. 마음 한구석으로는 이게 가짜이고 여기서 죽지 않을 거라는 것을 알고 있다. 지뢰를 밟으면 폭발음이 들리고, 쓰러져 죽은 척해야 한다. 하지만 그 안에 들어가면 꽤 진짜 같은 기분이 든다. 평화유지군 유니폼을 입은 적군들이 있고, 연막탄이 터져서 혼란스럽다. 심지어 가스 공격까지 한다. 제시간 안에 마스크를 쓰는 사람은 조한나와 나 둘뿐이었다. 우리 중대 나머지는 10분 동안 실신한다. 이 가스는 무해하다고 했지만, 난 몇 모금 마셨을 뿐인데 그날 하루 종일 지독한 두통에 시달린다.

크레시다와 그녀의 팀원들이 사격장에서 조한나와 나를 촬영한다. 게일과 피닉도 촬영하고 있다는 걸 알고 있다. 반군들이 캐피톨 침략을 준비하는 것을 보여주는 새 프로포 시리즈의 일부이다. 대체로 일이 잘 진행되고 있다.

아침 운동에 피타가 나타나기 시작한다. 수갑은 벗었지만, 여전히 경비병 두 명이 늘 따라다닌다. 점심을 먹고 나서 운동장 건너편에서 초보자들과 함께 훈련하고 있는 것이 보인다. 무슨 생각인지 모르겠다. 델리와 옥신각신한 것 때문에 혼자서 말싸움을 하게 되는 상태라면, 총을 조립하는 법을 배우고 있어서는 안 된다.

플루타르크에게 따지자, 다 촬영을 위해서일 뿐이라고 나를 안심시킨다. 애니가 결혼하는 영상, 조한나가 과녁을 맞추는 영상은 있지만, 판엠 전체가 피타가 어찌 되었는지 궁금해 하고 있다. 피타가 스노우를 위해서가 아니라 반군을 위해서 싸우고 있다는 걸 사람들이 볼 필요가 있다. 그리고 우리 둘이 같이 있는 장면을 조금이라도 건질 수 있다면, 키스하고 있지는 않더라도, 다시 같이 있게 되어서 행복해 하는 모습이라면…….

대화가 여기까지 진행되자 나는 걸어 나와 버린다. 그런 일은 없을 것이다.

드물게 주어진 휴식 시간에는 침략 준비를 하는 것을 불안해 하며 지켜본다. 장비와 식량을 준비하고, 사단을 조직하는 것을 본다. 출전 명령을 받으면 머리를 아주 짧게 깎기 때문에, 누가 가는지 알 수 있다. 그 머리는 전투에 참가하는 사람의 상징이다. 캐피톨로 이어지는 기차 선로 터널을 노리게 될 선제 공격에 대한 이야기가 많이 오간다.

첫 부대가 출격하기 불과 며칠 전, 요크가 갑자기 조한나와 나에게 자기가 우리를 시험에 추천했으니 곧바로 가 보라고 말한다. 전부 네 파트가 있다. 몸 상태를 판정하기 위한 장애물 코스, 전략 필기시험, 무기 사용 능력 테스트, 블록에서 진행하는 가상 전투 시험이다. 첫 시험 세 개의 경우는 불안해 할 시간조차 없고 잘 해냈지만, 블록에 밀린 일이 있다. 기술적 문제를 해결하는 중이다. 우리는 모여서 정보를 교환했다. 이 정도까지는 사실인 것 같다. 모두가 혼자 들어간다. 어떤 상황에 던져질지는 전혀 예측할 수 없다. 남자아이 하나는 숨을 죽이며, 각 개인의 약점들을 노리도록 설계되었다고 들었다고 한다.

내 약점들? 나는 그 문은 열고 싶지도 않다. 하지만 조용한 곳을 찾아내 내 약점들이 무엇일지 객관적으로 평가해 보려 한다. 약점을 나열한 목록이 너무 길어서 우울해진다. 강한 육체적 힘이 없다. 겨우 최소한의 훈련만 받았다. 그리고 우리를 한 팀으로 꾸리려는 상황에서, 모킹제이라는 나의 두드러진 위치 역시 장점인 것 같지 않다. 나를 호되게 힘들게 할 수 있는 것들이 한두 가지가 아니다.

조한나는 나보다 세 번째 앞 순서로 들어가고, 나는 격려의 뜻으로 고개를 끄덕여 보인다. 모든 것에 지나치게 생각이 많아져서 내가 제일 먼저였더라면 하고 바란다. 내 이름을 호명할 때쯤에는 어떤 전략을 취해야 할지 알 수가 없다. 다행히 블록 안에 들어가고 나니 훈련했던 성과가 어느 정도 발휘된다. 매복 공격을 받는 상황이다. 거의 곧바로 평화유지군들이 나타나고, 나는 흩어진 대원들과 조우 지점에서 만나야 한다. 천천히 길을 살피며, 평화유지군들을 쓰러뜨려가며 이동한다. 왼쪽 옥상에서 두 명, 앞쪽의 문간에서 한 명. 제법 어렵지만, 내가 생각했던 것만큼 힘들지는 않다. 이만큼 단순하다면 내가 뭔가를 놓치고 있는 거라는 느낌이 계속 든다. 목표 지점에서 건물 몇 개 정도 떨어진 곳까지 오자 비로소 달아오르기 시작한다. 평화유지군 여섯 명이 모서리를 돌아서 들이닥친다. 나보다 수가 더 많지만, 난 무언가를 눈치챘다. 배수로에 가솔린이 든 드럼통 하나가 아무렇게나 누워 있다. 저거다, 내게 주어진 시험이. 저 드럼을 폭파시키는 것이 임무를 수행할 유일한 방법이라는 걸 알아볼 수 있는가 하는 것이다. 드럼을 폭파시키려고 한 걸음 내딛는 순간, 이제까지는 별 쓸모가 없던 중대장이 조용히 내게 엎드리라고 명령한다. 내 모든 본능은 그 목소리를 무시하고 방아쇠를 당겨, 평화유지군들을 하늘 높이 날려 버리라고 소리 지른다. 그리고 갑자기 나는 군대에서 내 가장 큰 약점이 뭐라고 생각할 것인지 깨닫는다. 헝거 게임에 참가했던 첫 순간에 내가 오렌지색 배낭을 향해 달려갔던 것, 8번 구역에서 총격전을 벌였던 것, 2번 구역에서 충동적으로 광장을 달려갔던 것. 나는 명령을 받을 수가 없다.

너무 세고 또 빠르게 땅바닥에 엎드린다. 앞으로 일주일 정도는 내 턱에 낀 자갈을 빼며 보낼 정도로. 다른 누군가가 가솔린 통을 폭파시킨다. 평화유지군들이 죽는다. 나는 조우 지점에 도착한다. 블록 반대편으로 빠져나오자, 병사 한 명이 나를 축하해 주며 내 손에 451번이라는 중대 번호를 찍어주고 사령부로 가라고 한다. 내가 거둔 성공에 살짝 들떠서 나는 복도를 달린다. 미끄러지듯 모서리를 돈다. 엘리베이터가 너무 느려서 계단을 뛰어 내려간다. 방으로 뛰쳐 들어가고 나서야 이 상황이 이상하다는 것을 깨닫는다. 내가 사령부에 있어서는 안 되기 때문이다. 머리를 자르고 있어야 한다. 테이블에 둘러앉은 사람들은 신병들이 아니고 명령을 내리는 사람들이다.

복스가 나를 보더니 미소를 지으며 고개를 끄덕인다.

"어디 보자."

이제 의심하게 된 나는 도장이 찍힌 손을 들어 보인다.

"넌 내 밑이다. 명사수들로 구성된 특별 팀이지. 네 분대에 합류해라."

복스는 벽을 따라 늘어선 사람들 쪽으로 고개를 까딱인다. 게일. 피닉. 내가 모르는 사람 다섯 명. 내 분대. 참전하게 되었을 뿐 아니라 복스 밑에서 일하게 되었다. 내 친구들과. 나는 팔짝팔짝 뛰고 싶은 걸 억지로 참으며 침착하고 군인답게 걸어서 그들 틈에 낀다.

사령부에 있는 걸 보니 우리는 중요한 분대인가 보다. 분대원 중 하나가 모킹제이인 것과는 무관한 일이다. 플루타르크는 테이블 중앙의 넓고 평평한 계기판 앞에 선다. 우리가 캐피톨에서 마주치게 될 것들의 성격에 대해 뭔가 설명하고 있다. 발돋움을 해도 계기판이 보이지 않아서 형편없는 프레젠테이션이라고 생각하고 있는데 그가 버튼을 누른다. 캐피톨 한 블록의 홀로그래픽 이미지가 공중에 투사된다.

"예를 들어 이건 평화유지군 막사 하나를 둘러싼 구역이다. 중요하지 않은 것은 아니지만 가장 결정적인 목표물은 아닌데도, 이걸 봐."

플루타르크가 키보드로 암호 같은 것을 쳐 넣자 여기저기에 불이 들어온다. 불빛은 다양한 색이고, 각기 다른 속도로 깜빡인다.

"이 불빛 하나하나는 '팟(pod)'이라고 한다. 서로 다른 장애물들을 의미하고, 폭탄부터 머테이션 떼까지 무엇이든 될 수 있다. 무엇이 들어 있든 간에 여러분을 가두거나 죽일 목적으로 설계된 것임을 명심해라. 암흑기 때부터 있던 것들도 있고, 오랜 세월에 걸쳐 개발한 것들도 있다. 솔직히 말해, 내가 만든 것들도 제법 있다. 우리 중 한 명이 캐피톨을 떠나며 몰래

가지고 나온 이 프로그램이 우리가 가지고 있는 정보 중 가장 최근 것이다. 캐피톨에서는 우리가 이걸 가지고 있다는 걸 모른다. 그렇긴 해도 최근 몇 달간 새로운 팟들을 설치했을 가능성이 높다. 여러분들은 이런 것들을 접하게 될 것이다."

홀로그래프가 내 코앞에 다가올 때까지 나는 내 발이 움직이고 있다는 것조차 모르고 있었다. 나는 그 안으로 손을 뻗어 빠르게 깜빡이는 녹색 불빛을 감싸 본다.

누군가가 몸을 긴장시키며 내 옆에 선다. 물론 피닉이다. 내가 곧바로 발견한 그것을 볼 수 있는 사람은 우승자뿐이니까. 경기장이다. 게임운영자들이 조종하는 팟이 즐비한 경기장. 피닉의 손가락이 문 위에 켜진 빨간 불빛을 만진다.

"신사 숙녀 여러분······."

피닉의 목소리는 조용하지만 내 목소리는 방 안에 울려 퍼진다.

"76회 헝거 게임을 시작하겠습니다!"

나는 웃는다. 재빨리. 내가 내뱉은 말 뒤에 숨은 의미를 그 누구도 이해하기 전에. 사람들이 눈썹을 치켜 올리기 전에, 반대하는 말을 누군가 내뱉기 전에, 정황을 이해하고 나를 캐피톨에서 최대한 먼 곳에 두는 것이 해결책이라는 것을 깨닫기 전에. 분노한, 독립적으로 생각하는 우승자, 심리적 흉터가 뚫을 수 없을 정도로 두껍게 쌓인 우승자는 같은 분대에 절대 있어서는 안 될 사람일 것이기 때문이다.

"플루타르크, 저랑 피닉을 왜 군이 훈련시키셨는지 알 수 없네요."

내가 말한다.

"네, 우리 둘은 이미 당신이 지닌 가장 탁월한 군인들인데요."

피닉이 거만하게 말한다.

"내가 그 생각을 못했다고 생각하지는 마. 이제 열로 돌아가, 오데어 병사와 에버딘 병사. 프레젠테이션을 마쳐야 해."

플루타르크는 조금 짜증난 듯 말한다.

우리는 사람들이 보내는 질문하는 듯한 시선을 무시한 채 우리 자리로 돌아온다. 플루타르크가 설명을 계속하는 동안 나는 한껏 집중하는 태도를 취하며 여기저기서 고개를 끄덕이고, 더 잘 볼 수 있도록 자세를 바꾼다. 내내 스스로에게 숲에 가서 소리 지를 수 있게 될 때까지 참으라고 말한다. 아니면 욕하거나, 울거나, 혹은 그 세 가지를 동시에 하거나.

만약 이게 시험이었다면 피닉과 나는 둘 다 통과한다. 플루타르크가 설명을 마치고 회의가 끝나자, 나는 내게 특별 지시가 있다는 것을 알게 되는 좋지 않은 순간을 맞는다. 하지만 캐피톨이 항복하게 될 시 내가 경기장에 있던 여자아이와 최대한 비슷해 보였으면 좋겠으니 머리를 군대식으로 자르지 말라는 것뿐이었다. 물론 카메라를 의식한 것이다. 나는 내 머리 길이는 아무래도 상관없다는 뜻으로 어깨를 으쓱해 보인다. 그들은 더 이상의 말 없이 보내준다.

복도에서 피닉과 나는 서로에게 점점 가까워진다.

"애니에겐 뭐라고 하지?"

피닉이 숨을 죽여 말한다.

"아무 말도 하지 마요. 난 엄마랑 프림한테 아무 말도 안 할 거예요."

온갖 장비가 갖춰진 경기장에 다시 들어간다는 사실을 우리 자신이 아는 것만으로도 충분히 나쁜 소식이다. 우리가 사랑하는 사람들에게 이 이야기를 해 봐야 아무 소용없으리라.

"만약 애니가 그 홀로그래프를 본다면……."

피닉이 말한다.

"못 볼 거예요. 기밀 정보니까. 분명 그럴 거예요. 아무튼 실제 게임과는 다르겠죠. 몇 명이든 살아남을 수 있잖아요. 우리가 과민 반응을 보이는 건

270

그저…… 음, 그 이유는 당신도 알잖아요. 그래도 가고 싶지 않아요?"

"당연하지. 나도 너만큼이나 스노우를 쓰러뜨리고 싶어."

"다른 때랑은 다를 거예요. 이번에는 스노우 역시 경기에 참가하는 거잖아요."

나는 나 자신까지 확신시키려 노력하며 단호하게 말한다. 그러자 이 상황의 진정한 아름다움이 느껴진다.

우리가 이야기를 잇기 전에 헤이미치가 나타난다. 헤이미치는 회의에 참석하지 않았고, 경기장이 아니라 다른 것에 대해 생각하고 있다.

"조한나가 병원으로 돌아갔다."

조한나도 시험을 무사히 통과했지만 명사수 팀에 배정받지 않았을 뿐일 거라고 생각하고 있었다. 조한나는 도끼 던지는 솜씨는 끝내주지만 사격은 평균 정도다.

"다쳤나요? 무슨 일이에요?"

"블록에 있을 때 사건이 터졌다. 각 병사의 잠재적 약점을 찾아내려고 했거든. 그래서 거리를 물바다로 만들었다."

헤이미치가 말한다.

이해가 되지 않는다. 조한나는 수영할 줄 안다. 적어도 25주년 특집 때 수영을 했던 게 기억나는 것 같다. 물론 피닉처럼은 아니었지만, 우리 중 피닉처럼 수영할 수 있는 사람은 없었다.

"그래서요?"

"캐피톨에서 그런 식으로 고문했었다. 물을 묻히고 전기 충격을 줬어. 블록에서 그때 일이 되살아난 모양이다. 패닉 상태에 빠져서 자기가 지금 어디에 있는지 모르게 되었다. 다시 약물로 마취시켜 놓은 상태다."

피닉과 나는 대답할 능력을 상실한 것처럼 그저 서 있었다. 나는 조한나가 절대 샤워를 하지 않던 것을 생각한다. 그날 내리던 비가 염산이라도 되는 것처럼 억지로 밖으로 나가던 것. 나는 조한나의 괴로움이 모플링 금단 증상 때문이라고 생각했다.

"너희 둘, 가서 만나 봐. 너희들은 조한나에게 있어 친구에 가장 가까운 사람들이니."

헤이미치가 말한다.

모든 상황이 더욱 악화된다. 조한나와 피닉 사이가 어떤지는 모른다. 하지만 나는 조한나에 대해 거의 알지 못한다. 가족도 없다. 친구도 없다. 밋밋한 서랍장 안에 든 배급받은 규정된 의복 옆에 놔둘 7번 구역의 기념품도 없다. 아무것도 없다.

"나는 가서 플루타르크에게 말해 줘야겠다. 좋아하지 않을 거야."

헤이미치가 말을 잇는다.

"캐피톨에서 우승자들을 카메라 앞에 최대한 많이 세우고 싶어 하니까. 프로그램이 더 좋아진다고 생각하거든."

"아저씨랑 비티도 가요?"

내가 묻는다.

"젊고 매력적인 우승자들을 최대한 많이 세우고 싶어 하니까. 즉, 우린 여기 있을 거야."

헤이미치가 잘라 말한다.

피닉은 곧바로 조한나를 보러 가지만, 나는 복스가 나올 때까지 회의실 밖에서 몇 분 정도 기다린다. 이제 복스가 내 상관이니까, 특별히 부탁할 사람은 복스일 것 같다. 내가 하고 싶은 일을 이야기하자, 경비병의 시야를 벗어나지 않는다는 조건 하에 명상 시간에 숲으로 갈 수 있는 허가증을 써 준다. 처음에 나는 낙하산을 쓸 생각으로 내 객실로 달려가지만, 낙하산에는 추한 기억이 가득하다. 그래서 대신 복도 맞은편으로 가 12번 구역에서 가져온 흰 면 붕대를 가져온다. 사각형이고 튼튼하다. 안성맞춤이다.

숲에서 소나무를 찾아내 가지에서 향긋한 잎들을 몇 줌 뜯어낸다. 그것을 붕대 한 가운데에 깔끔하게 쌓은 다음, 모서리를 모아서 꼬고 덩굴 줄기로 꼭 묶어 사과 크기의 뭉치를 만든다.

병실 문에서 잠시 조한나를 바라보고, 조한나의 흉폭함이 거의 거친 태도에서 나왔다는 사실을 깨닫는다. 그런 태도가 사라지고 난 지금은 자그마한 한 명의 여자에 지나지 않는다. 잠들지 않으려고 눈을 크게 뜨고 약물의 힘에 맞서 싸우고 있다. 잠이 가져올 무엇인가를 너무나 두려워하고 있다. 나는 조한나에게 다가가 내가 만든 뭉치를 내민다.

"그게 뭐야?"

쉰 목소리로 그녀가 묻는다. 머리칼 끝이 젖어 이마 위에 조금씩 비쭉비쭉 솟아 있다.

"언니 주려고 만들었어요. 서랍에 넣어 두시라고요. 냄새 맡아 봐요."

조한나의 손에 쥐여 준다.

조한나는 뭉치를 코에 대고 조심스레 맡아 본다.

"고향 냄새야."

조한나의 눈에 눈물이 차오른다.

"그러길 바랐어요. 7번 구역 출신이고 하니까. 우리가 만났을 때 기억나요? 그때 언닌 나무였잖아요. 잠시였지만."

갑자기 조한나는 내 손목을 단단히 움켜쥔다.

"꼭 죽여야 해, 캣니스."

"걱정 말아요."

손길을 뿌리치고 싶은 유혹에 저항한다.

"맹세해. 네가 아끼는 것을 걸고."

조한나가 으르렁거리듯 말한다.

"맹세해요. 내 목숨을 걸고."

하지만 조한나는 내 팔을 놔주지 않는다.

"네 가족의 목숨을 걸어."

그녀가 우긴다.

"제 가족의 목숨을 걸게요."

내가 조한나의 말을 따라 한다. 나 자신이 살아남겠다는 의지로는 설득력이 부족한가 보다. 조한나가 내 팔을 놓고, 나는 손목을 문지른다.

"머저리 같이. 내가 애초에 거길 왜 간다고 생각해요?"

이 말을 듣자 조한나는 살짝 미소를 짓는다.

"그래도 듣고 싶었어."

조한나는 솔잎 뭉치를 코에 대고 눈을 감는다.

남은 날들은 어지러울 정도로 빨리 지나간다. 우리 분대는 매일 아침 간단한 운동을 하고 나서 사격장에서만 훈련한다. 나는 주로 총 쏘는 연습을 하지만 매일 1시간씩은 특수 무기를 연습한다. 즉 나는 모킹제이 활을 쏘고, 게일은 특수 강화된 활을 쏜다. 비티가 피닉을 위해 만든 삼지창에는 특수 기능이 많지만, 가장 놀라운 것은 피닉이 던지고서 손목에 찬 금속 팔찌의 버튼을 누르면 찾으러 가지 않아도 그의 손으로 돌아온다는 것이다.

가끔 평화유지군이 입는 보호복의 약점에 익숙해지기 위해서 평화유지군 마네킹에 총을 쏜다. 말하자면 갑옷의 틈 같은 것이다. 살을 맞추면 상으로 가짜 피가 터져 나온다. 우리가 쏜 마네킹은 붉게 물든다.

우리 분대의 전반적인 명중률을 보면 안심이 된다. 피닉과 게일 말고도 우리 분대에는 13번 구역 병사 5명이 있다. 서열상으로 복스 바로 아래인 중년 여자 잭슨은 동작은 굼떠 보이지만, 다른 사람들이 스코프가 없으면 보지도 못하는 것을 맞출 수 있다. 본인은 눈이 원시라서 그렇다고 한다. 리그라는 이름의 20대의 자매가 두 명 있는데(구별하기 위해 우리는 리그

1과 리그 2라고 부른다), 유니폼을 입으면 너무나 닮아서 나는 리그 1의 눈에 묘한 노란색 얼룩이 있다는 것을 알아차리기 전까지는 둘을 구분하지 못한다. 미첼과 홈스라는 나이가 더 많은 남자들이 두 명 있는데, 말수는 적지만 50미터 떨어진 곳에서 부츠 위의 먼지까지도 쏘아 맞출 수 있다. 다른 분대들도 제법 실력이 좋지만, 어느 날 아침 플루타르크가 우리를 찾아올 때까지는 나는 우리의 위치를 제대로 이해하지 못했다.

"451번 분대, 여러분들은 특별 임무를 위해 선정되었다."

그가 말을 시작한다. 나는 입술 안쪽을 깨물며, 스노우를 암살하기 위한 거라고 헛된 희망을 가진다.

"우리에겐 명사수들은 많지만, 촬영 팀은 부족하다. 그래서 우리는 여러분 8명을 직접 골라서 우리가 '스타 분대'라 부르는 팀을 조직했다. 여러분은 텔레비전에서 이번 공격의 얼굴이 될 것이다."

실망, 충격, 그리고 분노가 우리 분대에 흐른다.

"그 말은 곧, 우리는 실제 전투에는 끼지 않는다는 거네요."

게일이 화난 목소리로 말한다.

"전투에 끼게 되겠지만, 어쩌면 늘 최전방에 있지 않을 수는 있겠지. 이런 형태의 전쟁에서 최전방을 구분할 수 있다면 말이겠지만."

플루타르크가 말한다.

"우리 중 그런 걸 원하는 사람은 아무도 없어요."

피닉이 말하자 다들 그에 찬성하는 소리가 웅웅 들려오지만, 나는 침묵을 지킨다.

"우린 싸울 기예요."

"우리는 여러분을 전쟁에 가능한 한 최대로 유용하게 쓸 거요. 그리고 여러분은 텔레비전에 등장할 때 가장 큰 가치가 있다고 결론을 내렸지. 캣니스가 모킹제이 유니폼을 입고 뛰어다닐 때의 효과를 봐도 알잖아. 반란

전체를 뒤집어 놓았지. 지금 불평하지 않는 사람이 캣니스뿐인 걸 눈치챘나? 텔레비전의 힘을 이해하기 때문이야."

플루타르크가 말한다.

사실 내가 불평하지 않는 까닭은 '스타 분대'와 같이 있을 생각은 없지만, 어떤 계획이든 실행하려면 우선 캐피톨에 갈 필요가 있다는 것을 알기 때문이다. 하지만 너무 고분고분하게 따라도 의심을 받을지 모른다.

"하지만 계속 싸우는 척만 하는 건 아니죠? 그렇게 한다면 재능을 낭비하는 일일 거예요."

내가 그에게 묻는다.

"걱정 마. 쏠 목표물은 충분할 테니까. 하지만 폭발해 죽지는 말고. 너를 대신할 사람을 찾는 것 외에도 이미 내겐 할 일이 넘쳐. 이제 캐피톨에 가서 멋진 쇼를 해라."

플루타르크가 말한다.

우리가 출발하는 날 아침 나는 가족들에게 작별 인사를 한다. 캐피톨의 방어 체계가 경기장의 무기와 얼마나 비슷한지는 말하지 않았지만, 내가 참전하는 것 자체로 충분히 끔찍한 일이다. 엄마는 나를 오랫동안 꼭 안으신다. 엄마 뺨에 눈물이 흐르는 것이 느껴진다. 내가 헝거 게임에 참가했을 때는 참으셨던 눈물이다.

"걱정 마세요. 전 굉장히 안전할 거예요. 진짜 군인도 아니에요. 플루타르크가 연출하는 꼭두각시 중 하나에 불과한걸요."

프림은 나를 병원 문까지 배웅해 준다.

"기분이 어때?"

"좀 나아. 네가 스노우가 닿을 수 없는 곳에 있다는 걸 아니까."

"우리가 다음에 만날 때는 스노우는 없을 거야. 조심해."

프림은 단호하게 말하고는 내 목을 끌어안는다.

나는 피타에게 마지막 작별 인사를 할까 생각해 보지만, 우리 둘 다에게 좋지 않은 일이 될 뿐일 거라고 결론 내린다. 하지만 내 유니폼 주머니에 진주를 밀어 넣는다. 빵을 준 아이를 기념하는 물건이다.

호버크래프트는 우리를 하필이면 12번 구역에 데리고 간다. 불이 났던 곳 밖에 임시 수송 구역을 만들어 두었다. 이번에는 호화로운 기차는 없고, 짙은 회색 유니폼을 입은 군인들을 한도까지 꽉 채운 화물차를 타고 간다. 군인들은 배낭에 머리를 기대고 잠들었다. 며칠 동안 이동하고 난 뒤 캐피톨로 향하는 산의 터널 중 하나에 내리고, 나머지 거리는 6시간 동안 걸어서 간다. 폭격으로부터 안전한 곳을 표시한 빛나는 녹색 페인트 선만 주의해서 밟는다.

예전에 피타와 내가 도착했던 기차역에서 외곽으로 10블록 떨어진 곳에 있는 반군 캠프장에 도착한다. 이미 군인들이 돌아다니고 있다. 451번 분대는 텐트를 칠 곳을 지정받는다. 이곳을 점령한 지 일주일이 넘었다. 반군들은 수백 명을 잃어가며 평화유지군을 몰아냈다. 캐피톨 군은 물러났고, 도시 더 깊숙한 곳에서 병력을 재정비했다. 그들과 우리 사이에는 부비트랩이 설치된 거리들이 텅 빈 채 우리를 유혹한다. 우리가 전진하기 전에 거리 하나하나의 팟들을 제거해야 할 것이다.

미첼이 호버크래프트 폭격에 대해 묻지만(탁 트인 곳에 있으니 정말 발가벗은 기분이다), 복스는 그건 문제가 아니라고 한다. 캐피톨의 비행기는 대부분 2번 구역에서, 또는 공격 중에 파괴되었다. 한 대라도 남아 있다면 아껴두고 있을 것이다. 아마 스노우와 그의 핵심 세력들이 필요할 경우 마지막 순간에 어딘가에 있을지 모를 대통령 벙커로 탈출할 수 있도록 말이다. 우리 호버크래프트는 처음 몇 번의 공격에서 캐피톨의 대공 미사일에 의해 대량으로 파괴되었다. 이 전쟁은 거리에서 끝날 것이다. 사회 기반 시설에는 큰 피해를 주지 않고, 인명 희생이 최소에 그치기를 바라고 있다. 캐피톨이 13번 구역을 원했듯, 반군은 캐피톨을 원한다.

사흘이 지나자 451번 분대의 상당수는 지겨워져서 위험을 무릅쓰고 야영지를 벗어난다. 크레시다와 그녀의 팀은 우리가 총을 쏘는 모습을 찍는다. 그들은 우리가 허위 정보 유포를 맡은 팀 소속이라고 말해 준다. 반군들이 플루타르크가 알고 있는 팻들만 쏜다면, 캐피톨은 우리가 홀로그래프를 가지고 있다는 것을 불과 2분 정도면 깨달을 것이다. 그래서 그걸 감추기 위해, 상관없는 것들을 부수느라 보내는 시간이 많다. 사탕 색깔의 건물들 밖에 쌓인 무지갯빛 깨진 유리 더미에 더 많은 유리를 보태는 게 대부분이다. 이 영상을 캐피톨의 주요 목표물을 부수는 영상과 교차 편집하는 게 아닐까 의심해 본다. 가끔은 진짜 명사수가 필요한 것 같을 때가 있다. 8명 모두 손을 들지만 게일과 피닉, 그리고 내가 선택되는 일은 절대 없다.

"카메라 앞에 설 준비가 완벽하게 되어 있는 네 잘못이야."

나는 게일에게 말한다. 외모로 죽일 수만 있다면.

그들이 우리 셋, 특히 나를 가지고 무얼 해야 할지 잘 모르고 있는 것 같다. 모킹제이 유니폼을 가져왔지만 군복을 입은 모습만 촬영했다. 가끔은 총을 쓰고, 가끔은 활과 화살을 쓰라고 주문할 때도 있다. 모킹제이를 완전히 잃고 싶지는 않지만 별 힘없는 보병으로 내 역할을 강등시키고 싶은 모양이다. 나는 상관없으니, 13번 구역에서 오가고 있을 논쟁을 생각하면 기분이 나쁘다기보다는 재미있다.

겉으로 나는 실제 전쟁에 끼지 못하는 것에 불만을 표하고 있지만, 실은 내 계획 때문에 바쁘다. 우리 모두는 캐피톨의 종이 지도를 갖고 있다. 도시는 거의 완벽한 정사각형 모양이다. 지도 위의 선들이 도시를 더 작은 정사각형으로 나누고 있고, 위에는 가로로 글자가, 옆에는 세로로 숫자가 쓰여 있어 기준선망을 이루고 있다. 나는 교차로와 골목 전부를 외우며 열심히 공부하지만, 이건 보충 수업이다. 여기 있는 지휘관들은 플루타르크의 홀로그래프를 이용한다. 모두 손에 들고 사용하는 '홀로'라는 기계를 가지고 있다. 내가 사령부에서 봤던 것 같은 이미지를 보여주는 기계다. 기준선망의 어디든 확대해서 팟이 기다리고 있는 곳을 볼 수 있다. 홀로는 독립적인 기기이고 신호를 보내지도 받지도 못하기 때문에, 사실 미화된 지도에 불과하다. 하지만 종이로 된 내 지도보다는 훨씬 우수하다.

홀로는 특정 지휘관이 자기 이름을 말하면 켜진다. 켜지고 나면 분대의 다른 사람의 목소리에도 반응하기 때문에, 만약 복스가 죽거나 심하게 다치면 다른 사람이 넘겨받을 수 있다. 만약 분대 중 누구라도 '자물쇠딸기'라고 세 번 연속해서 말하면, 홀로는 폭발하며 반경 5미터 이내의 모든 것을 하늘 높이 날려 버린다. 잡혔을 경우의 보안을 고려했기 때문이다. 우리 모두는 망설이지 않고 그렇게 하도록 되어 있다.

그러니 나는 복스가 홀로를 켠 다음에 그가 눈치채기 전에 그걸 들고 도망쳐야 한다. 복스의 치아를 훔치는 게 더 쉬울 것 같다.

네 번째 날 아침, 병사 리그 2가 잘못 표시된 팟을 건드린다. 반군들은 머테이션 각다귀 떼가 나올 것에 대비하고 있었는데, 팟은 작은 금속 화살을 방사상으로 쏘아 보낸다. 그중 하나가 리그 2의 뇌에 꽂힌다. 그녀는 의료진이 오기도 전에 죽었다. 플루타르크는 얼른 대체 인력을 찾아오겠다고 약속한다.

다음 날 저녁, 우리 분대의 새 멤버가 도착한다. 수갑을 차지 않고. 경비병도 없이. 어깨에 멜빵으로 총을 멘 채 기차역에서 유유히 걸어 나온다. 충격과 혼란, 저항의 움직임이 일어나지만, 피타의 손등에는 잉크로 451이라고 찍혀 있다. 복스는 피타의 총을 뺏고는 전화를 걸러 간다.

"소용없어요. 대통령이 직접 나를 배정했으니까. 프로포를 좀 더 달궈야겠다고 결정했거든요."

피타가 우리에게 말한다.

그럴지도 모른다. 하지만 코인이 피타를 여기로 보냈다면, 코인은 다른 것도 결정한 것이다. 나는 살아 있을 때보다 죽었을 때 자기에게 더 유용하다는 것.

PART 3

암살범

19

전에 나는 복스가 화난 모습을 제대로 본 일이 없다. 내가 그의 명령을 어겼을 때에도, 그에게 토했을 때도, 심지어 게일이 코뼈를 부러뜨렸을 때도 보지 못했다. 하지만 대통령과 전화를 하고서 돌아온 복스는 화가 나 있다. 그가 가장 먼저 하는 일은 바로 아랫 사람인 잭슨 병사에게 두 명씩 돌아가며 하루 24시간 피타에게 감시를 붙이라고 지시하는 것이다. 그리고 그는 나를 데리고 넓게 퍼진 야영장을 지나 우리 분대가 멀어질 때까지 걸어간다.

"걔는 어차피 저를 죽이려 할 거예요. 여기라면 특히 더 그렇고요. 피타를 자극할 나쁜 기억들이 너무 많은 곳이니까요."

내가 말한다.

"내가 잘 감시하마, 캣니스."

복스가 말한다.

"코인은 왜 이제 내가 죽기를 바라는 거죠?"

"코인은 그렇지 않다고 말해."

"하지만 그게 사실이란 걸 우린 알잖아요. 그리고 적어도 이유를 추측하고 계시긴 할 거 아니에요."

복스는 대답하기 전에 나를 한참이나 날카롭게 쳐다본다.

"내가 아는 건 이 정도야. 대통령은 널 좋아하지 않아. 좋아한 적이 한 번도 없지. 대통령은 경기장에서 피타를 구출하고 싶어 했지만, 찬성한 사람이 아무도 없었어. 네가 다른 우승자들을 사면해 달라고 했을 때 일이 더 나빠졌어. 하지만 네가 얼마나 맡은 역할을 잘 해냈는지 생각하면 그것마저도 무시할 수 있지."

"그럼 뭔데요?"

내가 계속 묻는다.

"멀지 않은 미래에 이 전쟁은 끝이 날 거야. 새로운 지도자를 선택해야 하겠지."

나는 눈알을 굴린다.

"복스, 제가 지도자가 될 거라고 생각하는 사람은 아무도 없어요."

"그건 그렇지."

복스가 동의하고서 다시 묻는다.

"하지만 누군가를 후원하게 되겠지. 코인 대통령을 지지할 거니? 아니면 다른 사람?"

"모르겠어요. 생각해 본 적도 없는데요."

"네가 코인을 지지할 거라고 곧바로 대답하지 않는다면, 위협적인 거야. 너는 반군의 얼굴이지. 다른 어떤 사람보다 너의 영향력이 더 클 수 있어. 겉으로 보기에 이제까지 네가 코인을 위해서 한 일이라곤 코인을 참고 견딘 게 고작이야."

"그래서 제 입을 닥치게 하려고 저를 죽인다는 거군요."

이렇게 말하자마자 그게 사실이라는 걸 알 수 있다.

"지금은 결집을 위한 계기로 너를 필요로 하지 않거든. 코인이 말했던 것처럼, 구역들을 연대시킨다는 주된 목표는 이미 성공했으니까. 요즘 만드는 프로포는 네가 없어도 만들 수 있지. 네가 반란에 불길을 더할 수 있는 일은 오직 딱 하나 남아 있을 뿐이야."

복스가 상기시켜 준다.

"죽는 것 말이죠."

내가 조용히 말한다.

"그래. 우리에게 순교자를 주는 거지. 순교자를 위해 싸우도록. 하지만 내가 보는 앞에서 그런 일은 없을 거다. 에버딘 병사. 내 계획에 따르면 넌 오래 살도록 되어 있어."

"왜요? 저한테 신세 진 것도 전혀 없으시면서."

그런 식으로 생각하면 복스에겐 문제만 생길 텐데 말이다.

"넌 그럴 자격이 있으니까. 이제 분대로 돌아가라."

복스가 나를 위해 위험을 무릅쓰는 데 감사해야 한다는 건 알지만, 사실 나는 좌절감만 느낄 뿐이다. 이제 난 어떻게 그의 홀로를 훔쳐서 도망간단 말인가? 이렇게 새로운 빚을 지기 전에도 그를 배신하는 건 복잡한 일이었다. 복스는 이미 내 생명을 구해 준 사람이니까.

내가 지금 처한 딜레마를 불러온 사람이 조용히 우리 야영지에 텐트를 치는 것을 보니 화가 치민다.

"제 감시 시간은 언제죠?"

나는 잭슨에게 묻는다.

잭슨은 주저하며 눈을 가늘게 뜨고 나를 본다. 어쩌면 그저 내 얼굴에 초점을 맞추려고 하는 건지도 모르겠다.

"너는 순번에 넣지 않았는데."

"왜요?"

"만약 필요할 경우, 네가 피타를 쏠 수 있을 것 같지 않아서."

나는 분대 전체가 똑똑히 들을 수 있도록 큰 소리로 말한다.

"제가 쏘는 건 피타가 아닐 거예요. 피타는 이제 없으니까. 조한나 말이 맞아요. 캐피톨의 머테이션을 쏘는 것과 똑같을 거예요."

피타가 돌아온 이후 내가 느낀 모욕을 생각하니, 피타에 대한 끔찍한 이야기를 큰 소리로 공공연하게 하는 게 꽤 만족스럽다.

"음, 그런 말을 하는 것 역시 네가 적임자라는 생각이 들게 하지는 않는데."

"순번에 넣어요."

내 뒤에서 복스가 말하는 것이 들린다.

잭슨은 고개를 가로저으며 메모를 한다.

"자정부터 4시까지. 나와 같이 감시한다."

저녁 식사를 알리는 호루라기 소리가 들리고, 게일과 나는 배식 줄에 선다.

"내가 죽여줄까?"

게일이 대놓고 묻는다.

"그러면 우리 둘 다 13번 구역으로 끌려갈 거야. 걔는 내가 감당할 수 있어."

내가 대답한다. 화가 나 있는데도, 게일이 한 제안의 잔인함에 겁이 난다.

"네가 도망가기 전까지? 종이 지도를 들고, 손에 넣을 수 있으면 홀로를 가지고?"

그러면 게일은 내가 준비해 온 게 뭔지 눈치챈 것이다. 다른 사람들에게도 이렇게 뻔히 드러나지는 않았으면 좋겠다. 하지만 여기서 내 마음을 게일만큼 잘 아는 사람은 없다.

"나를 두고 갈 생각은 아니겠지?"

게일이 묻는다.

지금까지는 두고 갈 생각이었다. 하지만 내 뒤를 봐 줄 사냥 파트너와 함께한다는 것은 나쁜 생각 같지 않다.

"동료 병사로서, 네가 분대와 함께 남아 있기를 강력히 권할 수밖에 없어. 하지만 네가 온다는데 막을 수는 없잖아?"

게일은 씩 웃는다.

"그럴 순 없지. 내가 다른 군인들에게 일러바치는 걸 원하는 게 아니라면."

451번 분대와 촬영 팀은 저녁 식사를 배급받아 원형으로 둘러앉고, 긴장된 분위기에서 식사를 한다. 처음에는 분위기가 불편한 것이 피타 때문이라고 생각하지만, 식사를 마칠 때쯤에는 쌀쌀맞은 시선이 여러 번 나를 향했다는 것을 깨닫는다. 피타가 처음 나타났을 때는 모두들 피타가 얼마나 위험할지(특히 나에게) 걱정했다는 게 거의 확실하다. 뭔가 빠른 반전이 일어났다. 하지만 헤이미치와 통화를 하고 나서야 이해하게 된다.

"너 뭐하려는 거냐? 피타를 자극시켜서 공격하게 하려는 거냐?"

헤이미치가 묻는다.

"당연히 아니죠. 전 그냥 피타가 저를 내버려 뒀으면 좋겠어요."

"피타는 그렇게 못해. 캐피톨이 개한테 한 짓을 겪은 뒤로는 그렇게 안 된다. 이것 봐, 코인은 피타가 너를 죽이길 바라며 피타를 거기 보냈을지 모르겠지만 피타는 그 사실을 몰라. 피타는 자기에게 일어난 일을 이해하지 못해. 그러니까 넌 피타 탓을 할 수는 없⋯⋯."

"탓하지 않아요!"

"그러고 있잖아! 너는 피타의 통제를 벗어난 일들을 가지고 계속해서 피타를 벌하고 있다. 언제나 장전한 무기를 지니고 있지 말라는 말은 아니야. 하지만 이 작은 시나리오를 네가 뒤집어 생각해 볼 때가 된 것 같다. 만약 네가 캐피톨에 잡혀가서 하이잭당하고 피타를 죽이려 했다면, 피타가 너를 이렇게 대하고 있겠냐?"

헤이미치가 따진다.

나는 조용해진다. 아닐 것이다. 피타는 나를 절대 이렇게 대하지 않을 것이다. 피타는 어떻게 해서든 나를 되돌려 놓으려 할 거다. 나를 무시하고, 버리고, 만날 때마다 적대적으로 대하지 않을 것이다.

"너와 나는 피타를 구하려 노력하기로 약속했다. 기억하냐?"

헤이미치가 묻는다. 내가 대답하지 않자 헤이미치는 퉁명스럽게 이렇게 말하곤 끊어 버린다.

"기억을 되살려 봐라."

낮의 상쾌하던 가을 날씨가 쌀쌀해졌다. 분대원들 대부분은 침낭에 들어가 눕는다. 몇 명은 야영장 가운데의 난방기 근처의 야외에서 잠들고, 다른 사람들은 텐트로 들어간다. 리그 1은 결국 자매의 죽음 앞에 무너져, 소리 죽여 흐느끼는 소리가 캔버스 천을 뚫고 들려온다. 나는 텐트 안에서 몸을 웅크리고 헤이미치가 한 말을 생각해 본다. 스노우를 암살한다는 생각에 집착하느라 훨씬 더 어려운 문제를 무시하고 있었음을 부끄러워하며 깨닫는다. 하이잭당해서 어슴푸레한 세계에서 헤매고 있는 피타를 구출하려 노력하는 것. 끌어내는 것은 고사하고, 어떻게 해야 피타를 찾아낼 수 있는지도 모르겠다. 계획조차 생각해 낼 수 없다. 위험이 가득한 경기장을 뚫고 가서 스노우를 찾아내 머리에 총알을 박는 일은 이에 비하면 어린애 장난 같다.

자정에 텐트에서 기어 나와, 난방기 근처 접의자에 앉아 잭슨과 함께 피타를 감시한다. 복스는 피타에게 다른 사람들이 모두 볼 수 있는 야외에서 자라고 했다. 하지만 피타는 자고 있지 않다. 잠드는 대신 가방을 가슴에 끌어안고 앉아, 짧은 밧줄로 서툴게 매듭을 묶으려 하고 있었다. 내가 잘 아는 밧줄이다. 피닉이 그날 밤 벙커에서 빌려줬던 밧줄이다. 피타의 손에 그 밧줄이 있는 것을 보니, 헤이미치가 아까 했던 말, 내가 피타를 버렸다는 말을 피닉이 반복하고 있는 것 같다. 지금이 그걸 바로잡기에 적절한 때일지 모른다. 내가 할 말을 떠올릴 수 있다면. 하지만 생각나지 않는다. 그래서 나는 아무 말도 하지 않는다. 그저 군인들의 숨소리가 밤을 채우도록 내버려 둔다.

1시간 정도 지났을 때 피타가 말한다.

"최근 몇 년 동안 너, 꽤나 힘들었겠어. 나를 죽일지 말지 결정해야 하느라고. 이랬다가 저랬다가. 이랬다가 저랬다가."

지독히 공정치 못한 말 같고, 처음 드는 충동은 뭔가 날카로운 말을 하고 싶다는 것이다. 하지만 헤이미치와 했던 대화를 되새기며 피타 쪽으로 조심스럽게 첫 발을 내딛으려 해 본다.

"너를 죽이고 싶었던 적은 없었어. 프로들이 날 죽이려 하는 걸 네가 돕고 있다고 생각했을 때 말고는. 그 뒤로는 난 널 언제나…… 동맹이라고 생각했어."

괜찮은 단어다. 안전한 느낌. 감정적 의무는 없지만, 위협적이지 않다.

"동맹."

피타는 그 단어를 음미하며 천천히 말한다.

"친구. 연인. 우승자. 적. 약혼녀. 목표물. 머테이션. 이웃. 사냥꾼. 조공인. 동맹. 너를 파악하려고 할 때 사용하는 단어 목록에 추가할게. 문제는, 난 이제 뭐가 진짜고 뭐가 만들어 낸 건지 알 수가 없다는 거야."

그렇게 말하며 피타는 손가락 사이로 밧줄을 이리저리 엮는다.

규칙적인 숨소리가 멈춘 것을 보니 사람들이 깼거나, 자고 있지 않았던 것 같다. 후자일 것 같다.

피닉의 목소리가 그림자 속에서 들려온다.

"그럼 물어봐, 피타. 애니는 그렇게 하거든."

"누구에게 물어요? 내가 누굴 믿을 수 있죠?"

피타가 말한다.

"음, 일단 우리는 어때. 우린 너랑 같은 분대원들이잖아."

잭슨이 말한다.

"날 감시하고 있잖아요."

피타가 지적한다.

"그렇기도 하지. 하지만 넌 13번 구역에서 여러 사람의 목숨을 구해 줬어. 우린 그런 일은 잊어버리지 않아."

잭슨이 말한다.

침묵이 뒤따르고, 나는 환영과 현실을 구분할 수 없게 되는 상황을 상상해 본다. 프림이나 엄마가 나를 사랑했는지 알 수 없게 된다면. 스노우가 내 적이었는지 아닌지 알 수 없게 된다면. 난방기 건너편에 있는 사람이 나를 구해 주었는지 희생시켰는지 알 수 없게 된다면. 아주 조금 생각해 보았는데도 내 인생은 빠른 속도로 악몽으로 변한다. 나는 갑자기 피타에게 너는 누구인지, 내가 누구인지, 우리가 어쩌다 이렇게 되었는지 다 말해 주고 싶어진다. 하지만 무엇부터 이야기해야 할지 모르겠다. 쓸모가 없다. 나는 아무 짝에도 쓸모가 없다.

네 시가 되기 몇 분 전, 피타는 다시 내 쪽을 본다.

"네가 제일 좋아하는 색이…… 녹색?"

"맞아."

대답하자마자 덧붙일 말이 떠오른다.

"네가 제일 좋아하는 색은 오렌지 색이야."

"오렌지 색?"

피타는 믿는 기색이 아니다.

"밝은 오렌지 색 말고 부드러운 색. 석양처럼. 적어도 네가 나한테 한 번 그렇게 말한 적이 있었어."

"아."

피타는 그 석양을 떠올려 보려는 듯 잠시 눈을 감더니 고개를 끄덕인다.

"고마워."

하지만 내 입에서는 다른 말들이 튀어나온다.

"넌 그림을 그려. 또 빵을 굽지. 넌 창문을 열어 놓고 자는 걸 좋아해. 차에는 절대 설탕을 넣지 않아. 그리고 신발 끈은 늘 두 번 묶어."

그러고서 나는 울음을 터뜨리는 등의 바보짓을 해 버리기 전에 텐트 안으로 뛰어든다.

아침에 게일과 피닉, 그리고 나는 촬영 팀 앞에서 건물 유리를 쏘러 간다. 야영장으로 돌아오자 피타는 13번 구역 군인들과 둥그렇게 둘러앉아 있었다. 다들 무장은 하고 있지만 피타와 편하게 이야기하고 있다. 잭슨은 피타를 돕기 위해 '진짜냐, 가짜냐' 라는 게임을 만들었다. 피타가 일어났다고 생각하는 일을 말하면, 다른 사람들이 진짜인지 상상 속의 일인지 알려주고, 보통 간단한 설명을 해 준다.

"12번 구역 사람들 대부분은 불이 나서 죽었어요."

"진짜야. 살아서 13번 구역으로 온 사람은 900명도 안 돼."

"불이 난 건 나 때문이었어요."

"가짜야. 스노우 대통령은 13번 구역을 파괴했던 것처럼, 반군들에게 메시지를 전하기 위해 12번 구역을 파괴한 거야."

피타에게 가장 영향이 클 기억들의 대부분을 확인하거나 부정해 줄 수 있는 사람이 나뿐일 거라는 사실을 깨닫기 전까지는 좋은 생각인 것 같다. 잭슨은 피닉, 게일, 그리고 내가 각각 따로 피타를 감시하게 한다. 우리 셋에게 13번 구역 출신 병사를 각각 한 명씩 붙인다. 이렇게 하면 피타는 언제나 자기를 개인적으로 더 잘 아는 사람과 접촉할 수 있다. 대화가 꾸준히 이어지지는 않는다. 피타는 고향에서 사람들이 어디서 비누를 샀던가 하는 것 같은 작은 정보를 가지고도 오랫동안 생각해 본다. 게일은 12번 구역에 대한 정보를 잔뜩 알려주고, 피닉은 피타가 참여했던 두 번의 헝거 게임에 대한 전문가다. 처음에는 멘터로서 참여했고 두 번째에는 조공인 이었기 때문이다. 하지만 피타가 겪는 가장 큰 혼란은 나를 중심으로 하고 있고, 모든 걸 간단하게 설명할 수는 없다. 그래서 가장 얄팍하고 사소한 것들만 건드리는 데도 우리가 주고받는 말들은 고통스럽고 숨은 뜻이 있다. 7번 구역에서 내가 입었던 드레스의 색깔. 치즈 빵을 좋아하는 내 취향. 우리가 어렸을 때 배웠던 수학 선생님의 이름. 나에 대한 피타의 기억을 재건하는 것은 몹시 고통스럽다. 스노우가 그런 짓을 한 이후로는 사실 불가능한 일일지도 모르겠다. 하지만 피타가 노력하는 것을 도와주는 게 옳다는 느낌은 분명히 든다.

다음 날 오후에 우리는 꽤 복잡한 프로포를 만들기 위해 분대 전체가 필요하다는 통보를 받는다. 피타가 한 말 중 하나는 옳았다. 코인과 플루타르크는 스타 분대를 가지고 만들고 있는 프로포의 질에 만족하지 못하고 있다. 아주 지루하다. 고무적이지 못하다. 그에 대한 명백한 대답은 그들이 우리에게 총 휘두르는 연기 말고는 아무것도 못하게 했다는 것이다. 하지만 중요한 것은 우리를 변호하는 게 아니라 쓸 만한 결과물을 만들어 내는 것이다. 그래서 오늘은 촬영을 위해 특별한 블록 하나를 선정했다. 심지어 작동하는 팟도 몇 개 있는 곳이다. 팟 하나가 총알을 흩뿌린다. 다른 팟은 침입자를 그물로 사로잡아, 잡은 사람이 원하는 대로 수사나 처형을 할 수 있도록 가둬 둔다. 하지만 그래도 이곳은 전략적으로 전혀 의미가 없는, 중요하지 않은 주택가이다.

촬영 팀은 위험하다는 느낌을 증폭하기 위해 연막탄을 쏘고 총성 효과음을 넣는다. 마치 우리가 전투의 한복판에 뛰어들기라도 하는 것처럼, 우리는 물론 촬영 팀까지도 강력한 보호복을 입는다. 특별 무기가 있는 사람은 총과 함께 가져가도 된다는 허락을 받는다. 복스는 피타에게도 총을 돌려주지만, 공포탄만 들어 있다고 큰 소리로 말하는 것을 잊지 않는다.

피타는 어깨를 으쓱할 뿐이다.

"전 어차피 총 잘 못 쏴요."

피타는 폴룩스를 바라보는 데 정신이 팔려 있는 것 같은데, 좀 걱정스러울 정도다. 피타는 마침내 깨닫고는 불안해 하며 말하기 시작한다.

"당신 무성인이죠, 그렇죠? 침 삼키는 걸 보면 알아요. 감옥에 무성인이 두 명 같이 있었어요. 다리우스와 라비니아였지만, 간수들은 보통 그냥 빨강머리들이라고 불렀죠. 트레이닝센터에서 우리 시중을 들었기 때문에 같이 체포됐던 거죠. 나는 두 사람이 죽을 때까지 고문받는 걸 지켜봤어요. 라비니아는 운이 좋았어요. 전기 자극을 너무 세게 줘서 심장이 즉시 멈춰 버렸죠. 다리우스를 죽이는 데는 며칠 걸렸어요. 때리고, 몸을 조금씩 잘라냈죠. 그들은 계속 질문을 했지만, 다리우스는 말을 할 수 없으니 그냥 끔찍한 짐승 같은 소리만 냈어요. 그들이 정보를 원한 게 아니었다는 거 알겠어요? 나한테 보여 주기 위해서 한 거예요."

피타는 마치 대답을 기다리듯 할 말을 잃은 우리의 얼굴들을 둘러본다. 아무도 말이 없자 피타가 묻는다.

"진짜예요, 가짜예요?"

대답이 없자 피타는 더 힘들어 한다.

"진짜예요, 가짜예요?!"

피타가 따진다.

"진짜다. 적어도, 내가 아는 한으로는…… 진짜야."

복스가 말한다.

피타는 축 처진다.

"그럴 것 같았어요. 그 기억에는 아무것도…… 반짝이는 게 없었어요."

피타는 손가락과 발가락에 대해 뭐라고 웅얼거리며 무리에서 멀어진다.

나는 게일에게 가서 가슴이 있을 부분의 갑옷에 이마를 대고, 게일이 나를 꼭 안아주는 것을 느낀다. 우리는 캐피톨이 12번 구역의 숲에서 납치해 가는 것을 지켜보았던 여자아이의 이름, 게일을 살리려 했던 평화유지군 친구의 운명을 마침내 알게 되었다. 지금은 행복했던 추억을 떠올릴 때가 아니다. 그들은 나 때문에 목숨을 잃었다. 나는 그들을 내가 개인적으로 죽인 사람의 목록에 추가한다. 경기장에서 시작했고 지금은 수천 명이 포함된 목록이다. 올려다보자 피타의 이야기가 게일에게는 다른 영향을 주었음을 알 수 있다. 게일의 표정은 폭파시킬 산이 부족하다, 파괴할 도시가 부족하다고 말하고 있다. 죽음을 약속하는 표정이다.

피타의 소름끼치는 이야기가 머릿속에 생생한 채로, 우리는 깨진 유리가 널린 거리를 바득바득 밟아가며 우리가 점령할 목표인 블록까지 온다. 작은 일일지는 몰라도 실제 임무이다. 우리는 복스 주위에 모여 홀로 영상을 살핀다. 이 거리의 3분의 1 정도 지점에 있는 아파트 차양 바로 위에 총 팟이 있다. 총으로 쏴서 작동시킬 수 있을 것이다. 이 거리의 끝, 거의 다음 모퉁이에 가까운 곳에 그물 팟이 있다. 누군가가 직접 인체 감지 메커니즘을 활성화시켜야 할 것이다. 피타를 빼고 모두 자원하는데, 피타는 무슨 일이 일어나고 있는지도 잘 모르고 있는 것 같다. 나는 선택되지 않는다. 대신 나를 메살라에게 보내서 클로즈업에 대비해 얼굴에 메이크업을 좀 받게 한다.

분대는 복스의 지시에 따라 위치를 잡고, 우리는 크레시다가 카메라맨들을 데리고 오는 것을 기다려야 한다. 둘 다 우리 왼쪽에 서는데, 캐스터는 앞으로 가고 폴룩스는 뒤쪽을 맡아 서로를 찍는 일을 방지한다. 메살라는 분위기를 잡기 위해 연막탄 몇 개를 터뜨렸다. 임무인 동시에 촬영이니, 내 상관과 감독 중 누가 지휘를 할 것인지 물어보려 하는데 크레시다가 외친다.

"액션!"

우리는 블록에서 하던 훈련과 똑같이, 연기가 자욱한 거리를 천천히 나아간다. 모두가 최소 창문 한 구역 정도는 깨지만, 진짜 목표물을 배정받은 것은 게일이다. 게일이 팟을 맞추자 총알이 비 오듯 우리 머리 위를 휩쓸고, 우리는 문 안으로 뛰어들거나 밝은 오렌지색과 핑크색으로 된 예쁜 보도블록 위에 납작 엎드리는 등 몸을 피한다. 잠시 후 복스가 전진하라고 명령한다.

크레시다는 클로즈업 샷이 좀 필요하다며 우리가 일어나기 전에 제지한다. 우리는 아까 했던 반응을 재연한다. 땅바닥으로 몸을 낮추고, 얼굴을 찡그리고, 벽의 우묵한 부분으로 뛰어든다. 진지하게 해야 하는 일이라는 건 알지만, 이 모든 것이 조금 어처구니없게 느껴진다. 내가 우리 분대 최악의 배우가 아니라는 것이 밝혀지니 더욱 그렇다. 절대 내가 최악이 아니다. 이 갈기와 코 벌름거리기를 이용해서 자신의 절박함을 표현하려는 미첼의 시도를 보고 우리 모두 배꼽을 잡는다. 하도 웃어서 복스가 우리를 꾸짖어야 할 정도다.

"정신들 차려, 451번."

복스가 단호하게 말한다. 하지만 다음 팟을 다시 한 번 확인하는 그가 미소를 억누르고 있음을 볼 수 있다. 그는 연기 속에서 가장 밝은 곳을 찾아 홀로의 위치를 잡고 있다. 오렌지색 보도블록에 왼발을 내딛을 때도 그는 우리를 향하고 있다. 그가 보도블록을 밟자 폭탄이 터져 복스의 두 다리를 날려 버린다.

20

그 짧은 순간, 색유리 창문이 깨지며 그 뒤의 추한 세상을 드러내는 것만 같다. 웃음 소리는 비명으로 바뀌고, 피가 파스텔 빛 돌을 물들이고, 진짜 연기가 텔레비전 특수 효과용 연기를 더 짙게 만든다.

두 번째 폭발음은 공기를 가르는 것 같고 내 귀가 울린다. 하지만 어디서 나는 소리인지 모르겠다.

나는 우선 복스에게 가서 찢어진 살과 떨어진 다리를 살펴보고, 그의 몸에서 흘러나오는 붉은 물줄기를 멈출 만한 것을 찾아보려 한다. 홈스가 나를 옆으로 밀쳐내며 구급상자를 비틀어 연다. 복스는 내 손목을 움켜쥔다. 재와 죽음의 기색으로 잿빛이 된 그의 얼굴은 내게서 멀어지는 것 같다. 하지만 그가 하는 말은 명령이다.

"홀로."

홀로. 나는 피가 묻어 미끈거리는 보도블록 조각들을 뒤지고, 뜨뜻한 살조각을 만지게 되자 부르르 떤다. 복스의 부츠 한 짝과 함께 계단에 처박혀 있는 홀로를 찾아낸다. 나는 홀로를 집어서 맨손으로 깨끗이 닦아 내 상관에게 건넨다.

홈스는 복스의 왼쪽 허벅지에서 다리가 잘려나간 부분을 일종의 압박붕대로 감싸두었지만 이미 흠뻑 젖어버렸다. 오른쪽 다리는 무릎이 남아 있어 지혈대를 써보려 한다. 나머지 분대원들은 촬영 팀과 우리를 둘러싸고 보호 대형을 취하고 있다. 피닉은 폭발 때문에 벽으로 날아간 메살라를 되살려 보려 하고 있다. 잭슨은 무전기에다 소리치며 야영지에서 의료진을 보내게 하려 헛되이 애쓰는 중이지만, 이미 늦었다는 것을 나는 알고 있다. 나는 어렸을 때 엄마가 일하시는 걸 보면서 흘러나온 피가 어느 정도 양이 되면 되돌릴 수 없다는 걸 배웠다.

나는 전에 루와 6번 구역의 모플링을 위해 했던 역할을 할 준비를 하고, 복스가 삶을 떠나는 순간 매달릴 수 있는 사람이 되어 주려고 그의 옆에 무릎을 꿇는다. 하지만 복스는 양손으로 홀로를 조작하고 있다. 명령을 타이핑하고, 지문 인식을 위해 엄지손가락을 화면에 대고, 메시지가 나오자 문자와 숫자로 대답한다. 홀로에서 녹색 불빛이 한 줄기 뻗어와 그의 얼굴을 비춘다. 그가 말한다.

"통솔할 수 없는 상황이다. 451번 분대 캣니스 에버딘 병사에게 1순위 보안 접근을 위임한다."

그는 간신히 홀로를 내 얼굴 쪽으로 돌린다.

"이름을 말해."

"캣니스 에버딘."

나는 녹색 빛줄기에다 대고 말한다. 갑자기 나는 그 빛 속에 갇힌다. 영상이 내 앞에서 빠른 속도로 깜빡이는 가운데 나는 움직일 수도, 심지어 눈을 깜빡일 수도 없다. 날 스캔하나? 녹화하나? 내 눈을 멀게 하려나? 빛은 사라지고, 나는 빛을 떨치려 고개를 흔들었다.

"뭘 하신 거예요?"

"후퇴할 준비!"

잭슨이 외친다.

피닉이 우리가 들어온 블록의 끝 쪽으로 손짓하며 무어라 마주 외친다. 기름 같은 검은 물질이 간헐천처럼 거리에서 솟아나며 건물 사이를 메우고, 건너편을 볼 수 없는 어둠의 벽을 이룬다. 액체도 기체도, 기계적인 것도 자연적인 것도 아닌 것 같다. 치명적이라는 것만은 분명하다. 우리가 왔던 길로 되돌아가는 것은 불가능하다.

게일과 리그 1이 블록 앞쪽 끝의 보도블록에 마구 총을 쏘자 귀가 멀 것 같은 총성이 울린다. 10미터 앞에서 다른 폭탄이 터지며 길에 구멍이 생길 때까지는 그들이 뭘하고 있는지 이해하지 못한다. 그제서야 지뢰를 터뜨리려는 어설픈 시도라는 것을 이해한다. 홈스와 나는 복스를 붙잡고 게일을 따라 끌고 가기 시작한다. 복스는 고통에 사로잡혀 비명을 지르고, 나는 멈춰서서 더 나은 방법을 찾고 싶지만 검은 것이 건물 위로 차오르고, 부풀어 오르며 우리를 향해 파도처럼 밀려온다.

누가 나를 뒤로 홱 당기는 바람에 복스를 놓치고 돌무더기에 처박힌다. 정신이 나간, 돌아버린 피타가 나를 내려다보고 있다. 피타는 하이잭당한 사람들의 세계로 돌아간 채, 내 위로 총을 치켜들고 내 머리를 부수려 한다. 나는 몸을 굴린다. 개머리판이 길바닥에 부딪히는 소리가 들린다. 미첼이 피타에게 태클을 걸어서 몸뚱이가 나뒹구는 것을 얼핏 본다. 하지만 언제나 힘이 셌던 피타는 이제 추적말벌 독에 힘입어 미첼의 배 밑으로 두 발을 넣고 멀리 내던진다.

팟이 작동하자 덫이 터져 나오는 요란한 소리가 난다. 건물들에 붙은 봉에 연결된 케이블 네 개가 돌을 뚫고 튀어나와 미첼을 사로잡은 그물을 들어올린다. 미첼을 감싼 그물에 가시가 돋아 있는 것을 보기 전까지는 그가 순식간에 피투성이가 되는 이유를 이해할 수가 없다. 나는 곧바로 알아차린다. 12번 구역 울타리의 꼭대기에 붙어 있던 것과 같다. 움직이지 말라고 말하는데 검은 것의 짙고 타르 같은 냄새 때문에 숨이 막힌다. 파도는 최고조에 달했다가 이제 떨어지기 시작했다.

게일과 리그 1은 모서리에 있는 건물의 잠겨 있는 정문을 총으로 쏘고, 미첼을 가둔 그물에 연결된 케이블도 쏜다. 다른 사람들은 이제 피타를 잡고 있다. 나는 다시 복스에게 달려가, 홈스와 함께 아파트 안으로 끌고 들어간다. 핑크색과 흰색으로 된 누군가의 거실을 거쳐 가족 사진이 걸린 복도를 지나고, 바닥에 대리석 타일이 깔린 부엌까지 가서 쓰러진다. 캐스터와 폴룩스는 발광하는 피타를 양쪽에서 끼고 데리고 들어온다. 잭슨이 용케 수갑을 채웠지만, 피타를 더욱 거칠게 만들 뿐이라 어쩔 수 없이 옷장 안에 가둔다.

거실 정문을 쾅 닫자 사람들이 소리를 지른다. 검은 파도가 건물 옆을 요란하게 지나가는 가운데 복도에서는 발소리가 쿵쿵 울린다. 부엌에 있는 우리는 창문이 덜덜거리고 깨지는 소리를 들을 수 있다. 유해한 타르 냄새가 공기에 퍼진다. 피닉이 메살라를 데리고 들어온다. 리그 1과 크레시다는 기침을 하면서 방 안으로 휘청대며 들어온다.

"게일!"

내가 소리 지른다.

아니나 다를까 게일이 들어와 부엌문을 닫으며 한 단어를 외친다.

"가스!"

게일이 밝은 노란색 싱크대에 구역질을 하는 동안 캐스터와 폴룩스는 틈을 막으려고 수건, 앞치마 등을 움켜쥔다.

"미첼은?"

홈스가 묻자 리그 1은 그저 고개를 가로저을 뿐이다.

복스는 내 손에 홀로를 밀어 넣는다. 입술이 움직이고 있지만 뭐라고 하는지는 알아들을 수 없다. 그의 거친 속삭임을 들으려고 그의 입 앞에 귀를 댄다.

"그들을 믿지 마. 돌아가지 마. 피타를 죽여. 네가 여기 와서 하려던 일을 해."

그의 얼굴을 볼 수 있도록 고개를 뺀다.

"뭐라고요? 복스, 복스?"

그는 아직 눈을 뜨고 있지만, 죽었다. 내 손 안에 밀어 넣은, 그의 피 때문에 내 손에 붙어 있는 것은 홀로다.

다른 사람들의 거친 숨소리가 피타가 옷장 문을 발로 차는 소리에 흩어진다. 하지만 우리가 듣고 있는 동안에도 피타의 에너지는 점점 빠져나가는 것 같다. 발길질은 불규칙한 울림으로 줄어들더니 멎는다. 나는 피타도 죽은 걸까 생각한다.

"죽었니?"

피닉이 복스를 내려다보며 묻는다. 나는 고개를 끄덕인다.

"우린 여기서 나가야 돼. 지금 당장. 온 거리의 팟들을 다 작동시켜 버렸어. 분명히 우릴 감시 카메라로 지켜봤을 거야."

"그렇겠지. 거리란 거리는 죄다 카메라로 감시당하고 있어. 분명히 우리가 프로포를 촬영하는 걸 보고 검은 물결을 작동시켰을 거야."

캐스터가 말한다.

"우리 통신기도 거의 곧바로 꺼졌어. 아마 전자기펄스 장비를 썼겠지. 하지만 야영장으로 돌아가도록 내가 지도하겠어. 홀로를 줘."

잭슨이 홀로를 향해 손을 뻗지만 나는 내 가슴팍에 움켜쥔다.

"안 돼요. 복스는 저한테 줬어요."

내가 말한다.

"말도 안 되는 소리하지 마."

잭슨이 내뱉는다. 잭슨은 당연히 홀로가 자기 거라고 생각한다. 잭슨이 복스 바로 밑의 계급이었다.

"사실이에요. 죽어가면서 캣니스에게 1순위 보안 접근을 넘겼어요. 제가 봤어요."

홈스가 말한다.

"복스가 그렇게 할 이유가 뭔데?"

잭슨이 따진다.

정말 왜 그랬을까? 최근 5분 동안 일어난 무시무시한 일들 때문에 머리가 핑핑 돈다. 복스의 다리가 잘렸고, 죽어가더니, 정말 죽어 버렸다. 피타가 살인적인 분노에 사로잡혔다. 미첼이 피투성이로 그물에 갇혔다가 그역겨운 검은 파도에 삼켜지고 말았다. 나는 복스를 돌아본다. 복스가 살아있어야 하는데. 갑자기 복스가, 그리고 아마도 복스만이 내 편이었다는 확신이 든다. 나는 그의 마지막 명령을 생각해 본다……

"그들을 믿지 마. 돌아가지 마. 피타를 죽여. 네가 여기에 와서 하려던 일을 해."

무슨 뜻이었지? 누굴 믿지 말라는 거야? 반군들? 코인? 지금 나를 쳐다보고 있는 사람들? 돌아가지는 않을 거지만, 내가 피타의 머리에다 총알을 박을 수 없다는 건 복스도 알았을 것이다. 설마 그럴 수 있을까? 그래야 하나? 내가 여기 온 진짜 이유가 분대를 버리고 나 혼자서 스노우를 죽이기 위해서라는 것을 복스가 추측해 냈나?

지금 이 모든 것을 파악할 수는 없어서, 나는 명령 중 앞의 두 개만 따르기로 결정한다. 아무도 믿지 않고, 캐피톨로 더 깊숙이 들어가는 것. 하지만 어떻게 정당화할 수 있을까? 어떻게 하면 내가 홀로를 지니도록 저들을 설득할 수 있을까?

"저는 코인 대통령에게서 특별 임무를 받았기 때문이에요. 그걸 아는 사람은 복스뿐이었던 것 같아요."

이 말은 전혀 잭슨을 설득하지 못한다.

"뭘 하라는 임무인데?"

사실대로 말하지 못할 이유가 있을까? 내가 생각해 낼 수 있을 그 어떤 것만큼이나 그럴 듯한 이야기다. 하지만 복수가 아니라 진짜 임무처럼 들려야 한다.

"우리 인구가 지속 불가능할 만큼 적어지기 전에 스노우 대통령을 암살하라는 거예요."

"안 믿어. 현재 너의 지휘관으로서, 1순위 보안 접근을 내게 넘길 것을 명령한다."

잭슨이 말한다.

"안 돼요. 그건 코인 대통령의 지시에 정면으로 불복하는 꼴이 될 거예요."

내가 말한다.

다들 총을 겨눈다. 분대의 절반은 잭슨에게, 절반은 나에게 겨눈다. 누군가는 죽을 찰나에 크레시다가 말한다.

"사실이에요. 우리가 여기 온 이유가 그거죠. 플루타르크가 방송에 내보내고 싶어 하거든요. 만약 모킹제이가 스노우를 암살하는 장면을 촬영할 수 있으면 전쟁을 끝낼 수 있을 거라고 생각하거든요."

이 말을 듣자 잭슨마저 멈칫한다. 잭슨은 총으로 옷장 쪽을 가리킨다.

"그럼 쟤는 여기 왜 온 거죠?"

당했다. 나를 죽이도록 프로그램된 불안정한 남자 아이를 이렇게 중요한 임무에 딸려 보낸 것에 대한 그럴싸한 이유를 나로선 생각해 낼 수가 없다. 내 이야기의 설득력을 정말로 약화시키는 지적이다. 크레시다가 다시 나를 도와준다.

"헝거 게임이 끝나고 나서 시저 플리커맨과 했던 인터뷰 두 번은 스노우 대통령의 사저에서 했거든요. 우리는 그 곳의 위치에 대한 정보가 거의 없는데, 플루타르크는 피타가 우리를 안내해 줄 수 있을 거라고 생각했어요."

크레시다에게 왜 나를 위해 거짓말을 하고 있는지, 왜 나 혼자 정한 임무를 수행할 수 있도록 애쓰고 있는지 묻고 싶다. 하지만 지금은 적당한 때가 아니다.

"우린 가야 돼요! 전 캣니스와 같이 갈 거예요. 그러기 싫으면 야영장으로 돌아가자고요. 일단은 움직여야 돼요!"

게일이 외친다.

홈스는 옷장을 열더니 의식을 잃은 피타를 어깨에 들쳐 멘다.

"준비됐습니다."

"복스는?"

리그 1이 말한다.

"못 데려가요. 복스도 이해할 거예요."

피닉이 말한다. 피닉은 복스의 어깨에서 총을 빼내 자기 어깨에 멘다.

"앞장서, 에버딘 병사."

어떻게 앞장서야 할지 모르겠다. 나는 방향을 파악하려 홀로를 본다. 아직 켜진 상태이지만, 내게 도움을 주는 정도로 봐선 꺼진 거나 마찬가지다. 버튼을 눌러대며 어떻게 작동하는지 알아볼 시간은 없다.

"난 사용법을 몰라요. 복스는 당신의 도움을 받으라고 했어요. 믿어도 될 거라고 하던데요."

내가 잭슨에게 말한다.

잭슨은 나를 노려보며 홀로를 낚아채더니 명령을 입력한다. 사거리가 나타난다.

"부엌문으로 나가면 작은 뜰이 있을 거고, 다른 모퉁이의 아파트 뒷면이 나올 거야. 우리가 지금 보고 있는 건 이 사거리에서 만나는 길 네 개의 모습이야."

어느 방향으로 가나 팟이 반짝거리고 있는 지도의 단면을 보며 지금 위치를 파악해 보려 한다. 그리고 이 팟들은 플루타르크가 아는 팟들일 뿐이다. 홀로는 방금 전까지 우리가 있던 거리에 지뢰가 있었다는 것, 검은 간헐천이 있었다는 것, 그물에 가시가 있었다는 것은 알려주지 않았다. 게다가 이제 그들은 우리의 위치를 아니까 평화유지군들과 싸워야 할 수도 있다. 나는 모두의 시선이 나에게 향하고 있음을 느끼며 입술 안쪽을 깨문다.

"방독면 쓰세요. 들어왔던 길로 나가죠."

즉시 반대가 쏟아진다. 나는 목청을 높인다.

"저 파도가 저렇게 셌다면, 우리가 가는 길의 다른 팟들을 다 활성화시켰을 거예요."

사람들은 멈춰서 이 말을 생각해 본다. 폴룩스는 자기 형제에게 재빨리 신호를 보낸다.

"카메라도 무력화시켰을 수 있어요. 렌즈를 덮어버렸겠죠."

캐스터가 통역한다.

게일은 부츠를 신은 발 한쪽을 카운터에 올리고 발가락 부분에 튄 검은 것을 살펴본다. 카운터의 돌에 묻은 것을 식칼로 긁어 본다.

"부식성은 아닌데요. 우리를 질식시키거나 독살하려 했던 것 같아요."

"그 방법이 제일 나을 수도 있겠군요."

리그 1이 말한다.

다들 방독면을 쓴다. 피닉은 죽은 듯한 피타의 얼굴에 방독면을 씌운다. 크레시다와 리그 1이 멍한 상태의 메살라를 양쪽에서 부축한다.

누가 앞장서기를 기다리다 이제는 그게 내 역할임을 기억해 낸다. 부엌문을 밀어보니 저항감 없이 열린다. 검고 끈끈한 것이 거실에서부터 복도의 약 4분의 3 정도까지 1센티미터 남짓의 두께로 퍼져와 있다. 부츠 끝부분으로 조심스레 시험해 보니 젤과 비슷한 정도의 점성이 있다. 발을 들어 조금 뻗으니 검은 것은 제자리로 돌아간다. 젤 안으로 세 발짝 걸어들어간 다음 돌아본다. 발자국은 없다. 오늘 처음으로 일어난 좋은 일이다. 거실로 나아가니 젤이 조금 더 진해진다. 검은 것이 잔뜩 쏟아져 들어오겠지 생각하며 정문을 열어보지만 젤은 형태를 유지한다.

핑크색과 오렌지색이었던 블록은 반짝이는 검은 페인트에 담갔다 말리려고 꺼낸 것 같은 모양이다. 보도블록, 건물, 심지어 옥상까지 젤에 덮여 있다. 길 건너편에 커다란 물방울 모양의 물체가 매달려 있었다. 두 가지 모양이 비쭉 튀어나와 있다. 총 개머리판과 사람의 손이다. 미첼. 나는 모두 내 옆에 설 때까지 인도에서 기다리며 미첼을 바라본다.

"만약 어떤 이유에서든 돌아가고 싶은 사람이 있다면 지금 가세요. 아무 질문도 하지 않을 거고, 감정 상하는 일도 없을 거예요."

내가 말한다. 후퇴하고 싶어 하는 사람은 없는 것 같다. 그래서 우리에게 주어진 시간이 많지 않다는 것을 아는 나는 캐피톨로 깊숙이 걸어 들어간다. 여기는 젤이 더 두껍게 깔려 있다. 10센티미터에서 15센티미터 정도 된다. 발을 들 때마다 빨아들이는 소리가 나지만, 그래도 우리가 지나간 흔적은 감춰 준다.

앞의 몇 블록이나 영향을 미친 것을 보니 파도는 엄청난 힘으로 거대하게 몰려왔던 모양이다. 발을 내디딜 때마다 주의하긴 하지만, 파도가 팟들을 작동시켰을 거라는 내 본능이 맞았던 것 같다. 한 블록에는 추적말벌의 황금색 시체가 흩뿌려져 있다. 팟에서 풀려났다가 가스에 죽은 게 분명하다. 조금 더 가니 아파트 한 채가 완전히 무너져 젤 아래 폐허가 되어 있다. 사거리가 나오면 나는 내가 위험을 확인하는 동안 기다리라고 다른 사람들에게 한 손을 들어 보이고 먼저 달려가지만, 파도는 반군의 그 어떤 분대가 할 수 있는 것보다 더 효과적으로 팟을 제거한 것 같다.

다섯 번째 블록에 가자 우리가 파도가 잦아든 지점에 이르렀음을 알 수 있다. 젤의 깊이는 손가락 한 마디 정도고, 다음 사거리 너머에 하늘색 지붕이 보인다. 오후의 햇살은 사라졌고, 우리는 숙소를 구하고 계획을 세울 필요가 절실하다. 나는 블록의 3분의 2 지점에 있는 아파트를 고른다. 홈스가 지렛대로 문을 따고, 나는 들어가라고 명령한다. 나는 우리의 마지막 발자국이 사라지는 것을 바라보며 거리에 잠시 남아 있다가 들어가고 문을 닫는다.

넓은 거실에서는 우리의 총에 달린 전등이 고개를 돌릴 때마다 우리 얼굴이 비치는 거울이 붙은 벽을 비춘다. 게일이 창문을 살피니 파손된 흔적은 없다. 게일은 방독면을 벗는다.

"괜찮아요. 냄새가 나긴 하지만 그다지 강하지 않아요."

이 아파트는 우리가 처음에 숨었던 아파트와 똑같은 구조인 것 같다. 젤 때문에 건물 앞쪽에서는 자연광이 전혀 들어오지 않지만, 부엌의 덧문 틈으로는 빛이 조금 들어온다. 복도를 따라 화장실이 딸린 침실이 두 개 있다. 거실의 나선계단을 올라가면 2층의 대부분을 차지하는 탁 트인 공간이 나온다. 위층에는 창문은 없지만 아마 급히 피난 간 사람이 켜 놓고 갔을 조명이 켜져 있다. 아무것도 나오고 있지는 않지만 부드럽게 빛을 발하는 커다란 텔레비전이 한쪽 벽을 차지하고 있다. 푹신한 의자와 소파가 방 안에 널려 있다. 우리는 여기 모여서 의자에 몸을 묻고 한숨 돌리려 해 본다.

홈스가 남색 소파에 눕혀 둔 피타는 아직 수갑을 차고 있고 의식이 없는 상태지만, 잭슨은 피타에게 총을 겨누고 있다. 대체 쟤를 어떻게 해야 할까? 촬영 팀은? 솔직히, 게일과 피닉을 뺀 다른 사람들은 다 어떻게 해야 할지 모르겠다. 나로선 스노우를 추적할 때 그 두 사람은 있는 편이 더 좋기 때문이다. 하지만 내가 만약 홀로를 읽을 수 있다 하더라도, 10명을 데리고 가짜 임무를 위해 캐피톨을 뚫고 지나갈 수는 없다. 되돌려 보낼 수 있을 때 돌려보냈어야 했나? 그렇게 할 수 있었을까? 아니면 너무 위험했을까? 그들에게 개인적으로, 그리고 내 임무를 위해서도. 어쩌면 복스의 말을 듣지 않았어야 했는지도 모른다. 죽어가며 망상에 빠져있던 건지도 모르니까. 내가 툭 터놓고 이야기해야 했는지도 모르지만, 그랬다면 잭슨이 지휘해서 우리를 야영장으로 데려갔을 것이다. 그랬다면 코인의 말을 들어야 했을 것이다.

내가 모두를 끌어들인 이 복잡한 엉망진창의 상황 때문에 머리가 터지려는 찰나, 폭발음이 연달아 울리며 방을 흔든다.

"가까운 곳은 아니야. 네댓 블록은 떨어진 곳이야."

잭슨이 우리를 안심시킨다.

"우리가 복스를 두고 온 곳."

리그 1이 말한다.

텔레비전 쪽으로 움직인 사람은 없는데도 텔레비전이 저절로 켜지며 높은 소리로 삑삑거린다. 우리 분대의 절반이 벌떡 일어난다.

"괜찮아요! 긴급 방송일 뿐이에요. 캐피톨 텔레비전은 긴급 방송이 있으면 저절로 켜지게 되어 있어요."

크레시다가 외친다.

복스가 폭탄에 당한 직후의 우리 모습이 화면에 나온다. 우리가 전열을 재정비하려 하고, 거리에 몰려오는 검은 젤에 반응하고, 상황을 통제하지 못하고 있는 동안 나레이션이 화면의 모습을 설명해 준다. 우리는 그에 뒤따르는 혼란을 카메라가 파도에 묻힐 때까지 바라본다. 마지막 장면은 거리에 홀로 남은 게일이 미첼을 들어 올린 케이블을 총으로 쏘아서 맞추려 하는 모습이다.

기자는 게일, 피닉, 복스, 피타, 크레시다, 나의 이름을 언급한다.

"공중 촬영은 없네. 캐피톨에 호버크래프트가 없다는 복스의 말이 맞았나 봐."

캐스터가 말한다. 나는 눈치채지 못했지만, 카메라맨이 알아차릴 법한 일인 것 같다.

영상은 우리가 숨었던 아파트 뒤의 뜰로 이어진다, 우리가 숨었던 곳 맞은편 건물 옥상에 평화유지군이 줄지어 서 있다. 아파트 몇 채에 폭탄을 투하하고, 우리가 들었던 폭발음이 들려온다. 건물은 무너져 폐허와 먼지만 남는다.

이제 생방송이 이어진다. 여기자가 평화유지군들과 함께 옥상에 서 있다. 그 뒤에서는 아파트로 이루어진 한 블록이 불타고 있다. 소방수들은 호스로 물을 뿌리며 불을 끄려 하고 있다. 우리가 죽었다고 보도한다.

"마침내 운이 좀 따라주는군."

홈스가 말한다.

그 말이 맞는 것 같다. 캐피톨이 우리를 쫓는 것보다는 물론 낫다. 하지만 이게 13번 구역에서는 어떻게 작용할지 자꾸 떠올려 보게 된다. 엄마와 프림, 헤이즐과 아이들, 애니, 헤이미치, 그리고 13번 구역 출신의 여러 사람들이 우리가 죽는 모습을 방금 보았다고 생각하게 될 곳 말이다.

"아빠. 방금 내 동생을 잃으셨는데 이제……."

리그 1이 말한다.

그 영상을 반복해서 틀어주는 것을 지켜본다. 승리를 기뻐하며, 특히 나를 이긴 것을 즐거워한다. 모킹제이가 반군의 힘을 갖게 된 과정을 몽타주로 보여주고(잘 만들어진 것을 보니 전부터 준비해 온 영상인 것 같다), 생방송으로 돌아와서 기자들 몇 명이 내가 자초한 잔인한 종말을 맞은 것을 이야기하는 모습을 보여 준다. 화면은 사라지고 아까의 빛만 남는다.

반군들이 방송에 참견하려는 시도를 하지 않은 것을 보니 저 방송이 사실이라고 믿는 것 같다. 그렇다면 우리는 정말 고립무원인 거다.

"이제 우린 죽었으니, 어떻게 해야 될까?"

게일이 묻는다.

"뻔한 거 아니야?"

피타가 의식을 되찾았다는 것도 아무도 모르고 있었다. 얼마 동안 지켜보고 있었는지는 모르지만, 얼굴에 떠오른 고통을 보니 거리에서 일어난 일을 봤을 만큼은 된 것 같다. 자기가 돌아버려서 내 머리를 깨 버리려 하고, 미첼을 팟으로 던져 넣은 것을 본 모양이다. 피타는 힘겹게 일어나 앉아 게일을 향해 말한다.

"우리가 이제 해야 할 일은…… 날 죽이는 거야."

21

1시간도 되지 않았는데 피타를 죽이라는 얘기가 두 번이나 나왔다.

"말도 안 되는 소리 마."

잭슨이 말한다.

"난 방금 분대원을 죽였어요!"

피타가 외친다.

"너를 덮친 미첼을 밀어낸 거지. 하필 거기 그물 팟이 있다는 걸 알고 한 건 아니었잖아."

피닉이 피타를 진정시키려 말한다.

"그게 무슨 상관이에요? 미첼은 죽었잖아요, 안 그래요?"

피타의 얼굴에 눈물이 흐르기 시작한다.

"난 몰랐어요. 난 내가 저러는 걸 본 적이 없었어요. 캣니스 말이 맞아요. 난 괴물이에요. 난 머테이션이에요. 스노우가 무기로 바꿔 버린 사람이라고요!"

"네 잘못이 아니야, 피타."

피닉이 말한다.

"날 데려갈 수는 없어요. 또 다른 사람을 죽이는 건 시간문제라고요."

피타는 우리의 착잡한 얼굴들을 둘러본다.

"어딘가 버리고 가는 게 더 친절한 일이라고 생각할지도 모르죠. 운에 맡기고. 하지만 그건 날 캐피톨에 넘겨주는 거랑 똑같아요. 날 스노우에게 돌려보내는 게 날 위하는 일이라고 생각해요?"

스노우의 손에 돌아간 피타. 예전 모습이 다시는 전혀 나타나지 못할 때까지 고문당하고 고통 받는 피타.

왠지 〈매다는 나무〉의 마지막 절이 머릿속에서 들려온다. 남자가 자신의 연인이 이 세상에서 그녀를 기다리는 악을 대하기보다는 죽기를 바라는 부분이다.

'너는, 너는
그 나무로 올 거니.
나와 나란히 밧줄 목걸이를 맬 거니.
여기선 정말 이상한 일들이 있었지.
너도 다 알게 될 거야.
우리가 목 매는 나무에서 자정에 만난다면.'

"그렇게 되기 전에 내가 죽여 줄게. 약속할게."
게일이 말한다.

피타는 이 제안이 믿을 만한지 생각해 보는 것처럼 망설이더니 고개를 가로젓는다.

"소용없어. 그때 네가 없으면 어떻게 해? 다른 사람들이 가진 독약을 나한테도 줘."

자물쇠딸기. 야영장에 있는 내 모킹제이 옷소매에 달린, 특별히 만든 주머니에 한 알 들어 있다. 하지만 내 유니폼 가슴팍의 주머니에도 하나 들어 있다. 피타에겐 주지 않았다니 흥미롭다. 코인이 피타가 날 죽이기 전에 그 약을 먹어버릴지도 모른다고 생각했는지도 모르겠다. 피타가 우리가 자기를 죽이지 않아도 되도록 지금 스스로 죽겠다는 건지, 캐피톨에 다시 잡혔을 경우에 약을 먹겠다는 건지는 모르겠다. 피타의 지금 상태를 보니 아무래도 지금 죽겠다는 게 아닐까 싶다. 분명 우리를 편하게 해 주긴 할 것이다. 피타를 쏘지 않아도 되니. 분명 그의 살인충동을 다루는 문제를 쉽게 만들어 주긴 할 것이다.

팻 때문인지, 공포 때문인지, 아니면 복스가 죽는 것을 봤기 때문인지는 모르겠지만 완전히 경기장에 돌아온 기분이다. 사실 경기장을 떠난 적이 없는 것 같다. 또 한 번 나는 나 자신의 생존뿐 아니라 피타의 생존까지 얻으려 전쟁하고 있다. 내가 피타를 죽이게 되면 스노우는 얼마나 만족스러울까, 얼마나 흥미진진해 할까. 얼마 남지 않았을지도 모르는 여생 동안 피타의 죽음을 계속 의식하게 된다면.

"너만의 문제가 아니야. 우리에겐 임무가 있어. 그리고 넌 그 임무에 필요해."

나는 그렇게 말하고, 다른 분대원들을 보며 묻는다.

"여기 음식이 있을까요?"

구급상자와 카메라를 빼면, 우리에겐 유니폼과 무기밖에 없다.

우리 중 절반은 피타를 감시하면서 스노우가 방송을 하지는 않나 지켜보고, 나머지는 먹을 것을 찾아 나선다. 이 아파트와 거의 비슷한 집에서 산 적이 있던 메살라는 사람들이 음식을 넣어둘 만한 곳을 알고 있어서 가장 쓸모 있는 존재로 밝혀진다. 침실에 있는 거울 달린 벽 뒤에 숨은 저장 공간이 있다거나, 복도의 환기구 커버를 떼기가 얼마나 쉽다거나 하는 지식을 가지고 있다. 부엌 찬장은 비어 있지만, 우리는 30개가 넘는 통조림과 쿠키 몇 상자를 찾아낸다.

13번 구역에서 자란 군인들은 음식을 저장해 놓은 것을 보고 역겨워한다.

"이런 건 불법 아니야?"

리그 1이 말한다.

"그 반대야. 캐피톨에서는 이러지 않으면 바보 취급 받아. 사람들은 25주년 특집 전부터 이미 희귀한 물건들을 사재기하기 시작했어."

메살라가 대답한다.

"다른 사람들은 없는 대로 사는데 말이지."

리그 1이 말한다.

"맞아. 여기선 그런 식이야."

"다행이네요, 안 그랬으면 우린 저녁을 못 먹었을 테니까. 다들 캔 하나씩 고르세요."

게일이 말한다.

일행 중에는 내켜하지 않는 사람도 있지만, 이 방법도 다른 어떤 방법 못지않은 괜찮은 방법이다. 지금 나는 나이, 체중, 활동량을 고려해서 모든 음식을 11명에게 정량 배식할 기분은 아니니까. 통조림 더미를 뒤지며 대구 수프를 먹으려는 참에 피타가 통조림 하나를 내민다.

"받아."

나는 영문을 모르고 받아든다. 겉에 '양고기 스튜'라고 쓰여 있다.

바위 사이로 떨어지던 빗물, 치근대 보려던 내 서투른 시도, 내가 제일 좋아하는 캐피톨 음식의 향이 찬 공기에 퍼지던 기억에 입술을 앙다문다. 피타의 머릿속에도 아직 그 기억이 조금은 남아 있는 거구나. 그 소풍 바구니가 우리 동굴 앞에 도착했을 때 우리는 얼마나 행복했고, 얼마나 배고팠고, 또 서로 얼마나 가까웠던가.

"고마워."

나는 뚜껑을 연다.

"말린 자두도 들어 있네."

나는 뚜껑을 휘어 즉석 숟가락으로 써서 입에 조금 떠 넣는다. 이제 이곳은 맛도 경기장 같은 맛이 난다.

크림이 든 고급 쿠키 상자를 돌리고 있는데 다시 삑삑거리는 소리가 난다. 판엠의 문장이 화면에 나타나고 국가가 흐른다. 경기장에서 죽은 조공인들을 보여주었듯 죽은 사람들을 보여준다. 우리 촬영 팀 4명부터 시작해서 복스, 게일, 피닉, 피타, 나까지 차례로 보여준다. 복스를 제외한 13번 구역 군인들은 보여주지 않는다. 누구인지 모르기 때문이거나, 시청자들에게 아무 의미도 없다는 것을 알기 때문일 것이다. 그리고 바로 그 사람이 직접 나타난다. 책상에 앉아 있고, 뒤에는 국기가 드리워져 있다. 옷깃에서는 흰 장미가 빛나고 있다. 입술이 평소보다 더 도톰한 것을 보니 최근에 추가로 수술을 받은 것 같다. 그의 준비 팀은 볼 화장을 지나치게 많이 했다.

스노우는 훌륭하게 임무를 수행한 평화유지군을 치하하고, 국가에 위협적인 모킹제이를 제거한 것에 경의를 표한다. 그는 내가 죽음으로써 사기가 저하된 반군들이 따를 사람이 없어졌으니 전세가 뒤바뀔 거라고 예측한다. 그런데 사실 나는 누구인가? 활을 조금 쏠 줄 알던 가련하고 불안정한 여자애일 뿐이다. 위대한 사상가도, 반군을 조종하는 사람도 아니고, 헝거 게임에 출연해서 했던 짓거리 때문에 어중이떠중이 중 반군의 얼굴로 뽑힌 사람일 뿐이다. 하지만 반군에겐 내가 필요했다. 절실하게 필요했다. 반군 중에는 진정한 지도자가 없었기 때문이다.

스노우 대통령이 아니라 코인 대통령이 우리를 바라보고 있는 것을 보니 13번 구역 어디에선가 비티가 버튼을 누른 모양이다. 코인은 판엠 사람들에게 자기를 소개한 뒤 자신이 반군의 지도자라고 하고, 날 위한 추도

312

연설을 한다. 경계와 헝거 게임을 거치고 살아남은 다음 노예들의 나라를 자유를 위해 싸우는 군대로 바꾼 여자아이를 칭송한다.

"생사와 무관하게, 캣니스 에버딘은 반군의 얼굴로 남을 것입니다. 결의가 흔들릴 때는 모킹제이를 생각하십시오. 그녀 안에서 판엠의 압제자들을 제거하는 데 필요한 힘을 찾을 수 있을 겁니다."

"내가 코인한테 저 정도로 중요한 사람인 줄은 몰랐는데."

내가 말하자 게일은 웃고 다른 사람들은 미심쩍은 눈길을 보낸다.

내 사진이 뒤따른다. 보정을 많이 한, 아름답고 매서워 보이는 사진이다. 뒤에서는 불꽃이 타오른다. 아무 말도, 슬로건도 없다. 지금 그들에게 필요한 것은 오직 내 얼굴뿐이다.

비티는 감정을 전혀 드러내지 않는 스노우에게 통제권을 넘긴다. 스노우가 긴급 방송 채널에는 침입할 수 없을 거라고 생각했을 것 같은 느낌이 든다. 긴급 방송 채널이 당했으니 오늘밤 누군가 죽어나갈 것 같다.

"내일 아침, 잿더미 속에서 캣니스 에버딘의 시체를 꺼내면 우리는 모킹제이가 어떤 사람인지 똑바로 보게 될 것입니다. 그 누구도 구할 수 없었던, 자기 자신마저도 구할 수 없었던 죽은 여자아이죠."

문장, 국가, 끝.

"못 찾을 거지만 말이야."

피닉이 텅 빈 화면을 향해 우리 모두가 생각하고 있었을 말을 한다. 영광스러운 순간은 짧을 것이다. 그 잿더미를 파헤쳐 시체 11구를 찾지 못하고 나면 우리가 탈출했다는 사실은 알 것이다.

"적어도 우리가 먼저 출발할 수는 있죠."

내가 말한다. 갑자기 너무 피곤하다. 내가 하고 싶은 것은 옆에 있는 푹신한 녹색 소파에 누워 잠드는 것뿐이다. 그러는 대신 나는 홀로를 꺼내 들고 잭슨에게 가장 기본적인 명령을 알려달라고 우긴다. 지도의 기준선망 중 가장 가까운 것을 입력하는 정도다. 조금이라도 직접 조작할 수 있게 되기 위해서이다. 홀로가 주위 환경을 투사하자 더욱 낙담하게 된다. 팟의 숫자가 눈에 띄게 늘어난 것을 보니 중요한 목표물에 가까워지고 있는 모양이다. 이렇게나 많은 깜빡이는 불빛들을 어떻게 들키지 않고 통과할 수 있을까? 불가능하다. 그렇다면 우리는 그물에 갇힌 새 떼 꼴이다. 나는 이 사람들과 있을 때 내가 더 우월한 것처럼 굴지 않는 게 좋겠다고 결정한다. 내 눈이 자꾸 저 녹색 소파로 향할 때는 특히 더 그렇다. 그래서 이렇게 말한다.

"좋은 생각 있어요?"

"우선 불가능한 것들을 제해 보면 어떨까. 거리로 가는 건 불가능해."

피닉이 말한다.

"옥상도 거리보다 나을 게 없지."

리그 1이 말한다.

"아직 후퇴할 수 있는 가능성은 있을지도 몰라. 왔던 길로 되돌아가는 거지. 하지만 그러면 임무는 실패가 될 거고."

홈스가 말한다.

그 임무는 내가 지어낸 것이기 때문에 죄책감이 든다.

"우리 모두가 가야 했던 건 아니었어요. 여러분은 운 나쁘게도 저랑 같이 계셨던 것뿐이죠."

"그런 말은 할 필요도 없어. 지금 너랑 같이 있잖니. 그러니까 우린, 가만히 있을 수는 없어. 위로도 못가. 옆으로도 못가. 그러면 한 가지밖에 없는 것 같은데."

잭슨이 말한다.

"지하."

게일이 말한다.

314

지하. 내가 싫어하는 지하. 갱도와 터널과 13번 구역 같은 곳. 지하에 있으면 난 죽음이 두려워진다. 내가 지상에서 죽는다 해도 사람들은 어차피 나를 지하에 묻을 테니 바보 같은 일이긴 하다.

홀로는 지상의 팟처럼 지하에 있는 팟도 보여 준다. 깔끔하고 신뢰할 수 있는 도시 계획의 밑에는 이리저리 뒤틀린 터널이 잔뜩 있음을 볼 수 있다. 그래도 팟은 적어 보인다.

2층 아래로 가면 이 아파트와 터널을 잇는 수직 튜브가 있다. 그 튜브가 있는 아파트로 가려면 이 건물을 관통하는 좁은 배기관을 지나야 한다. 위층의 옷장 뒤를 통해서 관에 들어갈 수 있다.

"좋아요. 그러면 우리가 여기 온 적 없는 것처럼 해 놓죠."

내가 말한다. 우리는 머물렀던 흔적을 모두 지운다. 빈 캔은 쓰레기 배출구에 버리고, 새 것들은 나중에 먹도록 챙기고, 피가 묻은 소파 쿠션은 뒤집고, 타일에 묻은 젤을 닦는다. 정문의 자물쇠를 고칠 방법은 없지만 다른 걸쇠를 걸어서, 최소한 손만 대도 획 열리지는 않게 해 둔다.

이제 결국 남은 문제는 피타뿐이다. 피타는 파란색 소파에 앉아 꼼짝도 않으려 한다.

"난 안 가요. 난 위치를 들키게 하거나 다른 사람을 해칠 거예요."

"스노우의 부하들이 널 발견할 거야."

피닉이 말한다.

"그럼 알약을 줘요. 꼭 필요할 경우에만 먹을 테니까."

"그건 선택지가 아니야. 따라와."

잭슨이 말한다.

"안 그러면 어쩔 건데요? 쏠 건가요?"

"널 기절시켜서 끌고 갈 거야. 그러면 속도도 느려지고 더 위험해지지."

홈스가 말한다.

"고상한 척하지 말아요! 난 죽어도 상관없어요! 캣니스, 제발. 모르겠어? 내가 여기서 빠지고 싶다는 걸."

피타는 나를 돌아보며 애원한다.

문제는, 나 역시 알겠다는 것이다. 나는 왜 피타를 보내주지 못하나? 알약을 주거나, 방아쇠를 당겨주지 못하나? 내가 피타를 너무 아끼기 때문인가, 아니면 스노우가 이기게 하는 게 너무 싫어서인가? 나는 피타를 내 개인적인 헝거 게임의 일부분으로 바꿔 버린 걸까? 비열한 짓이지만, 내가 그러지 않을 만한 사람인지는 잘 모르겠다. 만약 그게 사실이라면 피타를 지금 여기서 죽여 주는 게 가장 친절한 일일 것이다. 하지만 좋거나 싫거나 나는 친절한 동기 때문에 행동하는 사람은 아니다.

"우린 지금 시간을 낭비하고 있어. 네 발로 따라올래, 아니면 때려눕혀 줄까?"

피타는 잠시 양손에 얼굴을 묻더니, 일어나 우리에게 합류한다.

"수갑을 풀어 줘야 하나?"

리그 1이 묻는다.

"안 돼요!"

피타는 수갑을 자기 몸에 바싹 붙이며 소리 지른다.

"안 돼요."

내가 피타의 말을 반복한다.

"하지만 열쇠는 저한테 주세요."

내 말에 잭슨은 말없이 열쇠를 넘긴다. 열쇠를 바지 주머니에 넣자 진주에 부딪혀 달각거린다.

홈스가 배기관에 연결된 작은 금속 문을 비틀어 열자 다른 문제에 직면한다. 곤충의 껍데기 같은 카메라 장비를 좁은 통로로 가지고 들어갈 방법이 없다. 캐스터와 폴룩스는 장비를 버리고 비상용 예비 카메라를 꺼낸다.

둘 다 신발 상자 정도의 크기고, 아마 기능도 큰 것 못지않을 것이다. 메살라는 큼직한 껍데기를 숨길 만한 더 나은 곳을 찾을 수 없어서 옷장 속에 넣는다. 이렇게 쉽게 추적할 수 있는 흔적을 남기는 게 마음에 들지는 않지만, 다른 방법이 없잖아?

짐과 장비를 옆에 들고 한 줄로 들어가는데도 꽉 낀다. 몸을 옆으로 움직여 첫 번째 아파트를 지나고, 두 번째 아파트로 들어간다. 이 아파트에는 침실 중 하나의 문에 화장실 대신 '장비실'이라고 표시되어 있다. 그 문 뒤에는 튜브의 입구가 있는 문이 있다.

메살라는 넓고 둥근 커버를 보고 얼굴을 찌푸리며 잠시 그만의 까탈스러운 세계로 돌아간다.

"아무도 가운데 집에서 살고 싶어 하지 않는 이유가 이거야. 시도 때도 없이 작업자들이 들락거리고 화장실은 하나뿐이고. 하지만 월세가 꽤 싸긴 하지."

그는 피닉이 재미있어 하는 표정을 지은 것을 알아보고 덧붙인다.

"아무것도 아니에요."

튜브의 커버는 떼어내기 쉽다. 디딤판에 고무가 붙은 넓은 사다리가 있어, 이 도시의 내부로 빠르고 쉽게 내려갈 수 있다. 우리는 사다리 아래에 모여서 눈이 어둑어둑한 조명에 적응하기를 기다리고, 화학물질과 흰곰팡이, 하수 냄새가 섞인 공기를 들이마신다.

폴룩스는 창백한 모습으로 땀을 흘리며 캐스터에게 손을 뻗더니 손목을 움켜쥔다. 누가 잡아주지 않으면 쓰러질 것 같다.

"제 동생은 무성인이 되고 나서 여기서 일했거든요."

캐스터가 말한다. 물론 그렇겠지. 이렇게 음습하고 기분 나쁜 냄새가 나는 데다 팟까지 깔린 동굴에서 일을 시킬 사람이 무성인 말고 누가 있겠어?

"우리가 돈을 내서 지상에서 일하도록 할 때까지 5년이 걸렸어요. 그동안 해를 한 번도 못 봤고요."

더 나은 상황이었다면, 무서운 일이 더 적고 좀 더 휴식을 취한 날이었다면 분명 누군가 할 말을 찾았을 것이다. 하지만 우리는 한참이나 그대로 서서 대답을 지어내려 애쓰고 있다.

마침내 피타가 폴룩스를 본다.

"음, 그러면 당신은 이제 우리의 가장 귀한 자산인 거네요."

캐스터는 웃고 폴룩스는 간신히 미소를 짓는다.

첫 터널을 반쯤 지났을 때 아까의 대화가 왜 놀라웠는지 깨닫는다. 옛날의 피타가 할 법한 말이었다. 다른 사람은 누구도 적절한 말을 찾지 못할 때, 언제나 가장 적절한 말을 찾을 수 있었던 사람. 아이러니가 담겨 있고, 힘을 주고, 조금 웃기지만 누구도 기분 상하지 않는 말이다. 나는 그를 감시하는 게일과 잭슨을 따라 걸어오는 피타를 돌아본다. 시선은 땅에 고정되어 있고, 어깨는 앞으로 처져 있다. 너무나 의기소침한 모습이다. 하지만 한 순간, 피타가 정말로 이 곳에 있었다.

피타의 말이 옳았다. 폴룩스는 홀로 열 개 정도의 가치가 있는 것으로 밝혀진다. 지상의 주요 도로에 맞춘 넓고 단순한 터널망이 있다. 주요대로와 사거리 밑에 깔려 있다. 작은 트럭들이 도시 안에서 물건 배달을 할 때 쓰기 때문에 그 터널망을 '이동로'라고 부른다. 낮에는 꺼두는 팟이 많지만 밤에는 지뢰밭이다. 하지만 그 외에도 다른 통로들, 정비용 수직 통로, 철도, 하수관이 수백 개 있어 여러 층위로 구성된 미로를 이룬다. 폴룩스는 처음 온 사람을 재앙으로 이끌 수 있는 세세한 것들을 알고 있다. 어디에서 방독면이 필요할지, 어디에 전기가 흐르는 전선이 있는지, 어디에 비버 크기의 쥐들이 사는지 등이다. 그는 물이 정기적으로 하수도를 휩쓰는 때에 맞춰 경고해 주고, 무성인들이 근무 교대를 할 시간을 예측하고, 거의 소리를 내지 않고 지나가는 화물 열차를 피해 축축하고 눈에 띄지 않는 파이프로 우리를 데려간다. 가장 중요한 것은, 그는 카메라의 위치를 알고 있다. 이렇게 어둡고 축축한 곳에는 이동로를 제외하고 카메라가 많지는 않지만 우리는 잘 피해간다.

폴룩스의 안내를 받아 우리는 빠르게 이동한다. 지상에서의 이동과 비교해 본다면 놀라울 정도로 빠르다. 6시간 정도 지나자 피로가 쏟아진다. 새벽 3시니까, 그들이 우리 시체가 없는 것을 발견하고 우리가 수직 통로를 통해 탈출하려 했을 경우를 고려해 아파트 블록 전체를 다 뒤지고 사냥을 시작할 때까지 아직 몇 시간이 남았으리라.

쉬자고 하자 아무도 반대하지 않는다. 폴룩스는 레버와 다이얼이 가득한 기계들이 웅웅거리는 작고 따뜻한 방을 찾아낸다. 폴룩스는 4시간 안에 다시 움직여야 한다는 뜻으로 손가락을 들어 보인다. 잭슨이 망볼 순서를 정하고, 내가 첫 번째가 아니라서 나는 게일과 리그 1 사이의 좁은 공간에 몸을 끼워 넣고 즉시 잠이 든다.

몇 분밖에 지나지 않은 것 같은데 잭슨이 나를 흔들어 깨우며 내가 망을 볼 차례라고 한다. 6시고, 우리는 1시간 안에 다시 움직여야 한다. 잭슨은 내게 통조림 하나를 먹고, 밤새 망을 보겠다고 우긴 폴룩스를 잘 살피라고 한다.

"폴룩스는 여기선 잠들 수가 없대."

나는 억지로 정신을 비교적 또렷하게 하고서 감자와 콩 스튜 통조림을 하나 먹고, 문 쪽을 향해 벽에 기대앉는다. 폴룩스는 완전히 깨어 있는 것 같다. 아마 밤 내내 여기에 갇혀 있었던 5년을 다시 체험하고 있을 것이다. 나는 홀로를 꺼내 우리의 기준선망을 입력하고 터널들을 스캔한다. 예상대로, 캐피톨의 중심으로 다가갈수록 팟이 더 많아진다. 폴룩스와 나는 한동안 홀로를 여기저기 클릭하며 어떤 덫이 어디 있는지 살핀다. 머리가 핑핑 돌기 시작해서 홀로를 폴룩스에게 넘기고 다시 벽에 기댄다. 나는 자고 있는 군인들, 촬영 팀, 친구들을 내려다보며 우리 중에서 몇 명이나 다시 태양을 볼 수 있을까 생각한다.

머리를 바로 내 발 옆에 두고 있는 피타를 보니 깨어 있다는 것을 알 수 있다. 피타의 마음속에서 일어나는 일들을 읽고, 그 안에 들어가서 얽혀 있는 거짓말들을 풀어 줄 수 있으면 좋겠다. 그럴 수는 없으니 내가 할 수 있는 일이라도 하기로 한다.

"뭐 좀 먹었어?"

내가 묻는다. 피타는 고개를 살짝 흔들어서 아니라고 대답한다. 나는 닭고기와 쌀 수프 캔을 열고, 혹시 손목을 긋는다든가 하지 않도록 뚜껑을 떼서 캔만 건넨다. 피타는 일어나 앉아서 캔을 기울이며, 제대로 씹지 않고 그냥 삼킨다. 캔의 바닥이 기계의 불빛을 반사하고, 난 어제부터 머릿속 한 곳을 간질이던 것을 떠올린다.

"피타, 어제 네가 다리우스와 라비니아에게 일어났던 일을 얘기하고 복스가 그건 진짜였다고 말했을 때, 넌 그럴 것 같다고 했잖아. 그 기억에는 반짝이는 게 아무것도 없었다고도 했고. 그건 무슨 뜻이었어?"

"아. 정확히 어떻게 설명해야 할지 모르겠는데."

피타가 말하더니 설명하기 시작한다.

"처음에는 모든 게 그냥 완전히 혼란스러웠어. 이젠 어떤 것들은 파악할 수 있어. 일종의 패턴이 나타나고 있는 것 같아. 그들이 추적말벌의 독으로 조작한 기억은 뭔가 묘한 특징이 있어. 지나치게 강렬하다거나, 이미지들이 안정적이지 않다거나. 너 우리가 벌에 쏘였을 때 어땠는지 기억 나?"

"나무들이 부서졌어. 거대한 알록달록한 나비들이 있었지. 그리고 난 오렌지 색 거품의 구덩이에 빠졌어. 반짝이는 오렌지 색 거품들."

나는 생각해 본다.

"맞아. 하지만 다리우스나 라비니아에 대한 기억은 전혀 그렇지 않아. 그때는 아직 내게 독을 주입하기 전이었던 것 같아."

"음, 그럼 잘된 거잖아, 안 그래? 네가 두 가지를 구별할 수 있다면, 뭐가 진실인지 추측해 낼 수 있잖아."

"응. 그리고 내게 날개가 있다면 날 수 있겠지. 하지만 사람에겐 날개가 없어. 진짜야, 가짜야?"

"진짜야. 하지만 사람은 날개가 없어도 살아남을 수 있어."

"모킹제이에겐 필요하지."

피타는 수프를 다 먹고 빈 캔을 내게 돌려준다.

형광등 빛을 받으니 피타 눈 밑의 다크서클은 멍 같아 보인다.

"아직 시간이 있어. 좀 자 둬."

피타는 저항하지 않고 다시 눕지만, 다이얼 하나의 바늘이 옆으로 오가는 것을 바라볼 뿐이다. 상처받은 동물에게 하듯, 나는 천천히 손을 뻗어 이마의 머리칼을 뒤로 걸어 준다. 내가 손을 대자 피타는 꼼짝도 하지 않지만 움츠러들지는 않는다. 그래서 나는 계속 머리를 부드럽게 쓰다듬어 준다. 경기장에서 나온 이후 내가 자진해서 피타를 만진 것은 이번이 처음이다.

"넌 지금도 날 지켜 주려 하고 있어. 진짜야, 가짜야?"

피타가 속삭인다.

"진짜야."

내가 대답한다. 그리고 나니 설명이 더 필요할 것 같아 다시 입을 연다.

"왜냐하면 너랑 내가 하는 게 그거거든. 서로를 지켜 주는 것."

1분 정도 지나자 피타는 스르르 잠이 든다.

7시가 되기 얼마 전에 폴룩스와 나는 다른 사람들 사이를 움직이며 깨운다. 일어날 때면 보통 그렇듯 하품과 한숨이 터져 나온다. 하지만 내 귀에 뭔가 다른 소리도 들려온다. 거의 '쉿쉿' 거리는 것 같은 소리다. 어쩌면 그냥 파이프에서 김이 새어나오는 소리, 멀리서 기차가 지나가는 소리일지도 모른다…….

나는 더 잘 들어보려고 사람들을 조용하게 한다. 분명 쉿쉿거리는 소리가 나지만, 한 가지 소리가 이어지는 것이 아니다. 여럿이서 숨을 내쉬며 단어를 구성하는 것 같다. 한 단어를 이룬다. 터널을 퍼지며 울린다. 한 단어. 한 이름. 계속해서 반복한다.

"캣니스."

22

유예 기간은 끝났다. 아마 스노우가 밤새 발굴 작업을 시켰을지도 모르겠다. 불이 꺼지자마자 복스의 유해를 찾고 잠시 확신했다가, 몇 시간이 지나도 다른 전리품이 나오지 않자 의심하기 시작했을 것이다. 어느 순간엔가 속았다는 걸 깨달았을 것이다. 스노우 대통령은 바보로 보이게 되는 것은 참지 못한다. 두 번째 아파트까지 우리를 추적해 왔는지, 우리가 바로 지하에 내려갔을 거라고 생각했는지는 중요하지 않다. 지금 그들은 우리가 지하에 있다는 것을 알고 있고, 나를 찾기 위해 무언가를 풀어놓았다. 아마 머테이션 떼일 것이다.

"캣니스."

너무 가까운 곳에서 소리가 들려와 펄쩍 뛴다. 미친 듯이 소리가 난 곳을 찾으며 활에 화살을 메기고 맞출 목표물을 찾았다.

"캣니스."

피타의 입술은 거의 움직이지 않지만, 피타가 낸 소리라는 것에는 의심의 여지가 없다. 피타가 조금 나아진 것 같다고, 조금이나마 내게 돌아오고 있다고 생각하자마자 스노우의 독이 얼마나 깊이 들어갔는지를 보여주는 증거가 나왔다.

"캣니스."

피타는 저 쉿쉿거리는 합창에 반응해서 사냥에 동참하도록 프로그램된 것이다. 피타는 동요하기 시작한다. 선택의 여지가 없다. 나는 뇌를 관통하도록 화살을 겨눈다. 피타는 거의 아무것도 느끼지 못할 것이다. 갑자기 피타는 놀라서 눈을 둥그렇게 뜨고 헐떡이며 일어나 앉는다.

"캣니스!"

피타는 내 쪽으로 고개를 홱 돌리지만 내 활, 쏠 준비가 된 화살은 눈치채지 못하는 것 같다.

"캣니스! 여기서 나가!"

나는 망설인다. 겁난 목소리지만 미친 것 같지는 않다.

"왜? 저 소리를 내는 게 뭔데?"

"몰라. 저건 널 죽여야 한다는 것만 알아. 뛰어! 나가! 가라고!"

피타가 소리친다.

이번엔 내가 잠시 혼란스러워 하다가, 쏠 필요가 없다고 결론 내린다. 활시위를 느슨하게 한다. 내 주위의 불안한 얼굴들이 눈에 들어온다.

"뭔지는 몰라도 나를 쫓고 있어요. 이제 흩어지는 게 좋을지도 모르겠네요."

"하지만 우리는 네 경호원인걸."

잭슨이 말한다.

"너의 팀이기도 하고."

크레시다가 덧붙인다.

"난 널 두고 가지 않아."

게일이 말한다.

나는 카메라와 클립보드만으로 무장한 촬영 팀을 본다. 피닉은 총 두 자루와 삼지창이 있다. 나는 피닉에게 총 하나를 캐스터에게 주라고 제안한다. 피타의 총에서 공포탄 탄창을 빼고 진짜 탄창을 장전해서 폴룩스를 무장시킨다. 게일과 나는 활이 있으니, 우리의 총은 메살라와 크레시다에게 넘긴다. 조준하고 방아쇠를 당기는 법 이상을 가르쳐 줄 시간은 없지만, 가까운 거리에서는 그것만으로도 충분할 수 있다. 무력한 상태인 것보다는 낫다. 이제 무기가 없는 사람은 피타뿐이지만, 머테이션 떼와 함께 내 이름을 속삭이는 사람에겐 어차피 무기는 필요 없다.

우리의 체취를 제외하고는 아무것도 남기지 않은 채 방을 나선다. 지금으로선 냄새를 없앨 방법은 없다. 우리는 물리적인 자취는 거의 남기지 않았으니, 지금 우리를 추적하는 것들은 냄새를 따라왔으리라 추측된다. 머테이션의 후각은 비정상적으로 예민하겠지만, 우리가 배수관에서 물속을 철벅이며 걸었던 시간이 그들을 추적하는 걸 어렵게 만들 수도 있을 것이다.

웅웅거리는 소리가 나던 방에서 나오니 쉿쉿 소리가 더 분명해진다. 하지만 머테이션의 위치를 파악하기도 더 유리하다. 그들은 아직 꽤 먼 거리에서 우리를 따라오고 있다. 스노우는 아마 복스의 시신이 발견된 곳 근처의 지하에서 머테이션을 풀어놓은 모양이다. 이론적으로는 우리가 꽤 앞서 있을 테지만, 저들은 분명 우리보다 훨씬 빠를 것이다. 첫 번째 경기장에 있었던 늑대 같은 생물들, 25주년 특집의 원숭이들, 수년간 텔레비전에서 보았던 흉물들이 떠오르고, 이 머테이션들은 어떤 형태를 하고 있을까 생각해 본다. 스노우가 생각하기에 내가 가장 무서워할 모양이겠지.

폴룩스와 나는 방에서 나가면 어떻게 이동할지 계획을 세워두었고, 쉿

쉿 소리에서 멀어지는 방향이기 때문에 바꿀 이유는 없는 것 같다. 우리가 빨리 움직인다면 머테이션이 우리를 따라잡기 전에 스노우의 사저에 도착할 수 있을지도 모른다. 하지만 빨리 움직이자니 실수가 많다. 부츠를 잘못 내딛어 물이 튀고, 실수로 총을 파이프에 부딪쳐 챙강 소리가 난다. 나조차 너무 큰 소리로 명령을 내린다.

여러분의 물을 흘려보내는 배수관과 버려진 철로를 거쳐 세 블록 정도 왔는데 비명 소리가 들려오기 시작한다. 굵고 목 안쪽에서 나오는 소리이다. 터널의 벽에 부딪혀 울린다.

"무성인이야. 다리우스를 고문할 때 저런 소리를 냈었어."

피타가 즉시 말한다.

"머테이션들이 발견한 게 분명해."

크레시다가 말한다.

"그러면 캣니스만을 쫓는 것도 아니네."

리그 1이 말한다.

"아마 아무나 다 죽이겠지. 캣니스를 찾기 전에는 멈추지 않을 테고."

게일의 말이다. 게일이 비티와 함께 연구하며 보낸 시간을 생각하면 게일의 말이 옳을 가능성이 크다.

또 이렇게 되었다. 나 때문에 사람들이 죽어간다. 친구들과 동맹들, 전혀 모르는 사람들까지 모킹제이 때문에 목숨을 잃고 있다.

"나 혼자 가게 해줘요. 제가 유인할게요. 홀로는 잭슨에게 넘길 테니, 여러분은 임무를 완수하세요."

"아무도 그 말에 동의하지 않을걸!"

잭슨이 격분하며 응수한다.

"이건 시간 낭비야!"

피닉이 말한다.

"들어 봐."

피타가 속삭인다.

비명 소리는 멎었고, 그 빈 자리에 내 이름이 돌아왔다. 가까워져서 깜짝 놀란다. 이제 우리 뒤, 그리고 우리 아래에서 들려온다.

"캣니스."

나는 폴룩스의 어깨를 쿡 찌르고 우리는 달리기 시작한다. 문제는 우리는 더 깊이 내려가기로 계획했는데, 이제는 그럴 수가 없다는 점이다. 아래로 내려가는 계단에 도착하자, 폴룩스와 나는 홀로를 켜고 가능한 대안을 찾는데 숨이 막혀온다.

"방독면 써!"

잭슨이 명령한다.

방독면을 쓸 필요는 없다. 모두가 같은 공기를 들이마시고 있다. 먹었던 스튜를 토하는 사람이 나뿐인 것은 오직 나만이 이 향에 반응하기 때문이다. 계단 아래에서 올라오는 향. 하수 냄새를 뚫고 치미는 향. 장미다. 나는 몸을 떨기 시작한다.

나는 몸을 흔들며 그 냄새에서 멀어져, 비틀거리며 이동로에 들어간다. 지상의 길처럼 매끄러운 파스텔빛 보도블록이 깔린 길이지만, 집 대신에 흰 벽돌 벽이 늘어서 있다. 배달 차량들이 캐피톨의 교통 혼잡을 피해 달릴 수 있는 길이다. 지금은 우리 외에는 아무것도 없이 텅 비어 있다. 내가 활을 꺼내 폭탄 화살로 첫 번째 팟을 부수니 안에 있던 육식 쥐들의 둥지도 파괴된다. 그러고는 다음 사거리까지 달려간다. 그곳에서는 한 걸음만 잘못 디디면 우리 발밑의 땅이 무너져 내려 '고기 가는 기계'라는 이름이 붙은 곳으로 빠지게 된다는 것을 알고 있다. 나는 다른 사람들에게 나와 함께 움직이라고 외쳐 경고한다. 나는 모서리를 돌아간 다음 '고기 가는 기계'를 작동시킬 계획이지만, 홀로에 나오지 않은 팟 하나가 우리를 기다리고 있다.

조용히 일어난다. 피닉이 나를 잡아 당겨 멈춰 세우지 않았더라면 완전히 놓쳤을 것이다.

"캣니스!"

나는 화살을 날릴 준비를 하고 몸을 뒤로 홱 돌리지만, 할 수 있는 일이 뭐가 있을까? 천장에서 바닥으로 비치고 있는 넓은 금색 빛줄기 옆에 게일이 쏜 화살 두 개가 이미 무력하게 떨어져 있다. 그 안에는 메살라가 동상처럼 꼼짝하지 않은 채 한쪽 발뒤꿈치를 들고 서 있다. 고개를 뒤로 젖힌 모습으로 그 광선 안에 잡혀 있다. 입을 딱 벌리고 있지만 소리를 지르고 있는지는 모르겠다. 우리는 메살라의 살이 촛농처럼 녹아내리는 것을 무력하게 지켜본다.

"어쩔 수 없어!"

피타는 사람들을 앞으로 밀기 시작한다.

"어쩔 수 없다고!"

놀랍게도 우리를 계속 움직일 정도로 멀쩡한 사람은 피타가 유일하다. 정신을 잃고 내 머리를 깨부숴야 할 피타가 왜 자제력을 발휘하고 있는지는 모르지만, 그런 일은 언제든 일어날 수 있다. 피타가 손으로 내 어깨를 밀어서 나는 한때 메살라였던 소름끼치는 것에서 몸을 돌린다. 나는 발을 재빠르게 움직여 앞으로 나간다. 너무 빨리 가서 간신히 다음 사거리 전에 멈춘다.

총알이 마구 날아와 회반죽이 비처럼 쏟아진다. 나는 팟을 찾아 이리저리 둘러보다 이동로에서 우리를 향해 전진해 오는 평화유지군 무리를 발견한다. 고기 가는 기계가 있는 팟이 앞을 막고 있으니 맞서 싸우는 수밖에 없다. 그들의 숫자는 우리 두 배지만, 스타 분대 원래 멤버 중 아직 6명이 남아 있다. 도망가며 총을 쏘려 하지 않는 사람들이다.

그들의 흰 유니폼이 붉은 얼룩으로 물드는 것을 보며 '물통 속에 든 물고기'라고 생각한다. 그들 중 4분의 3은 죽어 쓰러졌는데, 내가 냄새를 피해 도망치며 지나왔던 터널 옆에서 더 들어오기 시작한다.

'이놈들은 평화유지군이 아니야.'

희고, 네 개의 팔다리가 있고, 성인 인간의 크기와 비슷하지만 닮은 점은 거기까지다. 알몸인 데다 파충류 같은 긴 꼬리가 달렸고, 등이 굽었으며 머리는 앞으로 툭 튀어나왔다. 그들은 평화유지군 시체를 타넘고, 살아 있는 평화유지군들의 목을 물어 헬멧 쓴 머리를 뜯어내며 몰려온다. 캐피톨 출신이라는 것은 13번 구역에서 그랬듯 여기서도 쓸모없는 모양이다. 평화유지군들의 목이 모두 잘리는 데는 몇 초밖에 걸리지 않은 것 같다. 머테이션들은 배를 깔고 엎드려 네 다리로 잽싸게 달려온다.

"이쪽이에요!"

나는 소리 지르며 핏을 피하기 위해 벽을 껴안다시피 찰싹 붙은 자세로 오른쪽으로 돌아간다. 모두 나를 따라오자 나는 사거리를 향해 화살을 쏘고, 고기 가는 기계가 작동된다. 거대한 기계 이빨이 거리를 뚫고 솟아올라 보도블록을 씹자 먼지가 되어 버린다. 이제 머테이션들은 우리를 따라올 수 없겠지만 혹시 모르는 일이다. 내가 접했던 늑대와 원숭이 머테이션들은 믿을 수 없을 정도로 멀리까지 점프할 수 있었다.

귀는 쉿쉿 소리로 불타는 것 같고, 장미 냄새 때문에 벽이 핑핑 돈다.

나는 폴룩스의 팔을 쥔다.

"임무는 생각하지 말아요. 지상으로 가는 제일 빠른 길이 어디죠?"

홀로를 살펴볼 시간은 없다. 우리는 폴룩스를 따라 이동로를 10미터 정도 걸어 문간을 지난다. 보도블록이 콘크리트로 바뀌는 것이 눈에 띈다. 좁고 냄새나는 파이프 속을 기어가 너비가 두세 뼘 정도 되는 튀어나온 받침대로 간다. 1미터 아래에는 인간의 배설물과 쓰레기, 유출된 화학 물질이 섞인 유독성 혼합물이 부글거리며 흐른다. 액체 표면의 일부는 불타고 있고, 다른 곳에서는 기분 나쁘게 생긴 독성 구름이 피어오른다. 딱 봐도 한번 빠지면 나올 수 없는 곳이다. 미끄러운 받침대 위에서 낼 수 있는 가장 빠른 속도로 움직여 좁은 다리까지 간 다음 건너간다. 맞은편 벽이 우묵하게 팬 곳에 폴룩스가 사다리를 세우고 위쪽을 가리킨다. 여기다. 여기가 출구다.

일행을 재빨리 둘러보니 뭔가 빠진 것이 있다.

"잠깐! 잭슨과 리그 1은 어디 있어요?"

"머테이션들을 저지하려고 고기 가는 기계에 남았어."

홈스가 말한다.

"뭐라고요?"

단 한 명도 그 괴물들과 함께 남겨 둘 수는 없기에 다리로 달려가려는데 홈스가 나를 끌어당긴다.

"그들의 죽음을 헛되게 하지 마, 캣니스. 이미 늦었어. 봐!"

홈스는 파이프 쪽으로 고개를 까닥한다. 머테이션들이 받침대로 기어 나오고 있다.

"물러서요!"

게일이 외친다. 그러곤 폭탄 화살을 써서 다리가 건너편에 연결된 곳을 부순다. 머테이션들이 도착하는 찰나 다리는 거품 속으로 사라진다.

처음으로 그 머테이션을 똑똑히 보게 된다. 인간과 도마뱀, 그리고 또 무엇을 섞었을까. 희고 탱탱한 파충류 같은 피부에는 선혈이 묻어 있고, 손톱과 발톱은 날카롭고, 얼굴에는 상반된 특징들이 마구 섞여 있다. 분노로 몸을 뒤틀면서, 쉿쉿거리고 비명을 지르며 내 이름을 부르고 있다. 나를 파괴하고 싶은 욕구에 미쳐 버린 그들은 꼬리와 손톱을 마구 휘두르며, 거품을 문 커다란 입으로 서로의 살점을 뭉텅뭉텅 잘라내고 있다. 그들의 냄새가 내게 자극적이듯, 내 체취가 그들에게 자극적인 게 분명하다. 머테이션들이 하수의 독성에도 불구하고 아래로 뛰어내리는 걸 보니 그들에게 더욱 자극적인 것 같다.

우리 쪽에서는 모두가 총을 쏜다. 나는 화살을 손에 잡히는 대로 골라 화살촉과 불, 폭탄을 머테이션들의 몸에 꽂는다. 저놈들은 죽지 않는 존재는 아니지만 위력이 엄청나다. 총을 스무 발 넘게 맞고도 계속 다가올 수 있는 동물은 자연 속에는 없다. 우리는 저놈들을 죽일 수 있긴 하지만, 수가 너무 많다. 파이프에서 끝도 없이 쏟아져 들어오고, 망설임 없이 하수 속으로 뛰어든다.

하지만 내 손이 와들와들 떨리는 것은 그들의 숫자 때문은 아니다.

좋은 머테이션 같은 건 없다. 머테이션은 전부 사람을 해치기 위해 만든 것들이다. 어떤 머테이션들은 원숭이들처럼 목숨을 앗아간다. 어떤 머테이션들은 추적말벌들처럼 이성을 잃게 만든다. 하지만 진정 끔찍한, 가장 무서운 것은 가장 무서운 것은 희생자를 두렵게 하기 위해 변태적인 심리 효과를 가미한다는 것이다. 늑대 머테이션들이 죽은 조공인의 눈을 하고 있던 모습. 재잘어치들이 프림이 고문 받으며 지르는 비명 소리를 냈던 것. 스노우의 장미에서 희생자들의 피 냄새가 섞인 냄새가 나는 것. 그 냄새가 하수구 저편에서 풍겨온다. 이렇게 지독한 악취까지도 뚫고 풍겨온다. 내 심장을 마구 뛰게 만들고, 피부가 얼음장 같아지고, 폐는 공기를 들이마실 수 없어진다. 마치 스노우가 내 얼굴에다 숨을 내뿜으며 죽을 때가 되었다고 말하는 것 같다.

다른 사람들이 내게 소리 지르지만 나는 대답할 수가 없는 것 같다. 방금 손톱으로 내 발목을 할퀼 뻔한 머테이션의 머리를 날려 버리는데 누가 힘센 팔로 나를 들어올린다. 나를 사다리에 내던진다. 손을 사다리 대에 갖다 댄다. 올라가라고 명령한다. 나무로 만든 꼭두각시 같은 내 팔다리는 명령을 따른다. 움직이자 조금씩 감각이 돌아온다. 내 위에는 한 명이 있다. 폴룩스다. 피타와 크레시다가 내 밑에 있다. 우리는 중간 플랫폼으로 올라간다. 두 번째 사다리를 탄다. 사다리 대는 땀과 흰곰팡이로 미끈거린다. 다음 플랫폼까지 갔을 때 어떤 일이 일어난 건지 깨닫게 된다. 나는 미친 듯이 사람들을 끌어올린다. 피타. 크레시다. 끝이다.

내가 무슨 짓을 한 거야? 다른 사람들을 나는 어떤 곳에 버리고 온 거지? 사다리로 다시 내려가는데 한쪽 발로 누군가를 차게 된다.

"올라가!"

게일이 짖듯 말한다. 나는 다시 올라가 게일을 끌어올리고, 더 없나 어둠 속을 들여다본다.

"없어."

게일은 내 얼굴을 자기 쪽으로 돌리고 고개를 가로젓는다. 유니폼은 찢어져 있다. 목 한 쪽에 상처가 나서 벌어져 있다.

아래서 사람의 비명이 들려온다.

"아직 살아있는 사람이 있잖아."

내가 애원한다.

"아냐, 캣니스. 저들은 못 와. 오는 건 머테이션들 뿐이야."

받아들일 수가 없어 크레시다의 총으로 아래를 비춰본다. 저 아래에서 피닉이 사다리에 붙어 있으려 애쓰는 모습이 보인다. 머테이션 셋이 그에게 달라붙어 베고 있다. 한 놈이 피닉의 목을 깨물어 죽이려고 피닉의 머리를 뒤로 젖히는 순간 기묘한 일이 벌어진다. 마치 내가 피닉이 되어 내 인생의 장면들이 스쳐지나가는 것을 보는 것 같다. 배의 돛대, 은색 낙하산, 웃는 맥스, 핑크색 하늘, 비티가 만든 삼지창, 웨딩드레스를 입은 애니, 바위에 부딪혀 부서지는 파도. 그리고 끝난다. 나는 벨트에서 홀로를 떼어 꽉 메인 목으로 간신히 "자물쇠딸기, 자물쇠딸기, 자물쇠딸기." 라고 말한다. 그러곤 떨어뜨린다. 폭발로 플랫폼이 흔들리고 머테이션과 인간의 살점이 쏟아지는 동안 다른 사람들과 함께 벽에 딱 붙어 기다린다.

폴룩스가 파이프 위에 뚜껑을 다시 닫고 잠그는 철컹 소리가 난다. 폴룩스, 게일, 크레시다, 피타, 나. 남은 사람은 우리가 전부다. 인간적인 감정은 잠시 후에 찾아올 것이다. 지금 나는 남은 무리를 살려두어야 한다는 동물적인 필요성만 의식할 수 있다.

"여기서 멈출 수는 없어요."

누군가 붕대를 꺼낸다. 우리는 게일의 목둘레에 그것을 감아 주고는 일으켜 세운다. 벽에 기댄 채 움직이지 않는 사람은 한 명 뿐이다.

"피타."

나는 그의 이름을 부른다. 대답이 없다. 의식을 잃었나? 나는 피타 앞에 쭈그리고 앉아, 피타의 얼굴을 가린 수갑을 찬 양손을 치운다.

"피타?"

피타의 눈은 검은 웅덩이 같다. 동공이 너무 크게 확대되어, 파란 홍채가 보이지 않을 지경이다. 손목의 근육은 쇠처럼 단단하다.

"날 버리고 가. 난 못 버티겠어."

피타가 속삭인다.

"버틸 수 있어!"

피타는 고개를 가로젓는다.

"통제가 안 될 거야. 난 미쳐 버릴 거야. 저것들처럼."

머테이션들처럼. 내 목줄을 끊고 싶어 혈안이 된 미친 짐승처럼. 그리고 여기, 마침내 여기서, 이곳에서, 이런 상황에서 나는 피타를 정말로 죽여야 할 것이다. 그리고 스노우가 이길 것이다. 뜨겁고 씁쓸한 증오가 내 안을 달린다. 스노우는 오늘 이미 너무 많이 이겼다.

승산이 없는 일이고, 어쩌면 자살 행위일지도 모르지만 나는 내가 생각

할 수 있는 유일한 일을 한다. 나는 몸을 앞으로 뻗어 피타의 입술에 정면
으로 키스를 한다. 피타의 온몸이 떨리기 시작하지만 나는 숨을 더 이상
참을 수 없을 때까지 피타와 입술을 맞대고 있다. 나는 피타의 손목을
양손으로 감싼다.

"그가 나에게서 너를 빼앗게 하지 마."

피타는 머릿속에서 맹렬하게 날뛰는 악몽과 싸우느라 힘겹게 숨을 헐떡
인다.

"아냐, 그러고 싶지는 않아……."

나는 피타의 손을 아플 정도로 세게 쥔다.

"나랑 함께 있어."

피타의 동공이 바늘 끝만큼 작아졌다가, 다시 빠르게 확대되었다가, 평
상시 상태와 비슷한 정도로 돌아온다.

"언제나."

피타가 속삭인다.

나는 피타가 일어나는 것을 도와주고 폴룩스에게 말한다.

"거리는 여기서 얼마나 떨어져 있죠?"

우리 머리 바로 위라는 손짓을 해 보인다. 나는 마지막 사다리를 올라가
서 뚜껑을 열고 누군가의 장비실로 들어간다. 일어서는데 한 여자가 문을
연다. 이국적인 새 모양의 자수가 놓인 밝은 청록색 비단 옷을 입고 있다.
구름처럼 부풀린 붉은 머리에 도금한 나비 모양 장식들을 달고 있다. 손에
든 먹다 만 소시지의 기름이 립스틱 바른 입술에 묻어 있다. 표정을 보니
나를 알아보는 것 같다. 그녀는 도움을 청하려고 입을 연다.

나는 망설이지 않고 화살로 그녀의 심장을 꿰뚫는다.

23

아파트 안을 뒤져 보니 집 안에는 그녀 혼자뿐이었기 때문에, 누구를 부르려고 했던 건지는 미스터리로 남는다. 가까운 이웃을 부르려 했던 거였거나, 그저 무서워서 그랬던 건지도 모른다. 어쨌거나 그녀의 말을 들을 사람은 없었다.

이 아파트는 한동안 숨어 지내기 아주 안락한 곳일 게 분명하지만 우리가 감당할 수 없는 사치다.

"언제든 들이닥칠 수 있을 것 같은데. 우리가 거리로 나가고 있다는 걸 알았잖아. 아마 폭발 때문에 몇 분은 끌 수 있겠지만, 그러고 나면 우리가 나간 출구를 찾겠지."

게일이 답한다.

나는 거리 쪽으로 난 창문으로 가서 블라인드 틈으로 내다본다. 보이는 것은 평화유지군이 아니라 자기 용무로 바쁜 사람들이다. 우리는 지하로 이동하며 사람들이 대피한 지역을 한참 벗어나 캐피톨의 붐비는 지역으로 올라온 것이다. 우리가 탈출할 수 있는 유일한 가능성은 저 군중이다. 홀로는 없지만 내겐 크레시다가 있다. 크레시다는 내 옆으로 와서 내다보고는 자기가 아는 곳이라고 하며, 대통령 관저에서 멀지 않은 곳이라는 좋은 소식을 알려 준다.

동료들의 모습을 한 번 보기만 해도 지금은 스노우를 몰래 공격하러 갈 때가 아니란 걸 알 수 있다. 게일의 목 상처에서는 아직 피가 나고 있는데 우린 그 상처를 소독조차 하지 못했다. 피타는 벨벳 소파에 앉아 베개를 깨물고 있는데, 광기와 맞서 싸우고 있거나 비명을 참고 있는 모양이다. 폴룩스는 화려한 벽난로 위 선반에 기대어 훌쩍이고 있다. 크레시다는 결연하게 내 옆에 서 있지만, 너무 창백하고 입술에서는 핏기가 사라졌다.

나는 증오심으로 움직이고 있다. 그 에너지가 빠져나가고 나면 나는 쓸모가 없어질 것이다.

"옷장을 살펴보죠."

내가 말한다.

어느 침실에서 여성복과 코트, 구두, 무지갯빛 가발 수백 개를 발견한다. 화장품은 집 전체를 칠하고도 남을 것 같다. 복도 맞은편 침실에는 비슷한 남성용 옷가지가 있다. 아마 그녀의 남편 것이었나 보다. 운 좋게도 오늘 아침에 외출한 애인 것일지도 모른다.

나는 다른 사람들을 불러 옷을 입으라고 한다. 피타의 손목이 피투성이인 것을 보고 나는 수갑 열쇠를 꺼내지만, 피타는 몸을 뺀다.

"안 돼. 하지 마. 정신 차리는 데 도움이 된단 말이야."

피타가 말한다.

"손을 쓸 일이 있을지도 모르잖아."

게일이 말한다.

"정신을 잃을 것 같을 때 손목을 수갑에다 누르면, 아파서 집중하는 데 도움이 되거든."

피타가 말한다. 나는 수갑을 그냥 둔다.

다행히 바깥 날씨가 추워서, 긴 코트와 망토 밑으로 유니폼과 무기를 거의 다 감출 수 있다. 부츠는 양쪽 끈을 서로 묶어 목에 건 다음 옷으로 숨기고, 바보 같은 신발들을 대신 신는다. 가장 큰 문제는 물론 우리 얼굴이다. 크레시다와 폴룩스는 아는 사람들을 마주칠 위험이 있고, 게일은 프로포와 뉴스를 통해 친숙할 것이고, 피타와 나는 판엠의 모든 사람이 다 안다. 우리는 급히 서로를 도와 화장을 두껍게 하고, 가발을 쓰고, 선글라스도 낀다. 크레시다는 피타와 내게 스카프를 둘러 입과 코를 가렸다.

시간이 촉박하다는 게 느껴지지만, 잠깐 짬을 내 주머니에 음식과 구급

약품을 채운다.

"같이 움직여요."

문 앞에서 나는 말한다. 그리고 우리는 길거리로 걸어 들어간다. 눈발이 날리기 시작했다. 불안해 하는 사람들이 우리 주위에서 소용돌이치며, 가식적인 캐피톨 억양으로 반군과 굶주림과 나에 대해 이야기한다. 우리는 길을 건너고 아파트 몇 채를 더 지난다. 모퉁이를 돌자마자 평화유지군 서른에서 마흔 명 정도가 우리 앞을 지나간다. 우리는 진짜 시민들처럼 펄쩍 뛰어 그들에게 길을 비켜주고, 군중의 흐름이 다시 평상시대로 돌아갈 때까지 기다렸다가 계속 움직인다.

"크레시다, 어디 아는 곳 있어요?"

내가 속삭인다.

"생각 중이야."

한 블록 더 지났을 때 사이렌이 울리기 시작한다. 아파트 창문을 통해 긴급 방송이 나오는 게 보이고, 화면에 우리 얼굴 사진이 뜬다. 하지만 캐스터와 피닉의 사진도 나오는 것을 보니 누가 죽었는지 아직 파악하지 못한 모양이다. 곧 모든 행인이 평화유지군만큼이나 위험해질 것이다.

"크레시다?"

"한 곳이 있어. 이상적인 곳은 아니야. 하지만 시도는 해 볼 수 있어."

크레시다가 말한다. 그녀를 따라 몇 블록 더 간 다음, 대문을 지나 개인 주택 같아 보이는 곳으로 들어간다. 하지만 깔끔하게 손질된 정원을 지나서 다른 문을 통해 대로 두 개를 잇는 작은 뒷골목으로 나오게 되는 것을 보니 일종의 지름길이었다. 작은 가게가 몇 개 있다. 중고 물건을 사는 가게가 하나, 모조 보석을 파는 가게가 하나 있다. 사람은 몇 명뿐이고 우리에게 관심을 보이지 않는다. 크레시다는 높은 목소리로 모피 속옷에 대해 떠들기 시작하며, 추운 계절엔 필수품이라고 말한다.

"가격을 볼 때까지 기다려 봐! 대로에 있는 가게의 반값이라니까! 정말이야!"

우리는 털북숭이 속옷을 입은 마네킹이 가득한 더러운 가게 앞에 멈춰선다. 문을 연 것 같아 보이지도 않지만 크레시다는 정문을 밀어 열고, 귀에 거슬리는 벨소리가 울린다. 상품이 놓인 선반으로 가득 찬 어두침침하고 좁은 가게에 들어서자 펠트 천의 냄새가 코를 메운다. 손님이 우리뿐인 걸 보니 장사가 잘 되는 것 같지는 않다. 크레시다는 뒤쪽에 웅크리고 앉은 사람에게 곧바로 걸어간다. 나는 부드러운 옷을 손가락으로 만져보며 따라간다.

카운터 뒤에는 내가 이제까지 본 중 가장 괴상한 사람이 앉아 있다. 잘못된 성형 수술의 가장 극단적인 사례일 여자다. 제아무리 캐피톨에서라고 해도 저 얼굴을 매력적이라고 생각할리는 없기 때문이다. 피부를 팽팽하게 당긴 다음 검은색과 금색으로 줄무늬를 넣었다. 코는 거의 없는 것과 마찬가지로 납작하다. 캐피톨 사람이 고양이 수염을 단 모습을 본 적은 있지만 이렇게 긴 것은 처음 본다. 그 결과 그로테스크하고 고양이 같은 얼굴이 되었다. 이제 그 얼굴이 우리를 믿지 못하겠다는 듯이 노려본다.

크레시다는 가발을 벗어 자신의 녹색 덩굴 문신을 드러낸다.

"티그리스(Tigris, 암호랑이란 뜻의 tigress와 비슷하다: 옮긴이). 우린 도움이 필요해요."

티그리스. 머릿속 깊은 곳에서 무언가 떠오른다. 내가 기억할 수 있는 가장 오래된 헝거 게임의 고정 출연자였다. 지금보다 젊고, 덜 거슬리는 모습이었다. 스타일리스트였던 것 같다. 어떤 구역 담당이었는지는 기억나지 않는다. 12번 구역은 아니었다. 그 이후 수술을 지나치게 많이 받아 호감이 가는 선을 넘어 버린 모양이다.

그러면 여기가 쓸모없어진 스타일리스트들이 가는 곳이구나. 대중의 눈

밖으로 사라진 채 특이한 속옷을 파는 울적한 가게에서 죽음을 기다리는 거다.

나는 그녀의 얼굴을 바라보며 부모님이 정말로 티그리스라고 이름을 지어 주셔서 거기에 영감을 받아 얼굴을 바꾼 걸까, 아니면 저런 모습을 선택한 다음 줄무늬에 어울리도록 이름을 바꾼 걸까 생각한다.

"플루타르크가 당신은 믿어도 좋다고 했어요."

크레시다가 말한다.

끝내주는군, 플루타르크 쪽 사람이었군. 그러니까 티그리스가 제일 먼저 하게 될 일이 우리를 캐피톨에 넘기는 게 아니라면 플루타르크에게 연락을 하는 걸 테고, 그러면 결국 코인도 우리의 위치를 알게 될 것이다. 티그리스의 가게는 이상적이라고 할 수는 없지만, 지금 우리가 선택할 수 있는 건 여기뿐이다. 그나마도 티그리스가 우리를 도와줄 경우의 이야기다. 티그리스는 우리가 누구인지 알아내려는 것처럼 카운터 위의 낡은 텔레비전과 우리 사이를 노려보고 있다. 도와주려고 나는 스카프를 내리고 가발을 벗고, 텔레비전의 빛이 내 얼굴에 비치도록 다가선다.

티그리스는 버터컵이 나를 볼 때 내는 것과 크게 다르지 않은, 낮은 가르릉거리는 소리를 낸다. 의자 아래로 내려오더니 털이 붙은 레깅스들이 놓인 선반 뒤로 사라진다. 미끄러지는 소리가 나더니 티그리스의 손이 나타나 우리를 부른다. 크레시다는 '괜찮겠어?'라고 묻듯이 나를 바라본다. 하지만 우리에게 선택의 여지가 있나? 이런 상황에서 거리로 돌아가면 우리는 분명 체포되거나 죽거나 할 것이다. 모피들을 이리저리 밀쳐보니 티그리스는 벽 아래쪽의 판 하나를 밀어 제쳐놓았다. 그 뒤에는 가파른 돌계단이 있는 것 같다. 티그리스는 들어오라고 손짓한다.

이 모든 상황이 너무나 함정처럼 느껴진다. 나는 한순간 엄청난 공포에 빠져 나도 모르게 티그리스를 돌아보며 황갈색 두 눈을 들여다본다. 티그리스는 왜 이렇게 해 주는 거지? 티그리스는 남들을 위해 스스로를 희생하려 하는 시나가 아니다. 이 여자는 캐피톨의 천박함을 상징하는 인물이었다. 그녀는 헝거 게임의 스타 중 하나였다……. 스타가 아니게 될 때까지는. 그렇다면 그런 건가? 쓰라린 상처? 증오? 복수? 사실 이렇게 생각하니 마음이 편해진다. 복수하고 싶은 마음은 오랫동안 뜨겁게 타오를 수 있다. 거울을 한 번 볼 때마다 그런 마음이 강해진다면 더욱 그렇다.

"스노우가 당신을 헝거 게임에 출연하지 못하게 했나요?"

내가 묻는다. 티그리스는 그저 나를 마주 쏘아볼 뿐이다. 그녀의 호랑이 꼬리가 어디선가 불쾌한 듯 움직인다.

"아시겠지만, 제가 그 사람을 죽일 거라서요."

그녀의 입이 벌어지고, 나는 그게 미소일 거라고 생각한다. 이게 완전히 미친 짓은 아니라고 생각하게 된 나는 그 안으로 기어들어간다.

계단을 반쯤 내려갔을 때 매달린 사슬에 얼굴이 닿고, 사슬을 당기자 깜빡이는 형광등이 켜지며 은신처를 밝힌다. 문이나 창문이 없는 작은 지하 창고다. 얕고 넓다. 아마 진짜 지하실 두 곳 사이에 있는 공간에 불과할 것이다. 구조를 아주 예리하게 파악할 수 있는 눈이 없으면 존재 자체를 알 수 없는 곳이다. 몇 년이나 햇빛을 본 적이 없을 것 같은 펠트천이 쌓여 있는 춥고 축축한 곳이다. 티그리스가 우리를 밀고하지 않는 한에는 아무도 우릴 찾아내지 못할 것 같다. 내가 콘크리트 바닥에 내려올 때쯤에는 동료들도 계단을 내려오고 있다. 판을 밀어 제자리로 돌려놓는다. 바퀴 달린 속옷 선반을 미는 삐걱거리는 소리가 들린다. 티그리스가 의자로 돌아가는 소리가 들린다. 티그리스의 가게가 우리를 삼켜 버렸다.

적절한 타이밍이기도 했다. 게일이 쓰러지기 직전으로 보이기 때문이다. 우리는 펠트 천으로 침대를 만들고, 메고 있는 무기들을 벗긴 다음 눕는 것을 도와준다. 창고 끝에는 바닥에서 두 뼘 정도 높이에 수도꼭지가 있고 그 아래에는 하수구가 있다. 수도를 트니 한참 동안 털털거리며 녹물이 나온 다음 맑은 물이 흐르기 시작한다. 게일 목에 난 상처를 씻기다 보니, 나는 붕대로는 안 될 거라는 것을 깨닫는다. 몇 바늘 꿰매야 할 것이다. 구급상자에 바늘과 살균된 실이 있긴 하지만 우리에게 필요한 것은 치료해 줄 사람이다. 티그리스에게 부탁할까 하는 생각이 든다. 스타일리스트니 바늘을 다룰 줄 알 것이다. 하지만 그렇게 하면 가게를 볼 사람이 없고, 티그리스는 이미 우리에게 많은 것을 해 주었다. 아마도 내가 적임자일 거라는 사실을 받아들이고, 이를 갈며 삐뚤빼뚤 몇 바늘 꿰맨다. 보기에 좋지는 않지만 기능은 할 것이다. 약을 바르고 상처를 봉합한다. 게일에게 진통제를 좀 준다.

"이젠 쉬어도 돼. 여긴 안전해."

내가 말해 주자 게일은 전등을 끄듯 잠에 빠진다.

크레시다와 폴룩스가 모피를 가지고 우리 일행 한 명 한 명을 위한 침대를 만드는 동안 나는 피타의 손목을 살핀다. 살살 피를 씻어내고, 소독약을 바른 뒤 수갑 안으로 붕대를 감아 준다.

"깨끗하게 하지 않으면 감염이 퍼져서……."

"패혈증이 뭔지는 나도 알아, 캣니스. 우리 엄마가 아픈 사람을 치료하시지는 않지만 말이야."

나는 갑자기 다른 상처, 다른 붕대가 있던 순간으로 되돌아간다.

"첫 번째 헝거 게임에서 넌 나한테 똑같은 말을 했어. 진짜야, 가짜야?"

"진짜야. 그리고 넌 날 구해 준 약을 가지러 가느라 네 목숨을 걸었지? 진짜, 가짜?"

피타가 묻는다.

"진짜. 내가 살아서 그렇게 할 수 있었던 이유가 너였는걸."

나는 어깨를 으쓱한다.

"그랬어?"

내 말을 듣자 피타는 혼란에 빠진다. 그의 몸이 긴장하고, 막 붕대를 감은 손목을 수갑에 세게 대는 것을 보니 반짝이는 어떤 기억이 피타의 관심을 끌려고 하고 있는 모양이다. 그러더니 피타의 몸에서 모든 기운이 빠져나간다.

"나 너무 피곤해, 캣니스."

"자."

내가 말한다. 피타는 내가 수갑을 계단 난간에 연결해 줄 때까지는 자려 하지 않는다. 양팔을 머리 위로 하고 누우면 편하지는 않을 것이다. 하지만 몇 분 지나자 피타도 잠든다.

우리의 침대를 준비하고 음식과 약을 정리한 크레시다와 폴룩스는 이제 불침번을 어떻게 할지 내게 묻는다. 나는 창백한 게일과 난간에 묶인 피타를 바라본다. 폴룩스는 며칠이나 자지 못했고, 크레시다와 나는 몇 시간 정도 눈을 붙였을 뿐이다. 만약 평화유지군 부대가 저 문으로 들어온다면, 우리는 독에 갇힌 쥐 꼴이다. 우리는 호랑이를 닮은 아줌마에게 전적으로 의존하고 있다. 그러니 티그리스가 온 마음을 다해 스노우의 죽음을 원하고 있기를 바랄 뿐이다.

"솔직히 말해서 불침번을 세우는 의미가 없을 것 같아요. 그냥 좀 자 두죠."

내가 말한다. 그들은 멍하게 고개를 끄덕이고, 우리는 모두 펠트 천에 몸을 묻는다. 내 안의 불길은 꺼졌고, 그와 함께 내 힘도 꺼졌다. 나는 퀴퀴한 냄새가 나는 부드러운 모피에 항복하고 의식을 잃는다.

기억나는 꿈은 하나뿐이다. 내가 12번 구역으로 돌아가려고 하는 길고 피곤한 꿈이다. 내가 찾는 고향은 멀쩡하고, 사람들도 살아 있는 곳이다. 밝은 핑크색 가발을 쓰고 맞춤옷을 입어서 눈에 띄는 에피 트링켓이 나와 함께 여행한다. 나는 여기저기서 에피를 버려두고 가려고 하지만, 알 수 없는 방법으로 에피는 다시 내 옆에 나타나서 자기는 내 수행원이니 내가 일정을 맞추는 것을 책임져야 한다고 우긴다. 그런데 이후로 일정은 계속 바뀌게 된다. 어느 공무원이 도장을 찍어주지 않았다는 이유로 어긋나고 에피의 하이힐 굽이 부러져서 연기된다. 우리는 7번 구역의 회색 기차역 벤치에서 며칠이나 야영을 하며 절대 오지 않는 기차를 기다린다. 일어나자, 보통 내 밤을 공격하는 피와 공포보다 이 꿈이 나를 더욱 지치게 한 것 같다.

유일하게 일어나 있던 크레시다는 늦은 오후라고 말해 준다. 소고기 스튜 통조림을 먹고 물을 많이 마신다. 그러고는 창고 벽에 기대서 어제 있었던 일들을 되짚어 본다. 죽음에서 죽음으로 옮겨간다. 몇 명이 죽었는지 손가락으로 센다. 하나, 둘(그 블록에서 미첼과 복스를 잃었다), 셋(메살라가 팟에 잡혀 녹아 버렸다), 넷, 다섯(리그 1과 잭슨이 고기 가는 기계에서 스스로를 희생했다), 여섯, 일곱, 여덟(캐스터, 홈스, 피닉이 장미 냄새를 풍기는 도마뱀 머테이션에게 목을 잘렸다)……. 24시간 동안 8명이 죽었다. 일어났던 일이라는 것은 알지만, 왠지 진짜 같지가 않다. 분명 캐스터가 저 모피 더미 아래서 자고 있을 것 같고, 피닉이 당장이라도 저 계단을 내려올 것 같고, 복스가 우리에게 탈출 계획을 말해 줄 것 같다.

그들이 죽었다고 믿는 것은 곧 내가 그들을 죽였다는 것을 받아들이는 것이다. 그래, 미첼과 복스는 아닐지도 모르겠다. 그 두 사람은 실제 임무를 수행하다가 죽었다. 하지만 다른 사람들은 내가 지어낸 임무를 지켜내다 목숨을 잃었다. 스노우를 암살하겠다는 내 계획은 이제 너무나 어리석게 느껴진다. 창고에 앉아 몸을 떨며 우리가 잃은 것들을 따져보고, 그 여자의 집에서 훔친 무릎까지 오는 은색 부츠에 달린 술을 만지작거리는 지금은 너무나 어리석게 느껴진다. 아 그래, 그걸 깜빡했구나. 난 그 여자도 죽였지. 난 이제 무장하지 않은 민간인들도 죽이고 다닌다.

이제 털어놓을 때가 된 것 같다.

마침내 모두 일어나자 나는 털어놓는다. 거짓말로 임무를 지어낸 것, 복수를 하기 위해 모든 사람을 위험하게 한 것을 다 이야기한다. 내가 말을 마치자 긴 침묵이 흐른다. 그리고 게일이 말한다.

"캣니스. 코인이 스노우를 암살하러 너를 보냈다는 얘기가 거짓말이란 건 우리도 다 알고 있었어."

"넌 아마 알았겠지. 13번 구역 병사들은 몰랐어."

내가 대답한다.

"넌 네가 코인의 명령을 받았다는 말을 잭슨이 정말 믿었다고 생각했니? 당연히 안 믿었어. 하지만 잭슨은 복스를 믿었고, 복스는 분명 네가 그렇게 하기를 원했을 거야."

크레시다가 말한다.

"난 복스에게 내가 어떻게 할 생각인지 말한 적도 없는걸요."

"넌 사령부에 있는 모든 사람에게 말했잖아! '스노우는 내가 죽인다.' 그건 모킹제이가 되는 조건 중 하나였어."

게일이 말한다. 그 두 가지는 서로 상관없는 일인 것 같다. 전쟁이 끝나고 나서 스노우를 처형할 특권을 달라고 코인과 협상한 것, 그리고 허락 없이 캐피톨에 들어오는 것.

"하지만 이런 식은 아니었잖아. 이제까지 완전히 잘못됐잖아."

"내 생각에는 아주 성공적으로 임무를 수행한 것 같은데. 우리는 적진에 잠입해서 캐피톨의 방어를 뚫을 수 있다는 걸 보여 줬지. 캐피톨 뉴스에 온통 우리 모습을 내보냈잖아. 우리를 찾느라 도시 전체가 혼돈에 빠져들게 만들었어."

게일이 말한다.

"날 믿어도 좋아. 플루타르크는 신 나 하고 있을 거야."

크레시다가 덧붙인다.

"플루타르크는 누가 죽든 신경 안 쓰니까 그렇죠. 자기 게임이 히트하기만 하면."

내가 말한다.

크레시다와 게일은 계속해서 나를 설득시키려 한다. 그리고 폴룩스는 동의의 뜻으로 그들의 말에 고개를 끄덕인다. 피타만이 자기 의견을 내놓지 않는다.

"네 생각은 어때, 피타?"

마침내 내가 묻는다.

"내 생각엔…… 넌 아직도 모르는 것 같아. 네가 미치는 영향이 어느 정돈지. 우리가 잃은 사람들은 모두 바보가 아니었어. 자기가 무슨 일을 하고 있는지 알고 있었다고. 그 사람들은 네가 정말로 스노우를 죽일 수 있다고 믿었기 때문에 너를 따라왔던 거야."

피타는 그렇게 말하고서 난간에 묶인 수갑을 위로 밀어 올리며 일어나 앉는다.

다른 그 누구의 목소리도 내게 와 닿지 못할 때 왜 피타의 목소리가 와 닿는지 모르겠다. 하지만 만약 피타의 말이 맞는다면(아마 맞는 것 같은데), 나는 다른 사람들에게 오직 한 가지 방법으로밖에 갚을 수 없는 빚을 진 것이다. 다짐을 새로이 한 나는 유니폼 주머니에서 종이 지도를 꺼내 바닥에 펼친다.

"여기가 어디죠, 크레시다?"

티그리스의 가게는 시 광장과 스노우의 관저에서 5블록쯤 떨어져 있다. 주민들의 안전을 위해 팟이 작동하지 않는 지역을 지나 쉽게 걸어갈 수 있다. 우리에겐 위장할 옷도 있고, 티그리스의 모피로 조금 보충하면 아마 안전하게 갈 수 있을 것이다. 하지만 그 다음엔 어쩌지? 관저는 분명 24시간 카메라 감시 아래 삼엄하게 지키고 있을 것이고, 스위치 하나만 켜면 작동되는 팟들이 잔뜩 있을 것이다.

"우리에게 필요한 것은 스노우를 탁 트인 곳에 나오게 하는 거야. 그러면 우리 중 하나가 죽일 수 있겠지."

게일이 내게 말한다.

"요즘에도 공개된 자리에 나오긴 하나?"

피타가 묻는다.

"안 그럴걸. 적어도 내가 최근에 본 연설들은 다 관저 안에서 했어. 반군이 여기 오기 전부터도. 자기가 저지른 짓들을 피닉이 방송에서 공개한 이후로 더 조심하고 있는 것 같아."

크레시다가 말한다.

그 말이 맞다. 이제 스노우를 증오하는 사람은 캐피톨의 티그리스 같은 이들뿐이 아니고, 스노우가 자기의 친구들과 가족들에게 무슨 짓을 했는지 알게 된 수많은 사람들이다. 뭔가 기적적인 일이 있어야 그를 꾀어낼 수 있을 것이다. 예를 들면……

"나 때문이라면 분명 나오겠죠. 만약 내가 잡힌다면요. 그건 최대한 공개적으로 하고 싶어 할 테니까. 아마 자기 관저 정문 계단에서 날 처형하고 싶어 할걸요."

나는 그렇게 말하고서 사람들에게 내 말을 생각해 볼 시간을 준다. 그리고 덧붙인다.

"그러면 게일이 군중 속에 있다가 스노우를 쏘면 돼요."

"안 돼."

피타가 고개를 가로젓는다.

"계획한 것과 다르게 끝날 가능성이 너무 많아. 스노우는 너를 가둬두고 고문해서 정보를 빼내려 할 수도 있어. 아니면 공개 처형은 하지만 자기가 안 나올 수도 있고. 혹은 관저 안에서 죽인 다음 시체를 전시할 수도 있지."

"게일?"

내가 묻는다.

"당장 그렇게 결정하는 건 너무 극단적인 것 같은데. 만약 다른 모든 방법이 실패하면 시도해 볼 수도 있겠지. 계속 생각해 보자."

침묵이 뒤따르고, 우리 머리 위에서 티그리스의 부드러운 발소리가 들린다. 가게 문을 닫을 때가 되었나 보다. 문을 잠그고 셔터를 내리는 모양이다. 몇 분 후 계단 위의 판이 미끄러지며 열린다.

"올라와."

묵직한 목소리가 들린다.

"먹을 것을 좀 준비했어."

우리가 도착한 이후 티그리스가 말하는 것은 처음이다. 타고난 것인지 오랫동안 연습한 것인지는 모르겠지만, 티그리스의 목소리는 고양이가 가르릉거리는 것과 비슷한 느낌이 난다.

계단을 올라가며 크레시다가 묻는다.

"플루타르크에게 연락했나요, 티그리스?"

"연락할 방법이 없어. 안전한 집에 있을 거라고 짐작하겠지. 걱정 마."

티그리스가 어깨를 으쓱한다.

걱정? 13번에서 직접 명령을 받지 않아도(그리고 무시하지 않아도) 된다는 데 무척이나 안심이 된다. 내가 최근 며칠간 내렸던 결정들에 대해 그럴싸한 변명을 지어내지 않아도 되니까.

가게 카운터 위에 묵은 빵 몇 덩이, 곰팡이 핀 치즈 한 조각, 겨자 반 병이 있다. 그걸 보니 요즘 캐피톨에서 다들 배불리 먹고 지내지는 못한다는 것이 기억난다. 티그리스에게 우리에게 남은 식량이 좀 있다는 걸 말해 줘야 할 것 같지만, 내가 이야기를 꺼내자 티그리스는 됐다는 손짓을 해 보일 뿐이다.

"난 음식을 거의 안 먹어. 그리고 날고기만 먹지."

호랑이 캐릭터에 지나치게 충실한 것 같지만 더 이상 묻지는 않는다. 나는 치즈의 곰팡이를 긁어내고 음식을 나눈다.

먹는 동안 우리는 최신 캐피톨 뉴스를 본다. 정부는 반군 생존자가 우리 다섯뿐인 것을 알아냈다. 우리를 잡을 수 있는 제보에 큰 상금이 걸려 있다. 뉴스는 우리가 얼마나 위험한지 강조한다. 우리와 평화유지군들이 서로 총을 쏘는 모습을 보여주지만, 머테이션들이 평화유지군의 목을 뜯어내는 것은 보여주지 않는다. 아직도 심장에 내 화살이 꽂혀 있는, 우리가 버려두고 온 그 여자를 비극적으로 추도한다. 촬영 전에 누가 여자 메이크업을 손봐 두었다.

반군은 캐피톨 방송을 방해하지 않고 내버려 둔다.

"오늘 반군이 발표한 내용이 있나요?"

내가 티그리스에게 묻는다. 그녀는 고개를 가로젓는다.

"제가 아직 살아 있다는 걸 알게 된 코인이 날 가지고 어떻게 해야 할지 잘 모르고 있을 것 같아요."

내 말을 들은 티그리스는 쉰 소리로 클클 웃는다.

"널 가지고 어떻게 해야 할지 아는 사람은 아무도 없어, 아가씨."

그러더니 모피 레깅스 한 벌을 준다. 나는 값을 치를 수도 없는데. 하지만 이런 선물은 받을 수밖에 없다. 어차피 창고 안은 춥기도 하고.

저녁 식사 후 지하로 내려가 우리는 계속 계획을 세우려 머리를 쥐어짠다. 좋은 계획은 나오지 않지만 더 이상 다섯 명이 같이 몰려다닐 수는 없고, 나를 미끼로 삼기 전에 대통령 관저에 잠입하려는 시도는 해 봐야 한다는 데 의견을 모은다. 나는 두 번째 결정에 대해 더 이상의 입씨름을 막기 위해 동의한다. 내가 포로가 되기로 결정한다면, 그 누구의 허락이나 도움도 필요 없을 것이다.

우리는 붕대를 갈고, 피타를 다시 난간에 묶은 뒤 잠든다. 몇 시간 후 잠에서 깬 나는 나직한 대화가 오가고 있는 것을 알게 된다. 피타와 게일이다. 엿듣지 않을 수가 없다.

"물 고마워."

피타가 말한다.

"괜찮아. 난 어차피 매일 밤 열 번 정도는 깨거든."

게일이 대답한다.

"캣니스가 아직 있나 확인하려고?"

"비슷하지."

게일이 인정한다.

피타가 다시 말할 때까지 긴 침묵이 흐른다.

"그 말은 우스웠어, 티그리스가 한 말. 아무도 캣니스를 어찌해야 할지 모른다는 말."

"음, 너랑 나는 알았던 적이 없지."

게일이 말한다.

둘 다 웃는다. 두 사람이 이렇게 이야기하는 걸 들으니 너무나 묘하다. 거의 친구 같다. 둘은 친구가 아닌데. 친구였던 적이 없다. 엄밀히 말해 적은 아니긴 해도.

"캣니스는 널 사랑해, 너도 알지? 네가 채찍질당한 다음에, 나한테 그렇게 말한 거나 다름없어."

피타가 말한다.

"난 안 믿어. 캣니스가 25주년 특집에서 너한테 키스했던 것……. 음,

348

나한테는 한 번도 그렇게 키스한 적이 없어."

"그건 그저 쇼의 일부였어."

피타가 말하지만, 목소리에서 아닐지도 모른다는 의심이 묻어난다.

"아니, 넌 캣니스의 마음을 얻었어. 그 앨 위해 넌 모든 걸 포기했지. 그게 네가 캣니스를 사랑한다는 걸 쟤가 확신하게 한 유일한 방법이었는지도 모르지."

긴 침묵이 흐른다.

"난 첫 번째 헝거 게임 때 너 대신 자원했어야 했어. 그때 그 앨 지켜 줬어야 했어."

"그럴 순 없었을걸. 그랬다면 캣니스는 널 절대 용서하지 않았을 거야. 네가 캣니스의 가족을 돌봐 줘야 했잖아. 쟤한텐 가족이 목숨보다 더 중요해."

피타가 말한다.

"음, 얼마 안 있으면 아무 상관없게 되겠지. 우리 셋 다 전쟁이 끝날 때까지 살아 있을 것 같지는 않으니까. 누구를 선택할지는 캣니스가 결정할 일일 거야. 우리 좀 자야겠다."

게일은 하품을 한다.

"응. 캣니스가 어떻게 결정을 하려나."

피타가 누우면서 팔에 찬 수갑이 난간을 타고 내려오는 소리가 들린다.

"아, 그건 내가 알지."

게일의 마지막 말이 겹겹이 덮은 모피를 뚫고 간신히 들려온다.

"캣니스는 없으면 자기가 살아남지 못할 것 같은 사람을 고를 거야."

24

온몸이 오싹해진다. 내가 그 정도로 차갑고 계산적인가? 게일은 "캣니스는 포기하려니 가슴이 아파지는 사람을 고를 거야."라거나, 심지어 "없으면 살 수 없는 사람을 고를 거야."라고도 말하지 않았다. 그렇게 말했다면 내가 일종의 열정에 의해 움직인다는 뜻이었을 것이다. 하지만 내 제일 친한 친구는 '없으면 자기가 살아남지 못할 것 같은 사람을 고를 거'라고 예측했다. 사랑, 욕구, 심지어 나와 어울리는지 여부에 따라 내가 흔들릴 거라는 의미는 조금도 담겨 있지 않다. 나의 짝이 될 사람이 내게 줄 수 있는 게 뭔지 냉정하게 평가할 거라는 의미이다. 마치 결국엔 빵 굽는 사람과 사냥꾼 중 누가 나를 더 오래 살게 해 줄 것인지의 문제가 될 거라는 뜻 같다. 게일이 그런 말을 하다니, 피타가 반박하지 않다니 끔찍하다. 내가 가졌던 모든 감정을 캐피톨과 반군들이 가져가서 마음대로 써 버린 이후라서 더욱 그렇다. 지금 이 순간에 고르라면 아주 쉬울 것이다. 나는 둘 다 없어도 잘 살아남을 수 있다.

아침이 되자 상처받은 감정을 달랠 시간도 기운도 없다. 동 트기 전 아침 식사로 간 파테와 무화과 쿠키를 먹으며 우리는 티그리스의 텔레비전 앞에 모여 비티가 캐피톨 방송에 침입한 것을 본다. 전세에 진전이 생겼다. 아마도 검은 파도에서 영감을 얻은 듯, 어느 추진력 있는 반군 지휘관이 사람들이 버리고 간 차들을 압수해서 사람을 태우지 않은 채 거리를 달리게 한다. 자동차들이 팟 전부를 켜지는 않지만 대다수를 작동시킨다. 새벽 4시쯤이 되자 반군은 세 개의 경로(간단히 A, B, C 라인이라고 부른다)로 캐피톨 중심까지 진입한다. 그 결과 희생자를 거의 내지 않고 한 블록 한 블록 함락시킨다.

"오래 갈 순 없을 거야. 사실 이렇게나 오래 성공하고 있어서 난 놀랐어. 캐피톨은 일부 팟을 꺼 뒀다가 목표물이 사정 범위에 들어오면 수동으로 작동시킬 거야."

게일이 말한다. 나는 그가 예측한 지 불과 몇 분 만에 바로 그런 일이 일어나는 것을 화면을 통해 본다. 어느 분대가 차를 한 블록 달리게 해서 팟 네 개를 작동시킨다. 모든 것이 순조로워 보인다. 정찰병 3명이 그 뒤를 따라서 무사히 거리를 통과한다. 하지만 반군 20명이 뒤를 따르자, 꽃집 앞에 한 줄로 늘어선 장미 덤불 화분들에 의해 산산조각 나 버린다.

"이번에는 통제실에 있지 못해서 분명히 플루타르크는 죽을 지경일 거야."

피타가 말한다.

비티는 방송을 캐피톨에게 되돌려 주는데, 엄숙한 얼굴의 여기자가 민간인이 빠져나와야 할 곳들을 발표한다. 아까의 방송과 기자가 전해 주는 소식으로, 적군들의 상대적 위치를 지도에 표시할 수 있다.

밖에서 웅성대는 소리가 들려와 창가로 가서 덧문 틈으로 내다본다. 새벽빛 속에서 기묘한 광경을 보게 된다. 반군 손에 넘어간 블록들을 떠나 피난 가는 사람들이 캐피톨의 중심으로 향하고 있다. 가장 놀란 사람들은 잠옷과 슬리퍼만 걸친 차림이고, 좀 더 준비를 많이 한 사람들은 옷을 여러 겹 껴입고 있다. 작은 애완견, 보석함, 식물을 심은 화분에 이르기까지 별의별 물건을 다 들고 간다. 푹신한 가운을 입은 한 남자는 너무 많이 익은 바나나 하나만 들고 가고 있다. 잠이 덜 깬 아이들은 영문을 모른 채 부모님을 따라 비틀비틀 걷는다. 다들 너무 놀랐거나 망연자실해서 울지도 못하고 있다. 아이들의 일부가 내 시야를 언뜻언뜻 지나간다. 갈색의 큰 두 눈. 가장 좋아하는 인형을 안고 있는 팔. 추워서 푸르스름해진 맨발이 골목의 비뚤한 보도블록에 걸린다. 그 아이들을 보니 소이탄을 피해 달아나다 죽은 12번 구역 아이들이 떠오른다. 나는 창가에서 멀어진다.

우리 중에 목에 현상금이 걸리지 않은 사람은 티그리스가 유일해서, 오늘은 자기가 스파이가 되어주겠다고 자청한다. 우리를 아래층에 잘 숨긴 다음 티그리스는 뭐가 됐든 유용한 정보를 찾아보려고 밖으로 나간다.

지하 창고에서 나는 이리저리 서성여서 다른 사람들을 돌아버리게 한다. 피난민들이 쏟아지는 것을 이용하지 않는 것은 실수라는 생각이 든다. 그보다 더 좋은 위장이 어디 있겠는가? 한편, 떼를 지어 서성이는 난민 하나하나가 모두 멋대로 돌아다니는 반군 5명을 찾는 눈이다. 그런데 우리가 여기 머물러서 얻을 수 있는 건 뭐지? 우리가 하고 있는 일이란 얼마 안 되는 음식을 소모하며 기다리는 것뿐인데…… 뭘 기다리는 거지? 반군이 캐피톨을 함락하기를? 그러려면 몇 주나 걸릴 수도 있고, 그 다음에 내가 뭘 해야 할지도 잘 모르겠다. 달려 나가 그들을 맞이할 수는 없다. 코인은 내가 "자물쇠딸기, 자물쇠딸기, 자물쇠딸기."라고 말할 수 있기 전에 날 13번 구역으로 되돌려 보낼 것이다. 내가 여기까지 온 것, 그 모든 사람들을 잃은 것은 나 자신을 그 여자 손에 넘겨주기 위해서는 아니었다. '스노우는 내가 죽인다.' 게다가 최근 며칠 동안에 있었던 일 중 내가 쉽게 설명할 수 없는 일들이 너무나 많다. 그 중 몇 가지는 드러나게 된다면 우승자들을 사면시켜 주기로 했던 나의 계약을 날려버릴 만한 것들이다. 그리고 나는 차치하고서라도, 다른 사람들에게도 사면 특권이 필요할 것 같다. 예를 들어 피타. 어찌 봐도 영상 속의 피타는 미첼을 그물 팟으로 던져 넣는 모습이었다. 코인의 군사 법정이 그 일을 어떻게 처리할지 상상이 간다.

늦은 오후가 되자 우리는 티그리스가 오랫동안 돌아오지 않는 것이 불안해지기 시작한다. 티그리스가 우리를 숨긴 것이 탄로 나서 체포되었을 가능성, 스스로 우리를 신고했을 가능성, 난민들 틈에 끼어 다쳤을 가능성까지 입에 오른다. 하지만 6시쯤 되자 돌아오는 소리가 들린다. 위에서 부스럭거리는 소리가 들리더니 티그리스가 입구를 연다. 고기를 익히는 황홀한 냄새가 공기를 채운다. 티그리스는 우리를 위해 햄을 썰고 감자와 함께 요리했다. 며칠 만에 처음으로 먹는 따뜻한 음식이다. 내 접시에 음식을 덜어주기를 기다리는 동안 정말로 침을 흘릴 뻔한다.

음식을 씹으며 티그리스가 어떻게 이걸 구했는지 들려주는 이야기에 집중해 보려 하지만, 내가 알아듣는 것은 지금은 물물교환을 할 때 털 속옷이 귀한 물건으로 여겨진다는 것뿐이다. 옷을 제대로 챙겨 입지 못하고 집을 떠난 사람들에겐 특히 그렇다. 시내의 좋은 아파트에 사는 사람들은 난민들을 위해 문을 활짝 열지 않았다. 그 반대로 대부분이 자물쇠를 단단히 걸어 잠그고 셔터를 내린 채 집에 없는 척했다. 이제 시 광장은 난민들로 가득하고, 평화유지군이 집집마다 돌아다니며 필요한 경우는 문을 부숴서라도 난민들을 수용시키고 있다.

텔레비전에서 평화유지군 대장이 각 가정의 면적에 따라 몇 명의 난민을 수용해야 하는지 간단하게 규칙을 설명한다. 캐피톨 시민들에게 오늘 밤은 기온이 영하로 떨어질 것이고, 대통령은 이와 같은 위기의 시기에는 시민들이 난민들을 그냥 받아들이는 것이 아니라 기쁜 마음으로 수용하기를 기대한다고 경고한다. 그리고 걱정스러운 표정의 시민들이 자신들의 집에 온 고마워하는 난민들을 환대하는 모습을 보여 준다. 연출된 느낌이 아주 강하다. 평화유지군 대장은 대통령 본인도 내일 자신의 관저에 난민을 수용할 거라고 말한다. 그리고 상점 주인들도 요청이 있을 경우 영업 공간을 내어 줄 준비를 하라고 덧붙인다.

"티그리스, 당신에게도 요청이 들어올 수 있어요."

피타가 말한다. 그 말이 옳다는 것을 깨닫는다. 숫자가 늘어나면 이 좁은 가게마저도 난민 수용을 요구받을 수 있다. 그러면 우리는 발각될 가능성이 상존하는 가운데, 정말로 이 창고에 갇히게 될 것이다. 우리에게 시간이 얼마나 있을까? 하루? 어쩌면 이틀?

평화유지군 대장은 추가 지시사항을 발표한다. 오늘 저녁에 군중이 피타를 닮은 젊은이를 때려죽인 불행한 사건이 있었던 모양이다. 앞으로는 반군을 목격하게 될 경우 즉시 정부에 신고하라고 말한다. 신원 파악과 체포는 정부가 맡게 된다. 그들은 피해자의 사진을 보여 준다. 탈색한 것이 분명한 곱슬머리를 제외하면, 피타와 닮은 정도는 나와 비슷하다.

"사람들이 미쳐가고 있어."

크레시다가 중얼거린다.

반군의 짧은 방송을 보고 오늘 몇 블록을 더 함락했다는 것을 알게 된다. 나는 넘어온 곳을 지도에 표시하고 궁리해 본다.

"C 라인은 여기서 겨우 4블록 거리예요."

내가 말한다. 왠지 몰라도 난민을 수용할 곳을 찾는 평화유지군들 생각보다 그 사실이 더 나를 불안하게 만든다. 나는 굉장히 협조적이 된다.

"설거지는 제가 할게요."

"내가 도와줄게."

게일이 접시들을 걷는다.

방에서 나가는 우리를 피타가 눈으로 좇는 것이 느껴진다. 티그리스의 가게 뒤의 좁은 부엌에서 나는 싱크대에 더운 물과 비누를 채운다.

"정말일까? 스노우가 관저에 난민들을 수용한다는 게."

"이젠 그럴 수밖에 없을 거야. 적어도 카메라 앞에서는."

게일이 말한다.

"난 내일 아침에는 나갈 거야."

"같이 갈게. 다른 사람들은 어쩌지?"

"폴룩스와 크레시다는 유용할 거야. 훌륭한 안내자잖아."

사실 폴룩스와 크레시다는 문제가 아니다.

"하지만 피타는 너무……."

"예측이 힘들지. 지금도 우리가 자기를 남기고 가게 두려나?"

게일이 내 말을 대신 끝마치고서 되묻는다.

"피타 때문에 우리가 위험해질 거라고 우기면 되지. 우리 말이 그럴듯하면 여기 남을지도 몰라."

피타는 우리 제안을 제법 이성적으로 받아들인다. 자기가 동행하면 다른 4명이 위험해질 수 있다는 말을 선뜻 인정한다. 잘될 것 같다. 전쟁이 끝날 때까지 피타는 티그리스의 가게 창고에서 그냥 앉아서 기다릴 수 있겠다고 생각하는 순간, 피타는 자기는 혼자서 나가겠다고 한다.

"뭘 하려고?"

크레시다가 묻는다.

"정확히는 모르겠어요. 아직 제가 쓸모가 있을지 모르는 것 한 가지는 시선을 분산시키는 거죠. 절 닮은 남자가 어떻게 됐는지 보셨잖아요."

"만약 네가…… 자제력을 잃으면?"

내가 말한다.

"네 말은…… 머테이션이 되면? 음, 그런 느낌이 들면 여기 돌아오도록 노력할게."

피타가 나를 달랜다.

"만약 스노우가 다시 널 잡으면? 넌 총도 없잖아."

게일이 묻는다.

"행운을 바랄 수밖에. 너희도 그건 마찬가지잖아."

피타가 말한다. 둘은 긴 시선을 주고받더니 게일이 가슴팍의 주머니에 손을 넣는다. 게일은 자기의 자물쇠딸기 알약을 피타의 손에 얹는다. 피타는 거부하지도, 받지도 않으며 손을 편 채로 있다.

"넌 어쩌고?"

"걱정 마. 비티가 폭탄 화살을 손으로 터뜨리는 방법을 보여 줬거든. 그게 실패하면 칼도 있고. 캣니스도 있어. 캣니스는 그 놈들에게 나를 생포하는 기쁨을 누리게 하지는 않을 거야."

게일이 미소 지으며 말한다.

평화유지군이 게일을 끌고 간다고 생각하자 머릿속에서 다시 그 노래가 들려 온다…….

'너는, 너는
그 나무로 올 거니.'

"받아, 피타. 널 도와줄 사람은 아무도 없을 거야."

나는 긴장된 목소리로 말한다. 그러고서 피타의 손을 내 손으로 잡아 그가 약을 쥐게 했다.

우리는 서로의 악몽 때문에 자주 깨며, 다음 날의 계획으로 머릿속이 복잡한 밤을 보낸다. 5시가 되어 오늘 우리를 기다리는 일을 시작할 수 있게 되자 안도하게 되었다. 남아있는 이런저런 음식들(복숭아 통조림, 크래커, 달팽이)을 먹어치우고 티그리스가 해 준 모든 일에 대한 약소한 감사의 표시로 연어 통조림 하나를 준다. 이 행동이 어쩐지 티그리스를 감동시킨 모양이다. 얼굴이 묘한 표정으로 일그러지더니 즉시 행동으로 옮긴다. 티그리스는 1시간 동안 우리 5명을 변신시켰다. 유니폼을 가리기 위해 평상복을 입힌 다음 코트와 망토로 몸을 꾸민다. 전투화 대신 털이 달린 슬리퍼를 신긴다. 핀으로 가발을 고정한다. 우리가 황급히 얼굴에 발랐던 화려한 메이크업을 지우고 다시 화장해 준다. 그러고는 핸드백과 자질구레한 장신구들을 준다. 끝나고 나니 우리는 반군을 피해 달아나는 난민들과 똑같은 모습이 된다.

"훌륭한 스타일리스트의 힘을 절대로 과소평가해서는 안 되죠."

피타가 말한다. 알아보기 어렵긴 하지만, 티그리스 얼굴의 줄무늬에 가린 뺨이 붉어지는 것 같다.

텔레비전에서 유용한 소식이 나오지는 않지만, 골목에는 어제 아침처럼 난민들이 많은 것 같다. 우리 계획은 세 팀으로 나뉘어 군중 속에 숨어든다는 것이다. 크레시다와 폴룩스가 선두에 서서 우리를 안전하게 이끌며 가이드 역할을 할 것이다. 게일과 나는 그들을 뒤따라 오늘 관저에 수용되기로 한 난민들 틈에 끼려고 한다. 그리고 피타는 우리 뒤를 따르며 필요할 경우 소란을 일으킨다.

티그리스는 덧문 틈으로 내다보며 적절한 순간을 찾다가, 문을 열고 크레시다와 폴룩스에게 고개를 끄덕인다.

"조심해."

크레시다가 그렇게 말하고, 두 사람은 사라진다.

우리는 1분 뒤에 따라갈 것이다. 나는 열쇠를 꺼내 피타의 수갑을 풀어 주고, 수갑을 내 주머니에 넣는다. 피타는 손목을 문지르고 움직여 본다. 내 안에서 일종의 절박함이 고개를 드는 것이 느껴진다. 25주년 특집에서 비티가 조한나와 나에게 와이어를 주던 때로 돌아간 것 같다.

"잘 들어. 바보짓은 하지 마."

내가 말한다.

"아냐. 다른 방법이 전혀 없을 경우에만 할 거야."

나는 피타 목을 감싸고, 피타가 망설이다 양팔로 나를 안는 것을 느낀다. 예전처럼 든든하지는 않지만, 아직도 따뜻하고 강한 팔이다. 수천 가지 순간이 나를 뚫고 지나간다. 이 세상에서 숨을 곳이라곤 이 품밖에 없었던 그 모든 순간들. 어쩌면 그 당시에는 진가를 깨닫지 못했겠지만, 완전히 사라지고 난 지금은 기억 속에 너무나 소중하게 남은.

"그래, 알았어."

나는 피타를 놔준다.

"지금이야."

티그리스가 말한다. 나는 티그리스의 뺨에 입을 맞추고, 빨간 두건의 끈을 조이고는 코 위로 스카프를 감은 다음, 게일을 따라 쌀쌀한 공기 속으로 나선다.

피부가 드러난 부분에 날카롭게 얼어붙은 눈이 닿아 따갑다. 떠오르는 태양이 어둠을 뚫으려 하지만 별 효과가 없다. 가장 가까이 있는 사람이 웅크린 모습을 볼 수 있는 정도다. 크레시다와 폴룩스를 찾을 수 없다는 것만 제외하면 사실 완벽한 조건이다. 게일과 나는 고개를 떨구고 난민들과 함께 발을 끌며 걷는다. 어제 덧문 틈으로 내다보며 듣지 못했던 소리가 들린다. 우는 소리, 신음하는 소리, 힘겨운 숨소리. 그리고 별로 멀지 않은 곳에서 총성이 들린다.

"우린 어디 가는 거예요, 삼촌?"

작은 금고를 짊어지고 가는 남자에게 어린 소년이 떨며 묻는다.

"대통령 관저. 거기에 우리가 살 곳을 새로 마련해 준대."

남자가 헐떡이며 대답한다.

우리는 골목을 빠져나와 대로 중 하나로 들어간다.

"우측통행!"

명령하는 목소리가 들리고, 난민들 틈에 사람들의 움직임을 지시하는 평화유지군들을 배치해 놓은 것이 보인다. 이미 난민들로 넘치는 가게 창문에서 겁먹은 얼굴들이 내다보고 있다. 이런 속도라면 티그리스는 점심때쯤이면 난민을 받게 될 것이다. 우리가 그때 나온 것이 모두를 위해 다행이었다.

눈발이 더 세졌지만 이제 조금 더 밝다. 우리의 약 30미터 앞에서 크레시다와 폴룩스가 사람들과 함께 느릿느릿 걷는 것이 보인다. 피타가 보이는지 목을 빼고 뒤돌아본다. 피타는 보이지 않지만, 레몬 색 코트를 입은 호기심 많아 보이는 어린 소녀와 눈이 마주쳤다. 나는 게일을 쿡 찌르고는 아주 조금씩 걸음을 늦춰, 우리 사이에 사람의 벽을 만든다.

"흩어져야 할지도 모르겠어. 여자애 하나가……."

내가 숨을 죽여 말한다.

군중들 사이로 총성이 울리고, 내 근처에 있던 사람 몇 명이 땅에 쓰러진다. 두 번째 총성이 우리 뒤의 사람들 한 무더기를 쓰러뜨리고 비명이 공기를 꿰뚫는다. 게일과 나는 바닥에 엎드려 상점가로 10미터 정도 기어가서, 신발 가게 앞에 전시된 스파이크 힐 부츠 뒤로 숨는다.

털이 달린 구두가 죽 놓여 있어 게일의 시야를 가린다.

"누구야? 보여?"

게일이 내게 묻는다. 라벤더 색과 민트그린 색의 가죽 부츠가 번갈아 가며 놓인 틈으로 내가 볼 수 있는 광경은 시체가 가득한 거리다. 나를 바라보던 어린 소녀는 움직이지 않는 여자 옆에 무릎을 꿇고 앉아 날카롭게 소리 지르며 여자를 일으키려 하고 있다. 총알이 다시 한 번 쏟아져 소녀의 노란 코트 가슴팍을 뚫고 붉게 물들인다. 소녀는 뒤로 쓰러진다. 웅크린 소녀의 작은 모습을 보자, 한순간 말하는 능력을 잃는다. 게일은 팔꿈치로 나를 찌른다.

"캣니스?"

"옥상에서 아래로 총을 쏘고 있어."

나는 게일에게 말한다. 나는 총알이 몇 번 더 쏟아져 흰 유니폼을 입은 사람들을 눈 덮인 거리로 쓰러뜨리는 것을 바라본다.

"평화유지군을 제거하려고 하지만 사격 솜씨는 별로야. 분명 반군들일 거야."

내 동맹들이 여기까지 뚫고 들어온 셈이지만, 기쁨이 몰려오지는 않는다. 나는 그 레몬 색 코트에서 눈을 뗄 수가 없다.

"만약 우리가 사격을 시작하면 그걸로 끝이야. 우리라는 걸 온 세상이 다 알게 될 거야."

게일이 말한다.

사실이다. 우리에게 있는 무기는 멋진 활뿐이다. 화살을 꺼내들면 양측 모두에게 우리가 여기 있다는 걸 알리는 셈이다.

"안 돼. 우린 스노우에게 가야 해."

내가 강하게 말한다.

"그러면 블록 전체가 폭발하기 전에 움직이기 시작하는 게 좋겠어."

게일이 말한다. 우리는 벽에 찰싹 붙어 길을 따라 계속 간다. 그런데 벽이라는 것이 주로 가게의 유리벽이다. 땀에 젖은 손바닥과 입을 딱 벌린 얼굴들이 유리 안쪽마다 붙어 있다. 나는 실외에 전시된 물건들 사이를 재빨리 지나가며 스카프를 광대뼈 위로 올린다. 액자에 든 스노우의 사진 전시대 뒤로, 다친 평화유지군 한 명이 검은 벽에 기대 있다가 우리에게 도와달라고 한다. 게일은 그의 머리를 무릎으로 가격하고 총을 뺏는다. 사거리에서 평화유지군 하나를 총으로 쏘자 이제 우리 둘 다 총이 생겼다.

"그럼 이제 우린 누구인 척해야 하는 거지?"

내가 묻는다.

"절박해진 캐피톨 시민인 거지. 평화유지군은 우리가 자기들 편이라고 생각할 거고, 반군들에겐 더 흥미로운 목표물이 있기를 바라야지."

게일이 말한다.

사거리를 가로질러 뛰어가며 새로 맡게 된 이 역할이 괜찮은 걸까 생각해 보지만, 다음 블록에 도착할 때쯤에는 우리가 누구인지는 더 이상 상관없게 된다. 그 누구라도 이젠 상관없다. 얼굴을 보는 사람은 아무도 없기 때문이다. 반군이 여기 오긴 왔다. 대로로 쏟아져 나오고, 문간과 차량 뒤에 숨어 있으며 총을 마구 쏜다. 우리를 향해 전진해 오는 평화유지군들을 맞을 준비를 하며 쉰 목소리로 명령을 외친다. 십자 포화 속에 갇힌 것은 무기도 없고, 혼란에 빠진 난민들이다. 다친 사람들도 많다.

우리 앞에서 팟 하나가 작동해서, 닿는 사람은 모두 익혀 버리는 증기가 왈칵 쏟아진다. 증기에 당한 사람은 내장 같은 핑크 색이 되어 죽어 버린다. 그 이후로는 조금이나마 남아 있던 일체의 질서가 사라졌다. 소용돌이 모양의 증기가 눈과 섞이자, 내 총열보다 먼 곳은 보이지 않는다. 평화유지군인지 반군인지 아니면 민간인인지 어떻게 안담? 움직이는 것은 전부 목표물이다. 사람들은 반사적으로 총을 쏘고 나 역시 예외가 아니다. 심장이 마구 뛰며 아드레날린이 온몸을 태우듯 흐르고, 모두가 내 적이다. 게일만 빼고. 나의 사냥 파트너이자 내 뒤를 봐 주는 사람. 할 수 있는 일이란 앞으로 움직이며 마주치는 사람은 전부 죽이는 것뿐이다. 어디에나 비명 지르는 사람, 피 흘리는 사람, 죽은 사람들이 있다. 다음 사거리에 다다르자 우리 앞의 블록 전체가 짙은 보라색으로 빛난다. 우리는 물러서서 계단 아래로 몸을 숙이고 눈을 찌푸리며 빛 속을 쳐다본다. 그 빛을 받는 사람들에게 무언가가 일어나고 있다. 그들을 공격하는 것은…… 뭐지? 소리? 진동파? 레이저? 손에서 무기가 떨어지고, 그들은 손가락으로 얼굴을 움켜쥔다. 눈에 보이는 모든 구멍에서 피가 뿜어져 나온다. 눈, 코, 입, 귀. 1분도 지나지 않아 모두 죽어버리고 빛은 사라진다. 나는 이를 갈며 시체를 뛰어 넘어 달린다. 발이 피 때문에 자꾸 미끄러진다. 바람에 날린 눈이 소용돌이를 일으켜 앞을 볼 수가 없지만 우리를 향하는 부츠를 신은 발소리를 덮지는 않는다.

"숙여!"

나는 게일에게 낮게 말한다. 우리는 있던 자리에 그대로 엎드린다. 얼굴이 아직도 따뜻한 누군가의 피의 웅덩이 속으로 빠지지만, 나는 부츠 신은 발들이 우리 위로 행군하는 동안 죽은 척한다. 시체를 피해가는 사람도 있다. 어떤 사람들은 내 손과 등을 짓밟고, 내 머리를 걷어차며 지나간다. 부츠 발들이 멀어지자 나는 눈을 뜨고 게일에게 고개를 끄덕인다.

다음 블록에 가자 겁에 질린 난민들은 더 많지만 군인들은 거의 없다. 겨우 한숨 돌릴 수 있으려나 싶을 때 부서지는 소리가 난다. 계란을 그릇에 두드려 깨는 소리를 천 배로 키운 것 같다. 우린 걸음을 멈추고 팟이 어디 있나 둘러보지만 팟은 없다. 다음 순간 내 발끝이 앞으로 아주 조금 기울어지기 시작하는 것이 느껴진다.

"뛰어!"

나는 게일을 향해 외친다. 설명할 시간은 없지만, 몇 초 만에 모두가 이 팟의 성격을 뚜렷이 알게 된다. 블록 한 가운데가 갈라지기 시작했다. 거리는 반으로 갈라져 아래로 종이 접듯 꺾이며 거리 위의 사람들을 아래로 쏟고 있다. 아래에 뭐가 있는지는 모르겠다.

나는 다음 사거리까지 가능한 한 빨리 뛰어갈지, 거리 옆의 건물 안으로 들어갈지 결정하지 못했다. 그 결과 나는 조금 삐뚜름하게 대각선으로 달리고 있다. 거리가 점점 접힘에 따라 발이 헛걸음을 하고, 미끄러운 타일 위를 내딛고 가는 일이 점점 더 힘들어진다. 마치 점점 더 가팔라지는 얼어붙은 언덕길을 뛰어오르는 것 같다. 내 목표물 두 가지, 즉 사거리와 건물 모두가 몇 미터 남지 않았을 때 길이 완전히 꺾이는 것이 느껴진다. 타일에 발을 붙일 수 있는 마지막 순간을 활용해서 사거리 쪽으로 몸을 날리는 수밖에 없다. 두 손으로 매달리며 거리가 직각으로 꺾였다는 사실을 깨닫는다. 내 발은 디딜 곳 없이 허공에 대롱거린다. 15미터 아래에서는 무더운 여름에 썩어가는 시체 같은 역한 냄새가 풍긴다. 어둠 속에서는 검은색 거품이 차오르며 떨어져 죽지 않은 사람들을 해치운다.

내 목에서 비명이 터져 나오다 끊겨 버린다. 날 도와주러 오는 사람은 없다. 얼어붙은 절벽 끝에서 떨어질 것 같을 무렵 내가 팻의 끝에서 2미터도 떨어져 있지 않다는 것을 알게 된다. 아래에서 들려오는 끔찍한 소리를 듣지 않으려 애쓰며 절벽 끝을 따라 조금씩 움직인다. 손이 모서리까지 가자 오른발을 위로 휙 올린다. 뭔가에 발이 걸려서 힘겹게 거리 위로 몸을 끌어올린다. 헐떡이고 부들부들 떨며 기어 나온 다음, 땅은 평평하지만 몸을 기댈 것을 찾아 가로등을 껴안는다.

"게일?"

나는 정체가 탄로날 걱정도 하지 않고 심연 아래로 외친다.

"게일?"

"여기 있어!"

나는 어리둥절한 채 왼쪽을 바라본다. 거리는 건물 바로 앞까지 꺾여 내려갔다. 건물까지 뛰어가 무엇이든 붙잡고 매달린 사람들이 열 명가량 있다. 문손잡이, 문 두드리는 고리쇠, 우편물 넣는 구멍 등을 잡고 있다. 내게서 세 집 떨어진 곳에 게일이 아파트 문의 장식용 창살에 매달려 있다. 문이 잠겨 있지 않다면 쉽사리 들어갈 수 있을 것이다. 하지만 게일이 문을 계속 걸어차도 아무도 도와주러 오지 않는다.

"조심해!"

나는 총을 든다. 게일이 몸을 돌리고, 나는 문이 안쪽으로 휙 열릴 때까지 자물쇠에 총을 쏜다. 게일은 안으로 붕 날아가 바닥에 웅크린다. 한순간 나는 게일을 구한 의기양양한 기분을 느낀다. 다음 순간 흰 장갑을 긴 손들이 게일을 붙잡는다.

게일은 내 눈을 보며 알아들을 수 없는 입 모양을 한다. 어찌할 바를 모르겠다. 두고 갈 수는 없지만 저기까지 갈 수도 없다. 게일의 입이 다시 움직인다. 나는 모르겠다는 뜻으로 고개를 흔든다. 저들은 자기들이 잡은 사람이 누구인지 곧 알아차릴 것이다. 평화유지군들은 게일을 집 안으로 끌고 간다.

"가!"

게일이 외친다.

나는 팟을 뒤로하고 달린다. 이젠 혼자다. 게일은 잡혔다. 크레시다와 폴룩스는 이미 10번이라도 죽었을 것이다. 피타는? 나는 티그리스의 집을 나온 이후 피타를 한 번도 보지 못했다. 피타는 아마 돌아갔을 거라고 생각하기로 한다. 공격이 시작되는 것을 느끼고, 자제력을 잃기 전에 지하 창고로 돌아갔을 것이다. 캐피톨 자체에 정신 팔릴 다른 일이 워낙 많으니 자기가 할 일은 없다고 깨달았을 것이다. 미끼가 되어 자물쇠딸기를 먹을 필요가……. 자물쇠딸기! 게일에겐 약이 없다. 그리고 손으로 화살의 폭탄을 터뜨린다던 얘기를 실행할 기회는 없을 것이다. 평화유지군들이 제일 먼저 할 일이 무장해제일 것이다.

나는 문 앞에 쓰러지고, 눈물이 눈을 따갑게 한다. '쏴 줘.' 게일이 입 모양으로 한 말은 그거였어. 난 게일을 쏴 주었어야 했는데! 그게 내 임무였다. 우리 모두가 서로에게 해 주기로 한 암묵적인 약속이었다. 그런데 나는 그걸 해 주지 않았고, 이제 캐피톨은 게일을 죽이거나 고문하거나 하이잭하거나……. 내 마음속이 이리저리 갈라지며 나를 산산조각 내겠다고 위협한다. 내게 희망은 단 하나뿐이다. 그들이 게일을 다치게 하기 전에 캐피톨이 쓰러지고 죄수들을 석방하는 것. 하지만 스노우가 살아 있는 한 그런 일은 없을 것이다.

평화유지군 몇 명이 내 앞을 달려간다. 그들은 문간에서 웅크리고 훌쩍거리는 캐피톨 여자아이, 즉 나를 거의 쳐다보지도 않았다. 나는 울음을 그치고, 얼굴이 얼어붙기 전에 흐른 눈물을 닦은 뒤 몸을 추스른다. 좋아, 난 아직까진 익명의 난민인 거군. 아니면 게일을 잡은 평화유지군들이 도망치는 내 모습을 봤을까? 나는 두건을 벗고 뒤집어 겉의 빨간 천 대신 검은 안감이 드러나도록 한다. 얼굴이 가려지도록 두건을 매만진다. 총을 가슴팍에 대고 블록을 살펴본다. 멍한 표정의 낙오자 몇 명뿐이다. 내 기척에 반응을 보이지 않는 노인 몇 명 뒤에 바짝 붙어 따라간다. 내가 할아버지들과 함께 있을 거라고 생각할 사람은 없을 것이다. 다음 사거리에 가자 노인들이 걸음을 멈춰서 등에 부딪힐 뻔한다. 시 광장이다. 거대한 건물들이 둘러싼 넓은 광장 맞은편에 대통령의 관저가 있다.

광장은 몰려다니는 사람들, 소리 지르는 사람들, 그냥 앉아서 몸 위에 쌓이는 눈을 털지조차 않는 사람들로 가득하다. 안으로 냉큼 들어간다. 나는 관저 쪽을 향해 요리조리 다가가기 시작하며, 버려진 귀중품들과 눈에 덮인 팔다리에 걸려 넘어질 뻔한다. 반쯤 갔을 때 콘크리트 바리케이드가 있다는 걸 알게 된다. 높이는 1미터가 조금 넘고, 관저 앞을 네모꼴로 둘러싸고 있다. 비어 있을 것 같지만, 안에는 난민들이 가득하다. 관저에 수용하기로 한 난민들인가? 하지만 더 다가가 보니 또 다른 사실을 눈치챘다. 바리케이드 안에 있는 사람들은 전부 아장거리는 아기에서 10대 소년 소녀에 이르는 아이들이다. 겁에 질린, 동상을 입은 아이들이다. 몇 명이서 모여 있는 아이들도 있고, 땅바닥에 앉아 멍하니 몸을 흔드는 아이들도 있다. 관저로 들여보내지 않고 있다. 사방의 평화유지군들에게 둘러싸인 채 울타리 안의 가축 취급을 받고 있다. 아이들을 보호하기 위해서가 아니란 걸 즉시 알 수 있다. 만약 캐피톨이 아이들을 보호하고 싶었다면 벙커에 수용했을 것이다. 이건 스노우를 지키기 위한 것이다. 그는 아이들로 인간 방패를 만들었다.

웅성거리는 소리가 나며 군중이 왼쪽으로 몰린다. 나보다 몸집이 큰 사람들 틈에 끼어, 몸이 옆으로 기운 채 끌려간다. "반군이다! 반군이다!" 하는 외침이 들려서 반군이 전진해 왔음을 알게 된다. 확 밀려가 몸이 깃대에 부딪히고, 나는 깃대를 타고 기어올라 북적대는 틈에서 빠져나온다. 반군이 광장으로 쏟아져 들어오며 난민들을 대로로 몰아내는 것이 보인다. 나는 곧 터질 게 분명한 팟을 찾아 둘러본다. 하지만 팟은 터지지 않는다. 대신 일어나는 일은 이렇다.

캐피톨의 문장이 찍힌 호버크래프트가 바리케이드 안의 아이들 바로 위에 나타난다. 은색 낙하산이 잔뜩 쏟아진다. 이런 혼란 속에서도 아이들은 은색 낙하산에 무엇이 들어 있는지 안다. 음식. 약. 선물. 아이들은 애타게 손을 뻗어 낙하산을 받아들고 곱아든 손가락으로 끈을 푼다. 호버크래프트가 사라지고, 5초가 지났다. 낙하산 20개 정도가 동시에 폭발한다.

군중들은 울부짖는다. 눈은 붉게 물들고, 작은 신체 조각들이 나뒹군다. 즉사한 아이들이 많지만, 그렇지 않은 아이들은 쓰러져 고통스러워 한다. 어떤 아이들은 말없이 서성이며 손에 든 은색 낙하산을 물끄러미 바라본다. 아직도 안에 귀한 것이 들었을 수도 있다고 생각하는 것 같다. 평화유지군이 바리케이드에서 뛰쳐나와 아이들에게 달려가는 것을 보면 이건 평화유지군들도 모르고 있었던 일이다. 흰 유니폼을 입은 다른 무리가 안으로 몰려든다. 하지만 평화유지군은 아니다. 의료진이다. 반군 의료진이다. 저 유니폼은 어디서든 알아볼 수 있다. 의료진은 의료 장비를 들고 아이들 틈으로 몰려든다.

처음에는 땋은 금색 머리칼이 언뜻 보였다. 그리고는 울부짖는 아이에게 덮어주려고 코트를 벗자, 오리 꼬리처럼 삐져나온 셔츠자락이 보인다. 나는 추첨에서 에피 트링켓이 그 이름을 불렀을 때와 똑같이 반응한다. 마지막 몇 초에 대한 기억이 없고 깃대 아래로 떨어져 있는 것을 보니 일단 온몸에서 힘이 쫙 빠져나갔던 모양이다. 그리고는 전에 그랬던 것처럼 사람들을 헤치고 나아간다. 이 소란을 뚫고 들릴 정도로 크게 그 이름을 외치며. 내가 거의 바리케이드 앞까지 왔을 때 내가 부르는 소리를 들은 것 같다. 그 순간 내 모습을 알아본다. 내 이름을 부르는 입 모양이 보인다.

　나머지 낙하산이 모두 폭발한다.

25

　진짜야, 가짜야? 내게 불이 붙었다. 낙하산에서 터져 나온 불덩어리가 눈 내리는 하늘을 가르고 바리케이드 너머의 군중들에게 날아왔다. 막 몸을 돌리려는데 그중 하나에 맞았다. 불길이 내 몸 뒤를 핥으며 나를 다른 존재로, 태양처럼 끌 수 없는 것으로 변신시킨다.

　화염 머테이션은 단 하나의 감각밖에 알지 못한다. 극도의 고통이다. 시각도, 청각도 없다. 살이 타오르는 무자비한 느낌밖에는 없다. 의식을 잃는 때도 있을지 모르겠지만, 그런 순간에 숨을 수도 없다면 무슨 소용인가? 나는 도망칠 수 없는 것에서 도망치려고 미친 듯이 날아가는, 시나의 불붙은 새다. 내 몸에서 자라나는 불꽃으로 된 깃털. 날갯짓을 하면 불길이 더 거세질 뿐이다. 나는 내 스스로를 연료로 타오르지만, 불길은 그칠 줄을 모른다.

　마침내 내 날개가 약해지고, 나는 높은 곳에서 내려온다. 중력이 피닉의 눈 같은 색깔의 거품이 이는 바다로 나를 끌어내린다. 나는 누운 채 떠다닌다. 등은 물 아래에서 계속 타오르지만, 고통은 조금 줄어든다. 방향을 찾지 못하고 떠다닐 때 그들이 찾아온다. 죽은 사람들.

　내가 사랑했던 사람들이 새가 되어 내 위의 탁 트인 하늘을 날아다닌다. 하늘 높이 치솟고 이리저리 날아다니며 너도 오라고 한다. 나는 너무나 그들을 따라가고 싶지만, 날개가 바닷물에 흠뻑 젖어 들어 올릴 수가 없다.

내가 미워했던 사람들은 물에 들어와 있다. 비늘 달린 무서운 생물로 변해 바늘 같은 이로 내 살을 찢는다. 계속해서 깨문다. 나를 수면 아래로 끌어 내린다.

핑크 빛을 띤 작은 흰 새가 날아 내려와 내 가슴을 발로 잡고는 나를 계속 띄워두려 한다.

"안 돼, 캣니스! 안 돼! 가면 안 돼!"

하지만 내가 미워하는 사람들의 힘이 더 세다. 그러니 내게 붙어 있다면 프림까지도 잃게 된다.

"프림, 이거 놔!"

마침내 프림은 나를 놓아준다.

물속 깊은 곳에 빠진 나는 모두에게서 버림받았다. 내 숨소리밖에 들리지 않는다. 물을 들이마셨다가 다시 폐 밖으로 내뱉기는 엄청나게 힘들다. 멈추고 숨을 참고 싶지만, 바닷물은 내 의지에 반해서 내 안으로 들어왔다 나갔다 한다.

"죽게 해줘, 다른 사람들을 따라가게 해줘."

나를 여기 잡고 있는 게 무엇인지는 몰라도 나는 사정한다. 대답은 없다.

며칠이나, 몇 년이나, 몇 세기 동안이나 잡혀 있다. 죽었지만 죽도록 허락받지 못했다. 살아 있지만 죽은 거나 마찬가지다. 너무나 외로워서 누구라도, 무엇이라도 와 주었으면 좋겠다. 아무리 혐오스러운 것이라도 좋다. 하지만 마침내 나를 찾아오는 것은 반가운 존재다. 모플링이다. 내 핏줄을 따라 흐르고 고통을 덜어주며, 내 몸을 가볍게 해서 다시 수면 위로 떠올라 거품 위에서 쉬게 해 준다.

거품. 나는 정말로 거품 위를 떠다니고 있다. 손끝에서 그것이 느껴지고, 내 알몸을 감싼다. 고통이 심하지만 현실 같은 것 또한 함께 느껴진다. 목 안이 사포같이 거친 게 느껴진다. 첫 번째 경기장에서 썼던 화상 약의 냄새가 난다. 엄마 목소리가 들린다. 이런 것들에 무서워진 나는 다시 물 속으로 돌아가 이들을 이해해 보려 한다. 하지만 돌아갈 수는 없다. 마침 내 나는 억지로 내가 누구인지 받아들인다. 날개가 없는, 화상을 심하게 입은 여자아이다. 날개도 없다. 그리고 동생도 없다.

캐피톨의 눈부신 병원에서 의사들은 내게 마법을 부린다. 드러난 내 속 살을 새 피부로 덮는다. 피부의 세포들을 속여 자기가 나의 세포라고 생각 하게 만든다. 내 신체 부위를 조종하고, 팔다리를 휘고 늘여 잘 맞도록 만 든다. 내가 정말 운이 좋았다고 되풀이해서 이야기한다. 눈은 다치지 않았 다. 얼굴은 대부분 다치지 않았다. 폐는 치료에 반응을 보이고 있다. 곧 새 로 태어난 것처럼 멀쩡해질 거라고 한다.

내 연약한 피부가 침대 시트의 압력을 견딜 수 있을 만큼 튼튼해지자 나 를 찾아오는 사람들이 늘어난다. 모플링이 산 자와 죽은 자 모두에게 문을 열어 준다. 피부가 누렇고 미소를 짓지 않는 헤이미치. 새 웨딩드레스를 꿰매고 있는 시나. 사람들의 장점에 대해 쓸데없이 떠드는 델리. 〈매다는 나무〉를 4절까지 모두 부르시고는 엄마(교대 시간 사이, 의자에 앉아 주무 시는 중이다)에겐 이야기하지 말라고 하시는 아빠.

어느 날 사람들이 내게 기대하는 것을 깨닫고, 나는 꿈속에서 살도록 허 락받지 못할 거라는 것을 알게 된다. 나는 입으로 음식을 먹어야 한다. 내 근육을 스스로 움직여야 한다. 화장실에 가야 한다. 코인 대통령이 잠깐 나타난다.

"걱정 마. 널 위해 아껴 뒀으니."

그녀가 말한다.

왜 내가 말을 할 수 없는지 의사들은 점점 더 의아해 한다. 테스트를 여 러 번 한 결과, 성대가 상하기는 했지만 그것 때문은 아니라는 게 드러난 다. 마침내 정신과 의사인 아우렐리우스 박사가 내가 육체적이라기보다 심리적으로 무성인이 되었다는 이론을 내놓았다. 정신적 트라우마 때문에 말을 못하게 되었다는 것이다. 사람들은 치료방법을 100가지 정도 제안하지만, 아우렐리우스 박사는 사람들에게 나를 내버려 두라고 한다. 그래서 나는 누구에 대해서도, 무엇에 대해서도 묻지 않지만 사람들은 내게 꾸준히 정보를 전해 준다. 전쟁: 낙하산이 터진 날 캐피톨은 무너졌고, 이제 코인 대통령이 판엠의 지도자가 되었으며, 캐피톨에 군데군데 아직 조금 남은 저항군을 쓰러뜨릴 병력이 파견되어 있다. 스노우 대통령: 죄수가 되었으며 재판을 기다리고 있다. 처형될 것이 거의 확실하다. 우리 암살 팀: 크레시다와 폴룩스는 전쟁으로 파괴된 모습을 촬영하러 구역들을 돌고 있다. 게일은 도망치려 하다 총에 두 번 맞았고, 지금은 2번 구역에서 평화유지군을 소탕하고 있다. 피타는 아직 화상 치료를 받고 있다. 피타도 결국 광장까지 왔다. 내 가족: 엄마는 바쁜 업무 속에 슬픔을 묻으려 하신다.

난 일이 없으니 슬픔이 나를 묻어 버린다. 나를 버티게 해 주는 건 코인의 약속뿐이다. 내가 스노우를 죽일 수 있다는 약속이다. 그리고 그게 끝나고 나면 아무것도 남지 않을 것이다.

결국 나는 병원에서 풀려나고 대통령 관저에서 엄마와 같은 방을 쓰게 된다. 엄마는 식사를 병원에서 하시고 잠도 병원에서 주무셔서, 거의 방에 오시는 일이 없다. 내가 식사를 하고 약을 먹는지 확인하는 책임은 헤이미치에게 돌아간다. 쉬운 일은 아니다. 13번 구역에서의 옛 습관이 돌아왔다. 허락도 받지 않고 관저 안을 돌아다닌다. 침실과 사무실, 연회장, 목욕탕에 들어가 본다. 숨을 만한 묘한 작은 공간들을 찾는다. 모피가 든 옷장. 도서관의 캐비닛. 버린 가구들을 둔 방에 있는 오래된 욕조. 내가 숨는 곳은 어둡고 조용하고 남들이 찾아낼 수 없는 곳들이다. 나는 웅크려 몸을 작게 만들고 완전히 사라져보려 한다. 침묵에 싸인 채 '지남력 상실'이라고 쓰여 있는 팔찌를 돌리고 또 돌린다.

'내 이름은 캣니스 에버딘이다. 나는 열일곱 살이다. 내 고향은 12번 구역이다. 12번 구역은 없어졌다. 나는 모킹제이다. 나는 캐피톨을 전복시켰다. 스노우 대통령은 나를 미워한다. 그는 내 동생을 죽였다. 이제 내가 그를 죽일 것이다. 그러면 헝거 게임은 끝날 것이다…….'

그러다 내 방에 돌아와 있는 것을 깨닫는 일이 주기적으로 생긴다. 모플링이 필요해서 돌아왔는지 헤이미치가 나를 발견했는지 정확히 알 수 없다. 나는 음식과 약을 먹고, 목욕하라는 명령을 받는다. 내가 싫은 것은 물이 아니라 화염 머테이션이 된 내 알몸을 비추는 거울이다. 새로 이식한 피부는 아직 갓난아기 피부 같은 핑크 빛을 하고 있다. 화상을 입었지만 나을 수 있겠다고 판단한 부분의 피부는 빨갛고 뜨거워 보인다. 군데군데 녹아 이지러져 있다. 다치지 않은 내 원래 피부는 희고 창백하게 빛난다. 나는 여러 피부를 모아 만든 괴상한 조각보 이불 같은 모습이다. 머리카락 일부는 완전히 타 버렸다. 다른 부분은 일정치 않은 길이로 잘라냈다. 캣니스 에버딘, 불타던 소녀. 나는 크게 상관하지 않는다. 내 몸의 모습을 보면 고통의 기억이 되살아난다는 걸, 내가 왜 고통을 겪었는지와 그 고통이 시작하기 직전에 어떤 일이 있었는지 떠오른다는 것만 아니라면 크게 상관하지 않았을 것이다. 내 어린 여동생이 불덩어리가 되어버리는 걸 지켜봤다는 기억이 떠오르지만 않는다면.

눈을 감아도 소용없다. 불은 어둠 속에서 더욱 밝게 타오른다.

가끔 아우렐리우스 박사가 찾아온다. 내가 이제는 완벽하게 안전하다는 둥, 지금은 모르겠지만 언젠가는 다시 행복해질 거라는 걸 자긴 알고 있다는 둥, 심지어 판엠이 좋아질 거라는 둥 하는 바보 같은 말을 하지 않아서 그가 좋다. 말할 기분이 드는지 물어보고, 내가 대답하지 않으면 의자에 앉은 채 잠든다. 사실 나를 찾아오는 이유는 주로 낮잠을 자기 위해서인 것 같다. 우리 둘 모두에게 편리한 설정이다.

정확히 몇 시간, 몇 분 후인지는 알 수 없지만 그 순간이 다가온다. 스노우 대통령은 재판을 받았다. 유죄임이 인정되어 사형 선고를 받았다. 헤이미치가 소식을 전하고, 복도에서 경비병들 옆을 지날 때 그 이야기를 하는 것을 듣는다. 내 모킹제이 옷을 내 방으로 날라 온다. 멀쩡한 모습의 내 활도 가져다주지만 화살은 주지 않는다. 화살이 상했을 수도 있지만, 아마 내가 무기를 가져서는 안 되기 때문일 것이다. 나는 그 일을 하기 위해 준비를 해야 하나 막연히 생각해 보지만 아무것도 떠오르지 않는다.

어느 늦은 오후, 그림 병풍 뒤에 있는 창턱 밑의 긴 의자에 한참 앉아 있다가, 밖으로 나와 우회전 대신 좌회전을 한다. 낯선 곳이고, 금세 길을 잃는다. 내 방이 있는 곳과는 달리 이쪽에는 길을 물어볼 사람이 없는 것 같다. 하지만 그게 마음에 든다. 진작 여길 찾아낼걸 하는 생각이 든다. 굉장히 조용하다. 카펫이 두껍고 육중한 태피스트리까지 걸려 있어 소리를 흡수한다. 조명이 부드럽고, 요란한 색 사용을 자제했다. 평화롭다. 장미 냄새가 나기 전까지는 그렇다. 몸이 너무 떨려와 달릴 수도 없어서 나는 커튼 뒤로 뛰어들어 머테이션을 기다린다. 마침내 머테이션이 나타나지 않는다는 것을 깨닫는다. 그러면 이 냄새는 뭐지? 진짜 장미? 그 몹쓸 것들이 자라는 정원 근처에 온 걸까?

복도를 조심스레 걸어갈수록 그 냄새는 더욱 강렬해진다. 진짜 머테이션의 냄새만큼 강하지는 않을지도 모르지만, 하수구와 폭탄 냄새가 없는 지금은 순전히 이 냄새만 나고 있다. 모퉁이를 돌아서니 경비병 두 명이 나를 보고 깜짝 놀란다. 나는 그들을 바라본다. 물론 평화유지군은 아니다. 평화유지군은 이제 없다. 하지만 13번 구역 출신의 말쑥한 회색 유니폼을 입은 군인들도 아니다. 한 명은 남자고 한 명은 여자다. 이들은 실제 반군들이 입는 남루한 옷을 아무렇게나 입고 있다. 아직 붕대를 감은 수척한 그들은 장미 냄새가 나는 방의 문간을 지키고 서 있다. 내가 들어가려고 하자 두 사람의 총이 내 앞에서 X자를 이룬다.

"들어가시면 안 돼요, 아가씨."

남자가 말한다.

"병사다."

여자가 그의 말을 정정한다.

"들어가면 안 돼, 에버딘 병사. 대통령의 명령이야."

나는 그들이 총을 내리기를 기다리며 참을성 있게 서 있다. 내가 말하지 않아도 이 문 뒤에 내게 필요한 것이 있다는 걸 그들이 이해하기를 기다린다. 그냥 장미 한 송이만 있으면 된다. 내가 스노우를 쏘기 전에 옷깃에 꽂을 것이다. 내가 있어서 경비병들은 걱정스러워하는 것 같다. 헤이미치에게 전화를 할까 그들이 의논하고 있는데 내 뒤에서 여자 목소리가 들린다.

"들여보내 줘."

아는 목소리인데 누구인지 당장 떠오르지는 않는다. 경계도, 13번 구역도 아니고 캐피톨은 결코 아니다. 고개를 돌려보니 8번 구역 지도자였던 페일러를 마주보게 된다. 병원에서 본 것보다도 더 피곤해 보이지만, 누군안 그런가?

"내가 허가하지. 캣니스는 저 문 뒤에 있는 거라면 뭐든 가질 권리가 있어."

페일러가 말한다. 이들은 코인의 군인이 아니라 페일러의 군인이다. 두 사람은 되묻지 않고 총을 내려 나를 들여보내 준다.

짧은 복도 끝의 유리문을 양옆으로 열고 들어선다. 냄새가 하도 강해 오히려 이제 약해지는 느낌이다. 마치 코의 수용 한계를 넘은 것 같다. 습기찬 부드러운 공기가 뜨거운 피부에 닿는 감촉이 좋다. 장미는 훌륭하다. 값비싼 꽃송이가 줄지어 잔뜩 늘어서 있다. 싱싱한 핑크 색, 석양같은 오렌지 색, 심지어 하늘색 장미도 있다. 세심하게 다듬어 둔 장미 사이를 서성이며 살펴보지만 만지지는 않는다. 이런 아름다운 것들이 얼마나 치명적일 수 있는지 나는 경험으로 알기 때문이다. 가느다란 덤불 하나의 끝에 왕관처럼 매달린 장미를 보자 바로 저거라는 걸 알 수 있다. 이제 막 피기 시작한 놀랍도록 아름다운 흰 봉오리다. 피부가 닿지 않게 하려고 왼손 소매 자락으로 손을 감싸고, 가지 치는 가위를 가지에 대자마자 그가 입을 연다.

"잘 골랐군."

손이 움찔하며 가위를 쥐어 가지를 벤다.

"색깔 있는 것들도 물론 아름답지만, 흰색만큼 완벽한 색은 없지."

아직 그가 보이지는 않지만, 목소리는 옆에 있는 빨간 장미 쪽에서 들려오는 것 같다. 조심스레 장미 가지를 소매 자락으로 쥐고 나는 천천히 모퉁이를 돌아간다. 그는 의자에 앉아 벽에 기대고 있다. 언제나처럼 잘 꾸미고 좋은 옷을 입고 있지만, 수갑과 발목 수갑, 추적 장치를 달고 있다. 밝은 곳에서 보니 피부는 역겨운 옅은 녹색이다. 몰락한 지금도 그의 뱀 같은 두 눈은 밝고 차갑다.

"내가 지내는 곳을 찾아내길 바라고 있었지."

그가 지내는 곳이라. 나는 그의 집에 침입한 거다. 작년에 그가 내 집에 스윽 들어와 피와 장미 냄새를 풍기며 날 협박했을 때처럼. 이 온실은 그의 방 중 하나였다. 아마 그가 가장 좋아하는 곳이었을지도 모른다. 팔자가 좋았을 때는 여기서 직접 장미를 돌봤을지도 모른다. 하지만 이제 여기는 그를 가둔 감옥의 일부다. 경비병들은 그래서 나를 저지했던 거다. 그리고 페일러는 그래서 나를 들여보낸 거다.

나는 스노우가 캐피톨의 가장 깊은 지하 감옥에 갇혀 있을 거라고 생각했다. 이렇게 사치를 즐기고 있는 줄은 몰랐다. 그런데도 코인은 스노우를

374

여기에 두었다. 아마 전례를 남기고 싶어서겠지. 만약에 자기가 권력을 잃게 된다면, 대통령들은…… 가장 야비한 대통령이라 할지라도 특별대우를 받는다고 모두들 생각하도록. 하긴 코인 자신의 권력이 언제 사라질지 누가 알겠어?

"우린 의논할 일이 정말 많은데, 자네가 오래 있을 것 같지 않다는 느낌이 드는군. 그러니 중요한 것부터 먼저."

스노우는 기침을 하기 시작하고, 입에서 뗀 손수건은 아까보다 더 붉어져 있다.

"동생 일이 정말 유감이라는 말을 하고 싶었어."

허약해지고 약에 취한 지금 상태에도 불구하고 고통이 내 온몸을 꿰뚫고 지나간다. 그의 잔인함에는 끝이 없다는 것이 다시 떠오른다. 그는 무덤에 가면서도 나를 무너뜨리려 할 것이다.

"너무 소모적이고, 너무 불필요했어. 그때쯤에는 게임이 끝났다는 건 누가 봐도 뻔했는데. 그들이 낙하산을 떨어뜨렸을 때 나는 공식적으로 항복 선언을 하려던 참이었다."

그의 두 눈은 나를 바라보며, 내 반응을 단 1초도 놓치지 않으려고 깜빡이는 것조차 하지 않는다. 하지만 지금 스노우의 말은 앞뒤가 맞지 않는다. '그들'이 낙하산을 떨어뜨렸다고?

"음, 내가 그런 명령을 내렸다고 정말로 생각한 건 아니지? 나한테 마음대로 쓸 수 있는 호버크래프트가 있었다면 그걸 타고 도망갔을 거라는 뻔한 사실은 잊어도 좋아. 하지만 그걸 제외하고서도, 무슨 득이 있었겠나? 내가 어린이를 죽이지 않는 고귀한 사람이 아니라는 건 우리 모두 잘 알지만, 난 소모적이지는 않아. 분명한 이유가 있을 때만 사람을 죽이지. 내가 캐피톨 아이들을 잔뜩 모아 놓고 죽일 이유는 없어. 전혀 없다고."

기침이 또 한 번 터져 나오고, 내게 자기 말을 생각할 시간을 주기 위해 일부러 기침을 하는 걸까 생각해 본다. 거짓말이야. 당연히 거짓말이지. 하지만 거짓말 속에 무언가 다른 것이 들어 있어, 자기를 봐 달라고 호소한다.

"하지만 코인의 계략이 훌륭했다는 건 인정해야겠어. 내가 우리 캐피톨의 죄 없는 아이들에게 폭격을 했다는 생각이 퍼지자 사람들이 여전히 가지고 있었던 나에 대한 희미한 충성심을 즉시 날려 버렸거든. 그 뒤로는 저항이라고 할 만한 게 없었어. 그게 생방송 중계됐다는 것 알고 있나? 플루타르크의 손길이 느껴지지. 그리고 낙하산에서도. 최고게임운영자가 떠올릴 만한 게 그런 것 아니겠나? 플루타르크가 자네 동생을 노린 건 아니었으리라 확신하지만, 사고도 일어나는 법이지."

스노우는 입가를 닦는다.

나는 지금 스노우와 함께 있는 게 아니다. 나는 13번 구역에서 게일과 비티와 함께 특별 방어에 있다. 게일의 덫에 기초한 디자인들을 보고 있다. 인간의 동정심을 이용하는 것들. 첫 번째 폭탄은 피해자들을 죽였다. 두 번째 폭탄은 구조하러 간 사람들을 죽였다. 게일의 말이 떠오른다.

'비티와 나는 스노우 대통령이 피타를 하이잭할 때 사용했던 규정집을 따르고 있어.'

"내 실수는 코인의 속셈을 너무 늦게 알아차린 거지. 캐피톨과 구역들이 서로를 파괴하게 해서 13번 구역은 말짱하게 지키고, 뒤늦게 들어와서 권력을 잡는 것 말야. 이건 진실이다. 코인은 애초부터 내 자리를 노리고 있었어. 놀랄 일도 아니었는데. 암흑기 이전의 반란을 시작했던 것도 결국 13번 구역이었고, 반란이 잘 되지 않자 다른 구역들을 저버린 것도 13번 구역이었으니까. 하지만 난 코인을 보고 있지 않았어. 난 너, 모킹제이를 보고 있었지. 그리고 넌 나를 보고 있었어. 우리 둘 다 바보 취급을 당한 것 같구나."

그 말이 사실이기를 나는 거부한다. 아무리 나라고 해도 겪고 나면 살아남을 수 없는 일이 있다. 나는 내 동생이 죽은 이후 처음으로 말을 한다.

"안 믿어요."

스노우는 마치 실망했다는 듯 고개를 가로젓는다.

"아, 친애하는 에버딘 양. 난 우리가 서로에게 거짓말을 하지 않기로 합의했다고 생각했는데."

26

복도에 나와 보니 페일러가 아까와 똑같은 자리에 서 있다.

"찾는 게 있었어?"

페일러가 묻는다.

나는 대답 대신 하얀 장미를 들어 보이고 페일러 옆을 지나간다. 다음 순간 정신을 차려 보니 화장실에서 컵에 물을 채워 장미를 꽂고 있었다. 아마 내 방으로 돌아온 모양이다. 밝은 형광등 조명에서는 흰색에 집중하기가 어려워 차가운 타일 위에 무릎을 꿇고 장미를 노려본다. 손가락 하나를 팔찌 안에 넣어 지혈대처럼 꼰다. 손목이 아프다. 피타의 수갑이 그랬듯, 손목의 고통이 현실에 머무르는 데 도움이 되기를 바란다. 나는 버텨야 한다. 나는 일어난 일의 진실에 대해 알아야 한다.

두 가지 가능성이 있지만, 그에 관련된 세세한 내용은 다를 수도 있다. 먼저 내가 믿어 왔던 것처럼 캐피톨이 호버크래프트를 보내 낙하산을 떨어뜨리고 자기네 아이들의 목숨을 희생시켰을 수도 있다. 막 도착한 반군들이 아이들을 도와주러 갈 것을 캐피톨은 알고 있었기 때문이다. 이 이론을 뒷받침하는 증거가 있다. 호버크래프트에는 캐피톨의 문장이 찍혀 있었고, 호버크래프트를 격추시키려는 시도도 없었다. 그리고 캐피톨에는 구역들과 싸우며 아이들을 볼모로 사용해 왔던 긴 역사가 있다. 반면 스노우의 주장이 있다. 반군이 조종한 캐피톨 호버크래프트가 전쟁을 빨리 끝내기 위해 아이들을 폭격했다는 주장이다. 하지만 그게 사실이라면, 왜 캐피톨은 적기에게 발포하지 않았을까? 깜짝 놀라서 손을 쓰지 못한 걸까? 공격할 수단이 남아 있지 않았나? 13번 구역은 아이들을 귀하게 여긴다. 적어도 겉으로 보기엔 늘 그런 것 같았다. 음, 나를 귀하게 여기지는 않았던 것 같다. 내가 쓸모없어지자 소모품 취급을 받았다. 내가 이 전쟁에서 아이로 여겨지지 않은 건 상당히 오래전부터인 것 같긴 하지만 말이다. 그리고 자기편 의료진들이 폭격에 반응하리라는 것, 그래서 그들도 죽게 될 거라는 사실을 알면서도 그렇게 했을까? 아닐 것이다. 그럴 수는 없다. 스노우는 거짓말을 한 거다. 늘 그래 왔듯 날 조종하는 거다. 내가 반군들에게 등을 돌리게 하려는 거다. 그리고 반군을 무너뜨리게 하려는 걸 거다. 그래, 분명해.

그러면 난 왜 불편해하는 걸까? 우선 두 번에 걸쳐 폭발했다는 점이 그렇다. 캐피톨이 같은 무기를 가지고 있지 않았으리라는 법은 없지만, 왠지 반군에게 그런 계책이 있었으리라는 확신이 든다. 게일과 비티가 고안한 것이다. 그리고 스노우가 도망치려 하지 않았다는 사실이 그렇다. 스노우는 어떻게든 살아남으려 하는 사람이라는 것을 나는 안다. 후퇴해서 뱀처럼 남은 삶을 살아갈 수 있도록 보급품을 쟁여 둔 벙커를 마련해 놓지 않았다는 점을 믿기 어렵다. 그리고 마지막으로 코인에 대한 그의 평가가 있다. 코인이 정확히 스노우의 말처럼 해 왔다는 것은 반박할 수 없는 사실이다. 캐피톨과 구역들이 싸우며 서로를 파괴하게 한 다음 느긋이 걸어 들어와 권력을 차지한 것 말이다. 하지만 코인의 속내가 그랬다고 해도 낙하산을 떨어뜨렸다는 증거가 되지는 않는다. 승리는 이미 코인의 손 안에 있었다. 모든 것이 코인의 손 안에 있었다.

나만 빼고.

스노우의 자리를 누가 차지하게 될 지 별로 생각해 본 적이 없다고 했을 때 복스가 했던 대답이 떠오른다.

"코인을 지지할 거라고 곧바로 대답하지 않는다면, 넌 위협적인 거야. 너는 반군의 얼굴이지. 다른 어떤 사람보다 너의 영향력이 더 클 수 있어. 겉으로 보기에 이제까지 네가 코인을 위해서 한 건 코인을 참고 견딘 게 고작이야."

갑자기 프림 생각이 난다. 아직 14살이 되지 않았고 병사라는 호칭으로 불리지도 않았지만 최전선에서 일하고 있었다. 어떻게 그런 일이 있었을까? 내 동생이 최전선에 가고 싶어 했으리라는 것은 의심하지 않는다. 나이 많은 사람들보다 프림이 더 능력이 있었던 게 당연하니까. 하지만 아무리 그렇다 해도, 높은 사람 누군가가 13살짜리를 전장에 보내도록 결재해 주었어야 했을 것이다. 프림을 잃고 나서 내가 완전히 무너지기를 바라며 코인이 한 일일까? 아니면 적어도 내가 완전히 자기편을 들게 되리라 생각했나? 내가 직접 보지 못했어도 상관없었을 것이다. 시 광장에는 그 순간을 영원히 기록할 카메라가 수없이 있었을 테니.

아냐, 난 지금 미쳐가고 있어. 편집증에 빠져들고 있어. 그걸 알게 될 사람이 너무 많잖아. 말이 새나올 거야. 아닌가? 코인, 플루타르크, 소수의 충성스럽거나 쉽게 제거할 수 있는 팀 하나, 그 외에 아무도 몰라도 되는 것 아닐까?

이걸 알아내려면 도움이 절실히 필요한데, 내가 믿는 사람들은 죄다 죽었다. 시나. 복스. 피닉. 프림. 피타가 있지만 피타는 추측 정도밖에 못할 테고 지금 정신 상태가 어떤지도 알 수 없다. 그러면 게일만 남는다. 게일은 먼 곳에 있지만, 옆에 있다 해도 내가 그에게 속마음을 터놓을 수 있을까? 어떻게 말하지? 프림을 죽인 것이 게일이 만든 폭탄이라는 것을 암시하지 않는 말을 찾을 수 있을까? 스노우의 말이 거짓이라는 무엇보다 큰 증거는, 게일이 만든 폭탄이 프림을 죽이는 일은 불가능하다는 점이다.

결국 진상을 알지도 모르고, 아직 내 편일지도 모르는 사람은 하나뿐이다. 이 이야기를 꺼내는 것 자체가 위험한 일일 것이다. 하지만 헤이미치가 경기장에서 내 목숨을 가지고 도박을 했을지는 몰라도, 코인에게 나를 밀고하지는 않을 것 같다. 우리는 서로 문제가 있을 경우 단 둘이서 이견을 조정하는 쪽을 선호한다.

난 타일에서 일어나 문 밖으로 나간다. 그러곤 복도를 가로질러 그의 방으로 간다. 노크를 해도 대답이 없자 문을 밀치고 들어간다. 윽. 방을 더럽히는 속도가 놀라울 정도로 빠르다. 반만 먹고 남긴 접시 위의 음식, 깨진 술병, 취해서 난동을 피우다 부서뜨린 가구 조각이 나뒹군다. 헤이미치는 씻지 않고 엉망인 차림새로 침대보에 엉긴 채 만취해서 자고 있다.

"헤이미치."

나는 그의 다리를 흔든다. 물론 이걸로는 부족하다. 하지만 몇 번 더 해 보고 나서야 얼굴에 물을 한 바가지 붓는다. 헤이미치는 숨을 훅 들이쉬며 일어나 칼을 되는 대로 몇 번 휘두른다. 스노우의 집권은 끝났어도 헤이미치의 두려움은 끝나지 않은 모양이다.

"아, 너였냐."

목소리를 들어 보니 아직 취해 있다.

"헤이미치."

"이것 보게. 모킹제이가 목소리를 되찾았군. 음, 플루타르크가 좋아하겠네."

헤이미치는 웃고 나서 병을 들고 한 모금 마신다.

"내가 왜 젖어 있는 거냐?"

나는 뒤에 있는 더러운 옷 무더기에 바가지를 어설프게 던진다.

"도움이 필요해요."

헤이미치가 트림을 해서 투명한 독주 냄새가 진동한다.

"뭐냐, 예쁜아? 또 연애 상담이냐?"

이유는 모르겠지만 그 말은 상처가 된다. 헤이미치가 나에게 이렇게까지 상처를 주는 일은 흔하지 않다. 취해 있는데도 그 말을 다시 무르려고 하는 걸 보니 그 생각이 내 얼굴에 드러났나 보다.

"그래, 재미있는 농담은 아니었다."

나는 벌써 문간에 가 있었다.

"재미없다고! 이리 와!"

바닥으로 쿵 떨어지는 소리가 난 걸로 봐서 나를 따라오려고 하는 것 같지만 소용없다.

관저를 이리저리 헤매다 비단옷이 가득한 옷장 속에 숨는다. 옷걸이에 걸린 옷을 벗겨서 쌓고 그 속으로 파고든다. 내 옷 주머니 안에서 전에 흘린 모플링 알약을 발견하고 그것을 물 없이 삼킨다. 곧 치미는 히스테리 속으로 빠져든다. 멀리서 헤이미치가 나를 부르는 소리가 들리지만 그렇게 취한 상태로 나를 찾아내지는 못할 것이다. 여기는 새로 발견한 곳이니 더욱 그렇다. 비단에 싸여 있으니 변태를 기다리는 번데기 속 애벌레가 된 기분이다. 번데기 상태는 평화로울 거라고 늘 생각해 왔다. 처음에는 평화롭다. 하지만 밤이 되자 점점 갇힌 기분이 들고, 미끈거리는 굴레 때문에 질식할 것 같고, 아름다운 존재로 변신하기 전에는 벗어날 수가 없을 것 같다. 나는 파괴된 내 육체를 깨고 흠 한 점 없는 날개를 가질 비밀을 풀어 보려 꿈틀거린다. 하지만 아무리 애를 써도 나는 계속 흉물스러운 존재다. 폭탄이 터져 나를 지금 모습으로 박아 넣었다.

스노우와의 만남 때문에 예전에 꾸던 악몽들이 다시 돌아온다. 마치 추적말벌에게 다시 쏘인 것 같다. 끔찍한 이미지들이 몰려오다가 잠깐 멈출 때면 잠에서 깬 것 같다. 곧 다른 이미지들이 몰려와 나를 무너뜨린다. 경비병들이 겨우 나를 찾아냈을 때 나는 옷이 널부러진 바닥에 앉아 비단옷을 휘감고 목이 터져라 비명을 지르고 있다. 처음에는 그들에게 저항하지만, 그들은 도우러 왔다고 나를 안심시키고 숨 막히는 옷들을 벗겨 준 뒤 나를 방으로 데려다 준다. 방으로 가는 길에 창가를 지나쳐서 나는 새벽의 회색 캐피톨에 눈이 내리는 것을 본다.

숙취에 찌든 헤이미치가 알약 한 줌과 음식을 한 그릇 가지고 기다리고 있다. 둘 다 먹을 상태는 아니다. 헤이미치는 어설프게 내 입을 다시 열려 해 보지만 의미가 없다는 것을 깨닫고 누군가 물을 받아 둔 욕조에 들어가라고 한다. 바닥까지는 계단을 세 단 내려가야 하는 깊은 욕조다. 나는 따뜻한 물속에 앉아 긴장을 풀며, 목까지 비눗물에 잠긴 채 얼른 약기운이 돌기를 바란다. 밤새 피어난 장미를 뚫어져라 쳐다본다. 김이 어린 공기에서는 온통 장미 냄새가 난다. 일어나서 장미를 덮어 둘 수건을 집으려 하는데 조심스러운 노크 소리와 함께 욕실 문이 열린다. 익숙한 얼굴이 셋 나타난다. 그들은 내게 미소 지으려 해 보지만, 머테이션 같은 내 몸을 보자 베니아마저도 충격을 감추지 못한다.

"놀랐지!"

옥타비아가 소리 지르지만 곧 눈물을 터뜨린다. 저들이 왜 다시 나타났을까 의아해 하다가 오늘이 처형하는 날인가 보구나 하고 깨닫는다. 카메라 앞에 설 준비를 해 주러 온 것이다. 나를 미녀 레벨 0으로 만들려는 것이다. 옥타비아가 우는 이유는 뻔하다. 불가능한 일이기 때문이다.

내가 아파할까 봐 얼룩덜룩한 피부를 만질 엄두도 내지 못해서, 내가 직접 몸을 닦는다. 이제 거의 아프지 않다고 하는데도 플라비우스는 가운을 둘러주며 움찔거린다. 침실에 나와 보니 놀랄 일이 하나 더 있다. 의자에 몸을 곧추세우고 앉아 있는 한 사람. 금속 느낌이 나는 금색 가발부터 트레이드마크인 가죽 하이힐 구두까지 갖춰 입고 클립보드를 들고 있다. 눈빛이 공허해진 것을 빼면 놀라울 정도로 변함없는 모습이다.

"에피."

"안녕, 캣니스. 또 정말, 정말, 정말 대단한 하루를 맞은 것 같구나. 그러니 준비를 시작하지 그러니? 나는 일정이 어떻게 되어 가는지 확인하고 올게."

우리가 마지막으로 만났던 25주년 특집 전날 이후 아무것도 달라진 것이 없다는 듯, 에피는 일어나서 내 뺨에 입을 맞춘다.

"네."

이미 돌아선 에피에게 내가 말한다.

"에피를 살려 두느라 플루타르크와 헤이미치가 꽤 고생했대. 네가 탈출한 이후에 투옥되어서 다행이었지."

베니아가 숨을 죽여 말한다.

에피 트링켓이 반군이라는 건 좀 무리다. 하지만 코인이 에피를 죽이는 건 싫으니까, 누가 물어보면 반군이라고 대답해야겠다고 생각한다.

"납치당한 게 결국은 다행이었던 것 같네요."

"아직 살아 있는 준비 팀은 우리밖에 없어. 25주년 특집에 참여했던 스타일리스트들은 다 죽었고."

베니아가 말한다. 누가 죽었는지는 언급하지 않는다. 그게 중요하기나 할까 하는 생각이 든다. 베니아는 상처 난 내 손을 조심스레 잡아 올려 살핀다.

"자, 손톱은 어떻게 할까? 빨강, 아니면 새까맣게?"

플라비우스는 내 머리에 기적 같은 일을 해낸다. 앞머리를 고르게 하고,

긴 부분으로 뒤의 머리가 없는 부분을 가렸다. 얼굴에는 화상을 입지 않아서 평소 하던 대로 하면 되었다. 시나가 만든 모킹제이 옷을 입고 나니 드러나는 상처는 목, 팔, 손에 난 것들뿐이다. 옥타비아가 심장 있는 곳에 모킹제이 핀을 달아주고, 우리는 한 걸음 물러서 거울에 비친 모습을 바라본다. 나의 내면은 완전히 폐허가 되었는데 겉으로는 이렇게 평범해 보이게 만들다니 믿기가 어렵다.

똑똑 소리가 나고 게일이 들어온다.

"잠시 캣니스랑 얘기 좀 할 수 있을까요?"

나는 거울에 비친 준비 팀을 지켜본다. 어디로 가야 할지를 몰라 서로 몇 번 부딪히다 욕실에 들어가 문을 닫는다. 게일은 내 뒤에 서고 우리는 서로의 표정을 살핀다. 나는 매달릴 수 있는 것, 5년 전에 숲에서 우연히 만나서 떼놓을 수 없는 사이가 된 여자아이와 남자아이의 흔적을 찾는다. 여자아이가 헝거 게임에 추첨되지 않았다면 두 사람은 어떻게 되었을까. 여자아이가 남자아이와 사랑에 빠졌다면, 심지어 결혼을 했다면. 그리고 그후 언젠가, 동생들이 크고 나서 숲으로 탈출해 12번 구역을 영원히 등졌다면. 야생 속에서 지내는 둘은 행복했을까, 아니면 두 사람 사이의 어둡고 뒤틀린 슬픔은 캐피톨의 도움 없이도 자라났을까?

"이걸 가져왔어."

게일은 화살통을 들어 보인다. 받아 보니 안에는 평범한 화살 단 한 개가 들어 있다.

"상징적인 의미야. 네가 이 전쟁의 마지막 한 방을 쏘게 되는 거지."

"빗나가면? 코인이 화살을 다시 주워다 주나? 아니면 코인이 직접 스노우의 머리를 쏘려나?"

"빗나가지 않을 거야."

게일은 내 어깨에 화살통을 메어 준다.

우리는 얼굴을 마주하고도 서로 눈을 맞추지 않은 채 서 있다.

"병문안 안 왔더라."

게일이 대답이 없어서 마침내 나는 말해 버린다.

"네가 고안한 폭탄이었어?"

"난 몰라. 비티도 모르고. 무슨 상관이야? 넌 언제나 그 생각을 하게 될 텐데."

게일은 내가 아니라고 하기를 기다린다. 아니라고 하고 싶지만, 그 말이 맞다. 심지어 지금도 프림을 휩싸는 불길이 보이고 그 열기가 느껴진다. 그리고 나는 게일과 그 순간을 영영 떼어 놓고 생각할 수 없을 것이다. 침묵이 내 대답이다.

"내가 잘하던 한 가지가 그거였는데. 네 가족을 돌봐 주는 것. 잘 쏴, 알았지?"

게일은 내 뺨을 만지더니 나간다. 다시 불러서 내가 잘못 생각했다고 말하고 싶다. 화해할 방법을 찾아내겠다고 말하고 싶다. 게일이 어떤 상황에서 폭탄을 만들었는지 기억하겠다고 하고 싶다. 내 손으로 저지른, 변명의 여지가 없는 범죄들을 생각하겠다고 하고 싶다. 누가 낙하산을 떨어뜨렸는지 진실을 파헤쳐 반군이 아니었음을 밝히겠다고 하고 싶다. 게일을 용서하고 싶다. 하지만 그럴 수 없으니 나는 고통을 감당하는 수밖에 없다.

에피가 들어와 나를 어떤 회의에 데리고 간다. 활을 집어 들고, 마지막 순간에 물컵에 꽂힌 채 반짝이고 있는 장미를 기억해 낸다. 욕실 문을 열자 준비 팀이 욕조 가장자리에 줄지어 앉아 몸을 숙인 채 패잔병처럼 앉아 있다. 나는 자신이 알던 세상이 송두리째 사라진 사람은 나만이 아니라는 사실을 떠올린다.

"가요. 시청자들이 기다려요."

플루타르크가 어디에 설지를 알려주고 스노우를 쏘라는 신호를 알려주는 프로덕션 회의일 거라고 생각했다. 그런데 방에 들어가 보니 여섯 명이 테이블에 둘러앉아 있다. 피타, 조한나, 비티, 헤이미치, 애니, 에노바리아다. 모두 13번 구역 회색 반군 유니폼을 입고 있다. 딱히 좋아 보이는 사람은 없다.

"뭐하는 거예요?"

내가 묻는다.

"우리도 잘 모르겠어. 남아 있는 우승자들을 모아 놓은 것 같은데."

헤이미치가 대답한다.

"남은 사람은 이게 전부인가요?"

내가 묻는다.

"유명세의 대가지. 우승자들은 양쪽 모두의 표적이 됐어. 캐피톨은 반군으로 의심되는 우승자들을 죽였지. 반군은 캐피톨과 친하다고 생각되는 우승자들을 죽였어."

비티가 말한다.

조한나는 에노바리아를 노려본다.

"그런데 쟤는 여기 왜 있는 거죠?"

"에노바리아는 '모킹제이 계약'에 의해 보호 받는 거야. 캣니스 에버딘은 살아남은 우승자들을 모두 사면해 준다는 조건으로 반군을 돕기로 했거든. 캣니스는 약속을 지켰으니 우리도 지킬 거야."

코인이 내 뒤에서 들어오며 말한다.

에노바리아는 조한나에게 미소 짓는다.

"그렇게 우쭐해하지 마. 그래도 우린 널 죽일 거니까."

조한나가 말한다.

"앉아 줘, 캣니스."

코인이 문을 닫으며 말한다. 나는 스노우의 장미를 조심스레 테이블에 놓으며 애니와 비티 사이 자리에 앉는다. 평소처럼 코인은 곧바로 본론으로 들어간다.

"논쟁을 끝맺어 달라고 부탁하려 불렀습니다. 오늘 우리는 스노우를 처형할 거예요. 판엠을 압제해 온 그의 공범 수백 명을 지난 몇 주에 걸쳐 재판했고, 이제 그들은 자신들의 죽음을 기다리고 있습니다. 하지만 그간 구역들이 겪어온 고통이 너무나 심했기 때문에 그 정도로는 희생자들에게 충분치 않은 것 같아요. 사실 캐피톨 시민권을 가졌던 사람 전부를 죽이자는 사람들이 많아요. 하지만 지속가능한 인구를 유지하기 위해서 그럴 수는 없습니다."

물잔을 통해 피타의 손이 이지러져 비쳐 보인다. 화상 자국이 있다. 우리는 이제 둘 다 화염 뮤테이션이다. 시선을 위로 옮겨 불길이 닿았던 팔을 본다. 불에 눈썹이 그슬렸지만 간신히 눈은 피했다. 나와 시선이 마주쳤다가 곧 다른 곳을 보던 그 파란 눈. 피타는 지금도 눈을 마주쳤다가 눈길을 돌린다.

"그래서 대안을 제안한 사람이 있어요. 나와 내 동료들은 결론을 내릴 수 없어서 우승자들에게 결정하게 하자고 합의했죠. 4명 이상의 다수가 동의하는 쪽으로 결정할 겁니다. 기권은 불가능해요. 캐피톨 사람 전부를 죽이는 대신 상징적인 마지막 헝거 게임을 하자는 의견이 나왔습니다. 가장 큰 권력을 가졌던 사람들의 아이들을 출연시켜서요."

우리 7명 모두 코인을 돌아본다.

"뭐라고요?"

조한나가 말한다.

"캐피톨 아이들을 가지고 헝거 게임을 한 번 더 하는 겁니다."

코인이 말한다.

"농담하세요?"

피타가 묻는다.

"아니. 그리고 헝거 게임을 열게 되면, 우승자들이 동의했다는 것도 발표하게 될 거야. 누가 어느 쪽에 투표했는지는 여러분의 안전을 위해 비밀로 유지할 겁니다만."

코인이 말한다.

"플루타르크의 생각이었습니까?"

헤이미치가 묻는다.

"제 생각입니다. 가장 적은 인명을 희생하면서 복수의 균형을 맞추는 방법 같더군요. 투표하시죠."

코인이 말한다.

"안 돼! 당연히 반대예요! 헝거 게임을 또 하다니 절대로 안 돼요!"

피타가 버럭 외친다.

"안될 게 뭐 있어? 내가 보기엔 아주 공정한데. 스노우한테는 손녀도 있다고. 전 찬성이에요."

조한나가 쏘아붙인다.

"저도요. 자기들이 만든 약이 어떤지 직접 맛 좀 보라고 하죠."

에노바리아는 거의 무관심한듯 말한다.

"우리가 반란을 일으킨 이유가 그거잖아요! 기억 안 나요?

피타가 우리들을 둘러본다.

"애니?"

"저도 피타처럼 반대예요. 피닉도 여기 있었다면 반대했을 거예요."

애니가 말한다.

"하지만 피닉은 스노우의 머테이션이 죽였으니 여기 없지."

조한나가 지적한다.

"반대입니다. 나쁜 선례를 남길 거예요. 우린 이제 서로를 적으로 보지

388

말아야 합니다. 지금 시점에서는 생존을 위해 화합이 꼭 필요해요. 반대입니다."

비티가 말한다.

"캣니스와 헤이미치만 남았군요."

코인이 말한다.

그때도 이랬을까? 75년쯤 전에도? 몇 사람이 둘러앉아 헝거 게임을 만들지 말지 투표했을까? 반대 의견도 있었을까? 누군가가 자비를 행하자고 했다가, 구역 아이들을 죽이자는 의견에 밀렸을까? 스노우의 장미 냄새가 내 코 속으로, 목구멍 안으로 파고들며 절망에 옥죄이게 한다. 내가 사랑했던 사람들은 모두 죽었고, 우리는 생명을 헛되이 버리지 않으려고 다음 헝거 게임 이야기를 하고 있다니. 바뀐 것은 아무것도 없다. 이제 영영 아무것도 바뀌지 않을 것이다.

나는 내 선택지들을 조심스레 가늠해 보고 모든 것들을 고려해 본다. 장미를 바라보며 말한다.

"저는 찬성이에요……, 프림을 위해서."

"헤이미치, 당신에게 달렸어요."

코인이 말한다.

화가 머리끝까지 치솟은 피타는 헤이미치에게 이러한 잔혹 행위에 가담하겠느냐고 다그치지만, 헤이미치는 나를 바라보고 있다는 걸 느낄 수 있다. 그렇다면 지금이 바로 결정적인 순간이다. 우리가 얼마나 서로 비슷한지, 그가 얼마나 나를 진정으로 이해하고 있는지를 느끼는 순간이다.

"나는 모킹제이와 같은 편이오."

"좋습니다. 그러면 하는 걸로 결정됐군요. 이제 처형에 참석할 시간이 되었습니다."

코인이 말한다.

코인이 내 옆을 지날 때 장미가 꽂힌 잔을 들어 보인다.

"스노우에게 이걸 꽂게 해 주실 수 있나요? 심장 있는 곳에."

코인은 미소 짓는다.

"물론이지. 헝거 게임 이야기도 꼭 들려주도록 할게."

"고맙습니다."

사람들이 방으로 몰려들어와 나를 에워싼다. 마지막으로 메이크업을 손 보고, 사람들을 따라 관저 정문 쪽으로 가며 플루타르크의 설명을 듣는다. 시 광장에는 인파가 넘쳐 옆의 도로에도 사람들이 있다. 다른 사람들이 밖에 나가 자리를 잡는다. 경비병들. 공무원들. 반군 지도자들. 우승자들. 코인이 발코니에 나왔음을 알리는 환호성이 들린다. 에피가 내 어깨를 톡톡 두들겨 차가운 겨울의 햇빛 속으로 나간다. 귀가 멀 것 같은 관중의 환호를 받으며 내 자리로 간다. 지시받았던 대로 나는 사람들에게 옆모습이 보이도록 서서 기다린다. 스노우를 데리고 문 밖으로 나가자 관중들은 미쳐 버린다. 기둥 뒤에 그의 양손을 묶는다. 사실 묶을 필요도 없다. 스노우는 아무 데도 가지 않는다. 갈 곳이 없다. 여기는 트레이닝센터 앞의 넓은 무대가 아니라 대통령 관저의 좁은 테라스다. 내게 연습을 시키지 않은 것도 무리는 아니다. 스노우는 10미터 앞에 있다.

손에 든 활이 떨리는 것이 느껴진다. 팔을 뒤로 뻗어 화살을 집는다. 활에 메기고 장미를 겨냥한다. 하지만 그의 얼굴을 바라본다. 그가 기침을 하자 피 한 줄기가 턱으로 흘러내린다. 혀로 도톰한 입술을 핥는다. 나는 그의 눈에서 일말의 감정을 찾으려 해 본다. 공포, 회한, 분노, 무엇이든. 하지만 지난번에 나와 이야기를 나누고 나서 지었던 재미있다는 듯한 눈길뿐이다. 마치 그 말을 다시 하고 있는 것 같다.

"아, 친애하는 에버딘 양. 난 우리가 서로에게 거짓말을 하지 않기로 합의했다고 생각했는데."

그의 말이 옳다. 우리는 합의했다.

화살촉을 조금 위로 한다. 시위를 놓는다. 코인 대통령이 발코니 옆으로 쓰러지며 땅으로 떨어진다. 죽었다.

27

모두가 깜짝 놀라는 가운데 소리 하나가 귀에 들어온다. 스노우의 웃음소리다. 듣기 괴로운 클클거리는 소리다. 기침이 터질 때면 피 거품이 새 나온다. 자기 목숨을 토해내며 몸을 앞으로 굽히는 것이 보인다. 경비병들이 그를 내 시야에서 가린다.

회색 유니폼을 입은 사람들이 내게 모여들고, 나는 판엠의 새 대통령을 살해한 나의 길지 않은 미래가 어떨지 생각해 본다. 심문받을 테고, 고문을 당할지도 모른다. 분명 공개 처형될 것이다. 아직 내 마음속에 자리 잡고 있는 몇 안 되는 사람들에게 또 한 번 마지막 작별 인사를 해야 할 것이다. 이제 세상에서 완전히 혼자가 되실 엄마를 마주할 생각을 하니 결심이 굳어진다.

"잘 자."

손에 든 활에게 속삭인 다음 활이 조용해지는 것을 느낀다. 왼손을 들고 소매의 알약을 먹으려 고개를 돌린다. 그러나 살을 깨물게 된다. 당황스러워 고개를 돌려 보니 피타가 나를 바라보고 있다. 피타는, 지금은 내 눈을 똑바로 들여다보고 있다. 내 자물쇠딸기 알약을 덮은 피타의 손에서 내 잇자국 모양으로 피가 흘러나온다.

"놔!"

내 팔을 잡은 피타의 손을 뿌리치려 하며 외친다.

"그렇게는 못해."

피타가 말한다. 그들이 나를 피타에게서 떼어 놓을 때 소매에서 주머니를 뜯어내는 것이 느껴진다. 짙은 보라색 알약이 땅에 떨어지고, 시나의 마지막 선물이 경비병의 부츠 밑에서 으스러지는 것이 보인다. 관중이 몰려들고, 나는 야수로 돌변해서 그물 같은 손길들에서 벗어나기 위해 발길질을 하고 깨물며 닥치는 대로 움직인다. 밀려드는 사람들에게 나는 자꾸 밀려가고, 싸움판에서 계속 난동을 부리는 나를 경비병들이 들어올린다. 나는 게일의 이름을 외치기 시작한다. 이런 인파 속에서 게일을 찾을 수는 없지만, 게일은 내가 뭘 원하는지 알 것이다. 모든 것을 끝내 줄 깔끔한 한 방이다. 하지만 화살도 총알도 날아오지 않는다. 게일이 날 보지 못하는 걸까? 아니, 그건 아니다. 거대한 스크린이 시 광장을 삥 둘러 설치되어 있어서 이 모든 일을 누구나 다 볼 수 있다. 게일은 이걸 보고 있고 또 알고 있지만, 날 이해하지 못한다. 게일이 잡혔을 때 내가 이해하지 못했던 것과 마찬가지다. 이해하지 못했다니, 사냥꾼이자 친구인 우리 둘 다에게 있어 하찮은 변명이다.

난 혼자다.

관저 안에서 내게 수갑을 채우고 눈을 가린다. 엘리베이터를 오르내린 뒤 긴 통로를 따라 나를 들며 끌며 옮겨 가서, 카펫이 깔린 바닥에 내려놓는다. 수갑을 풀어준 다음 문을 쾅 닫는다. 안대를 올려 보니 트레이닝센터에서 썼던 방이다. 첫 번째 헝거 게임과 25주년 특집 시작 전의 소중했던 마지막 며칠을 보냈던 곳이다. 침대엔 매트리스뿐 침대보는 없고, 열려 있는 옷장 속은 텅 비어 있다. 하지만 이 방은 언제든 알아볼 수 있다.

일어나서 모킹제이 옷을 벗기가 쉽지 않다. 심하게 멍이 들었고 손가락이 한두 개쯤 부러진 것 같지만, 경비병들과 몸싸움을 해서 가장 상한 곳은 피부다. 새로 돋은 핑크색 피부는 휴지 조각 같이 너덜너덜해졌고, 연구실에서 길러낸 세포에서는 피가 배어난다. 하지만 의료진은 나타나지 않고, 될 대로 되라는 식이 되어 버린 나는 매트리스에 기어올라 과다출혈로 죽겠거니 생각한다.

그런 행운은 찾아오지 않는다. 저녁때쯤 피가 엉기며 멎고, 내 몸은 뻣뻣하고 쓰라리고 끈적거리지만 난 살아 있다. 힘없이 샤워실에 들어가 기억하고 있는 것 중 가장 부드러운 프로그램을 작동시킨다. 비누나 샴푸를 전혀 사용하지 않는 프로그램이다. 쏟아지는 뜨거운 물 아래 쪼그리고 앉아 팔꿈치를 무릎에 대고 손으로 머리를 감싸 쥔다.

'내 이름은 캣니스 에버딘이다. 왜 죽지 않았지? 죽었어야 했다. 내가 죽었다면 모두에게 가장 좋았을 것이다……'

매트에 서자 뜨거운 공기가 내 상한 피부를 말린다. 입을 만한 깨끗한 옷이 없다. 몸을 감쌀 수건조차 없다. 방에 돌아와 보니 모킹제이 옷이 사라졌다. 그 자리에 종이 가운이 있었다. 정체를 알 수 없는 주방에서 조리한 식사가 와 있고, 후식으로는 약이 곁들여져 있다. 나는 주저 않고 음식을 먹은 뒤 약을 먹고 피부에 연고를 바른다. 이제 어떻게 자살할지 잘 생각해 봐야 한다.

나는 다시 핏자국이 있는 매트리스 위에 몸을 웅크린다. 춥지는 않지만 약한 피부 위에 종이옷만 입고 있으니 너무나 발가벗은 기분이다. 투신은 불가능하다. 유리 창문의 두께는 두 뼘은 되어 보인다. 밧줄은 잘 묶을 수 있지만 목을 매달 곳이 없다. 치사량이 될 때까지 약을 모을 수도 있지만 24시간 감시하고 있으리라. 어쩌면 지금 이 순간에도 생방송되고 있을지 모른다. 진행자들이 대체 내가 코인을 죽인 동기가 무엇일지 언급하고 있겠지. 감시가 있다면 거의 모든 자살 방법이 불가능해진다. 내 목숨을 뺏는 것은 캐피톨의 특권이다. 또다시.

내가 할 수 있는 것은 포기하는 것이다. 나는 먹지도, 마시지도, 약을 먹지도 않고 침대에 누워 있기로 한다. 이런 방법도 가능하다. 그냥 죽는 거다. 모플링 금단증상만 아니었다면 가능했을 거다. 13번 구역 병원에서처럼 조금씩 모플링의 양을 줄이는 것이 아니라 일시에 딱 끊어 버렸다. 그간 꽤 많은 양을 써 왔던 모양이다. 모플링 갈망이 시작되자 몸이 떨리고 쿡쿡 쑤시는 아픔이 느껴진다. 참을 수 없이 춥다. 내 결심은 달걀껍데기처럼 부서져 버린다. 나는 무릎을 꿇고 손톱으로 카펫을 긁으며 의지가 강했을 때 내던져 버렸던 소중한 알약들을 찾는다. 모플링을 사용해서 천천히 죽기로 자살 계획을 바꾼다. 나는 눈만 퀭한 누런 말라깽이가 될 거다. 며칠 동안 계획대로 잘 되어 가고 있는데 예상치 못한 일이 생긴다.

나는 노래하기 시작한다. 창가에서, 샤워하며, 자는 동안에도 노래한다. 몇 시간이고 발라드와 사랑 노래, 산공기를 부른다. 아빠가 돌아가시기 전에 가르쳐 주셨던 노래를 모두 부른다. 아빠가 돌아가신 이후 내 삶에서 음악은 거의 없었기 때문이다. 놀라운 것은 너무나 또렷이 기억난다는 것이다. 곡조와 가사가 모두 기억난다. 처음에 내 목소리는 거칠고 고음에서 갈라지지만, 부르다 보니 멋지게 탈바꿈한다. 모킹제이들이 듣는다면 조용해진 다음 앞다투어 함께 부를 만한 목소리다. 며칠이 지나고, 몇 주가 지난다. 나는 창밖의 튀어나온 곳에 눈이 내리는 것을 지켜본다. 그리고 그 시간 내내 내가 듣는 유일한 목소리는 나의 목소리다.

저들은 뭘하고 있는 거지? 왜 시간을 끌고 있는 거야? 사람을 죽이는 여자애 하나 처형하기가 뭐 그리 어렵다고? 나는 자살 계획을 계속한다. 태어나서 이렇게 말라 본 적이 없다. 굶주림을 견디기가 너무 어려워서, 동물적 본능 때문에 버터 바른 빵이나 구운 고기의 유혹에 굴복할 때도 있다. 하지만 그래도 성공적으로 되어가고 있다. 며칠 정도 몸이 상당히 좋지 않아서 마침내 이 삶을 뜨고 있나 보다 생각하지만, 정신을 차려 보니 모플링의 양이 줄고 있다. 나를 천천히 끊게 하려 하나 보다. 대체 왜? 사람들 앞에서 죽이려면 모킹제이가 약에 취해 있는 쪽이 더 쉬울 것이다. 그 순간 끔찍한 생각이 떠오른다. 날 죽이지 않으면 어쩌지? 좀 더 써먹을 계획이라면 어쩌지? 나를 새로 개조해서 훈련시키고 사용하려 한다면?

그렇게는 하지 않을 것이다. 이 방에서 자살할 수 없다면, 여기서 나간 다음 기회가 생기자마자 해치울 것이다. 나를 살찌울지 모르지. 온몸을 매끈하게 만들고, 옷을 입힌 뒤 다시 예쁘게 만들지도 모르지. 꿈에나 나올 법한 멋진 무기를 만들어서 내 손에 쥐여 줄지 모르지. 하지만 절대로, 내가 그 무기를 써야 한다고 다시 세뇌하지는 못할 거야. 비록 자신이 인간이지만 나는 인간이라는 이름의 괴물들에게 더 이상 아무런 충성심을 느끼지 못한다. 피타가 예전에 우리가 서로서로를 죽이고 뭔가 근사한 종이 지구를 차지하는 이야기를 했던 것 같다. 서로 간의 이견을 조율하기 위해 자기 아이들의 목숨을 희생시키는 생물에겐 뭔가 크게 잘못된 것이 있기 때문이다. 어떤 식으로든 갖다 붙일 수 있다. 스노우는 헝거 게임이 효율적인 통제 수단이라고 생각했다. 코인은 낙하산을 쓰면 전쟁이 더 빨리 끝날 거라고 생각했다. 하지만 결국 이득을 보는 사람은 누구인가? 아무도 없다. 진실을 말하자면, 그런 일이 일어나는 세상에서 살아서 이득을 볼 사람은 그 누구도 없다.

먹지도 마시지도, 심지어 모플링 알약을 먹지도 않고 매트리스에 누워 이틀을 보낸 뒤에 방문이 열린다. 누가 침대로 걸어와 내 시야에 들어온다. 헤이미치다.

"네 재판은 끝났다. 따라와. 우린 집으로 간다."

집? 무슨 말이지? 내 집은 사라졌다. 그리고 존재하지도 않는 그 곳으로 갈 수 있다 해도, 나는 몸이 너무 약해져 움직일 수가 없다. 낯선 이들이 나타난다. 내게 수분을 공급하고 음식을 먹인다. 씻기고 옷을 입힌다.

한 명이 나를 헝겊인형처럼 들어 올려 옥상으로 데리고 가서 호버크래프트에 태운 다음 안전벨트를 준다. 헤이미치와 플루타르크가 내 맞은편에 앉는다. 곧 이륙한다.

플루타르크가 지금처럼 기분이 좋은 것은 본 적이 없다. 반짝반짝 빛날 정도다.

"묻고 싶은 게 잔뜩 있겠지!"

내가 대답하지 않자, 플루타르크는 자기 마음대로 대답해 준다.

내가 코인을 쏘고 나자 엄청난 혼란이 일었다. 조금 가라앉고 나자 스노우는 기둥에 묶인 채 죽었음을 알게 되었다. 웃다가 질식해서 죽었는지 인파 때문에 압사했는지 의견이 갈리지만 정말로 궁금해 하는 사람은 없다. 긴급 선거를 해서 페일러가 대통령으로 선출되었다. 플루타르크는 홍보 장관이 되었다. 방송을 담당하게 되었다는 뜻이다. 처음으로 중계된 큰 행사는 나에 대한 재판이었는데, 플루타르크는 재판에서 중요 증인 역할도 했다. 물론 나를 변호해 주었다. 내가 무죄 판결을 받은 것은 대부분이 아우렐리우스 박사 덕이기는 하다. 그는 나를 무력하고 전투 신경증을 앓는 정신병자로 묘사해 내 앞에서 낮잠 잔 것을 만회해 준 모양이다. 석방에 딸린 조건 중 하나는 내가 그의 치료를 계속 받는다는 것이지만, 그가 12번 구역 같은 따분한 곳에서 살 리가 없으니 진료는 전화로 해야 할 것이다. 나는 추가 지시가 있을 때까지 12번 구역에 있기로 되어 있다. 전쟁이 또 일어난다면 플루타르크가 분명 내게 역할을 줄 수 있겠지만, 전쟁이 끝나고 나니 나를 어찌해야 좋을지 아무도 알 수가 없었다는 거다. 플루타르크는 여기까지 이야기하고 껄껄 웃는다. 그는 아무도 자기 농담을 좋아하지 않아도 전혀 신경 쓰지 않는 것 같다.

"다른 전쟁을 준비하고 있나요, 플루타르크?"

내가 묻는다.

"아, 지금은 아니야. 지금 우리는 최근에 일어난 끔찍한 일이 절대로 되풀이 되어서는 안 된다고 모두가 합의한, 아름다운 시대를 살고 있지. 하지만 집단적인 생각은 대체로 오래가지 못해. 우리는 기억력은 나쁘고 자기 파괴 능력은 뛰어난, 변덕스럽고 어리석은 존재거든. 하지만 혹시 알아? 어쩌면 이게 끝일지도 모르지, 캣니스."

"끝이요?"

"이번의 합의는 유지될지 모른다는 거야. 어쩌면 우리는 인류의 진화를 목도하고 있는 건지도 몰라. 생각해 보렴."

그리고는 몇 주 안에 음악 프로그램을 시작할 계획인데 출연할 생각이 있느냐고 묻는다. 좀 신나는 곡이 좋겠다고 한다. 우리 집에 팀을 보내겠다고 한다.

3번 구역에 잠시 들러 플루타르크를 내려 준다. 방송 기술을 개선하기 위해 비티와 만날 거라고 한다. 헤어지면서 내게 이렇게 말한다.

"연락하고 지내자고."

구름 속으로 돌아가자 나는 헤이미치를 바라본다.

"아저씨는 왜 12번 구역으로 돌아가세요?"

"캐피톨에서는 나한테도 적당한 자리를 찾아주지 못하는 모양이더라."

처음에는 되묻지 않는다. 하지만 의심이 들기 시작한다. 헤이미치는 아무도 죽이지 않았다. 그는 어디든 갈 수 있다. 그가 12번 구역으로 간다면 그건 명령에 따른 것이다.

"절 돌보는 임무를 맡으신 거 아니에요? 제 멘터로서?"

그는 어깨를 으쓱할 뿐이다. 그제야 깨닫는다.

"엄마는 안 오시는구나."

"안 오신다."

헤이미치는 재킷 주머니에서 봉투를 꺼내 내게 건넨다. 나는 섬세하고 완벽한 글씨체를 살펴본다.

"4번 구역에서 병원을 세우는 걸 도와주고 계신다. 우리가 도착하자마자 전화해 달라고 하시더구나."

내 손가락이 우아한 글씨를 만진다.

"왜 못 오시는지는 너도 알지."

그래, 이유는 알 수 있다. 우리 아빠와 프림, 그리고 잿더미 때문에 12번 구역은 엄마에게 참을 수 없이 고통스러운 곳이다. 하지만 나는 괜찮은가 보다.

"12번 구역에 안 오는 사람이 또 누가 있는지 알고 싶냐?"

"아뇨. 전 놀라고 싶어요."

훌륭한 멘터답게 헤이미치는 내게 샌드위치를 먹게 하고는 도착할 때까지 내가 자는 척하는 걸 믿어 주는 척한다. 호버크래프트를 마구 뒤지며 술이란 술은 죄다 찾아내 가방에 넣는다. 우승자 마을의 녹색 잔디에 내려앉았을 때는 이미 밤이었다. 헤이미치의 집과 우리 집을 포함해 집 중 절반은 불이 켜져 있다. 피타의 집 불은 꺼져 있다. 누군가 우리 집 부엌에 불을 지펴 두었다. 엄마의 편지를 쥐고 그 앞의 흔들의자에 앉는다.

"그럼, 내일 보자."

헤이미치가 말한다.

헤이미치는 술병끼리 부딪히는 소리가 나는 가방을 들고 사라지고, 나는 속삭인다.

"과연 그럴까요."

의자에서 일어날 수가 없다. 집안의 다른 곳은 춥고 텅 비었으며 어두운 느낌이다. 낡은 숄을 몸에 두르고 불길을 바라본다. 정신을 차려 보니 아침이고 그리지 세이 아줌마가 레인지에서 요란한 소리를 내고 있다. 아마잠이 들었나 보다. 아줌마는 계란과 토스트를 만들어 주신 다음 내가 다

먹을 때까지 앉아 계신다. 우리는 이야기는 많이 나누지 않는다. 자기만의 세상에서 사는 아줌마의 어린 손녀가 엄마의 뜨개질 바구니에서 밝은 파란색 실 뭉치를 꺼낸다. 그리지 세이 아줌마는 다시 넣으라고 하시지만 나는 가져도 된다고 한다. 이제 이 집에서 뜨개질을 하는 사람은 아무도 없다. 아침을 먹고 나자 아줌마는 설거지를 한 뒤 나가지만, 저녁 때 다시 돌아와 내게 음식을 먹이신다. 이웃끼리의 친절인지 정부에서 돈을 받으시는 건지는 모르겠지만 매일 하루 두 번씩 찾아오신다. 아줌마는 요리를 하고, 나는 먹는다. 이제 뭘 어떻게 해야 할지 생각해 본다. 이제는 내 목숨을 빼앗으려는 장애물이 없다. 하지만 난 뭔가를 기다리는 것만 같다.

가끔은 전화가 울려대지만 받지 않는다. 헤이미치는 한 번도 찾아오지 않았다. 마음을 바꾸어 이곳을 떴을지도 모르지만, 내 생각엔 그냥 취해 있는 것 같다. 그리지 세이 아줌마와 손녀 말고는 아무도 찾아오지 않는다. 몇 달이나 독방에 갇혀 있다 보니 두 명만 있어도 왁자지껄한 것 같다.

"오늘은 봄기운이 돌더라. 외출 좀 해 봐. 사냥이라도 가."

아줌마가 말씀하신다.

나는 집밖으로 나간 적이 없다. 심지어 몇 걸음 떨어진 작은 화장실에 갈 때 말고는 부엌을 나선 적도 없다. 캐피톨을 떠날 때 입었던 옷을 그대로 입고 있다. 나는 그저 불가에 앉아만 있다. 선반에 쌓여 가는 뜯지 않은 우편물들을 바라본다.

"활이 없어요."

"복도 아래를 봐."

아줌마가 가시고 나서 복도 아래까지 가 볼까 하는 생각이 든다. 가지 않기로 한다. 하지만 몇 시간 후에는 유령들을 깨우지 않도록 양말만 신은 채 조용히 걸어 복도 아래로 가 본다. 내가 스노우 대통령과 차를 마셨던 서재에 아빠의 사냥용 재킷과 우리가 만든 식물 책, 부모님 결혼 사진, 헤이미치가 보낸 삽관, 피타가 시계 모양 경기장에서 줬던 로켓이 든 상자가 있다. 소이탄 폭격이 있었던 날 밤 게일이 구해 낸 활 두 장과 화살통 하나가 책상에 놓여 있다. 나는 사냥용 재킷을 걸치고 나머지는 손대지 않는다. 거실 소파에서 잠이 든다. 내가 깊은 무덤 바닥에 누워있고, 내가 이름을 아는 죽은 사람들이 모두 나와서 한 삽씩 내 위에 재를 뿌리는 끔찍한 악몽이 뒤따른다. 죽은 사람이 워낙 많으니 꿈은 꽤나 길고, 더 깊이 묻힐수록 숨쉬기가 더 힘들어진다. 제발 그만하라고 빌어 보려 하지만 재가 입과 코를 메워 아무 소리도 낼 수가 없다. 그런데도 삽은 계속해서…….

벌떡 일어난다. 옅은 아침 햇살이 덧문 가장자리로 새어 들어온다. 삽소리는 계속된다. 아직도 반쯤은 악몽 속에 있는 나는 복도를 달려가 정문을 열고 집 옆으로 돌아간다. 이제는 죽은 사람들에게 소리를 지를 수 있을 것 같기 때문이다. 피타를 보자 나는 우뚝 멈춰 선다. 창문 앞의 땅을 파느라 얼굴이 상기되어 있다. 외바퀴 손수레에 비쭉비쭉한 덤불 다섯 개가 있다.

"돌아왔구나."

"아우렐리우스 박사가 어제에서야 캐피톨을 떠나게 해 줬어. 그나저나, 너를 치료하고 있는 척을 계속할 수는 없다고 전해 달래. 전화 좀 받으라고."

좋아 보인다. 나처럼 마르고 화상 흉터가 있지만 눈에서는 그 흐릿한, 고문 받은 흔적이 사라졌다. 하지만 나를 살펴보는 피타는 얼굴을 조금 찌푸리고 있다. 눈을 가린 머리카락을 치워볼까 하다가 떡져 있다는 걸 깨닫는다. 변명을 해야 할 것 같다.

"너 뭐하는 거야?"

"오늘 아침에 숲에 가서 이걸 파 왔어. 그 앨 위해서. 집 옆에 쭉 심을 수 있을 것 같아서."

뿌리에 흙덩이가 매달린 덤불을 바라본다. '장미'라는 단어가 떠오르자 숨이 멎는 것 같다. 이름이 다 떠오르자 피타에게 몹쓸 말을 외칠 것 같다. 그냥 장미가 아니라 달맞이꽃(evening primrose는 달맞이꽃, primrose는 앵초다: 옮긴이)이다. 내 동생 이름을 딴 꽃이다. 나는 그러라고 고개를 끄덕이고는 서둘러 집안으로 돌아와 문을 잠근다. 하지만 사악한 것은 밖이 아니라 안에 있다. 약해진 나는 불안에 떨며 계단 위로 뛰어올라간다. 마지막 단에 발이 걸려 넘어진다. 억지로 일어나 내 방으로 들어간다. 희미하지만 아직도 냄새가 난다. 여기 있다. 꽃병에 꽂힌 마른 꽃 사이에 흰 장미가 하나 있다. 쪼글거리고 약해졌지만, 아직도 스노우의 온실에서 키워낸 부자연스러운 완벽함을 유지하고 있다. 나는 꽃병을 쥐고 아래층으로 내려와 안에 든 것을 벽난로 불 속에 던진다. 꽃들이 타오르며, 푸른 불길 한 줄기가 흰 장미를 감싸더니 먹어치운다. 불은 또다시 장미를 이겼다. 나는 꽃병을 바닥에 내던져 박살낸다.

다시 위층에 올라가 스노우의 악취를 내보내려고 침실 창문을 확 연다. 하지만 내 옷과 땀구멍에 아직도 남아 있다. 나는 옷을 벗고, 트럼프 카드 크기의 피부 딱지가 옷에 붙어 떨어진다. 거울을 보지 않으려 하며 샤워에 들어가 내 머리, 내 몸, 내 입에 남은 장미를 긁어낸다. 밝은 핑크색이 된 나는 따끔거리는 몸에 걸칠 깨끗한 옷을 찾아낸다. 머리를 빗는 데 30분이 걸렸다. 그리지 세이 아줌마가 정문을 여신다. 아침 식사를 만드시는 동안 나는 내가 벗은 옷을 불 속에 넣어 버린다. 아줌마 말씀에 따라 칼로 손톱을 깎는다.

계란을 먹으며 여쭤본다.

"게일은 어디로 갔어요?"

"2번 구역. 거기서 근사한 직업을 얻었대. 가끔씩 텔레비전에 나오더라."

나는 내 내면을 헤집으며 분노, 증오, 열망을 찾으려 해 본다. 내가 발견하는 것은 안도뿐이다.

"오늘 사냥갈래요."

"음, 신선한 고기가 좀 있어서 나쁠 건 없지."

활과 화살을 들고 밖으로 나간다. 초원을 통해 12번 구역 밖으로 나갈 생각이다. 광장 근처에는 마스크와 장갑을 한 사람들이 마차로 일을 하고 있다. 올 겨울에 내린 눈 밑을 샅샅이 살피고 있다. 남은 것들을 모은다. 시장 관저 앞에는 마차가 한 대 서 있다. 예전에 게일과 같은 팀에서 일하던 톰이 헝겊조각으로 얼굴의 땀을 닦느라 잠시 일손을 멈추는 것을 본다. 13번 구역에서 봤던 기억이 있는데, 돌아왔나 보다. 톰이 건넨 인사에 용기를 얻어 물어본다.

"이 안에서 발견된 사람이 있나요?"

"온가족 전부. 그리고 하인 두 명."

매지. 조용하고 친절하고 용감했다. 내게 이름을 준 핀을 준 여자아이. 나는 힘겹게 꿀꺽 침을 삼킨다. 오늘밤 내 악몽에 매지도 나올까. 삽으로 내 입에 재를 퍼 넣을까.

"시장이었으니 혹시나 했는데……."

"12번 구역의 시장이라고 해서 확률의 신이 편들어 주지는 않나 봐."

나는 고개를 끄덕이고, 마차 속을 보지 않으려 주의하며 계속 움직인다. 마을 어디나, 경계 어디나 똑같다. 죽은 자들을 거두고 있다. 옛집 폐허 근처에 가자 길에는 마차가 붐빈다. 초원은 사라졌다. 최소한 극적으로 달라졌다. 깊은 구덩이를 파서 그 안에 뼈를 넣고 있다. 내 고향 사람들의 단체 무덤이다. 나는 구멍 옆으로 돌아가 늘 들어가던 곳으로 숲에 들어간다. 이제 꼭 그러지 않아도 된다. 울타리에는 이제 전기가 흐르지 않고, 육식 동물을 막기 위해 긴 나뭇가지 위에 받쳐 놓았다. 하지만 습관이란 쉽게 바뀌지 않는 법이다. 호수에 갈까 생각해 보지만 몸이 너무 약해져서 게일과 만나던 곳까지도 겨우 갈 수 있었다. 크레시다가 우리를 촬영했던 바위 위에 앉아보지만 옆에 게일의 몸이 없으니 너무 넓다. 몇 번이나 눈을 감고 10까지 세어 본다. 눈을 뜨면 게일이 자주 그랬던 것처럼 소리 없이 나타나 있지 않을까 생각해 본다. 게일은 2번 구역에서 근사한 일을 하고 있다는 것, 아마 다른 사람의 입술에 키스하고 있을 거라는 것을 자꾸 잊게 된다.

예전의 캣니스가 제일 좋아하던 그런 날이다. 이른 봄이다. 긴 겨울을 거친 숲이 잠에서 깨어난다. 하지만 앵초를 보고 솟았던 기운은 사라져간다. 울타리에 돌아올 때쯤에는 몸이 아프고 어지러워서 톰이 시체를 실은 마차로 집까지 데려다 주어야 할 정도이다. 그가 나를 거실 소파에 눕혀 준다. 나는 소파에 누운 채 고운 재가 오후의 햇살 속에서 떠다니는 것을 지켜본다.

쉿 소리가 나서 정신이 번쩍 들지만, 현실이라는 것을 깨닫기까지는 시간이 조금 걸린다. 어떻게 왔지? 어느 야생 동물의 발톱이 할퀸 자국, 뒷발을 살짝 들고 있는 것, 얼굴뼈의 윤곽이 선명히 드러난 것이 보인다. 13번 구역에서 여기까지 걸어서 온 것이다. 쫓겨났을지도 모르고, 프림 없이는 도저히 지낼 수가 없어서 찾아왔는지도 모른다.

"헛수고한 거야. 그 앤 여기 없어."

내가 말해 주자 버터컵은 다시 쉿 소리를 낸다.

"프림은 여기 없어. 네가 아무리 시끄럽게 굴어도 프림은 못 찾을 거야."

프림의 이름을 듣자 납작한 귀를 쫑긋 세운다. 무언가 기대하는 듯 야옹거린다.

"나가!"

버터컵은 내가 던진 베개를 피한다.

"가 버려! 널 위해 여기 남아 있는 건 아무것도 없어!"

나는 버터컵에게 화가 치밀어 부들부들 몸을 떤다.

"프림은 돌아오지 않아! 프림은 다시는 여기 돌아오지 않아!"

베개를 하나 더 집고는 더 잘 조준하기 위해 일어선다. 갑자기 눈물이 내 뺨을 타고 흐른다.

"프림은 죽었어."

고통을 덜어보려 배를 움켜쥔다. 쭈그려 앉아 베개를 흔들며 운다.

"프림은 죽었어, 이 바보 같은 고양이야. 프림은 죽었어."

울음 같기도 하고 노래 같기도 한 처음 듣는 소리가 내 몸에서 나오며 나의 절망을 표현한다. 버터컵도 우우 운다. 내가 어떻게 해도 버터컵은 가지 않는다. 내 손이 닿는 거리에서 아주 조금 떨어져 내 주위를 빙빙 돈다. 나는 계속 울음을 터뜨리며 몸을 뒤틀다 결국 의식을 잃고 쓰러진다. 하지만 버터컵은 알고 있다. 생각조차 할 수 없는 일이 일어났음을, 그리고 계속 살아가기 위해서는 예전에는 생각조차 할 수 없었던 행동을 해야 한다는 걸 알고 있다. 몇 시간 후에 침대에서 정신을 차려 보니 버터컵이 내 옆에 있는 모습을 달빛으로 볼 수 있기 때문이다. 내 옆에 웅크리고 노란 눈을 빤히 뜬 채, 밤새 나를 지켜주고 있다.

아침에 내가 사냥감을 손질하는 동안 버터컵은 먹을 욕심을 부리지 않고 앉아있지만, 앞발에 박힌 가시를 뽑아주니 아기고양이같이 몇 번 야옹거린다. 우리 둘 다 다시 울음을 터뜨리게 되지만, 이번에는 서로를 위로해 준다. 여기서 힘을 얻은 나는 헤이미치가 준 엄마의 편지를 열고 전화를 걸어 엄마와도 함께 운다. 피타가 따뜻한 빵을 가지고 그리지 세이 아줌마와 함께 나타난다. 아줌마가 아침 식사를 만들어 주시고 나는 내 베이컨을 죄다 버터컵에게 준다.

나는 서서히 일상으로 돌아온다. 아우렐리우스 박사의 충고를 따르려고 노력한다. 기계적으로 이런저런 일들을 하다 마침내 의미 있는 일이 생기자 놀라게 된다. 박사님께 책을 만들겠다는 이야기를 하자 캐피톨발 다음 열차편으로 양피지가 든 커다란 상자가 배달된다.

우리 가족의 식물도감에서 착안했다. 기억에만 의존할 수 없는 것들을 기록해 두던 곳이다. 페이지는 초상화, 찾을 수 있다면 사진으로 시작한다. 사진이 없으면 피타의 스케치나 그림으로 대신한다. 그에 이어 나는 최대한 정성을 들여 세세한 내용을 전부 손으로 적는다. 잊어버리는 것이 곧 죄가 될 일들을 적는다. 프림의 뺨을 핥던 염소 레이디. 아빠가 웃으시던 것. 피타의 아버지가 쿠키를 주신 것. 피닉의 눈 색깔. 시나가 비단 천 하나만으로 만들 수 있었던 것. 홀로를 다시 프로그래밍하던 복스. 마치 곧 날아오르려는 새처럼 발꿈치를 들고 팔을 살짝 벌리고 있던 루. 그런 것들을 다 적는다. 잘 보존하기 위해 양피지에 소금물을 바르고, 그들의 죽음을 의미 없는 것으로 하지 않기 위해 잘 살겠다고 약속한다. 마침내 헤이미치가 참가해 억지로 멘터 역할을 해야 했던 23년 동안의 조공인들을 넣는다. 더 자잘한 내용들이 추가로 들어간다. 떠오르는 옛 기억을 넣는다. 책장에 앵초 꽃을 끼워 넣는다. 묘한 행복도 끼어든다. 막 태어난 피닉과 애니의 아들 사진 같은 것이 그렇다.

우리는 다시 바쁘게 지내는 법을 배운다. 피타는 빵을 굽는다. 나는 사냥을 한다. 헤이미치는 술이 떨어질 때까지 마셔대다가, 술을 가져올 다음 기차를 기다리며 거위를 키운다. 다행히 거위들은 내버려둬도 잘 자란다. 우리는 외롭지 않다. 12번 구역으로 돌아오는 사람이 수백 명 정도 더 있다. 무슨 일이 있었던 간에 여기는 우리 고향이니까. 탄광이 닫혔기 때문에 재로 덮인 땅을 갈고 농사를 짓는다. 캐피톨에서 가져온 기계가 약을 생산할 새 공장을 짓기 위해 땅을 다진다. 씨를 뿌린 사람도 없는데 초원은 다시 푸르러진다.

피타와 나는 다시 가까워진다. 피타가 의자 등받이를 움켜쥐고 떠오르는 기억들이 사라질 때까지 버텨야 할 때도 아직 가끔 있다. 나는 머테이션과 죽은 아이들의 악몽을 꾸다 비명을 지르며 깨곤 한다. 하지만 나를 안아 줄 피타가 옆에 있다. 우리는 다시 키스하게 된다. 해변에서 나를 사로잡았던 갈망을 다시 느끼는 어느 날 밤, 결국은 이렇게 되었을 거라는 사실을 알게 된다. 내가 살아남기 위해 필요한 것은 분노와 증오로 타오르는 게일의 불이 아니었다. 불이라면 내가 충분히 가지고 있다. 내게 필요한 것은 봄의 민들레다. 파괴가 아닌 부활을 의미하는 밝은 노란색이다. 아무리 많은 것을 잃었어도 삶은 계속될 수 있다는 약속이다. 다시 좋아질 수 있다는 약속이다. 내게 그런 걸 줄 수 있는 사람은 피타뿐이다.

그래서 피타가 나에게 "넌 날 사랑해. 진짜야, 가짜야?"라고 속삭일 때면, 난 이렇게 대답한다.

"진짜야."

에필로그

초원에서 놀고 있다. 짙은 빛깔의 머리와 파란 눈을 한 여자 아이가 춤을 춘다. 금발 곱슬머리와 회색 눈의 남자 아이는 막 걸음마를 시작한 통통한 다리로 누나에게 지지 않으려 낑낑댄다. 내 동의를 얻는 데는 5년, 10년, 15년이 걸렸다. 하지만 피타는 너무나 아이를 갖고 싶어 했다. 내 몸 속에서 딸이 움직이는 걸 처음 느꼈을 때는 엄청난 공포에 사로잡혔다. 그 아이를 내 품에 안는 기쁨만이 그 공포를 잠재울 수 있었다. 둘째 때는 조금 나았지만 그래도 무서웠다.

질문들은 이제 겨우 시작이다. 경기장들은 모두 완전히 파괴되었고 추모비를 세웠다. 헝거 게임은 이제 없어졌다. 하지만 학교에서는 헝거 게임에 대해 가르치고, 딸아이는 우리가 헝거 게임에 참가했다는 걸 안다. 아들도 몇 년 후엔 알게 될 것이다. 아이들을 죽도록 겁나게 만들지 않으면서 그 세계에 대한 이야기를 해 줄 수 있을까? 이 노래 가사를 당연하게 받아들이는 내 아이들에게.

초원 깊은 곳에, 버드나무 아래에
잔디로 된 침대와 부드러운 녹색 베개
베고 누우렴, 졸린 눈을 감으렴.
다시 눈을 뜰 때면 해가 뜰 거야.

여기는 안전해, 여기는 따뜻해.
이곳에선 데이지 꽃이 위험에서 널 지켜줄 거야.
여기서 꾸는 꿈은 달콤하고 내일이 되면 그 꿈이 이뤄질 거야.
여기는 내가 널 사랑하는 곳이란다.

자기들이 노는 곳이 무덤이라는 사실을 모르는 내 아이들.
피타는 괜찮을 거라고 한다. 우리에겐 서로가 있다. 그리고 책이 있다. 아이들이 이해하게 할 수 있고, 아이들은 그로 인해 더 용감해질 거라고 한다. 하지만 언젠가는 내 악몽에 대해 설명해 주어야 할 것이다. 내가 왜 악몽을 꾸는지, 왜 악몽이 절대로 사라지지 않을 것인지 말이다.

내가 어떻게 악몽을 견뎌내는지 말해 줄 것이다. 유난히 힘든 아침이면 곧 빼앗길 것 같은 두려움에 그 무엇에도 기쁨을 느낄 수 없다고 말해 줄 것이다. 그럴 때면 내가 보아 온, 누군가가 선한 일을 했던 기억을 죄다 떠올린다. 마치 게임처럼. 하고, 하고 또 한다. 20년 넘게 했더니 이젠 조금 지겨울 정도다.

하지만 이보다 더 나쁜 게임도 있으니까.

마침.